Peter James

Dodemansrit

De Fontein

Oorspronkelijke uitgever: Macmillan Publishers
Oorspronkelijke titel: *Dead Man's Grip*
Uit het Engels vertaald door: Lia Belt
Omslagontwerp: De Weijer Design, Baarn
Omslagbeeld: Arsis
Auteursfoto: Jörg Steinmetz
Zetwerk: ZetSpiegel, Best
ISBN 978 90 261 2925 4
NUR 332

Voor Eva Klaesson-Lindeblad

1

Op de ochtend van het ongeluk was Carly vergeten de wekker te zetten en versliep ze zich. Ze werd wakker met een nare kater, geplet onder een vochtige hond, en met het gestoorde geram van drums en cimbalen vanuit de slaapkamer van haar zoon. Nog deprimerender was het feit dat het buiten goot van de regen.

Ze bleef even stil liggen en zette haar gedachten op een rijtje. Ze had een afspraak bij de pedicure voor een pijnlijk eksteroog, en over iets meer dan twee uur zou er een cliënt aan wie ze de pest had bij haar kantoor op de stoep staan. Ze had het gevoel dat dit zo'n dag zou worden die alleen maar erger en erger werd. Net als dat gedrum.

'Tyler!' brulde ze. 'Hou daar in godsnaam mee op. Ben je klaar?'

Otis sprong van haar bed af en begon woedend tegen zijn evenbeeld in de grote wandspiegel te blaffen.

Het drummen hield op.

Ze wankelde naar de badkamer, zocht het doosje paracetamol op en nam twee tabletjes. Ik ben een verschrikkelijk rolmodel voor mijn zoon, dacht ze. Ik geef zelfs niet eens het goede voorbeeld voor mijn hond.

Alsof hij op dat teken had gewacht, kwam Otis de badkamer in lopen met zijn riem verwachtingsvol in zijn bek.

'Wat eten we, mam?' riep Tyler.

Ze bekeek zichzelf in de badkamerspiegel. Gelukkig ging het grootste deel van haar eenenveertigjarige gezicht – hoewel ze zich vanochtend eerder tweehonderdeenenveertig voelde – verborgen achter haar warrige blonde haar, dat nu meer op vervilt stro leek.

'Arsenicum!' riep ze terug, met een keel die rauw aanvoelde omdat ze de vorige avond te veel had gerookt. 'Met cyaankali en rattengif erdoor.'

Otis stampte met zijn poot op de vloertegels.

'Sorry, jochie, vanochtend gaan we niet. Later, oké?'

'Dat heb ik gisteren ook al gehad!' riep Tyler terug.

'Nou, het heeft toch verdorie niet gewerkt?'

Ze draaide de douchekraan open, wachtte tot het water warm was en stapte eronder.

2

Stuart Ferguson, gekleed in spijkerbroek, Totectors-laarzen en een werkjas met een uniformpoloshirt eronder, zat hoog in zijn cabine ongeduldig te wachten tot het verkeerslicht op groen sprong. De ruitenwissers veegden klotsend de regen weg. Het was spitsuur en het verkeer stroomde over de Old Shoreham Road van Brighton beneden hem. De motor van zijn vierentwintigtons Volvo-koeltruck pruttelde en zijn benen werden geroosterd door een gestage stroom warme lucht. Het was al april, maar de winter had zijn greep nog niet losgelaten en Stuart was zijn rit begonnen in de sneeuw. Al dat geklets over het broeikaseffect ging er bij hem niet in.

Hij geeuwde, staarde wazig naar de afgrijselijke ochtend en nam een grote slok Red Bull. Hij zette het blikje in de bekerhouder, veegde met klamme, vlezige handen over zijn kaalgeschoren hoofd en trommelde er toen mee op het stuur in het ritme van 'Bat Out of Hell'. De radio stond zo hard dat de dode vissen achter hem ervan wakker zouden worden. Dit was het vijfde of misschien al wel het zesde blikje dat hij de afgelopen paar uur had gedronken, en hij zat te trillen van de overdosis cafeïne. Maar dat en de muziek waren nu nog het enige wat hem wakker hield.

Hij was de vorige middag vanuit het Schotse Aberdeen vertrokken en had de hele nacht doorgereden. Tot nu toe had hij negenhonderdzeventig kilometer op de teller staan. Hij was al achttien uur onderweg en had amper gepauzeerd, behalve een tussenstop om iets te eten bij Newport Pagnell Services en een kort hazenslaapje op een parkeerplaats een paar uur geleden. Als er geen ongeluk was gebeurd op de kruising van de M1 en de M6 zou hij er een uur geleden al zijn geweest, om acht uur, zoals afgesproken.

Maar het had geen zin om 'als er geen ongeluk was gebeurd' te zeggen. Er gebeurden altijd ongelukken, doorlopend. Te veel mensen op de weg, te veel auto's, te veel vrachtwagens, te veel idioten, te veel afleiding, te veel mensen met haast. Stuart had in de loop der jaren alles al gezien. Maar hij was trots op zijn staat van dienst: negentien jaar en nog geen krasje of zelfs maar een bekeuring.

Terwijl hij uit gewoonte naar het dashboard keek om de oliedruk en de temperatuur te controleren, sprong het licht op groen. Hij ramde de versnellingspook in de voorschakelgroep, maakte langzaam snelheid terwijl hij de kruising naar Carlton Terrace overstak en reed de heuvel af naar de zee, die op ongeveer een kilometer afstand lag. Na een eerdere tussenstop bij Springs, de zalmrokerij een paar kilometer noordwaarts in de Sussex Downs, had hij nu nog één vrachtje af te leveren. Hij moest naar de Tesco-supermarkt in het Holmbush Centre aan de rand van de stad. Daarna zou hij naar de haven van Newhaven rijden, de wagen volladen met bevroren lamsvlees uit Nieuw-Zeeland, een paar uur pitten op de kade en teruggaan naar Schotland.

Naar Jessie.

Hij miste haar ontzettend. Hij keek naar haar foto op het dashboard, naast de foto's van zijn kinderen Donal en Logan. Hij miste hen ook ontzettend. Dat kreng van een ex van hem, Maddie, weigerde mee te werken aan een omgangsregeling. Maar gelukkig hielp die lieve Jessie hem zijn leven weer op de rit te krijgen.

Ze was vier maanden zwanger van hun kind. Eindelijk, na drie helse jaren, had hij weer een toekomst in plaats van alleen maar een verleden vol bitterheid en beschuldigingen.

Normaal gesproken nam hij tijdens deze rit een paar uur de tijd om fatsoenlijk te slapen en te voldoen aan de rijtijdenwet. Maar de koeling van zijn wagen was kapot en de temperatuur steeg geleidelijk, en hij kon het risico niet nemen dat de waardevolle lading van sint-jakobsschelpen, garnalen, gamba's en zalm verloren ging. Hij moest dus maar gewoon doorrijden.

Zolang hij oppaste zou het wel goed gaan. Hij wist waar de controlepunten waren, en door te luisteren naar de 27mc-radio werd hij gewaarschuwd voor actieve controles. Daarom maakte hij nu ook de omweg door de stad in plaats van de ringweg eromheen te nemen.

Toen vloekte hij.

Verderop zag hij rode lichten knipperen en slagbomen omlaag komen: de spoorwegovergang bij station Portslade. Een voor een gloeiden remlichten op terwijl het verkeer voor hem tot stilstand kwam. Met een scherp gesis van remmen stopte hij ook. Links van hem zag hij een blonde man die ineengedoken tegen de regen, terwijl zijn haar in de war werd geblazen door de wind, de voordeur openmaakte bij een makelaarskantoor met de naam Rand & Co.

Stuart vroeg zich af hoe het zou zijn om zo'n soort baan te hebben. Om 's morgens op te staan, naar een kantoor te gaan en dan 's avonds thuis te komen bij je gezin in plaats van eindeloze dagen en nachten te rijden, in je eentje, te eten in wegrestaurants of een hamburger naar binnen te werken voor de waardeloze televisie achter in de cabine. Misschien zou hij nog getrouwd zijn als hij zo'n baan had gehad. Zou hij zijn kinderen nog steeds elke avond en elk weekend zien.

Alleen, wist hij, zou hij nooit gelukkig zijn als hij vastzat op één plek. Hij hield van de vrijheid op de weg. Hij had die vrijheid nodig. Hij vroeg zich af of die vent die de deur van het makelaarskantoor opende wel eens naar een vrachtwagen zoals die van hem had gekeken en bij zichzelf had gedacht: ik wou dat ik in plaats van deze sleutel de contactsleutel van zo'n wagen omdraaide.

Het gras bij de buren leek altijd groener. De enige zekerheid die hij in het leven had ontdekt, was dat je altijd shit had, wie je ook was of wat je ook deed. En op een dag trapte je er middenin.

3

Tony had haar de bijnaam Santa gegeven vanwege de eerste keer dat ze hadden gevreeën, op die besneeuwde decembermiddag in het huis van zijn ouders in de Hamptons. Suzy had donkerrood satijnen ondergoed aangehad. Hij had gezegd dat al zijn pakjesavonden tegelijk waren gekomen.

Zij had grijnzend en afgezaagd geantwoord dat ze blij was dat dat het enige was dat al was gekomen.

Sinds die dag waren ze dol op elkaar geweest. Zozeer zelfs dat Tony Revere zijn plannen om bedrijfseconomie aan de Harvard-universiteit te gaan studeren had laten varen – tot verbijstering van zijn control freak van een moeder – en met Suzy was meegegaan. Hij was van New York naar Engeland verhuisd en net als zij aan de universiteit van Brighton gaan studeren.

'Luilak!' zei hij. 'Ongelooflijke luiwammes.'

'Nou, ik heb geen college vandaag, oké?'

'Het is halfnegen, hè?'

'Ja, weet ik. Ik heb je om acht uur ook gehoord. En om kwart over. En vijf voor half. Ik heb mijn schoonheidsslaapje nodig.'

Hij keek haar aan en zei: 'Je bent al mooi genoeg. En weet je wat? We hebben sinds twaalf uur vannacht al niet meer gevreeën.'

'Begin je me zat te worden?'

'Ik denk het.'

'Dan zal ik mijn oude adresboekje weer tevoorschijn moeten halen.'

'O ja?'

Ze greep hem stevig maar met zachte hand onder zijn riemgesp en grijnsde toen hij zijn adem naar binnen zoog. 'Kom weer naar bed.'

'Ik moet naar mijn studiebegeleider, en daarna heb ik college.'

'Waarover?'

'Galbraithiaanse uitdagingen in het moderne personeelsbestand.'

'Wauw. Heb jij even geluk.'

'Ja. Als ik moet kiezen tussen dat of een ochtend in bed met jou, dan weet ik het wel.'

'Mooi. Kom weer naar bed.'

'Echt niet. Weet je wat er gebeurt als ik dit semester geen goede cijfers haal?'

'Terug naar de VS, naar mammie.'
'Je kent mijn moeder.'
'Inderdaad, ja. Eng mens.'
'Jij zegt het.'
'Ben jij dan ook bang voor haar?'
'Iedereen is bang voor mijn moeder.'
Suzy ging overeind zitten en gooide haar lange, donkere haar naar achteren. 'Ben je banger voor haar dan voor mij? Is dat de echte reden waarom je hierheen bent gekomen? Ben ik alleen maar een middel om bij haar weg te komen?'
Hij boog zich naar voren en kuste haar, proefde haar slaapadem en inhaleerde die diep, genietend. 'Je bent prachtig, had ik je dat al verteld?'
'Een keer of duizend. Jij bent ook prachtig. Had ik je dat verteld?'
'Een keer of tienduizend. Je lijkt wel een gebarsten elpee,' zei hij, terwijl hij de riemen van zijn lichtgewicht rugzak over zijn schouders hees.
Ze keek naar hem. Hij was lang en slank, zijn donkere haar stond met gel in ongelijke puntjes rechtop en hij had stoppels van een paar dagen, die ze graag tegen haar gezicht voelde. Hij droeg een gevoerde anorak over twee T-shirts, een spijkerbroek en gympen, en hij rook naar het luchtje van Abercrombie & Fitch dat ze zo lekker vond.
Hij had een air van zelfvertrouwen dat haar had gefascineerd toen ze elkaar de eerste keer hadden gesproken, in de donkere kelderbar van Pravda in Greenwich Village. Ze was op vakantie in New York geweest met haar beste vriendin Katie. Die arme Katie had uiteindelijk in haar eentje moeten terugvliegen naar Engeland, terwijl Suzy bij Tony was gebleven.
'Wanneer ben je terug?' vroeg ze.
'Zodra ik kan.'
'Dat is niet snel genoeg!'
Hij kuste haar nog eens. 'Ik hou van je. Ik aanbid je.'
Ze wapperde met haar handen. 'Meer.'
'Je bent het meest adembenemende, prachtige, heerlijke schepsel op aarde.'
'Meer!'
'Elke seconde dat ik niet bij je ben, mis ik je zo erg dat het pijn doet.'
Ze wapperde opnieuw met haar handen. 'Meer!'
'Nu word je hebberig.'
'Jij maakt me hebberig.'
'En jij maakt mij botergeil. Ik ga weg, voordat ik er iets aan moet doen!'
'Ben je echt van plan me zo achter te laten?'
'Ja.'

Hij gaf haar nog een kus, zette een honkbalpet op en nam zijn mountainbike mee het appartement uit, de trap af en de koude, winderige aprilochtend in. Terwijl hij de voordeur achter zich sloot, snoof hij de zilte geur van de zeelucht van Brighton op en keek op zijn horloge.

Shit.

Hij had over twintig minuten een afspraak bij zijn studiebegeleider. Als hij fietste als een gek, redde hij het misschien nog net.

4

Klik. Bieiehhh... Glieiep... Uhuhuhurrr... Gliep... Grawwwwwp... Biff, heh, heh, heh. Warrrup, haha...

'Ik word gek van dat geluid,' zei Carly.

Tyler zat op de passagiersstoel van haar Audi coupé over zijn iPhone gebogen en speelde een of ander dom spelletje waar hij verslaafd aan was: Angry Birds. Waarom moest alles wat hij deed zo veel lawaai maken?

Er kwam nu een geluid als van brekend glas uit de telefoon.

'We zijn laat,' zei hij, zonder op te kijken en zonder op te houden met spelen.

Twang-griep-heh, heh, heh...

'Tyler, alsjeblieft. Ik heb hoofdpijn.'

'En?' Hij grijnsde. 'Dan had je gisteravond niet bezopen moeten worden. Alweer.'

Ze kromp ineen toen ze hem zulke volwassen taal hoorde uitslaan.

Twang... Heh, heh, heh, grawwwwpppp...

Nog even, dan greep ze die rottelefoon en smeet hem uit het raam.

'Ja, nou, jij zou ook bezopen zijn geworden als je met die idioot opgescheept had gezeten.'

'Dat krijg je ervan als je naar blind dates gaat.'

'En bedankt.'

'Graag gedaan. Ik kom te laat op school. Daar krijg ik problemen mee.' Hij tuurde nog steeds aandachtig door zijn ovale brilletje.

Klik-klik-biep-biep-biep.

'Ik bel ze wel even,' bood ze aan.

'Je belt zo vaak met die boodschap. Je bent onverantwoordelijk. Misschien moet ik uit huis geplaatst worden.'

'Ik smeek ze al jaren om je te komen halen.'

Ze staarde door de voorruit naar het rode verkeerslicht en de gestage stroom verkeer die voor hen langs reed, en toen naar de klok: 08:56 uur. Met een beetje geluk kon ze Tyler op school afzetten en nog op tijd bij de pedicure zijn. Geweldig, een ochtend met een dubbel ongemak! Eerst dat eksteroog laten verwijderen en dan haar cliënt, meneer Somber. Geen wonder dat zijn vrouw bij hem weg was. Carly had het idee dat ze zelf waarschijnlijk zelfmoord had gepleegd als ze met hem getrouwd was geweest. Maar ach, ze werd niet betaald om een oordeel te vellen. Zij werd betaald om te voorkomen dat mevrouw Somber zou weglopen met allebei de testikels van haar man, naast al het andere van hem – pardon, hén – dat ze wilde hebben.

'Het doet echt nog steeds pijn, mam.'

'Wat? O, tuurlijk, je beugel.'

Tyler raakte zijn mond aan. 'Hij zit te strak.'

'Ik zal de tandarts bellen om een afspraak voor je te maken.'

Tyler knikte en richtte zich weer op zijn spelletje.

Het licht werd groen. Ze haalde haar rechtervoet van de rem en gaf gas. Het radiojournaal begon en ze boog zich naar voren om het geluid harder te zetten.

'Ik ga dit weekend naar de oudjes, zeker?' vroeg Tyler.

'Ik heb liever niet dat je ze zo noemt, oké? Het zijn je opa en oma.'

Een paar keer per jaar bracht Tyler een dag door met de ouders van haar overleden man. Die mensen waren dol op hem, maar hij vond hen dodelijk saai.

Tyler haalde zijn schouders op. 'Moet ik erheen?'

'Ja, je moet erheen.'

'Waarom?'

'Dat noemen ze "de erfenis masseren".'

Hij fronste zijn voorhoofd. 'Wat?'

Ze grijnsde. 'Het is maar een grapje. Zeg dat maar niet hardop.'

'De erfenis masseren?' herhaalde hij.

'Vergeet het maar. Het is heel flauw. Ik zal je missen.'

'Je bent een waardeloze leugenaar. Dat had je wel met wat meer gevoel kunnen zeggen.' Hij trok zorgvuldig zijn vinger over het schermpje van de iPhone en tilde hem op.

Twang... Ieieieieiekkkk... Krieieiep... Heh, heh, heh...

Bij de volgende keer dat het verkeerslicht op groen sprong, kon ze erdoor en ging ze rechtsaf New Church Road in, waarbij ze een containerwagen afsneed die luid naar haar toeterde.

'Wil je ons dood hebben, of zo?' vroeg Tyler.

'Niet ons, alleen jou.' Ze grijnsde.

'Er bestaan instellingen om kinderen te beschermen tegen ouders zoals jij,' zei hij.

Ze stak haar linkerhand uit en streek met haar vingers door zijn warrige bruine haar.

Hij trok met een ruk zijn hoofd naar achteren. 'Hé, niet door de war maken!'

Ze keek even vol genegenheid naar hem. Hij werd zo snel groot en zag er zo knap in zijn overhemd met stropdas, rode blazer en grijze broek. Nog net geen dertien, en nu al zaten de meisjes achter hem aan. Hij leek elke dag meer op zijn overleden vader. Soms had hij gezichtsuitdrukkingen die haar te veel aan Kes deden denken, en op onbewaakte ogenblikken kreeg ze wel eens tranen in haar ogen, zelfs na vijf jaar nog.

Even later, een paar minuten over negen, stopte ze voor de rode poort van St Christopher's School. Tyler deed zijn gordel los en reikte naar de achterbank om zijn rugzak te pakken.

'Staat Friend Mapper aan?'

Hij keek haar aan alsof ze achterlijk was. 'Ja, die staat aan. Ik ben geen baby, hoor.'

Friend Mapper was een gps-app op de iPhone, waarmee zij op haar eigen iPhone op elk gewenst moment precies kon zien waar hij was.

'Zolang ik je rekening betaal, blijft die app ingeschakeld. Dat is de afspraak.'

'Je bent overbezorgd. Misschien blijf ik zo wel emotioneel achter.'

'Dat risico moet ik dan maar nemen.'

Hij stapte uit de auto de regen in en hield toen aarzelend het portier vast. 'Je moet eens een eigen leven gaan leiden.'

'Ik hád een leven, totdat jij geboren werd.'

Hij grijnsde en gooide het portier dicht.

Ze keek hem na terwijl hij door de poort het verlaten schoolplein op liep. Alle andere leerlingen waren al binnen. Elke keer als ze hem uit het oog verloor, maakte ze zich zorgen over hem. De enige geruststelling dat hij in orde was kreeg ze als ze haar iPhone controleerde en zijn knipperende paarse stip zag, waardoor ze wist waar hij was. Tyler had gelijk: ze was overbezorgd, maar ze kon er niets aan doen. Ze hield verschrikkelijk veel van hem, en ondanks zijn soms gekmakende houding en gedrag wist ze dat hij net zo veel van haar hield.

Ze reed naar Portland Road, iets harder dan toegestaan, omdat ze niet te laat wilde komen bij de pedicure. Ze had veel last van dat eksteroog en wilde haar afspraak niet hoeven verzetten. En ze wilde ook geen vertraging oplopen. Ze moest echt eerder op kantoor zijn dan meneer Somber, zodat ze met een beetje geluk nog een paar minuten de tijd had om wat dringend papierwerk over een naderende hoorzitting in te halen.

Haar telefoon piepte om te melden dat er een sms was. Toen ze bij de kruising met de hoofdweg was aangekomen, keek ze snel op het schermpje.

Vond het gezellig gisteravond – zou je graag weer zien XXX

In je dromen, schat. Ze huiverde bij de gedachte aan hem. Dave uit Preston, Lancashire. Preston Dave, had ze hem genoemd. Zij was tenminste eerlijk geweest met de foto van zichzelf die ze op die datingsite had gezet, of in ieder geval redelijk eerlijk! En ze zocht ook geen Mister Universe. Gewoon een aardige vent die geen vijftig kilo zwaarder en tien jaar ouder was dan op zijn foto, die niet de hele avond zat te vertellen hoe geweldig hij was en hoe fantastisch vrouwen hem vonden in bed. Was dat te veel gevraagd?

Als klap op de vuurpijl had die vrek haar uitgenodigd om te gaan eten, bij een veel duurder restaurant dan ze normaal gesproken zou hebben uitgekozen voor een eerste afspraakje, en uiteindelijk had hij voorgesteld om samsam te doen met de rekening.

Ze hield haar voet op de rem, boog zich naar voren en wiste beslist het sms'je, waarna ze het toestel behoorlijk tevreden terugstopte in de handsfreehouder.

Ze ging linksaf, kwam voor een wit busje terecht en ging wat harder rijden.

Het busje claxonneerde en seinde kwaad met zijn koplampen, ging heel dicht achter haar rijden en bleef bumperkleven. Zij stak twee vingers op.

Er zouden in de dagen en weken die volgden vele momenten zijn dat ze diep betreurde dat ze die sms had gelezen en gewist. Als ze niet die kostbare seconden voor die kruising was blijven staan, prutsend met haar telefoon, als ze dertig seconden eerder links af was geslagen, dan was alles misschien heel anders gelopen.

5

'Zwart,' zei Glenn Branson, die de grote golfparaplu boven hen hield.

Inspecteur Roy Grace keek hem aan.

'Het is de enige kleur!'

Met zijn één meter achtenzeventig was Roy Grace een dikke tien centimeter kleiner dan zijn ondergeschikte en vriend, en aanzienlijk minder vlot gekleed. Grace, die richting de veertig ging, was niet in conventionele zin knap. Hij had een vriendelijk gezicht met een ietwat misvormde neus die hem een nogal ruig aanzien gaf. Die neus was drie keer gebroken geweest; eenmaal bij een knokpartij en twee keer op het rugbyveld. Zijn blonde haar was kortgeknipt en hij had helderblauwe ogen waarvan zijn sinds lange tijd vermiste vrouw Sandy altijd zei dat ze op die van de acteur Paul Newman leken.

Met een gevoel als een kind in een snoepwinkel liet de inspecteur, met zijn handen diep in de zakken van zijn anorak, zijn blik over de rijen voertuigen op het terrein van Frosts Tweedehands Auto's gaan. Allemaal glansden ze van de was en de regen. Maar zijn blik bleef terugkeren naar de tweedeurs Alfa Romeo. 'Ik hou van zilver, donkerrood en donkerblauw.' Hij werd bijna overstemd door het lawaai van een claxonnerende vrachtwagen die over de doorgaande weg achter hen langsreed.

Hij had gebruikgemaakt van het feit dat het tot nu toe een rustige week was om even van het bureau weg te gaan. Hij had een leuke auto gezien op de site van *Autotrader*, en die zou bij deze dealer moeten staan.

Rechercheur Branson, gekleed in een beige Burberry-regenjas en glanzende bruine instappers, schudde zijn hoofd. 'Zwart is het beste. De meest gewilde kleur. Dat is beter voor als je hem weer wilt verkopen; behalve als je hem een ravijn in wilt rijden, net zoals je vorige auto.'

'Heel grappig.'

De vorige auto van Roy Grace, zijn geliefde donkerbruine Alfa Romeo 147 sportsedan, was het vorige najaar total loss geraakt tijdens een politieachtervolging, en sindsdien had hij in de clinch gelegen met de verzekeringsmaatschappij. Uiteindelijk waren ze het eens geworden over een schadevergoeding. Een schijntje.

'Je moet over die dingen nadenken, ouwe. Je pensioen nadert, dus je moet op je centen passen.'

'Ik ben negenendertig.'

'Dan doemt de veertig op.'

'Bedankt dat je me daaraan herinnert.'

'Ja ach, de hersens beginnen af te takelen op jouw leeftijd.'

'Rot op! En trouwens, zwart is de verkeerde kleur voor een Italiaanse sportauto.'

'Het is de beste kleur voor alles.' Branson tikte op zijn borst. 'Kijk maar naar mij.'

Roy Grace staarde hem aan. 'Ja?'

'Wat zie je?'

'Een lange, kale kerel met een afgrijselijke smaak in stropdassen.'

'Het is een Paul Smith,' zei hij met een gekwetste blik. 'En wat dacht je van mijn kleur?'

'Daar mag ik op basis van de Wet Rassengelijkheid niks over zeggen.'

Branson sloeg zijn ogen ten hemel. 'Zwart is de kleur van de toekomst.'

'Ja, nou, ik ben toch al zo oud dat ik het niet meer zal meemaken, vooral aangezien we hier in de zeikende regen staan. Ik heb het ijskoud. Kijk, dat is een mooie,' zei hij, wijzend naar een rode tweezitter coupé.

'Vergeet het maar. Je wordt bijna vader, weet je nog? Wat jij nodig hebt, is zo'n ding.' Glenn Branson wees naar een Renault Espace.

'Bedankt, maar ik heb het niet op die gezinsauto's.'

'Dat komt nog wel, als je maar genoeg kinderen krijgt.'

'Tot nu toe is er maar eentje onderweg. En trouwens, ik beslis toch niks zonder dat Cleo het ermee eens is.'

'Dus je zit onder de plak?'

Grace bloosde verlegen. 'Nee.'

Hij zette een stap naar een gestroomlijnde tweedeurs Alfa Brera en staarde er begerig naar.

'Zet maar uit je hoofd,' zei Branson, die met hem meeliep en de paraplu boven hem hield. 'Behalve als je een slangenmens bent!'

'Die dingen zijn schitterend!'

'Twee deuren. Hoe moet je de baby erin en eruit krijgen?' Hij schudde droevig zijn hoofd. 'Je hebt wat praktischers nodig nu je huisvader wordt.'

Grace staarde naar de Brera. Het was een van de mooiste auto's die hij ooit had gezien. Op het prijskaartje stond £9.999. Dat was binnen zijn budget, hoewel de kilometerstand nogal hoog was. Terwijl hij er nog een stap naartoe zette, ging zijn mobiele telefoon.

Vanuit zijn ooghoeken zag hij een verkoper in een fraai pak en met een paraplu op hen af komen. Hij keek op zijn horloge terwijl hij de telefoon opnam. Hij moest de tijd in de gaten houden, want om tien uur, over een uur, had hij een afspraak bij de adjunct-hoofdcommissaris.

'Roy Grace,' meldde hij zich.

Het was Cleo, zesentwintig weken zwanger van hun kind, en ze klonk vreselijk, alsof ze nauwelijks kon praten.

'Roy,' zei ze hijgend. 'Ik lig in het ziekenhuis.'

6

Hij had het gehad met Meat Loaf. Net toen de slagboom voor de spoorweg-overgang omhoog begon te komen, schakelde Stuart Ferguson om naar een album van Elkie Brooks. 'Pearl's a Singer' begon te spelen. Dat nummer hadden ze ook in de pub gedraaid, de eerste keer dat hij met Jessie uitging.

Sommige vrouwen probeerden op een eerste afspraakje afstand te bewaren totdat ze je beter kenden. Maar zij hadden een halfjaar de tijd gehad om elkaar via de telefoon en internet te leren kennen. Jessie was serveerster bij een truckerscafé even ten noorden van Edinburgh toen ze elkaar laat op een avond voor het eerst hadden ontmoet en meer dan een uur hadden gekletst. Ze lagen destijds allebei in scheiding. Ze had haar telefoonnummer op de achterkant van het kassabonnetje gekrabbeld en had niet verwacht nog van hem te zullen horen.

Zodra ze in de rustige nis waren gaan zitten, bij hun eerste echte afspraakje, was ze tegen hem aangekropen. Toen dat liedje begon had hij zijn arm om haar schouder gelegd in de verwachting dat ze ineen zou krimpen of achteruit zou schuiven. In plaats daarvan was ze nog dichter tegen hem aangekropen en had haar gezicht naar hem opgeheven, en toen hadden ze gezoend. Ze waren blijven zoenen, zonder onderbreking, tijdens dat hele liedje.

Hij glimlachte terwijl hij optrok en hotsend en met bonkende ruitenwissers over de spoorrails reed, oppassend voor een slingerende brommerrijder vlak voor hem. Zijn hart voelde zwaar van verlangen naar Jessie, en het nummer klonk voor hem prachtig en droevig tegelijk. Vanavond zou hij haar weer in zijn armen kunnen nemen.

'Over honderd meter links afslaan,' droeg de vrouwenstem van zijn navigatiesysteem hem op.

'Ja, baas,' gromde hij. Hij keek naar de naar links wijzende pijl op het schermpje, die hem van Station Road naar Portland Road wilde sturen.

Hij gaf richting aan, schakelde terug en remde ruim op tijd, zodat het gewicht van de zware vrachtwagen goed verdeeld zou zijn voordat hij de scherpe bocht op de natte weg maakte.

In de verte zag hij seinende koplampen. Een wit busje vlak op de bumper van een voorligger. Rukker, dacht hij.

7

'Rukker,' zei Carly, kijkend naar het beeld van het witte busje dat haar hele binnenspiegel besloeg. Ze hield zich behoedzaam aan de limiet van vijftig kilometer terwijl ze door de brede straat in de richting van Station Road reed. Ze kwam langs tientallen winkeltjes, een postkantoor, een Indiaas restaurant, een halalslager, een grote roodbakstenen kerk aan de rechterkant en een showroom met occasions.

Recht voor haar stond een busje geparkeerd voor een witgoedzaak, en twee mannen waren bezig een krat uit te laden. De wagen blokkeerde haar uitzicht op een zijstraat vlak erachter. Ze merkte een vrachtwagen op die van de andere kant kwam, op een paar honderd meter afstand, maar ze had meer dan genoeg ruimte. Net toen ze begon met uitwijken, ging haar telefoon.

Ze keek vluchtig naar het display en zag tot haar ergernis dat Preston Dave haar belde. Heel even kwam ze in de verleiding om op te nemen en te zeggen dat ze ervan opkeek dat hij niet *collect call* belde. Maar ze was niet in de stemming om met hem te praten. Toen ze weer naar de weg keek, verscheen er ineens een fietser. Hij kwam vanuit het niets recht op haar af, fietsend als een dolle, over een voetgangersoversteekplaats aan haar kant van de weg, net toen het verkeerslicht op rood sprong.

In haar paniek dacht ze een fractie van een seconde dat zij degene was die aan de verkeerde kant van de weg reed. Ze rukte het stuur scherp naar links, stampte op de rem, ging stuiterend de stoep op, miste de fietser op een haar na en gleed met geblokkeerde wielen over de natte ondergrond.

Lege tafels en stoelen op een terras vlogen op haar af alsof ze in een enge achtbaan zat. Ze staarde verstijfd van afgrijzen voor zich uit en omklemde het stuur, niet meer dan een machteloze toeschouwer terwijl de muur van het café steeds dichterbij kwam. Heel even, toen ze een tafel versplinterde, dacht ze dat ze dood zou gaan.

'O shiiiiit!' gilde ze toen de neus van de auto de muur onder het raam van het café ramde en er een oorverdovende klap klonk. Ze voelde een verschrikkelijke ruk aan haar schouder, zag een wit waas en rook iets wat haar aan buskruit deed denken. Toen zag ze glas omlaag komen voor de ontzette motorkap van de auto.

Er klonk een gedempt *barrrrrrrrrpppppppp*, en in de verte een gillende sirene.

'Jezus!' riep ze hijgend van schrik. 'O god! O jezus!'

Haar oren plopten en de geluiden werden veel luider.

Auto's konden in brand vliegen, dat had ze in films gezien. Ze moest eruit. In blinde paniek drukte ze op de knop van haar veiligheidsgordel en probeerde haar portier open te krijgen. Er zat geen beweging in. Ze probeerde het nog eens, met meer kracht. Er lag een slap wit kussen op haar schoot. De airbag, besefte ze. Ze rukte aan de portiergreep, met steeds meer paniek, en duwde zo hard ze kon tegen het portier. Hij ging open en ze viel naar buiten. Haar voet bleef hangen achter de gordel, zodat ze pijnlijk hard op de natte stoep belandde.

Terwijl ze daar lag, hoorde ze nog even dat gegil van de sirene boven haar doorgaan. Een inbraakalarm. Toen hoorde ze nog een gillend geluid. Deze keer was het van een mens.

Had ze iemand aangereden? Was er iemand gewond geraakt?

Haar knie en rechterhand prikten als een gek, maar ze besteedde er amper aandacht aan terwijl ze opkrabbelde en eerst naar de puinhopen van het café keek en vervolgens naar de overkant van de weg.

Ze verstijfde.

Aan de overkant was een vrachtwagen gestopt. Een enorme koelwagen, in een vreemde hoek geschaard. De chauffeur klom uit de cabine. Mensen kwamen vlak erachter de weg op rennen. Ze renden langs een mountainbike die lelijk verfrommeld was, als een abstracte sculptuur, langs een honkbalpet en wat brokstukjes, naar wat Carly aanvankelijk aanzag voor een rol vloerbedekking en die wat verderop lag. Uit het ene uiteinde lekte een donkere vloeistof op het kletsnatte zwarte asfalt.

Al het verkeer was tot stilstand gekomen en de mensen die waren komen aanrennen stopten ook, heel plotseling, alsof ze versteend waren. Carly had het idee dat ze naar een stilleven keek. Toen wankelde ze de weg op, voor een stilstaande auto langs, terwijl het hoge gejank van de sirene bijna werd overstemd door een jonge vrouw met een paraplu die aan de overkant op de stoep stond en gillend naar die rol vloerbedekking staarde.

Vechtend tegen haar verstand, dat haar ervan wilde overtuigen dat het iets anders was, zag Carly de dichtgebonden gymschoen die aan het ene uiteinde van de rol zat.

En ze besefte dat het geen rol vloerbedekking was. Het was een afgerukt menselijk been.

Ze gaf over terwijl alles om haar heen draaide.

8

Om negen uur 's morgens zaten Phil Davidson en Vicky Donoghue, allebei gehuld in hun groene ambulance-uniform, te kletsen in de cabine van de Mercedes Sprinter-ambulance. Ze stonden geparkeerd op een politieplek tegenover de taxistandplaats bij de Clock Tower van Brighton, waar de centralist hen naartoe had gestuurd.

Overheidsrichtlijnen schreven voor dat ambulances binnen acht minuten bij noodgevallen van categorie A moesten zijn, en vanaf deze locatie konden ze normaal gesproken, met een beetje flink doorrijden, ruim binnen die tijd elke plek binnen de stad Brighton & Hove bereiken.

Anderhalf uur nadat hun dienst van twaalf uur was begonnen, trok het spitsverkeer aan hen voorbij, wazig gemaakt door het laagje regen op de voorruit. Elke paar minuten zette Vicky de wissers aan om de ruit schoon te vegen. Ze keken naar taxi's, bussen en vrachtverkeer dat langsreed, stromen mensen die naar hun werk liepen, sommige ineengedoken onder paraplu's, andere drijfnat en met een chagrijnig gezicht. Dit deel van de stad zag er bij mooi weer al niet geweldig uit, maar in de nattigheid was het gewoonweg deprimerend.

De ambulancedienst was de drukste van alle nooddiensten en ze hadden hun eerste oproep van vandaag al gehad, een noodgeval van categorie B. Een oudere vrouw was ten val gekomen op de straat voor haar huis in Rottingdean.

De eerste levensles die Phil Davidson had geleerd tijdens zijn acht jaar als ambulanceverpleegkundige was heel simpel: *Word niet oud. Als het al moet, word dan niet alléén oud.*

Ongeveer negentig procent van het werk van ambulanceverpleegkundigen draaide om oude mensen. Mensen die waren gevallen, mensen die hartkloppingen, beroertes of mogelijke hartaanvallen hadden, mensen die te broos waren om een taxi naar het ziekenhuis te nemen. En er waren ook meer dan genoeg sluwe oudjes die wisten hoe ze gebruik konden maken van het zorgstelsel. De helft van de tijd, tot hun grote ergernis, was een ambulance niets meer dan een grote, gratis taxi voor luie, stinkende en vaak veel te dikke mensen.

Ze hadden het vrouwtje van vanochtend, een heel lief mens, overgedragen aan de spoedeisende hulp van het Royal Sussex County Hospital en waren nu stand-by, wachtend op de volgende oproep. Dat was wat Phil Davidson het prettigst vond aan dit werk, dat je nooit wist wat er ging gebeuren. Als het noodsignaal in de ambulance afging, kreeg hij een adrenalinescheut door zijn lijf. Zou het een routineklus worden, of een klus die hij in geen jaren meer zou vergeten? De noodcategorie, ingedeeld van A tot C, verscheen op het schermpje op de console, samen met de locatie en alle bekende feiten, die dan werden bijgewerkt naarmate er meer inlichtingen binnenkwamen.

Hij keek nu naar het schermpje alsof hij met geestkracht de volgende klus wilde oproepen. Spitsuur met regen, zoals vandaag, zorgde vaak voor ongelukken; of aanrijdingen, zoals ze nu heetten. Ze werden geen ongelukken meer genoemd omdat het altijd iemands schuld was, en stonden nu bekend als Aanrijdingen Wegverkeer.

Phil ging het liefst naar traumagevallen. De kastjes van de ambulance zaten vol met de modernste noodhulptechnologie. Kits om levensgevaarlijke bloedingen te stelpen, verbandmiddelen van het Israëlische leger, een militair tourniquet, een ACS – een Asherman Chest Seal voor borstwonden – allemaal standaarduitrusting van het Britse en Amerikaanse leger. De voordelen van oorlog, dacht hij vaak cynisch. Slachtoffers van zware ongevallen, die herstelden dankzij het werk van de ambulanceverpleegkundige ter plaatse, beseften maar zelden dat ze hun leven te danken hadden aan medische ontwikkelingen die voortkwamen uit oorlogen.

Vicky sprong uit de auto om even snel te gaan plassen bij de Starbucks waar ze naast stonden. Ze had geleerd om altijd de kans te grijpen naar het toilet te gaan, want in dit vak wist je nooit wanneer je het druk kreeg en je misschien urenlang geen gelegenheid meer had.

Toen ze weer achter het stuur stapte, was haar partner van vandaag aan de telefoon met zijn vrouw. Dit was pas haar tweede dienst met Phil, en de eerste keer had ze heel fijn met hem samengewerkt. Hij was een slanke, pezige man van achter in de dertig, met zijn haar tot stoppels afgeschoren, lange bakkebaarden en een baard van een paar dagen. Hij had de uitstraling van een slechterik uit de films, maar hij was het tegenovergestelde. Phil was een grote softy die zijn gezin aanbad. Hij had iets geruststellends over zich, een aardig woordje voor iedereen die hij behandelde en een echte passie voor dit werk, die zij met hem deelde.

Toen hij had opgehangen, keek hij weer naar het schermpje.

'Ongewoon rustig, tot nu toe.'

'Niet lang meer, verwacht ik.'

Ze bleven een tijdje zwijgend zitten luisteren naar de kletterende regen. In haar tijd bij de ambulancedienst had ze ontdekt dat elke verpleegkundige zijn of haar eigen lievelingsgevallen had en door een of andere speling van het lot ook meestal dat soort oproepen scheen te krijgen. Een van haar collega's kreeg altijd mentaal labiele patiënten. Zijzelf had in de afgelopen drie jaar vijftien baby's ter wereld geholpen, terwijl Phil in zijn hele loopbaan nog geen enkele bevalling had meegemaakt.

Maar in de twee jaar sinds ze dit werk deed, had Vicky maar één keer een ernstig verkeersongeluk meegemaakt, en dat was tijdens haar allereerste dienst geweest, toen een stel jonge jongens in Brighton een lift naar huis had gekregen van een dronken bestuurder. Hij was met honderddertig kilometer per uur in het centrum van de stad op een geparkeerde auto geknald. Een van de jongens was op slag dood geweest, de andere was langs de weg overleden. Ondanks dat verschrikkelijke ongeval schonk het werk haar toch ontzettend veel voldoening.

'Weet je, Phil,' zei ze. 'Het is vreemd, maar ik ben al bijna twee jaar niet meer bij een verkeersdode geroepen.'

Hij schroefde de dop van een flesje water. 'Doe dit werk lang genoeg en het komt vanzelf. Uiteindelijk kom je alles een keer tegen.'

'Jij hebt nog nooit bij een bevalling hoeven helpen.'

Hij glimlachte sardonisch naar haar. 'Op een dag –'

Hij werd in de rede gevallen door het schelle *whoep-whoep-whoep* van het noodsignaal binnen in de ambulance. Het was een geluid waar je soms helemaal gek van werd, vooral in een stille nacht. Het geluid van een melding.

Meteen keek hij naar het schermpje dat tussen hun stoelen gemonteerd zat en las de informatie van de centrale:

Noodinc: 00521. Noodgeval Cat B
Portland Road, Hove.
Geslacht onbekend.
Aanrijding drie voertuigen met fiets.

Hij tikte op de knop om de oproep te bevestigen. Daardoor werd automatisch het adres in hun navigatiesysteem geladen.

De responstijd voor een Categorie B was achttien minuten; tien minuten langer dan voor een Categorie A, maar het bleef een noodgeval. Vicky startte de motor, zette zwaailicht en sirene aan en reed behoedzaam door een rood verkeerslicht. Ze ging rechtsaf en gaf gas tegen de heuvel op, langs St Nicholas's Church, waar ze de rechter rijbaan nam en tegemoetkomend verkeer dwong op de rem te gaan staan. Ze schakelde tussen de vier verschillende tonen van de ambulancesirene om maximale aandacht te trekken van de voertuigen en voetgangers verderop.

Even later, turend op het meldingsschermpje, bracht Phil haar op de hoogte. 'Situatie verward,' las hij voor. 'Meerdere meldingen. Verhoogd naar categorie A. Auto een cafépand in gereden. O shit, fietser in botsing met een vrachtwagen. Centrale niet zeker van situatie, versterking gevraagd.'

Hij reikte naar achteren om zijn reflecterende hesje te pakken en Vicky voelde spanning in haar maag.

Terwijl ze naar de verstopte rotonde van Seven Dials scheurde en zich concentreerde op de weg zei ze niets.

Een taxichauffeur was zo verstandig om de stoep op te rijden en daar te stoppen om hen erlangs te laten. Krijg nou wat, dacht Phil, een taxichauffeur die oplette! Hij deed zijn gordel af en hoopte maar dat Vicky niet juist dat moment uitkoos om een ongeluk te krijgen, en begon zich in zijn hesje te wurmen. Tegelijkertijd bleef hij aandachtig naar het schermpje kijken.

'Leeftijd onbekend, geslacht onbekend,' bracht hij haar op de hoogte. 'Ademhalingsstatus onbekend. Onbekend aantal patiënten. O shit: ernstig trauma. SIMCAS onderweg.'

Dat betekende dat de ongevallen- en noodarts van het ziekenhuis was opgeroepen om naar de locatie te komen. Wat aangaf dat de status van het incident met de minuut verergerde.

Dat werd bevestigd door de volgende update op het scherm. 'Ledemaat geamputeerd,' las Phil voor. 'Au! Iemand heeft een rotdag.' Toen keek hij haar aan en zei: 'Het lijkt erop dat je wens uitkomt.'

9

Roy Grace kreeg de kriebels van ziekenhuizen, en vooral van dit ziekenhuis. Het Royal Sussex County Hospital was waar allebei zijn ouders, met een tussenpoos van een paar jaar, de laatste dagen van hun leven hadden doorgebracht. Zijn vader was als eerste overleden, aan darmkanker op de veel te jonge leeftijd van vijfenvijftig. Twee jaar later, al op haar zesenvijftigste, was zijn moeder bezweken aan uitzaaiingen van borstkanker.

De voorgevel, een groots neoklassiek victoriaans ding met een lelijk portiek van zwart metaal en glas, gaf hem vroeger altijd de indruk van zo'n gesticht waar je nooit meer uit kwam als je eenmaal door de voordeur naar binnen was gestapt.

Ernaast, tegen de heuvel achter de ingang aan de voorzijde, lag een enorm, rommelig complex van gebouwen, nieuw en oud, laag- en hoogbouw, onderling verbonden met een schijnbaar eindeloos labyrint van gangen.

Met een knoop in zijn maag reed hij in zijn onopvallende dienstwagen, een zilvergrijze Ford Focus station, de heuvel ten oosten van het complex op en draaide de kleine parkeer- en omkeerplaats voor ambulances op. Strikt genomen was dit terrein alleen bestemd voor nooddiensten en taxi's, maar dat kon hem nu niet schelen. Hij zette de auto aan de zijkant, waar hij niemand in de weg stond, en stapte uit in de regen.

Als kind was hij nog gelovig geweest, maar sinds zijn late tienertijd had Roy geen religieuze overtuigingen meer. Hij merkte echter dat hij nu stilletjes bad dat alles met zijn lieve Cleo en hun ongeboren kind in orde was.

Hij rende langs een paar ambulances die met de achterzijde naar de ingang van de spoedeisende hulp stonden. Hij knikte begroetend naar een ambulanceverpleegkundige die hij vaker had gezien, die naast een bordje met de tekst NIET ROKEN OP ZIEKENHUISTERREIN een sigaretje stond te roken onder de luifel. Roy sloeg de publieksingang over en liep naar binnen door de nooddeuren voor de ambulancedienst.

Vroeg op de dag was het hier meestal rustig. Hij zag een jongeman op een stoel zitten, met handboeien om en een dik verband om zijn voorhoofd. Naast hem stond een politievrouw met een verpleegkundige te praten. Op een brancard lag een man met lang haar en een wasbleek gezicht, die nietsziend naar het plafond staarde. Op een van de andere stoelen zat een meisje te huilen. Er hing een sterke ziekenhuisgeur van ontsmettingsmiddel en schoonmaakmiddelen. Nog twee ambulanceverpleegkundigen die hij kende reden een lege brancard langs hem heen naar buiten.

Hij haastte zich naar de balie waar meerdere gestrest uitziende mensen zaten, de meeste aan de telefoon, gehaast oplezend van formulieren of typend op computertoetsenborden. Een ziekenbroeder met dun, pluizig blond haar en gekleed in een blauwe overall schreef iets op een groot whiteboard aan de muur. Grace boog zich over de balie heen en probeerde uit alle macht iemands aandacht te trekken.

Na een tergend lange minuut draaide de broeder zich naar hem om.

Grace liet hem zijn penning zien, ook al was hij hier om persoonlijke redenen. 'Jullie hebben Cleo Morey hier opgenomen, als ik het goed heb?'

'Cleo Morey?' De man keek op een lijst en toen naar het whiteboard aan de muur. 'Ja, ze is hier.'

'Waar kan ik haar vinden?'

'Ze is naar de afdeling verloskunde gebracht. Kent u hier de weg?'

'Een beetje.'

'Thomas Kent-toren.' Hij wees. 'Daardoor en dan de bordjes volgen; die wijzen de weg naar de lift.'

Grace bedankte hem en rende de gang door, volgde die naar links, naar rechts en langs een bordje met RÖNTGEN & ECHO en ALLE ANDERE AFDELINGEN. Hij bleef even staan en haalde zijn mobiele telefoon uit zijn zak. Zijn hart leek wel een dood gewicht in zijn borst en zijn schoenen voelden aan alsof er lijm onder zat. Het was kwart over negen. Hij moest zijn baas bellen, adjunct-hoofdcommissaris Rigg, om hem te laten weten dat hij niet op tijd zou komen voor hun afspraak om tien uur. Riggs MSA – zijn Management Support Assistente – nam op en zei dat het geen probleem was, want de adjunct-hoofdcommissaris had die ochtend verder geen afspraken.

Hij kwam langs een WRVS Coffee Shop, rende verder door een gang met een muurschildering van zwemmende vissen, volgde nog meer bordjes en kwam uit bij twee liften met een geparkeerde scootmobiel ernaast. Hij sloeg op de knop om een lift te roepen, overwoog of hij de trap moest nemen, maar toen de deuren opengingen stapte hij naar binnen.

De lift ging tergend langzaam, zo langzaam dat Grace niet eens zeker wist of hij wel bewoog. Eindelijk stapte hij eruit, met zijn hart in zijn keel, en opende een deur met het opschrift VERLOSKUNDE recht tegenover de lift. Hij liep door een vrolijke wachtruimte met rijen roze en lila stoelen. Je had hier uit het raam een mooi uitzicht over de daken van Kemp Town en de zee. In een hoek stond een kopieerapparaat, en in een andere hoek stonden verschillende automaten met snacks en dranken. Rekken vol brochures waren aan de muren opgehangen. Op een flatscreen stond het vrolijk gekleurde woord KIDDICARE.

Een vriendelijk ogende vrouw in een blauw schort zat achter de grote ontvangstbalie. 'Ach ja, inspecteur Grace. Ze belden al van beneden om te zeggen dat u onderweg was.' Ze wees een gang met gele muren in. 'Ze ligt in kamer zeven. De vierde deur links.'

Grace was te ongerust om veel meer te zeggen dan een gemompeld dankuwel.

10

Het verkeer voor haar remde af, en Vicky Donoghue zag dat het verderop langs Portland Road in beide richtingen geheel tot stilstand was gekomen. Phil Davidson trok zijn operatiehandschoenen aan en bereidde zich mentaal voor op de taak die voor hen lag.

Een vrachtwagen stond met de neus naar hen toe, het bestuurdersportier was open, en aan de achterkant stonden meerdere mensen bij elkaar. Aan de overkant was een zwarte Audi coupé tegen de pui van een café gereden. Ook van die auto was het bestuurdersportier open, en er stond een versuft uitziende vrouw naast. Er waren nog geen andere hulpdiensten te zien.

Vicky reed snel langs de rij voertuigen, aan de verkeerde kant van de weg, alert op eventuele omstanders die hen niet hadden horen aankomen. Toen remde ze af, ging met een slakkengangetje verder, zette de sirene af en stopte voor de vrachtwagen. Haar maag verstrakte en ze kreeg plotseling een droge mond.

Op het digitale display stond zes minuten, twintig seconden; zo lang hadden ze over de rit gedaan sinds de melding was binnengekomen. Ruim binnen de limiet van acht minuten voor Categorie A. Dat was een kleine meevaller. Phil Davidson zette de zwaailichten in de stationaire modus. Voordat ze uit de auto sprongen, namen ze allebei snel de toestand in ogenschouw.

De vrouw met golvend blond haar, die gehuld in een chique regenjas bij de Audi stond, hield een mobiele telefoon een stukje bij haar hoofd vandaan, alsof het een bal was die ze naar een slagman wilde werpen. Rondom de auto lagen vernielde en omgevallen tafels en stoelen, maar er was niet direct iets te zien van mogelijke slachtoffers daar. Niemand behalve een jongeman in een parka, die overal foto's van nam met zijn mobieltje, scheen die kant op te kijken. De aandacht leek zich te concentreren rondom de achterwielen van de vrachtwagen.

De twee ambulanceverpleegkundige stapten uit en keken zorgvuldig om zich heen, om zo veel mogelijk details in zich op te nemen en na te gaan of er geen gevaar bestond van passerend verkeer. Maar alles was tot stilstand gekomen.

Een kleine, mollige man van halverwege de veertig, in een spijkerbroek en werkjas en met een mobieltje in zijn hand, haastte zich naar hen toe. Uit zijn bleke gezicht, zijn grote, starende ogen en trillende stem leidde Vicky af dat hij in shock was.

'Onder mijn wagen,' zei hij. 'Hij ligt onder mijn wagen.' Hij draaide zich om en wees.

Vicky zag een stukje verderop een fietslamp, een zadel en een reflector op straat liggen. Een stukje naar achteren lag iets wat er op het eerste gezicht uitzag als een buis van spijkerstof met een gymschoen eraan. Haar keel kneep samen en ze voelde gal omhoogkomen, die ze snel weer wegslikte. Zij en Phil haastten zich door de regen naar de achterkant van de vrachtwagencombinatie, waarbij ze rustig de omstanders achteruit maanden om ruimte te maken.

Een jonge vrouw zat op haar knieën bij de truck, maar ze ging voor hen opzij. 'Hij heeft een hartslag,' zei ze.

Met een dankbaar knikje knielden beide ambulanceverpleegkundigen neer en tuurden onder het voertuig.

Het licht was slecht. Er kwam een walm van braaksel van ergens vlakbij, vermengd met de geuren van motorolie en heet metaal, maar er hing ook nog een andere geur. Het was de zure, koperachtige lucht van bloed, die Phil Davidson altijd deed denken aan bezoekjes aan de slager met zijn moeder, toen hij nog klein was.

Vicky zag een jongeman met kort, donker haar vol bloed en een geschaafd gezicht, die in een verwrongen houding lag. Zijn ogen waren dicht. Hij droeg een gescheurde anorak en spijkerbroek en zijn ene been zat om de wielas heen gedraaid. Het andere been was alleen maar een stomp boven de knie, waar wit bot met gerafelde spijkerstof eromheen uit stak.

De anorak en het T-shirt waren ter hoogte van zijn middel opengescheurd, en een lus van darmen lag in een plas vloeistof op de grond.

Gevolgd door haar collega kroop Vicky onder de vrachtwagen, rook de geuren van olie en rubber en pakte de pols van de jongeman op zoek naar zijn hartslag. Die was er, heel zwak. De twee ambulanceverpleegkundigen raakten besmeurd met olie en vuil van de straat. Het bloed van het slachtoffer trok in hun broekspijpen en mouwen en besmeurde hun blauwe operatiehandschoenen, die in bloederige, smerige strijdhandschoenen veranderden.

'*Fubar bundy*,' fluisterde Phil Davidson grimmig.

Ze knikte en slikte opnieuw gal weg. Het was een term die ze al eerder had gehoord, bij het vorige dodelijke ongeval waar ze was geweest, niet zo heel ver hiervandaan. De galgenhumor van ambulanceverpleegkundigen; een van hun mentale overlevingsmechanismen om met afgrijselijke beelden om te kunnen gaan. Het stond voor: *Fucked Up Beyond All Recovery But Unfortunately Not Dead Yet* – met geen mogelijkheid meer te redden, maar helaas nog niet dood.

Nu zijn inwendige organen open en bloot en op het asfalt lagen, bestond er heel weinig kans dat het slachtoffer zou blijven leven. Zelfs als ze hem technisch gesproken levend naar het ziekenhuis konden krijgen, dan zou hij alsnog overlijden aan infecties. Ze wendde zich tot haar meer ervaren collega voor begeleiding.

'Hart?' vroeg hij.

'Zwak radiaal,' antwoordde ze. Een radiale pols betekende dat zijn bloeddruk nog hoog genoeg was om enkele van zijn organen op gang te houden.

'*Stay and play*,' fluisterde hij bijna onhoorbaar, wetend dat ze geen andere keus hadden. Ze konden hem niet verplaatsen, omdat zijn been klem zat in het wiel. 'Ik haal de koffer wel.'

Stay and play was één stap boven *Scoop and run*. Het betekende dat ze zouden doen wat ze konden, hoewel het slachtoffer heel weinig kans maakte. Ze zouden hun best doen totdat hij overleed en ze konden ophouden. Al was het maar voor de vorm.

Vicky hoorde een gillende sirene naderen. Toen hoorde ze Phil over de mobilofoon vragen of de brandweer hefgereedschap kon meebrengen. Ze kneep in de hand van de jongeman. 'Hou vol,' zei ze. 'Hoor je me? Hoe heet je?'

Er kwam geen reactie. Zijn hartslag verzwakte. De sirene werd nog luider. Ze keek naar de stomp van zijn afgerukte been. Bijna geen bloed. Dat was het enige positieve op dit moment. Het menselijk lichaam kon goed omgaan met verwondingen: haarvaten werden dichtgeknepen. Het was net als bij het ongeluk waar Vicky twee jaar geleden bij was geweest, toen een van de jongelui stervende was, maar amper bloedde. Het lichaam raakt in shock. Als Vicky een tourniquet kon aanbrengen, en als ze voorzichtig was met zijn ingewanden, dan bestond er misschien nog een kans.

Ze hield haar vingers stevig tegen zijn polsslagader. Zijn hartslag werd met de seconde zwakker.

'Hou vol,' zei ze. 'Nog even volhouden.' Ze keek naar zijn gezicht. Hij was een knappe jongen. Maar hij werd almaar bleker. 'Blijf alsjeblieft bij me. Het komt wel goed.'

Zijn hartslag bleef verder verzwakken.

Ze verplaatste haar vinger, vertwijfeld op zoek naar een polsslag. 'Je kunt het wel redden,' fluisterde ze. 'Je kunt het! Probeer het! Kom op, doe je best!'

Nu was het persoonlijk.

Voor Phil was hij dan misschien een *fubar bundy*, maar voor haar was hij een uitdaging. Ze wilde over twee weken bij hem op bezoek in het ziekenhuis en hem dan zittend in bed aantreffen, omringd door kaarten en bloemen. 'Kom op!' spoorde ze hem aan, opkijkend naar de donkere onderbuik van de vrachtwagen, naar het met modderkorsten besmeurde spatbord en naar de vette draagbalken van het chassis. 'Hou vol!'

Phil kroop weer onder de wagen met zijn rode tas en zijn set voor het stelpen van levensbedreigende bloedingen. Met die twee voorwerpen hadden ze alles bij de hand wat de moderne medische wetenschap op een ongevalslachtoffer kon loslaten. Maar terwijl Phil de rode tas opentrok en er vele zakjes zichtbaar werden met flesjes levensreddende medicijnen, toestellen en controleapparatuur, besefte Vicky dat het in deze situatie eigenlijk alleen maar opsmuk was.

De hartslag van de jongeman was nu nog amper voelbaar.

Ze hoorde het gejank van de EZ-10 bottenzaag, de snelste manier om de noodcanule op zijn plek te krijgen. Elke seconde was kritiek. Ze assisteerde Phil en zocht het bot op in het goede been, net onder de knie, terwijl de professional in haar het overnam en alle emoties opzijduwde. Ze moesten het blijven proberen. Ze zóúden het blijven proberen.

'Blijf bij ons!' spoorde ze hem aan.

Het was duidelijk dat de arme jongeman om de as heen was gedraaid nadat het wiel over zijn middel was gereden, hem had geplet en had opengespleten. Phil Davidson beoordeelde tijdens het werk de schade aan inwendige organen en botten. Het leek erop dat zijn bekken was gebroken, wat op zich al voldoende was om verschrikkelijke inwendige bloedingen en een bijna zekere dood te veroorzaken, naast al het andere dat daarbinnen waarschijnlijk gaande was.

Het zou het beste zijn voor die jongen, dacht hij grimmig, als hij zo snel mogelijk overleed.

11

Roy Grace was geschokt te zien hoe bleek Cleo eruitzag. Ze lag in een hoog bed, in een kamer met lichtblauwe muren vol elektrische aansluitpunten en apparatuur. Een lange man van begin dertig, met kort, dunner wordend bruin haar en gekleed in een blauw verpleeguniform en gympen, stond naast haar en schreef een meting bij een grafiek op zijn status toen Roy binnenkwam.

Ze was in een blauw ziekenhuishemd gehuld en het blonde haar dat om haar gezicht hing, had wat van zijn gebruikelijke glans verloren. Ze glimlachte zwakjes en aarzelend naar Roy, alsof ze wel blij was dat hij was gekomen, maar zich tegelijkertijd schaamde omdat hij haar zo zag. Er was een woud van elektrodestickers op haar borst geplakt en een hartmonitor, die eruitzag als een vingerhoedje, zat over haar duim heen.

'Sorry,' zei ze zachtjes toen hij haar andere hand pakte en er een kneepje in gaf. Ze kneep zwakjes terug.

Hij voelde een verschrikkelijke paniek opkomen. Had ze de baby verloren? De man draaide zich naar hem toe. Grace zag aan zijn badge dat hij een stagiair was.

'Bent u de echtgenoot van mevrouw?'

'Verloofde.' Zijn keel zat dicht en hij kon amper een woord uitbrengen. 'Roy Grace.'

'Ach ja, natuurlijk.' De stagiair keek naar haar verlovingsring. 'Nou, meneer Grace, het gaat goed met Cleo, maar ze heeft een heleboel bloed verloren.'

'Wat is er gebeurd?' vroeg hij.

Cleo's stem klonk zwak terwijl ze het uitlegde. 'Ik was net op mijn werk om een lichaam voor te bereiden op een sectie, toen ik ineens heel hevig begon te bloeden, alsof er binnen in me iets was ontploft. Ik dacht dat ik een miskraam kreeg. Toen voelde ik een verschrikkelijke pijn, een soort kramp in mijn buik, en het volgende wat ik me herinner is dat ik op de vloer lag en Darren bij me stond. Hij heeft me in zijn auto gezet en hierheen gebracht.'

Darren was haar assistent in het mortuarium.

Grace staarde Cleo aan, en zijn opluchting vermengde zich met onzekerheid. 'En de baby?' Zijn blik schoot naar de stagiair.

'Cleo heeft net een echo gehad,' antwoordde hij. 'Ze heeft een aandoening die *placenta praevia* wordt genoemd. Haar placenta ligt abnormaal laag.'

'Wat... Wat betekent dat... wat onze baby betreft?' vroeg Grace, vervuld van angstige voorgevoelens.

'Er zijn complicaties, maar het kind maakt het op dit ogenblik goed,' zei de stagiair vriendelijk maar met een toon van aankondiging in zijn stem. Toen keek hij naar de deur en knikte begroetend.

Er kwam een stevige man met een bril binnen. Hij had donker haar dat heel kort was geschoren en een kalende kruin, en hij droeg een blauw overhemd met een open hals, een grijze pantalon en zwarte brogues. Hij had het air van een goedmoedige bankdirecteur.

'Dokter Holbein, dit is Cleo's verloofde.'

'Hoe maakt u het?' Hij drukte Grace de hand. 'Ik ben Des Holbein, de consulterend gynaecoloog.'

'Dank u voor uw komst.'

'Geen punt. Daar ben ik voor. Maar ik ben heel blij dat u er bent. We zullen een paar beslissingen moeten nemen.'

Roy voelde een plotselinge steek van ongerustheid. Maar de zakelijke houding van de gynaecoloog gaf hem in ieder geval wat vertrouwen. Hij wachtte tot de man verderging.

De gynaecoloog ging op het bed zitten. Toen keek hij Roy aan. 'Cleo kwam vijf weken geleden, op eenentwintig weken, bij ons voor een standaard echo. Op dat moment lag de placenta al heel laag, maar de baby had een normaal gewicht.'

Hij wendde zich tot Cleo. 'De echo van vandaag laat zien dat je baby amper gegroeid is. Dat is ongebruikelijk, en om eerlijk te zijn ook een reden tot zorg. Het geeft aan dat de placenta niet goed functioneert. Hij werkt net voldoende om de baby in leven te houden, maar niet zodanig dat je kind ook kan groeien. En ik vrees dat er nog een andere complicatie is die me niet aanstaat. Het is een heel zeldzame aandoening die *placenta percreta* heet: de placenta groeit veel verder de baarmoederwand in dan wenselijk is.'

Hoewel hij een paar seconden geleden nog een fractie optimistischer was, zonk Roys moed hem nu weer in de schoenen. 'Wat betekent dat?'

Des Holbein glimlachte naar hem als een bankdirecteur die goedkeuring gaf voor een lening, maar onder strenge voorwaarden. 'Nou, één optie zou zijn om de baby nu te halen.'

'Nu?' vroeg Grace verbaasd.

'Ja. Maar dat zou ik echt liever niet doen. Hoewel vijftig procent van de normale baby's het overleeft als ze in dit stadium worden gehaald – en waarschijnlijk nog wel wat meer – zijn de overlevingskansen veel, veel lager bij een kind dat sinds week eenentwintig al niet meer groeit. Over nog eens een maand zouden de kansen aanzienlijk beter liggen. Als we de groei van jullie baby weer op gang kunnen krijgen, praten we dan over meer dan negentig procent. Kunnen we het rekken tot in de vierendertigste week, dan zou dat stijgen naar achtennegentig procent.'

Hij keek hen om beurten aan met een rustig gezicht waarvan niets af te lezen viel.

Roy staarde de gynaecoloog aan en voelde een plotselinge, irrationele woede jegens de man. Dit was wel hun kind waar hij het over had. Hij kletste kalmpjes over percentages alsof het iets was waar je een weddenschap op kon inzetten. Dit ging Roy volkomen boven de pet. Hij had hier geen verstand van. Het stond niet in de boeken die hij had gelezen; en ook niet in *Emma's Diary* of de brochures die Cleo van de verloskundige had gekregen. Daarin werd alleen maar gesproken over perfecte zwangerschappen en perfecte kinderen.

'Wat is uw advies?' vroeg Grace. 'Wat zou u doen als het úw kind was?'

'Ik adviseer jullie om te wachten, terwijl we de placenta heel nauwlettend in de gaten te houden. Als Cleo nog meer bloedverlies heeft, zullen we proberen de baby binnen te houden door dat verlies te compenseren met een transfusie. Als we het kind nu halen en het blijft leven, dan zal het arme schaap een paar maanden in de couveuse moeten liggen, en dat is zowel voor de baby als de moeder niet ideaal. Cleo lijkt verder gezond en sterk. De uiteindelijke beslissing ligt bij jullie, maar mijn advies aan jou, Cleo, is dat je een paar dagen hier bij ons blijft om je bloedsomloop te ondersteunen en te hopen dat de bloedingen stoppen.'

'Als dat gebeurt, zal ik dan weer kunnen werken?'

'Jawel, maar niet meteen, en je mag geen zware dingen tillen. En – dat is heel belangrijk – je zult op enig moment gedurende de dag een rustpunt moeten inbouwen. We zullen je de rest van je zwangerschap goed in de gaten moeten houden.'

'Zou dit nog eens kunnen gebeuren?' vroeg Grace.

'Om eerlijk te zijn gebeurt het in vijftig procent van de gevallen niet nog een keer. Maar dat betekent dat het in de andere vijftig procent van de gevallen wel gebeurt. Ik hou mijn patiënten aan een "drie keer slag is uit"-regel. Als ze nog een keer gaat bloeden, zal ik erop staan dat Cleo nog minder gaat werken, en afhankelijk van de ontwikkeling van de *percreta* kan ik besluiten om Cleo voor de rest van haar zwangerschap hier op te nemen. Niet alleen het kind loopt risico in deze situatie.' Hij keek Cleo aan. 'Maar jij ook.'

'In hoeverre?' vroeg Grace.

'*Placenta percreta* kan levensbedreigend zijn voor de moeder,' vertelde de gynaecoloog. Hij keek Cleo weer aan. 'Als je een derde keer gaat bloeden, dan bestaat er geen twijfel meer. Dan zul je de rest van je zwangerschap in het ziekenhuis moeten blijven.'

'En hoe zit het met nadelige gevolgen voor onze baby?' wilde Grace weten.

De gynaecoloog schudde zijn hoofd. 'Niet in dit stadium. Wat er nu gebeurt, is dat een deel van de placenta niet zo goed werkt. De placenta is een orgaan, net zoals een nier of een long. De baby kan zonder enig probleem een stukje van de placenta missen. Maar als er te veel van verdwijnt, groeit het kind niet goed. En dan, in extreme gevallen, kan het kind inderdaad overlijden.'

Grace kneep nog eens in Cleo's hand en kuste haar op het voorhoofd, terwijl verschrikkelijke gedachten in zijn hoofd rondspookten. Hij was misselijk van angst. Stomme statistieken. Percentages. Vijftig procent was waardeloos. Cleo was zo sterk, zo positief. Ze kwamen hier wel doorheen. Rechercheur Nick Nicholl had het jaar daarvoor iets gelijksoortigs meegemaakt met zijn vrouw, en hun baby was sterk en gezond geboren.

'Het komt wel goed, lieverd,' zei hij, maar hij had een droge mond.

Cleo knikte en wist kleintjes te glimlachen.

Grace keek op zijn horloge en wendde zich naar de arts. 'Zou ik een paar minuutjes met haar alleen mogen zijn? Ik moet zo naar een vergadering.'

'Natuurlijk.'

De arts verliet de kamer.

Roy legde zijn gezicht tegen dat van Cleo en legde zijn hand zachtjes op haar buik. De angst wervelde door hem heen en hij voelde zich ontzettend machteloos. Tegen misdadigers kon hij iets uitrichten, maar het leek erop dat hij helemaal niets kon doen voor de vrouw van wie hij hield of voor hun ongeboren kind. Dit had hij totaal niet in de hand.

'Ik hou van je,' zei hij. 'Ik hou zo veel van je.'

Ze aaide met haar hand over zijn wang. 'Ik ook van jou,' antwoordde ze. 'Je bent kletsnat. Regent het nog steeds?'

'Ja.'

'Heb je de auto bekeken? Die Alfa?'

'Even snel, ja. Ik weet niet of hij wel zo praktisch is.' Hij wist zich er nog net van te weerhouden om daar 'met een baby' aan toe te voegen.

Hij hield haar hand vast en kuste de verlovingsring om haar vinger. Het gaf hem een vreemd gevoel elke keer als hij die ring zag, een soort uitgelaten blijdschap, maar altijd met iets van een voorgevoel eraan vast. Er stond nog altijd één groot obstakel in de weg van hun huwelijk: het mijnenveld van formaliteiten waar hij doorheen moest voordat zijn vrouw Sandy, die nu al tien jaar vermist werd, wettelijk doodverklaard kon worden.

Hij was ontzettend zorgvuldig in het volgen van alle benodigde stappen van het proces. Op instructies van zijn adviseur hierin had hij onlangs advertenties laten plaatsen in de plaatselijke kranten van Sussex en de landelijke pers waarin hij Sandy, of iedereen die haar mogelijk de afgelopen tien jaar nog had gezien, verzocht contact met hem op te nemen. Tot nu toe had niemand dat gedaan.

Een bevriende collega-politieman en diens vrouw waren er allebei van overtuigd dat ze Sandy in München hadden gezien toen ze daar het jaar daarvoor zomer op vakantie waren, maar hoewel Grace zijn Duitse politiecontacten had gewaarschuwd en er ook zelf was geweest, was er niets meer uitgekomen, en hij raakte er steeds meer van overtuigd dat zijn vrienden zich hadden vergist. Toch had hij dit gemeld aan zijn adviseur, die hem had aangeraden ook advertenties te plaatsen in de Duitse krant, wat hij inmiddels had gedaan.

Hij had een beëdigde verklaring moeten afleggen waarin hij alle mensen opsomde bij wie hij navraag had gedaan, inclusief de laatste persoon die Sandy nog levend had gezien. Dat was een collega van haar geweest in de kliniek waar ze parttime werkte, die haar op de dag dat ze verdween om één uur 's middags het gebouw had zien verlaten. Grace had informatie moeten toevoegen over alle politieonderzoeken en zijn eigen onderzoek. Hij had ook moeten zweren dat hij na haar verdwijning het huis had doorzocht en had geconstateerd dat er niets meegenomen was, behalve haar handtas en haar auto.

Haar Golf was vierentwintig uur later gevonden op Kort Parkeren bij het vliegveld Gatwick. Er waren op de ochtend van haar verdwijning twee betalingen met haar creditcard gedaan, de ene van £7,50 bij een drogist en de andere van £16,42 voor benzine bij de plaatselijke Tesco. Ze had geen kleding of andere spullen meegenomen.

Grace vond het hele proces van het invullen van al die formulieren op een of andere manier ook wel therapeutisch. Eindelijk begon hij het af te sluiten. En met een beetje geluk zou het proces nog op tijd voltooid zijn om te kunnen trouwen voordat hun kind werd geboren.

Hij zuchtte met een zwaar gemoed en kneep nog eens in haar hand.

Laat alsjeblieft alles goed komen, lieve Cleo. Ik zou er niet tegen kunnen als jou iets overkwam, echt niet.

12

In de acht jaar dat hij nu bij de verkeerspolitie werkte, had agent Dan Pattenden geleerd dat wanneer je als eerste bij de plaats van een ongeval aankwam, je daar een chaos aantrof. Een nog grotere chaos als het regende. En tot overmaat van ramp was hij, terwijl hij met zwaailicht en sirene over Portland Road scheurde, vanwege de bezuinigingen in zijn eentje.

De informatie die hij op het schermpje in de auto en via zijn portofoon ontving was ook chaotisch. De eerste aanwijzing dat het een ernstig ongeval betrof, was het aantal mensen dat had gebeld om er melding van te maken: tot nu toe waren er al acht telefoontjes bij de alarmcentrale binnengekomen.

Een vrachtwagen en een fiets; en er is ook een personenauto bij betrokken, had hij gehoord.

Een ongeval met een vrachtwagen en een fiets, dat was nooit goed nieuws.

Hij minderde vaart toen hij naderde en inderdaad: wat hij door zijn natte voorruit zag, was een tafereel van volslagen verwarring. Een vrachtwagen met aanhanger die met de neus bij hem vandaan stond en een ambulance daar vlak achter. Midden op straat zag hij een verbogen fiets liggen. Gebroken reflectorglas. Een honkbalpet. Een gymschoen. Overal mensen, de meeste verstijfd van shock maar andere druk bezig foto's te maken met hun mobieltje. Bij de achterkant van de vrachtwagen had zich een kleine menigte verzameld. Aan de overkant stond een zwarte Audi coupé met een geknakte motorkap tegen de muur van een café.

Hij zette zijn opvallend gemarkeerde BMW stationwagen schuin over de weg om zo de plek van het ongeval af te sluiten en vroeg via de portofoon om bijstand. Hij hoopte maar dat die snel zou arriveren, want hij had hier wel twintig paar handen nodig. Daarna zette hij zijn pet op, wurmde zich in zijn fluorescerende jas, greep een blok met ongevalformulieren en sprong uit de auto. Hij probeerde een snelle inschatting te maken van het gebeurde, terugdenkend aan alle elementen die in hem waren gedrild bij zijn training en opfriscursussen en puttend uit zijn eigen aanzienlijke ervaring.

Een jongeman in een joggingpak, kletsnat van de regen, rende naar hem toe. 'Agent, er was een busje, een wit busje dat door rood reed. Hij heeft de fietser geschept en is doorgereden.'

'Heb je het kenteken van dat busje?'

De jongeman schudde zijn hoofd. 'Nee, sorry. Het ging allemaal zo snel.'

'Wat kun je me over dat busje vertellen?'

'Het was een Ford, geloof ik. Zo'n Transit. Ik geloof niet dat er iets op stond.'

Pattenden maakte een aantekening en keek de jongeman weer aan. Getuigen hadden de neiging snel te verdwijnen, vooral als het zulk rotweer was. 'Ik wil graag je naam en telefoonnummer,' zei hij, waarna hij de gevraagde informatie op zijn blocnote schreef. 'Zou je in de auto op me willen wachten?'

De jongeman knikte.

De kans was groter dat hij hier bleef als hij warm en droog zat, dacht Pattenden. Hij gaf de informatie door aan de meldkamer en draafde naar de vrachtwagen toe. Onderweg merkte hij een afgerukt been op straat op, dat hij voorlopig even negeerde. Hij knielde bij de ambulanceverpleegkundige neer. Heel even keek hij naar de gemangelde, bewusteloze fietser, de lus van ingewanden op straat en het bloed, maar hij werd nu te zeer in beslag genomen door alles wat hij moest regelen om erdoor geraakt te worden.

'Wat kun je me vertellen?' vroeg hij, hoewel hij die vraag amper hoefde te stellen.

De mannelijke verpleegkundige, die hij vaker had gezien, schudde zijn hoofd. 'Het ziet er niet goed uit. We raken hem kwijt.'

Dat was de enige informatie die de politieagent op dit moment nodig had. Alle dodelijke verkeersincidenten werden beschouwd als potentiële moorden in plaats van ongevallen, totdat het tegendeel bewezen was. Als enige agent ter plaatse was het zijn eerste plicht om het terrein rondom de aanrijding af te zetten als plaats delict. Daarna moest hij ervoor zorgen dat er geen voertuigen werden verplaatst en dat de getuigen niet wegliepen. Tot zijn opluchting hoorde hij in de verte het gejank van sirenes terwijl er, hopelijk, nog meer politiewagens aankwamen.

Hij rende terug naar zijn auto en riep iedereen die hij tegenkwam toe: 'Als u getuige bent geweest van het ongeluk, kom dan alstublieft naar mijn wagen en geef me uw naam en telefoonnummer.'

Hij opende de kofferbak en haalde er een opgevouwen bord met de tekst POLITIE – WEG AFGESLOTEN uit, dat hij een stukje achter zijn auto opzette. Tegelijkertijd riep hij in zijn portofoon dat ze te maken hadden met een mogelijk geval van doorrijden na een ongeluk en dat de centrale de brandweer, de verkeersongevallendienst, de dienstdoend rechercheur, politieassistenten en agenten in uniform moest optrommelen.

Vervolgens greep hij een rol blauw met wit politielint, bond het ene uiteinde om een straatlantaarn en rende naar de overkant van de weg, waar hij het andere uiteinde om een verkeersbord op de stoep bond. Toen hij klaar was, zag hij nog twee agenten van zijn eenheid naar hem toe komen rennen. Hij vroeg hun de straat aan de andere kant van de vrachtwagen af te zetten en naam en telefoonnummer te noteren van alle andere mogelijke getuigen.

Daarna liep hij het afgezette gedeelte in, trok zijn reflecterende jas uit en gooide die over het afgerukte been. Op die manier bespaarde hij omstanders de afgrijselijke aanblik, en bovendien kon die sensatiezoeker in zijn regenjas er geen foto's meer van maken.

'Ga achter dat lint staan!' riep hij hem toe. 'Als u getuige bent, loop dan naar mijn auto. Zo niet: doorlopen, alstublieft!'

Er kwamen nog meer hulpdiensten aan. Hij zag een tweede ambulance en een personenwagen waarin waarschijnlijk de traumaspecialist zat. Maar zijn hoofddoel was nu om de bestuurders van de vrachtwagen en de Audi af te zonderen van de massa nieuwsgierige omstanders en potentiële getuigen.

Hij zag een goedgeklede vrouw met een door de regen verpest kapsel bij het open bestuurdersportier van de Audi staan. Ze staarde zonder met haar ogen te knipperen naar de vrachtwagen.

Hij haastte zich naar haar toe en vroeg hijgend: 'Bent u de bestuurder van dit voertuig?'

Ze knikte met een glazige blik en bleef over zijn schouder staren.

'Bent u gewond? Hebt u medische verzorging nodig?'

'Hij dook uit het niets op, die zijstraat uit, recht op mij af. Ik moest uitwijken, anders had ik hem geschept.'

'Wie?' Onopvallend boog hij zich een stukje naar voren om haar adem te ruiken. Hij ving vaag de geur van oude alcohol op.

'Die fietser,' zei ze verdoofd.

'Waren er nog andere voertuigen bij betrokken?'

'Een wit busje pal achter me, een bumperklever.'

Hij keek snel naar de Audi. Hoewel de motorkap was doorgebogen en de airbags waren uitgeklapt, leek het interieur van de auto onbeschadigd.

'Oké, mevrouw, zou u een paar minuutjes in uw auto willen blijven zitten?'

Hij pakte haar voorzichtig bij de schouders en draaide haar om, weg van de vrachtwagen. Hij wist dat bestuurders die bij een ongeval betrokken waren geweest een trauma konden oplopen als ze te lang naar een ernstig gewond slachtoffer keken. Deze vrouw was al een eindje op weg. Hij dirigeerde haar naar de Audi toe en wachtte terwijl ze instapte, en daarna duwde hij met enige moeite het portier dicht, waarvan het scharnier leek te zijn verbogen.

Terwijl hij dat deed, zag hij dat er een politieassistent naar hem toe kwam rennen. 'Heb je nog collega's bij je?' vroeg Pattenden.

'Ja.' De man wees naar twee andere politieassistenten die een stukje verderop over de stoep kwamen aanlopen.

'Oké, mooi. Zou jij hier willen blijven en zorgen dat deze mevrouw in haar auto blijft zitten?'

Toen rende hij naar de twee andere politieassistenten toe, stelde hen aan als bewakers bij de voor- en achterzijde van de plaats van het ongeval en vroeg hun bij te houden wie er onder het politielint door ging.

Op dat moment zag hij tot zijn opluchting rechercheur James Biggs en brigadier Paul Wood aankomen. Ze kwamen met grimmige gezichten door de regen naar hem toe, allebei met een rol politielint en een pylon onder de arm.

Nu was hij in ieder geval niet meer de hoogste agent ter plaatse.

13

Carly zat verdoofd in haar auto, blij dat de regen de voorruit en zijvensters in melkglas veranderde, zodat ze onzichtbaar was en wat privacy had. Ze was zich bewust van de donkere gestalte van de politieassistent die als een schildwacht buiten stond. Haar hart ging tekeer. De radio stond aan, zoals altijd afgestemd op de plaatselijke nieuws- en praatzender, BBC Radio Sussex. Ze hoorde de geanimeerde stem van Neil Pringle, maar niets van wat hij zei drong tot haar door.

Er bleven maar beelden van wat er onder de vrachtwagen achter haar gebeurde door haar hoofd spoken. Ineens werd Pringles stem onderbroken door een verkeersmededeling: Portland Road in Hove was afgesloten vanwege een ernstig ongeval.

Háár ongeval.

Volgens het dashboardklokje was het 09:21 uur.

Shit. Ze belde haar kantoor en sprak met haar opgewekte secretaresse Suzanne. Halverwege haar verhaal dat ze niet wist hoe laat ze zou komen en het verzoek of Suzanne de pedicure kon afbellen, barstte ze in tranen uit.

Ze hing op en overwoog of ze nu eerst haar moeder moest bellen of haar beste vriendin, Sarah Ellis, die bij een advocatenkantoor in Crawley werkte. Sarah was haar rots in de branding geweest toen Kes vijf jaar geleden op een skivakantie in Canada was verongelukt in een lawine. Ze koos haar nummer en hoorde de telefoon overgaan, vurig hopend dat ze zou opnemen.

Tot haar opluchting nam Sarah de telefoon na vijf keer op. Maar voordat Carly haar verhaal kon afsteken, begon ze weer te huilen.

Er werd op de ruit geklopt. Even later ging het autoportier open en keek de politieman die ze eerder had gezien, de man die had gezegd dat ze in de auto moest wachten, naar binnen. Hij was een gespierd uitziende man van halverwege de dertig, met een witte pet en een ernstig gezicht, en hij had een apparaatje in zijn hand dat eruitzag als een soort metertje.

'Zou u even willen uitstappen, mevrouw?'

'Ik bel je terug, Sarah,' sputterde ze. Ze stapte met betraande ogen de regen in.

De agent vroeg haar opnieuw of zij de bestuurder van de auto was, en vervolgens wilde hij haar naam en adres weten. Met zijn instrument in een waterdicht zwart met geel tasje in de hand sprak hij haar vervolgens op formelere toon toe. 'Omdat u betrokken bent geweest bij een verkeersincident bent u verplicht een ademmonster af te staan. Ik moet u informeren dat indien u hier niet aan kunt of wilt meewerken, dat een overtreding is waarvoor u gearresteerd kunt worden. Begrijpt u dat?'

Ze knikte en snufte.

'Hebt u de afgelopen twintig minuten nog alcohol gedronken?'

Hoeveel mensen dronken er nu alcohol vóór negen uur 's morgens, vroeg ze zich af. Maar toen voelde ze plotseling de paniek opkomen. O jee, hoeveel had ze de vorige avond gedronken? Niet zo veel, toch? Dat zou nu wel uit haar bloed verdwenen zijn. Ze schudde haar hoofd.

'Hebt u de afgelopen vijf minuten nog gerookt?'

'Nee,' zei ze. 'Maar ik heb wel dringend behoefte aan een peuk.' Ze trilde en haar keel voelde strak aan.

De agent negeerde die opmerking en vroeg naar haar leeftijd.

'Eenenveertig.'

Hij voerde dat en nog een paar andere gegevens in het apparaatje in voordat hij het naar haar uitstak. Er zat een buisje aan met cellofaan eromheen.

'Wilt u de steriele verpakking er zelf even afhalen?'

Ze gehoorzaamde en onthulde een smal witplastic buisje.

'Dank u. Nu wil ik graag dat u diep ademhaalt, uw lippen om het buisje legt en hard blijft blazen totdat ik zeg dat u mag ophouden.'

Carly haalde diep adem en blies. Ze bleef maar wachten totdat hij stop zou zeggen, maar hij zei niets. Net toen ze het gevoel had dat haar longen leeg waren, hoorde ze een piepje en knikte hij. 'Dank u.'

Hij liet haar het schermpje van het apparaat zien. De tekst *monster genomen* was verschenen. Toen stapte hij achteruit en bleef een tijdje naar het apparaat staan kijken.

Ze keek ongerust naar hem, en nu trilde ze nog meer van de zenuwen. Ineens verstrakte zijn gezicht en zei hij: 'Het spijt me, maar u bent over de limiet.' Hij stak het toestel omhoog zodat ze het schermpje weer kon zien. Er stond maar één letter op: F.

Ze voelde dat haar knieën knikten. Ze was zich ervan bewust dat een man in het café naar haar stond te kijken en zocht steun tegen haar auto. Dit kon niet. Ze kon niet te veel alcohol in haar bloed hebben. Dat was gewoonweg onmogelijk.

'Mevrouw, het apparaat geeft aan dat u mogelijk meer hebt gedronken dan wettelijk toegestaan, en derhalve staat u onder arrest vanwege een positieve alcoholmeting. U hebt het recht om te zwijgen. Alles wat u zegt kan tegen u gebruikt worden in strafrechtelijke zin. U hebt recht op een advocaat, en indien u zich geen advocaat kunt veroorloven, kunt u een advocaat toegewezen krijgen. Begrijpt u deze rechten?'

Ze schudde haar hoofd. 'Dit is onmogelijk,' zei ze. 'Ik heb niet... Ik had geen... Ik ben gisteravond uitgeweest, maar...'

Een paar minuten geleden had Carly zich niet kunnen voorstellen hoe deze dag nog erger kon worden. Nu liep ze door de regen, door de sterke arm van een politieagent naar een politiewagen achter een politielint gedirigeerd. Ze zag twee ambulances, twee brandweerwagens en een hele rits andere voertuigen staan. Er was een scherm opgezet aan de achterkant van de vrachtwagen, en haar verbeelding ging met haar op de loop over wat daarachter allemaal gebeurde.

Er hing een verschrikkelijke, bijna bovennatuurlijke stilte. Ze was zich vaag bewust van het gestage tikken van de regen, maar dat was alles. Ze liep langs een fluorescerende gele jas die op straat lag. Achterop stond het woord POLITIE en ze vroeg zich af waarom hij daar was neergegooid.

Een lange, magere man met twee camera's om zijn nek maakte een foto van haar terwijl ze onder het lint door ging. 'Ik ben van de *Argus*. Mag ik vragen hoe u heet?' vroeg hij haar.

Ze zei niets, en de woorden 'u staat onder arrest' tolden rond in haar hoofd. Ze stapte slapjes achter in de BMW stationwagen en tastte naar de gesp van de veiligheidsgordel. De agent sloeg het portier dicht.

De klap ervan voelde aan als het einde van een hoofdstuk in haar leven.

14

'Stof, oké? Zie je dat? Dat zie je toch wel?'

De jonge vrouw keek glazig naar de plek waar haar werkgeefster naar wees. Haar Engels was niet zo best en ze had moeite haar te verstaan, want de vrouw sprak zo snel dat al haar woorden aaneengeregen leken te worden in één doorgaand, nasaal, op en neer gaand gejank.

Mankeerde die stomme werkster soms wat aan d'r ogen? Fernanda Revere beende kwaad door de keuken in haar kersenroze joggingpak van Versace en gympen van Jimmy Choo, met rammelende armbanden. Ze was een tenger gebouwde vrouw van vijfenveertig, op een paar plaatsen operatief verfraaid terwijl haar rimpels werden onderdrukt met regelmatige botoxinjecties, en ze straalde doorlopend een soort nerveuze energie uit.

Haar echtgenoot Lou, die ineengedoken op een barkruk aan het keukeneiland zat, at zijn ontbijtbagel en probeerde haar te negeren. Op de Kindle naast zijn bord had hij de *Wall Street Journal* van vandaag geopend, en president Obama was op de televisie boven hem te zien.

Fernanda kwam tot stilstand voor de dubbele marmeren gootsteen die zo groot was dat je er een olifantje in kon baden. De enorme erker bood een fraai uitzicht over het zorgvuldig gemaaide, regenachtige gazon, de struiken aan het uiteinde en de duinen daarachter, die overgingen in het zandstrand van Long Island Sound en de Atlantische Oceaan. Op de vloer lag een megafoon die haar man gebruikte bij die zeldzame gelegenheden dat hij eens assertief was, om dreigementen te schreeuwen naar wandelaars die door de duinen stampten, want dat was een beschermd gebied.

Maar ze keek momenteel niet uit het raam.

Ze ging met haar wijsvinger over een plank boven de gootsteen en hield hem vervolgens een paar centimeter voor de ogen van de werkster.

'Zie je, Mannie? Weet je wat dat is? Dat noemen ze "stof".'

De jonge vrouw keek onbehaaglijk naar de donkergrijze veeg op de elegant gemanicuurde vinger van haar bazin. Ze zag ook de bijna onmogelijk lange, gelakte nagel. En het met diamanten bezette horloge van Cartier om haar pols. Ze rook haar Jo Malone-parfum.

Fernanda Revere gooide boos haar korte, gebleekte haar naar achteren en veegde het stof op haar vinger af aan de neusrug van haar werkster. De jonge vrouw kromp ineen.

'Je moet één ding begrijpen, Mannie. Ik wil geen stof in mijn huis hebben, snap je? Wil je hier voor mij blijven werken, of wil je op het volgende vliegtuig terug naar de Filippijnen?'

'Schatje!' zei haar man. 'Rustig nou. Die arme meid moet het nog leren.'

Lou Revere keek weer naar Obama op televisie. De president was bezig met een nieuw diplomatiek initiatief met de Palestijnen. Lou zou in dit huis wel wat van Obama's diplomatie kunnen gebruiken, overpeinsde hij.

Fernanda draaide zich met een ruk naar haar man om. 'Ik luister niet naar jou als je die kleren aanhebt. Je ziet er veel te stom uit om iets intelligents te zeggen.'

'Dit zijn mijn golfkleren, oké? Dezelfde die ik altijd draag.'

Die waarin hij er belachelijk uitzag, dacht zij.

Hij pakte de afstandsbediening en had de neiging het volume op te schroeven om haar te overstemmen. 'Jezus, wat is er mis mee?'

'Wat er mis mee is? Je hebt de broek van een circusclown en het overhemd van een pooier aan. Je ziet er zo... zo...' Ze wapperde met haar handen, op zoek naar het juiste woord. 'Zo stom uit!'

Toen wendde ze zich tot de werkster. 'Vind je ook niet? Ziet mijn man er niet stom uit?'

Mannie zweeg.

'Ik bedoel, waarom moeten jullie je verkleden als circusclowns om te golfen?'

'Gedeeltelijk is het zodat we elkaar goed kunnen zien op de green,' zei hij defensief.

'Waarom zetten jullie dan niet gewoon een knipperlicht op je hoofd?' Ze keek naar de klok aan de muur en controleerde meteen haar horloge: 09:20 uur. Tijd voor haar yogales. 'Tot straks.' Ze wapperde kort en liefdeloos met haar hand, alsof ze een vlieg verjoeg.

Vroeger gaven ze elkaar altijd een knuffel en een zoen, zelfs als ze elkaar over een halfuur weer zouden zien. Lou kon zich niet herinneren wanneer ze daarmee waren opgehouden, en eigenlijk kon het hem ook niet meer schelen.

'Ga je nog naar dokter Gottlieb vandaag, schatje?' vroeg hij.

'Die is ook stom. Ja, ik ga naar hem toe. Maar ik denk erover om een andere psychiater te zoeken. Paulina, van mijn yogales, loopt bij iemand die veel beter is. Gottlieb is waardeloos.'

'Vraag hem om sterkere medicatie.'

'Wil je me soms in een zombie veranderen?'

Lou zei niets.

15

Carly zat op de achterbank van de politieauto. Straaltjes regenwater gleden over de ruit naast haar, tranen biggelden over haar wangen. Ze gingen heuvelopwaarts op de A27. Ze staarde naar het vertrouwde weidelandschap in de buitenwijken van Brighton, wazig door het laagje water op het glas. Ze voelde zich ontkoppeld, alsof ze van buitenaf naar haar lichaam keek.

Bang en in de war bleef ze die fietser onder de vrachtwagen maar voor zich zien. En vervolgens dat witte busje in haar achteruitkijkspiegel, dat als een spook was verdwenen.

Had ze zich dat busje ingebeeld? Had zij de fietser aangereden? Het afgelopen uur was net zo wazig als het uitzicht door de ruit. Ze balde en ontspande haar vuisten en luisterde naar de ruis en oproepen die met tussenpozen over de portofoon te horen waren. Het rook in de auto naar vochtige regenjassen.

'Denkt u... Denkt u dat het goed komt met hem?' vroeg ze.

Agent Pattenden antwoordde op een vraag via de portofoon en hoorde haar niet, of negeerde haar. 'Hotel Tango Drie Nul Vier onderweg naar Hollingbury met verdachte,' zei hij. Toen gaf hij richting aan naar links en ging de uitvoegstrook op.

Verdachte.

Ze huiverde en de knoop in haar maag werd strakker. 'Denkt u dat het goed komt met die fietser?' herhaalde ze wat luider.

Pattenden keek naar haar via de spiegel. Zijn witte pet lag op de voorstoel naast hem. 'Ik weet het niet,' zei hij, terwijl hij zijn handen over het stuur verplaatste om een minirotonde te nemen.

'Hij kwam uit het niets, zomaar recht op me af. Maar ik heb hem niet geraakt, dat weet ik zeker.'

Ze gingen nu de heuvel af. Zijn blik richtte zich weer even op haar. Onder dat harde uiterlijk had hij toch iets vriendelijks.

'Ik moet u wel waarschuwen dat alles wat in de auto wordt gezegd, automatisch wordt opgenomen.'

'Dank u,' zei ze.

'Laten we hopen dat het goed komt met hem,' zei Pattenden. 'En u? Gaat het met u wel goed?'

Ze zweeg even, en toen schudde ze haar hoofd.

Hij remde af terwijl ze een soort art-decogebouw passeerden dat Carly altijd deed denken aan de opbouw van een sleets oud cruiseschip. Ervoor stonden meerdere politiewagens geparkeerd. Ironisch genoeg wist ze veel over dit gebouw. Er hingen foto's van aan de muur op het kantoor van BLB, de vastgoedexperts waar ze juridisch werk voor had gedaan aan het begin van haar loopbaan, toen ze nog stagiaire was. BLB had het pand omgebouwd van een creditcardfabriek van American Express tot de huidige bestemming als hoofdkwartier van de politie van Sussex.

Aan het eind van het gebouw minderde Pattenden vaart en ging haaks linksaf een inrit in, waarna hij voor een groen hek van versterkt staal stopte. Rechts van hen stond een hoog, groen punthek, en daarachter een gebouw van saaie bakstenen. Ze waren gestopt bij een blauw bord met witte letters waarop HUIS VAN BEWARING BRIGHTON stond. De agent stak zijn hand uit het raam en haalde een plastic kaart door een lezer. Even later begon de poort open te schuiven.

Ze reden een steile helling op naar een rij openingen achter in het bakstenen gebouw, die leken op laadbaaien voor vrachtwagens, gingen linksaf zo'n opening door en kwamen in het halfduister terecht, uit de regen. Pattenden stapte uit, opende het achterportier en hield Carly's arm stevig vast toen ze uitstapte. Het voelde meer alsof hij wilde voorkomen dat ze wegrende dan dat hij haar ondersteunde.

Verderop was een groene deur met een kijkvenstertje erin. Hij haalde zijn kaart door een lezer, de deur schoof open en hij leidde haar een kale, smalle ruimte in van zo'n vierenhalve meter lang en tweeënhalf breed. De deur ging achter hen dicht. Aan het uiteinde van de ruimte was nog zo'n deur. De muren waren beige geverfd en op de vloer lag gespikkeld bruin zeil. Er stonden helemaal geen meubels, op een harde, kale groene bank na.

'Ga zitten,' zei hij.

Ze ging zitten, legde haar kin op haar knokkels en had dringend behoefte aan een sigaret. Dat kon ze wel vergeten. Toen ging haar telefoon.

Ze prutste met de sluiting van haar tas en haalde het toestel eruit. Maar voordat ze kon opnemen, schudde de agent zijn hoofd.

'Die zult u moeten uitschakelen, vrees ik.' Hij wees naar een bordje aan de muur waarop stond: VERBODEN MOBIEL TE BELLEN IN ARRESTANTENRUIMTE.

Ze staarde hem even aan en probeerde zich te herinneren wat de wet ook alweer zei over telefoonrechten als je werd gearresteerd. Maar ze had slechts een klein beetje strafrecht gehad tijdens haar studie – het was haar vakgebied niet – en ze had op dit moment niet de wil om in discussie te gaan. Als ze meewerkte, gewoon alles deed wat haar gezegd werd, dan zou deze nachtmerrie misschien snel achter de rug zijn en kon ze naar haar werk. Die afspraak met haar veeleisende klant zou ze moeten verzetten, maar ze moest absoluut om twee uur vanmiddag op kantoor zijn voor een telefonische vergadering met de advocaat en een andere cliënt, een vrouw die morgen voor de rechter moest verschijnen voor de financiële afhandeling van haar echtscheiding. Die kon Carly echt niet mislopen.

Ze schakelde het toestel uit en stond op het punt het weer in haar tas op te bergen toen hij met een beschaamd gezicht zijn hand uitstak.

'Het spijt me, maar ik zal die telefoon moeten innemen voor analyse.'

'Mijn telefoon?' vroeg ze, boos en onthutst.

'Het spijt me,' herhaalde hij, en hij pakte het toestel van haar aan.

Ze staarde naar de kale muur tegenover haar. Naar alweer een gelamineerde mededeling: ALLE AANGEHOUDEN PERSONEN WORDEN GRONDIG GEFOUILLEERD DOOR DE DIENSTDOEND AGENT. INDIEN U VERBODEN ARTIKELEN BIJ U DRAAGT OF IN UW BEZIT HEBT, VERTEL DIT DAN NU AAN DE DIENSTDOENDE AGENT.

Toen las ze nog een mededeling: U BENT GEARRESTEERD. ER WORDEN ZO METEEN VINGERAFDRUKKEN, FOTO'S EN DNA VAN U GENOMEN.

Ze probeerde zich te herinneren hoeveel ze de vorige avond precies gedronken had. Twee glazen Sauvignon Blanc in de pub... Of waren het er drie geweest? Een cosmopolitan in het restaurant. Nog een paar wijntjes bij het eten.

Shit.

De deur ging open. De agent wenkte haar erdoor en volgde haar op de hielen. Zijn gevangene.

Ze liep een grote, helverlichte ruimte in met in het midden een verhoogde halfronde balie gemaakt van glanzend, gespikkeld kunststof en in secties onderverdeeld. Achter elke sectie zaten mannen en vrouwen in witte overhemden met zwarte epauletten en een zwarte stropdas. Langs de buitenzijde van de ruimte bevonden zich groene metalen deuren en vensters die uitkeken op – waarschijnlijk – verhoorkamers. Het voelde hierbinnen als een heel andere wereld.

Bij een van de secties stond een lange, kalende, slordige man in een trainingspak en gympen. Een politieman in uniform en met blauwe rubberhandschoenen aan was bezig zijn zakken te doorzoeken. Bij een ander deel stond een mistroostig kijkende jongeman in slobberkleding, met zijn handen in handboeien op zijn rug en aan weerskanten een agent.

Haar eigen agent troonde haar mee naar een van de balies in de console, die zich bijna op hoofdhoogte bevond. Erachter zat een onbewogen kijkende man van in de veertig. Hij droeg een wit overhemd met drie strepen op de epauletten en een zwarte stropdas. Hij had een vriendelijke manier van doen, maar ook de uitstraling van een man die zich nog nooit van zijn leven in de boot had laten nemen.

Op een blauw videoscherm aan de voorkant van de balie, op ooghoogte, las Carly:

LAAT U NIET ACHTERVOLGEN DOOR VROEGERE OVERTREDINGEN.

BEKEN ANDERE MISDADEN DIE U HEBT GEPLEEGD BIJ EEN MEDEWERKER VAN DE POLITIE.

Ze luisterde verdoofd terwijl Pattenden de omstandigheden van haar arrestatie uiteenzette. Toen sprak de man in hemdsmouwen rechtstreeks tegen haar, op serieuze toon, bijna alsof hij haar een gunst bewees.

'Ik ben arrestantenbegeleider Cornford. U hebt gehoord wat er is gezegd. Ik geef toestemming voor uw arrestatie met als doel bewijs veilig te stellen en te behouden, en om bewijzen te verzamelen middels een verhoor. Is dat u duidelijk?'

Carly knikte.

Over de balie heen gaf hij haar een geel A4-tje aan met de titel: UW RECHTEN BIJ DE POLITIE VAN SUSSEX.

'Dit is misschien handig voor u, mevrouw Chase. U hebt het recht iemand op de hoogte te laten stellen van uw arrestatie en om een advocaat te spreken. Wilt u dat we een pro-Deoadvocaat voor u bellen?'

'Ik ben zelf advocaat,' zei ze. 'Ik wil graag dat u contact opneemt met een collega van me, Ken Acott van Acott Arlington.'

Carly voelde een klein beetje voldoening bij de frons die over zijn gezicht trok. Ken Acott werd alom beschouwd als de beste strafpleiter in de stad.

'Hebt u zijn nummer?'

Carly gaf hem zijn telefoonnummer op kantoor, in de hoop dat Ken vandaag niet naar de rechtbank was.

'Ik zal hem bellen,' zei de arrestantenbegeleider. 'Maar ik moet u wel informeren dat hoewel u het recht hebt om een advocaat te spreken, het proces om alcoholmisbruik in het verkeer op te sporen niet kan worden uitgesteld. Ik geef toestemming om u te laten fouilleren.' Hij pakte twee groene plastic bakjes en sprak in de intercom.

Agent Pattenden gaf Carly's telefoon aan de arrestantenbegeleider en stapte opzij toen een jonge politievrouw in uniform aan kwam lopen en onderwijl een paar blauwe rubberhandschoenen aantrok. Ze bekeek Carly even uitdrukkingsloos voordat ze haar begon te fouilleren, beginnend bij haar hoofd en voelend in haar jaszakken. Toen vroeg ze Carly haar laarzen en sokken uit te doen, knielde neer en zocht tussen haar tenen.

Carly zei niets, maar ze voelde zich verschrikkelijk vernederd. De vrouw haalde een metaaldetector langs haar lichaam, legde het instrument neer en begon haar handtas leeg te halen. Ze legde Carly's portemonnee, autosleutel, een pakje zakdoekjes, haar lippenstift en poederdoos, kauwgom en uiteindelijk, tot Carly's schaamte, omdat ze zag dat agent Pattenden alles meekreeg, een tampon in een van de bakjes.

Toen de vrouw klaar was, tekende Carly een reçu en leidde Pattenden haar naar een kleine zijkamer, waar een opgewekte mannelijke agent, ook met blauwe handschoenen aan, haar vingerafdrukken nam. Uiteindelijk nam hij een monster van haar wangslijm voor DNA.

Vervolgens begeleidde agent Pattenden haar met een geel formulier in de hand weer naar buiten, langs de console, een treetje op en een smalle ruimte in die de sfeer van een laboratorium uitstraalde. Links van haar stond een rij witte keukenkastjes, met daarachter een gootsteen en koelkast en aan het uiteinde een grijs met blauwe machine met een videoscherm erbovenop. Rechts van haar stond een houten bureau met twee blauwe stoelen. De muren hingen vol mededelingen.

Ze las: NIET MEER DAN ÉÉN ARRESTANT TEGELIJK IN DEZE RUIMTE S.V.P.

En: WE ZIEN U VAST TERUG.

Daarnaast hing een rood bordje met in witte letters: WILT U DIT NOG EEN KEER MEEMAKEN?

Pattenden wees naar een camera aan de muur. 'Oké, ik moet u nu vertellen dat alles wat hier gebeurt en gezegd wordt, wordt opgenomen. Begrijpt u?'

'Ja.'

De politieman vertelde haar vervolgens over de ademanalysemachine. Hij legde uit dat ze twee ademmonsters moest geven, en dat de laagste van de twee metingen zou worden aangehouden. Als de meting boven de veertig maar onder de eenenvijftig was, zou ze nog een bloed- of urinemonster mogen afstaan.

Ze blies in het buisje, vurig hopend dat ze nu onder de limiet zat en dat deze nachtmerrie – of althans dit gedeelte ervan – voorbij zou zijn.

'Dit is ongelooflijk. Ik heb niet zo veel gedronken... Echt niet.'

'Nu nog een keer blazen voor de tweede meting,' zei hij rustig.

Even later liet hij haar het resultaat zien van de eerste meting. Tot haar afgrijzen was die vijfenvijftig. Toen liet hij haar de tweede meting zien.

Die was ook vijfenvijftig.

16

Terwijl hij in de ziekenhuiskamer zat, ging Roy Grace' telefoon. Hij liet Cleo's hand los, peuterde het toestel uit zijn zak en nam op.

Het was Glenn Branson, en hij klonk alsof hij druk aan het werk was. 'Hé, chef. Hoe gaat het met haar?'

'Gaat wel, dank je. Het komt wel goed.'

Cleo keek naar hem en hij streek met zijn vrije hand over haar voorhoofd. Toen grimaste ze ineens.

Hij legde geschrokken zijn hand over het spreekgedeelte. 'Gaat het?'

Ze knikte en glimlachte zwakjes. 'Bobbeltje schopte.'

'We hebben een belletje gehad van rechercheur James Biggs van de verkeerspolitie,' meldde Glenn Branson. 'Een dodelijk ongeluk op Portland Road. Klinkt als doorrijden na een ongeval. Ze verzoeken om assistentie van de afdeling Zware Criminaliteit, want het ziet ernaar uit dat we te maken hebben met dood door schuld of mogelijk doodslag.'

Als hoogste onderzoeksrechercheur van deze week had Roy Grace de leiding over alle zaken die binnenkwamen voor de afdeling Zware Criminaliteit. Dit zou een mooie kans zijn voor Glenn, die hij als zijn protegé zag, om te laten zien wat hij kon.

'Ben je beschikbaar?'

'Ja.'

'Oké, regel eerst een manager plaats delict, ga er dan zelf naartoe en help de ratten. Kijk of ze nog iets nodig hebben.'

Ratten staan erom bekend dat ze hun eigen jongen opeten, en verkeersagenten hadden lange tijd bekendgestaan als de Zwarte Ratten. Dat stamde nog uit de tijd dat alle politieauto's zwart waren en van hun reputatie dat ze ook andere politieagenten en zelfs hun eigen familieleden op de bon slingerden. Sommigen droegen vandaag de dag met trots een insigne met een zwarte rat erop.

'Ik ben al onderweg.'

Terwijl Grace zijn telefoon weer in zijn zak stopte, pakte Cleo zijn hand.

'Het gaat best, lieverd. Ga maar weer aan het werk,' zei ze. 'Echt, het gaat prima.'

Hij keek haar twijfelend aan, maar kuste haar toen op het voorhoofd. 'Ik hou van je.'

'Ik ook van jou.'

'Ik wil je hier niet achterlaten.'

'Jij moet boeven gaan vangen. Ik wil dat ze allemaal achter slot en grendel zitten voordat Bobbeltje wordt geboren!'

Hij glimlachte. Ze zag er zo broos uit in dat bed, zo kwetsbaar. Met hun kind binnen in haar. Cleo's leven en dat van hun ongeboren kind hingen aan een zijden draadje, en dat was dunner dan waar hij bij wilde stilstaan. Cleo was zo'n sterk en positief mens. Dat was een van haar vele eigenschappen waar hij verliefd op was geworden. Het leek onmogelijk dat het mis kon gaan. Dat hun kind haar leven kon bedreigen. Ze zou hier wel doorheen komen. Alles zou goed gaan. Hoe dan ook. Wat er ook voor nodig was.

Cleo was degene die hem zijn leven had teruggegeven na de helse jaren sinds Sandy's verdwijning. Hij zou haar toch niet kwijtraken?

Hij keek naar haar gezicht, naar haar bleke, zachte huid, haar blauwe ogen, haar mooie wipneusje, haar lange, sierlijke nek, haar opstandige grijns met getuite lippen en hij wist, hij wíst gewoon, dat alles goed zou komen.

'We redden ons wel, Bobbeltje en ik!' zei ze, en ze kneep in zijn hand alsof ze gedachten kon lezen. 'Alleen maar een paar kwaaltjes. Ga aan het werk en zorg dat de wereld een veiligere plek wordt voor Bobbeltje en mij!'

Hij bleef nog een uur, wachtend op een kans om nog even te overleggen met dokter Holbein, de gynaecoloog, maar de man kon niet veel toevoegen aan wat hij al had verteld. Van nu af aan zouden ze per dag moeten kijken hoe het ging.

Nadat hij afscheid had genomen van Cleo en had beloofd om later op de dag nog een keer langs te komen, reed hij van het ziekenhuis naar Eastern Road. Hij had links af moeten slaan om via de buitenwijken van de stad terug te rijden naar het bureau, maar in plaats daarvan ging hij rechtsaf, naar Portland Road en de plek van het ongeval.

Net als veel van zijn collega's op de afdeling Zware Criminaliteit was hij gefascineerd door moorden. Hij was allang immuun geworden voor de afschuwelijkste plaatsen delict, maar dodelijke verkeersongevallen waren iets anders. Die verontrustten hem bijna altijd; ze kwamen iets te dichtbij. Maar wat hij nu nodig had, was de bemoediging van zijn maat Glenn Branson. Niet dat de rechercheur, die door een helse echtscheiding ging, nu momenteel zo ontzettend veel bemoediging kon bieden, maar hij was vanochtend in ieder geval in een betere stemming geweest dan Grace in lange tijd had meegemaakt.

Bovendien had Grace een plan om hem uit zijn sombere bui te halen. Hij wilde dat Glenn zich dit jaar kandidaat stelde voor een bevordering tot adjudant. Hij kon het aan, en hij bezat die zo belangrijke eigenschap die alle goede agenten hebben: een hoge emotionele intelligentie. Als Grace' vriend nu maar uit die verknipte geestelijke toestand kon komen over zijn huwelijk, dan was hij ervan overtuigd dat Glenn het zou redden.

Halverwege de ochtend was het rustig op de weg in Brighton, en de plensregen was afgenomen tot een lichte motregen. Meestal was het op elk uur van de dag wel druk op Portland Road, dankzij de winkels en cafés en de grote woonwijken eromheen, maar toen Grace de zilverkleurige Ford Focus de straat op draaide, was het er zo stil als in een spookstad. Een stukje verderop zag hij een BMW stationwagen van de verkeerspolitie schuin midden over de weg geparkeerd staan, en erachter was politielint gespannen. Een politieassistent in uniform hield een verzameling nieuwsgierige toeschouwers op afstand. Sommigen van hen maakten foto's met camera's en telefoons.

Achter het lint was het een mierenhoop van geordende, doelgerichte activiteit. Grace zag een vrachtwagen met aanhanger staan, en aan de achterkant was een stuk van de straat afgezet met een groen scherm. Aan de overkant stond een zwarte Audi coupé tegen de pui van een café. Grace zag een brandweerwagen en het donkergroene busje van de patholoog-anatoom. Ernaast zag hij de slanke, jeugdige gestalte van Darren Wallace, Cleo's assistent bij het mortuarium. Hij was samen met zijn collega Walter Hordern, een kwiek, beleefd mannetje van medio veertig. Ze waren allebei netjes gekleed in een anorak, een wit overhemd, een zwarte stropdas, zwarte broek en zwarte schoenen.

Verderop hing nog een lint over de weg. Daar stond een politieassistent bij een wagen van de verkeerspolitie, die ook schuin over de weg was geparkeerd. Achter het lint stonden nog meer nieuwsgierige toeschouwers. Ernaast zag Grace een inspectiebusje van de rijksdienst wegverkeer en een wagen van de verkeersongevallendienst.

Hij zag verschillende politieagenten die hij kende, onder wie de geüniformeerde rechercheur van de verkeerspolitie, James Biggs, en forensisch fotograaf James Gartrell, die nauwgezet aan het werk was. Enkelen van hen speurden de straat af en Colin O'Neill, een hoger geplaatste agent van de verkeersongevallendienst die Grace goed kende, liep er rond. Hij maakte aantekeningen terwijl hij overlegde met Glenn Branson, Tracy Stocker, de manager plaats delict van de afdeling Zware Criminaliteit, en Philip Keay, de hulpofficier van justitie. Anders dan bij de meeste andere plaatsen delict droeg niemand hier beschermende pakken of overschoenen. De locatie van een verkeersincident was doorgaans toch al te zeer verontreinigd.

Er lag een gekreukelde fiets op de grond, met een genummerd geel bordje ernaast. Er stond nog een nummertje bij wat brokstukken die van een kapotte fietslamp leken te zijn. Een klein stukje achter de vrachtwagen zag hij een fluorescerende jas liggen, met nog een geel bordje erbij. Hier en daar stonden nog meer van dergelijke bordjes.

Voordat hij de kans had om Branson te roepen, verscheen ineens Kevin Spinella – alsof hij uit het niets materialiseerde, zoals hij tegenwoordig op elke plaats delict waar Grace naartoe ging scheen te doen –, de jonge misdaadverslaggever van de plaatselijke krant de *Argus*. Hij was midden twintig, met stralende ogen en een smal gezicht, en hij kauwde kauwgom met kleine, scherpe tanden die Grace altijd aan die van een rat deden denken. Zijn korte haar zat door de regen tegen zijn hoofd geplakt en hij droeg een donkere regenjas met de kraag omhoog, een schreeuwerige stropdas met een enorme knoop en instappers met kwastjes.

'Goedemorgen, inspecteur!' groette hij. 'Niet fraai, hè?'

'Het weer?' vroeg Grace.

Spinella grijnsde en maakte een merkwaardige beweging met zijn kaak, alsof er een stukje kauwgom tussen zijn kies zat. 'Ach, u weet best wat ik bedoel! Dit zou voor zover ik gehoord heb best eens moord kunnen zijn. Denkt u dat ook?'

Grace was op zijn hoede, maar hij wilde niet ronduit onbeschoft tegen de man doen. De politie had de goodwill van de plaatselijke media nodig, want die konden ontzettend nuttig zijn. Maar aan de andere kant, wist hij, konden ze je ook heel hard en pijnlijk bijten. 'Zeg jij het maar. Ik kom net pas aan, dus jij weet waarschijnlijk meer dan ik.'

'Getuigen die ik heb gesproken, hebben het over een wit busje dat door rood reed, de fietser schepte en er daarna op hoge snelheid vandoor ging.'

'Je zou rechercheur moeten worden,' zei Grace, die Glenn Branson zag aankomen.

'Ik hou het maar bij verslaggeving, denk ik. Had u nog iets kwijt gewild?'

Ja: rot op, dacht Grace. Maar hij antwoordde op vriendelijke toon: 'Als we iets ontdekken, ben jij de eerste die het hoort.' Hij voegde er bijna aan toe: Dat is toch al altijd het geval, ook als we je niks vertellen.

Het was een permanente bron van ergernis voor Roy Grace dat Spinella een mol bij de politie van Sussex had, die hem in staat stelde om altijd ver voor de rest van de pers uit bij elke plaats delict op te duiken. Het afgelopen jaar had Grace wat geruisloos speurwerk gedaan om te ontdekken wie die mol was, maar tot nu toe had hij geen vooruitgang geboekt. Maar op een dag, beloofde hij zichzelf, zou hij die etterbak te pakken krijgen.

Hij draaide zich om, schreef zijn naam in het register en dook onder het lint door om Glenn Branson te begroeten. Toen liepen ze samen in de richting van de vrachtwagen, veilig buiten gehoorsafstand van de verslaggever.

'Wat heb je?' vroeg Grace.

'Jonge vent onder de vrachtwagen. Ze hebben een studentenkaart gevonden. Hij heet Anthony Revere, zit op de Brighton Uni. Iemand is daarheen om de rest van zijn gegevens en naaste familie te achterhalen. Voor zover de verkeersongevallendienst tot nu toe heeft weten uit te vogelen, lijkt het erop dat hij uit een zijweg kwam – St Heliers Avenue – en rechtsaf ging langs de verkeerde kant van Portland Road, waardoor de Audi die hem tegemoetkwam moest uitwijken en op de stoep belandde. Achter de Audi zat een wit busje, een Transit of iets gelijksoortigs, dat door rood reed en de fietser schepte. Het busje lanceerde hem de weg over, onder de wielen van de vrachtwagen die van de andere kant kwam, en vervolgens ging de bestuurder ervandoor.'

Grace dacht even na. 'Heeft iemand een idee wie de bestuurder was?'

Branson schudde zijn hoofd. 'Er zijn een heleboel getuigen. Ik heb een team op de camerabeelden van de omgeving gezet. En ik heb de verkeerspolitie gevraagd elke witte bestelwagen binnen twee uur rijden hiervandaan staande te houden. Maar dat is een beetje een speld in een hooiberg.'

Grace knikte. 'Geen kenteken?'

'Nog niet, maar met een beetje geluk krijgen we iets van een van de bewakingscamera's.'

'En de bestuurders van de Audi en de vrachtwagen?'

'De bestuurster van de Audi is in hechtenis genomen; niet door de ademtest gekomen. De vrachtwagenchauffeur is in shock. Colin O'Neill van de verkeersongevallendienst heeft zijn tachograaf bekeken, en hij zat ver over zijn uren heen.'

'Nou, dat ziet er dan geweldig uit,' antwoordde Grace sarcastisch. 'Een dronken bestuurder in het ene voertuig, een uitgeputte in het andere, en een derde die ervandoor is.'

'We hebben tot nu toe wel één bewijsstuk,' zei Branson. 'Ze hebben een deel van een zijspiegel gevonden, en het lijkt erop dat die van het busje is. Er staat een serienummer op.'

Grace knikte. 'Mooi.' Toen wees hij langs de weg. 'Waarom ligt die reflecterende jas daar?'

'Het rechterbeen van de fietser ligt eronder.'

Grace slikte. 'Blij dat ik 't gevraagd heb.'

17

Waar mogelijk werden speciaal opgeleide agenten voor maatschappelijke ondersteuning ingezet, maar afhankelijk van omstandigheden en beschikbaarheid kon elk lid van de politie wel eens opgeroepen worden om een familie over een sterfgeval in te lichten. Het was de minst populaire taak, en agenten van de verkeerspolitie kregen helaas met het leeuwendeel ervan te maken.

Agent Tony Omotoso was een gespierde, gedrongen zwarte politieman met tien jaar ervaring bij de eenheid, en hij had zelf al eens een aanvaring met de dood gehad op een politiemotor. Ondanks alle verschrikkingen die hij had gezien en persoonlijk meegemaakt, bleef hij opgewekt en positief en was hij altijd beleefd, zelfs tegen de ergste overtreders die zijn pad kruisten.

Als eerste had hij geprobeerd om naaste familie te achterhalen uit de gegevens die hij in de rugtas van het slachtoffer had gevonden, die onder de vrachtwagen had gelegen. Het nuttigste daarbij was de studentenkaart van de universiteit van Brighton.

Een bezoekje aan de universiteitsadministratie had onthuld dat Tony Revere een Amerikaans staatsburger was, eenentwintig jaar oud. Hij woonde samen met een studente, Susan Caplan, een Engelse uit Brighton. Niemand had haar vandaag op de campus gezien en ze had pas morgen weer college, dus ze was waarschijnlijk thuis. De universiteit had ook contactgegevens van de familie Revere in New York, maar Omotoso besloot in overleg met de universiteit dat Susan Caplan als eerste op de hoogte moest worden gebracht. Hopelijk zou zij meer over Tony kunnen vertellen en zou ze zijn lichaam formeel kunnen identificeren.

Voornamelijk voor de morele steun reed Omotoso terug naar de plek van het ongeval om zijn vaste partner Ian Upperton op te halen. Upperton was een lange, slanke agent met heel kortgeknipt blond haar. Hij had een jong gezin. Ernstige ongelukken maakten deel uit van zijn dagelijkse routine, maar ongevallen met jongelui, zoals dit, waren de zaken die hij mee naar huis nam, net als de meeste agenten.

Hij beantwoordde het verzoek van Omotoso om met hem mee te gaan met een gelaten schouderophalen. Bij de verkeerspolitie leerde je door te gaan met je werk, hoe grimmig het soms ook was. En eenmaal per week, zo gemiddeld, werd het heel erg grimmig. Afgelopen zondagmiddag had hij een motorrijder van de weg moeten schrapen. Nu, drie dagen later, was hij alweer onderweg om een overlijden te melden.

Als je je daardoor liet raken was je de sigaar, dus deed hij zijn uiterste best om dat nooit te laten gebeuren. Maar soms, zoals nu, kon hij er gewoon niets aan doen. Vooral niet aangezien hij zelf pasgeleden een fiets had gekocht.

Ze zwegen allebei terwijl Tony Omotoso de politiewagen langzaam over Westbourne Villas stuurde, een brede straat die vanaf New Church Road zuidwaarts naar het strand liep. Ze keken allebei naar de huisnummers op de grote vrijstaande en halfvrijstaande victoriaanse huizen. Elke paar seconden maakten de ruitenwissers een plotseling *klunkklunk*-geluid in de lichte motregen en zwegen dan weer. Verderop, voorbij het einde van de straat, was het rusteloze water van het Engelse Kanaal donker, onheilspellend grijs.

Net als hun gemoed.

'Daar rechts is het,' zei Upperton.

Ze parkeerden de auto voor een twee-onder-een-kap die er opvallend fraai uitzag voor een studentenwoning, zetten hun pet op en liepen over het zwartwit betegelde pad naar de voordeur. Ze keken allebei naar de intercom met de namenlijst ernaast. Bij nummer 8 stond: *Caplan/Revere.*

Omotoso belde aan.

Ze hoopten allebei stiekem dat er niet werd opengedaan.

Dat gebeurde ook niet.

Hij drukte nog een keer op de zoemer. Nog een paar keer proberen, dan konden ze vertrekken en zou het met een beetje geluk iemand anders z'n probleem worden.

Maar tot zijn teleurstelling hoorden ze het geknetter van ruis en vervolgens een slaperige stem.

'Hallo?'

'Susan Caplan?' vroeg Omotoso.

'Ja. Wie is daar?'

'Politie Sussex. Mogen we binnenkomen, alsjeblieft?'

Er viel een stilte van een paar seconden, maar hij leek veel langer. 'Politie, zei u?'

Omotoso en Upperton keken elkaar even aan. Ze hadden allebei voldoende ervaring om te weten dat de politie aan de deur maar zelden met blijdschap werd ontvangen.

'Ja. We willen je graag even spreken, als het kan,' zei Omotoso vriendelijk maar vastberaden.

'Eh... ja. Kom maar naar de tweede verdieping, de deur bovenaan. Komen jullie vanwege mijn tas?'

'Je tas?' vroeg Omotoso enigszins onthutst.

Even later klonk er een raspend zoemgeluid gevolgd door een scherpe klik. Omotoso duwde de deur open en ze stapten een gang binnen die naar het avondeten van de vorige dag rook – iets met gekookte groenten – met een ondertoon van hout en oude vloerbedekking. Tegen de muur stonden twee fietsen. Er was een ruw rek met postvakken opgehangen en er lagen een paar folders van afhaalrestaurants op de grond. Van buitenaf oogde het misschien chic, maar de gemeenschappelijke ruimten zagen er sleets uit.

Ze liepen de smoezelige, aftandse traploper op. Toen ze boven waren, ging er recht tegenover hen een deur met afbladderende verf open. Een knap meisje van een jaar of twintig, schatte Omotoso, blootsvoets en gehuld in een grote witte badhanddoek, begroette hen met een slaperige glimlach. Haar schouderlange donkere haar had wat verzorging nodig.

'Zeg nou niet dat jullie hem gevonden hebben!' zei ze. 'Dat zou geweldig zijn!'

Beide mannen zetten beleefd hun pet af. Toen ze de smalle gang van de flat in stapten, roken ze verse koffie en een vleugje van een mannengeurtje in de lucht.

'Wat moeten we gevonden hebben?' vroeg Tony Omotoso.

'Mijn tas?' Ze kneep haar ogen samen en keek hen vragend aan.

'Je tas?'

'Ja. Die een of andere eikel zaterdagavond in de Escape Two heeft gejat terwijl wij aan het dansen waren.'

Het was een mooie flat, merkte hij op terwijl hij de open woonruimte in liep, maar het was er rommelig en karig gemeubileerd; een typische studentenwoning. Er lag een gewreven eikenhouten vloer en de kamer was ingericht met een grote flatscreentelevisie, een duur uitziende stereo en minimalistische maar sjofele bruinleren meubels. Een laptop op een tafel bij het raam aan de straatkant stond aan, met de homepage van Facebook op het scherm. Op de vloer verspreid zag hij een paar gympen, een neergesmeten trui, vrouwenondergoed, één witte sok, stapels papieren, een halflege koffiemok, diverse dvd's, een iPod met oortelefoon en de resten van een Chinese afhaalmaaltijd.

De vorige keer dat ze dit hadden moeten doen, had Ian Upperton het woord gevoerd, dus was Omotoso vandaag aan de beurt. Iedere agent had zijn eigen aanpak, en Omotoso gaf de voorkeur aan de vriendelijke maar rechtstreekse benadering.

'Nee, Susan, we zijn hier niet vanwege je tas. Daar weet ik niets van, vrees ik. Wij zijn van de verkeerspolitie,' zei hij, en hij zag haar plotseling verwarde blik. 'Volgens de gegevens van de universiteit van Brighton woon je samen met Tony Revere. Klopt dat?'

Ze knikte en keek hen om beurten argwanend aan.

'Ik vrees dat Tony betrokken is geraakt bij een verkeersongeval.'

Ze staarde hem plotseling gefixeerd aan.

'Het spijt me te moeten zeggen, Susan, dat hij de verwondingen die hij daarbij opliep niet heeft overleefd.'

Hij zweeg opzettelijk. Het was zijn beleid om de ontvanger van de boodschap zelf de woorden te laten uitspreken. Zo, had hij vele jaren geleden al ontdekt, drong het beter en sneller tot hen door.

'Bedoelt u dat Tony dood is?' vroeg ze.

'Ja, het spijt me heel erg.'

Ze wankelde. Agent Upperton pakte haar arm en hielp haar te gaan zitten op de grote bruine bank met de glazen salontafel ervoor. Ze bleef even zwijgend zitten terwijl de twee agenten er onbehaaglijk bij stonden. Dit was nooit gemakkelijk. Elke keer was de reactie anders. Susan Caplan reageerde door te zwijgen, en toen begon ze te trillen alsof er bevinkjes door haar lichaam liepen.

Zij bleven staan. Ze schudde haar hoofd nu heen en weer. 'O, shit!' zei ze ineens. 'O, shit.' Toen leek ze te breken en sloeg ze haar handen voor haar gezicht. 'O, shit, zeg alsjeblieft dat het niet waar is.'

De twee agenten wierpen elkaar weer een blik toe. 'Heb je iemand die hierheen kan komen en vandaag bij je kan blijven? Een vriendin? Of moeten we iemand van je familie voor je bellen?' vroeg Tony Omotoso.

Ze kneep haar ogen dicht. 'Wat is er gebeurd?'

'Hij is op zijn fiets in botsing gekomen met een vrachtwagen, maar we weten nog niet alle details.'

Het bleef een hele tijd stil. Ze sloeg haar armen om haar lichaam en begon te huilen.

'Susan, moeten we misschien een van je buren hierheen halen?' vroeg Omotoso.

'Nee. Ik... Ik weet niet... Ik... We... O, shit, shit, shit.'

'Wil je iets drinken?' vroeg Ian Upperton. 'Zal ik een kop thee of koffie voor je zetten?'

'Ik wil niks drinken, ik wil Tony.' Ze snikte. 'Vertel alsjeblieft wat er is gebeurd.'

Omotoso's portofoon knetterde. Hij draaide het volume omlaag. Er viel weer een lange stilte voordat hij uiteindelijk zei: 'We moeten zeker weten dat het echt Tony Revere is. Zou jij bereid zijn om later vandaag het lichaam te identificeren? Gewoon voor het geval er een vergissing in het spel is?'

'Zijn moeder is een control freak,' zei het meisje. 'U zult met haar moeten praten.'

'Ik praat met iedereen die je wilt, Susan. Heb je haar nummer?'

'Ze woont in New York, in de Hamptons. Ze heeft de pest aan me.'

'Waarom?'

'Ze zal op de eerste vlucht hierheen zitten, dat kan ik je garanderen.'

'Heb je liever dat zij Tony identificeert?'

Ze zweeg weer en snikte. Toen zei ze: 'Dat kunnen jullie haar inderdaad beter laten doen. Mij gelooft ze toch niet.'

18

Tooth was klein. Daar werd hij al bijna zijn hele leven mee geconfronteerd. Vroeger werd hij door andere kinderen gepest omdat hij zo klein was. Maar niet veel leeftijdsgenootjes hadden hem meer dan eens gepest.

Hij was een van de kleinste baby's geweest die Harvey Shannon, een verloskundige uit Brooklyn, ooit ter wereld had geholpen, hoewel hij niet te vroeg geboren was. Zijn moeder, die door drugs zo van de wereld was dat ze niet in de gaten had dat ze al zes maanden zwanger was, had het kind voldragen. Dokter Shannon wist niet eens zeker of ze wel besefte dat ze was bevallen, en hij had van het ziekenhuispersoneel gehoord dat ze aldoor onthutst naar het kind bleef kijken alsof ze niet snapte waar het vandaan was gekomen.

Maar de verloskundige had zich zorgen gemaakt over een groter probleem. Het leek wel alsof het zenuwstelsel van de jongen helemaal verkeerd was aangesloten. Hij scheen geen pijnreceptoren te hebben. Je kon een naald in zijn armpje steken zonder dat je een reactie kreeg, terwijl normale baby's hun longen eruit gillen. Hier waren een heel aantal mogelijke verklaringen voor, maar de waarschijnlijkste was het drugsmisbruik van de moeder.

Tooths moeder stierf door een shot vervuilde heroïne toen hij drie was, en het grootste deel van zijn jeugd werd hij door heel Amerika van het ene pleeggezin naar het volgende geschoven. Hij bleef nooit lang, omdat niemand hem aardig vond. Mensen waren bang voor hem.

Op zijn elfde, toen andere kinderen hem begonnen te pesten met zijn lengte, leerde hij zichzelf te verdedigen door zich in vechtsporten te verdiepen. Al snel reageerde hij door iedereen die hem tegen de haren in streek pijn te doen; en niet zo'n beetje. Zo erg dat hij nooit langer dan een paar maanden op een school bleef, omdat de andere kinderen bang voor hem waren en de leraren vervolgens overplaatsing voor hem aanvroegen.

Op zijn laatste school leerde hij geld te verdienen met zijn afwijking. Met de zelfdiscipline die hij van zijn vechtsporten had geleerd, kon hij zijn adem soms wel vijf minuten inhouden, en hij versloeg iedereen die hem wilde uitdagen. Zijn andere truc was dat hij zich voor een dollar per keer door andere kinderen in zijn maag liet stompen, zo hard ze konden. Voor vijf dollar mochten ze een balpen in zijn arm of been steken. Dat was het nauwste contact dat hij ooit met zijn medeleerlingen had. Hij had nog nooit een echte vriend gehad. Dat was op zijn eenenveertigste nog niet veranderd. De enige uitzondering daarop was zijn hond, Yossarian.

Maar Tooth en zijn hond waren niet zozeer vrienden als wel *compagnons*. Net zoals de mensen voor wie hij werkte. Die hond was een lelijk beest. Hij had twee verschillende kleuren ogen, het één knalrood en het andere grijs, en hij leek het nageslacht van een dalmatiër die was genaaid door een mopshond. Tooth had het beest vernoemd naar een personage in een van de weinige boeken die hij helemaal had uitgelezen, *Catch-22*. Het boek begon met een personage dat Yossarian heette. Hij werd irrationeel verliefd op de kapelaan; liefde op het eerste gezicht. Deze hond was op het eerste gezicht irrationeel verliefd op Tooth geworden. Hij was Tooth achternagelopen op een straat in Beverly Hills toen hij daar vier jaar geleden postte bij een huis waar hij een klus had.

Het was zo'n brede, rustige, blufferige straat geweest met gebleekt ogende iepen, grote vrijstaande huizen en glanzend blik op de oprit. Alle huizen hadden gazons die eruitzagen alsof ze met een nagelschaartje waren bijgeknipt, de sprinklers stonden allemaal aan en er liepen hele legers Latijns-Amerikaanse hoveniers rond.

De hond klopte niet met deze straat. Hij was schurftig en zijn ene oog was ontstoken. Tooth wist niets van honden, maar deze zag er wat hem betreft niet uit als enig herkenbaar ras, en bovendien was het beest niet mooi genoeg om in deze buurt thuis te horen. Misschien was hij uit de auto van een hovenier gesprongen. Of misschien had iemand hem uit de auto gezet in de hoop dat een rijke stinkerd het beest in huis zou nemen.

In plaats daarvan had de hond hem gevonden.

Tooth gaf hem eten, maar geen genegenheid.

Hij deed niet aan genegenheid.

19

'Wat... Wat gebeurt er nu?' vroeg Carly aan de politieman.

'Als u hier even wilt tekenen,' zei Dan Pattenden, terwijl hij haar een lange, smalle reep wit papier aangaf met de titel ALCOHOLTEST. Halverwege stonden haar naam, geboortedatum en het kopje HANDTEK. TESTPERS. Eronder stond een vakje met de tekst *Specimen 1: 10:42 uur – 55* en *Specimen 2: 10:45 uur – 55.*

Met een hand die zo hevig trilde dat ze amper de pen kon vasthouden die hij haar aangaf, zette ze haar handtekening.

'Ik breng u zo meteen naar een cel waar u op uw advocaat kunt wachten,' zei hij, en zelf tekende hij ook onder aan het formuliertje. 'Het verhoor vindt plaats in het bijzijn van uw advocaat.'

'Ik heb een heel belangrijke afspraak met een cliënt,' protesteerde ze. 'Ik moet naar mijn werk.'

Hij glimlachte meelevend. 'Ik vrees dat iedereen die bij het ongeval betrokken was vandaag iets belangrijks te doen had, maar dat is niet aan mij.' Hij wees naar de deur en leidde haar er zachtjes aan haar rechterarm naartoe. Toen zijn mobiele telefoon ging, bleef hij staan om op te nemen.

'Dan Pattenden,' meldde hij zich. Het bleef even stil. 'Begrepen. Bedankt, chef. Ik ben nu in het cellenblok met mijn gevangene.'

Gevangene. Dat woord gaf haar de rillingen.

'Ja, chef, bedankt.' Hij hing zijn telefoon weer in de houder op zijn borst en wendde zich tot haar met een leeg, onpeilbaar gezicht. 'Het spijt me, maar ik moet de arrestatie van eerder op de plaats van het ongeval opnieuw doen. Mevrouw Chase, u staat hernieuwd onder arrest op verdenking van het veroorzaken van een dodelijk ongeval door rijden onder invloed van alcohol. U hebt het recht om te zwijgen. Alles wat u zegt kan tegen u gebruikt worden in strafrechtelijke zin. U hebt recht op een advocaat, en indien u zich geen advocaat kunt veroorloven kunt u een advocaat toegewezen krijgen.'

Ze voelde dat haar keel ging dichtzitten, alsof er een band omheen werd aangespannen. Ineens had ze een droge mond.

'Is de fietser overleden?' Het was bijna een fluistering.

'Ja, ik vrees van wel.'

'Ik was het niet,' zei ze. 'Ik heb hem niet aangereden. Ik kwam op dat terras terecht omdat... omdat ik hem ontweek. Ik moest uitwijken omdat hij aan de verkeerde kant van de weg reed. Anders zou ik hem hebben aangereden.'

'Dat kunt u allemaal beter bewaren voor uw verhoor.'

Terwijl hij haar door de gang leidde, langs de grote, ronde balie in het midden, wendde ze zich in plotselinge paniek tot hem. 'Mijn auto... Ik moet hem laten ophalen door een sleepdienst... Laten repareren... Ik...'

'Dat regelen wij wel. Ik vrees dat hij in beslag is genomen.'

Ze gingen een smalle gang door en bleven staan voor een groene deur met een glazen ruitje erin. Hij opende die en dirigeerde haar vervolgens, tot haar afgrijzen, een cel in.

'U sluit me hier toch niet op?'

Zijn telefoon ging weer en hij nam op. Terwijl hij dat deed, staarde zij onthutst de cel in. Het was een smal kamertje met een vrijstaand toilet en een in de muur verzonken wasbakje. Aan het uiteinde stond een harde bank met een blauw matrasje dat rechtop tegen de muur stond. Er hing een ziekenhuisgeur van ontsmettingsmiddelen.

Agent Pattenden stopte zijn telefoon weg en richtte zijn aandacht weer op haar. 'Hier zult u moeten wachten totdat uw advocaat komt.'

'Maar... Maar mijn auto dan? Wanneer wordt die gerepareerd?'

'Dat hangt ervan af wat de hoogste onderzoeksrechercheur beslist, maar het kan maanden duren voordat hij wordt vrijgegeven.'

'Máánden?'

'Ja, sorry. Dat geldt voor alle voertuigen van vandaag.'

'En... En mijn spullen die nog in de auto liggen dan?'

'Persoonlijke eigendommen kunt u ophalen bij het politiedepot waar de auto naartoe is gebracht. U krijgt nog te horen waar dat is. Ik moet nu terug, dus ik laat u alleen. Oké?'

Het was niet oké. Het was helemaal niet oké. Maar ze was te geschokt om te protesteren. Ze knikte alleen maar verdoofd.

Toen sloot hij de deur.

Carly keek omhoog en zag een bewakingscamera op haar gericht. Toen draaide ze zich om naar het bankje en naar het melkglasvenster hoog erboven. Ze ging zitten zonder het kussen omlaag te doen en probeerde na te denken.

Maar het enige waar ze zich op kon richten was het ongeluk, dat zich steeds opnieuw afspeelde in haar hoofd. Het witte busje achter haar. Die fietser onder de vrachtwagen.

Dood.

Er werd aangeklopt en even later ging de deur open. Ze zag een kleine, mollige vrouw in een wit overhemd met zwarte revers en het woord *Reliance*

Security op haar borstzak geborduurd. De vrouw had een karretje met sleets uitziende paperbacks bij zich.

'Wilt u iets van de bibliotheek?' vroeg ze.

Carly schudde haar hoofd. Ineens gingen haar gedachten naar Tyler. Hij zou na school overblijven voor een cornetles.

Een paar seconden later werd de deur weer gesloten.

Ineens moest ze nodig plassen, maar ze ging echt niet op de toiletpot zitten met die camera boven haar hoofd. Toen kwam er plotseling woede in haar op.

Die eikel van een Preston Dave! Als hij niet zo'n rukker was geweest, zou zij niet zo veel hebben gedronken. Ze werd bijna nooit dronken. Goed, ze dronk 's avonds graag een glaasje wijn of twee. Maar normaal gesproken dronk ze nooit zo veel als de vorige avond.

Had ze maar nee tegen hem gezegd.

Had ze Tyler nu maar een paar minuten eerder op school afgezet.

Maar dat was allemaal achteraf.

Dood.

De fietser was dood.

Het ene ogenblik kwam hij nog recht op haar af. Uit het niets. Nu was hij dood.

Maar zij had hem niet aangereden, daar was ze zeker van.

Hij had aan de verkeerde kant van de weg gereden, in vredesnaam! En nu kreeg zij de schuld.

De deur ging open. Ze zag een lange, magere man in een wit overhemd met zwarte epauletten. Naast hem stond een van de senior partners van haar kantoor, de milde Ken Acott.

Sommige collega's van haar zeiden dat de strafpleiter hen deed denken aan een jongere Dustin Hoffman, en op dit moment zag hij er wat haar betreft echt uit als de held in een film. Met zijn korte donkere haar, strakke grijze krijtstreeppak en zwarte attachékoffertje straalde hij een air van gezag en zelfvertrouwen uit toen hij met fonkelende gespen op zijn Gucci-instappers de cel binnen stapte.

Acott had terecht de reputatie als een van de besten in zijn vakgebied. Als iemand deze puinhoop kon oplossen, dan was hij het. Ineens werd ze geraakt door de bemoedigende uitdrukking op zijn gezicht. Ze verloor al haar beheersing en wankelde met betraande ogen naar hem toe.

20

Even voor vijf uur 's middags zat Roy Grace in zijn kantoor bij de afdeling Zware Criminaliteit op de eerste verdieping van het recherchehoofdkwartier in Sussex, nippend van een mok thee. Die was bijna steenkoud, want hij had zich geconcentreerd op zijn beeldscherm. Hij speurde internet af naar alles wat hij over Cleo's kwaal kon vinden.

Hij had geen moeite met die thee, want hij was wel gewend aan koud eten en lauw drinken. Sinds hij bij de politie was gaan werken, nu alweer twintig jaar geleden, had hij ontdekt dat het een luxe was als je sowieso iets te eten of drinken kreeg. Als je de drang had om altijd versgemalen koffiebonen en gezonde, thuis klaargemaakte maaltijden tot je te nemen, dan zat je hier verkeerd.

Zijn berg papierwerk leek vanzelf te groeien, alsof het een of ander zichzelf voortplantend organisme was, en het leek wel alsof de e-mails vandaag sneller binnenkwamen dan hij ze kon lezen. Maar hij had moeite om zich op iets anders dan Cleo te richten. Sinds hij die ochtend uit het ziekenhuis was vertrokken, had hij al meerdere keren gebeld om te vragen of alles in orde was. De hoofdverpleegkundige zou inmiddels wel denken dat hij een dwangneurose had of zoiets, maar dat kon hem niet schelen.

Hij keek naar het dikke dossier dat open op zijn bureau lag. In zijn huidige rol als hoofd Zware Criminaliteit, naast zijn taak als hoogste onderzoeksrechercheur, was Grace op de hoogte van alle lopende zaken van de hele afdeling. Voor sommige politieagenten was het werk klaar bij de arrestatie van de verdachte, maar voor hem was dat nog maar het eerste stadium. Het zekerstellen van veroordelingen was in veel opzichten moeilijker en tijdrovender dan het vangen van de boeven.

De wereld waarin hij leefde werd bewoond door een eindeloze reeks schurken, maar er waren niet veel grotere schurken dan de dikke engerd van wie de arrestatiefoto's – van voren en van opzij – nu voor hem lagen. Carl Venner, een voormalig officier van het Amerikaanse leger, nu in voorarrest in de Lewes-gevangenis in Sussex, had een lucratief handeltje gehad in snuffmovies – waarin mensen echt werden gemarteld en vermoord – die hij via abonnementen op internet verkocht aan rijke en extreem gestoorde mensen.

Glenn Branson was neergeschoten tijdens de arrestatie van die etterbak, en dat maakte deze zaak nog persoonlijker. Het proces naderde.

Roy Grace nam even pauze, leunde achterover in zijn stoel en keek uit het raam naar het zuiden. Het hoofdkwartier van de recherche, Sussex House, bevond zich op een industrieterrein in de buitenwijken van de stad Brighton & Hove. Beneden zag hij een kale boom staan, in de aarde geplant met een ovaal bakstenen muurtje eromheen, en het gebarsten asfalt van de smalle parkeerplaats bij het gebouw. Erachter lag een drukke weg met een stalen vangrail en daarachter, half verborgen door een rijtje bomen, stond de grijze massa van een ASDA-supermarkt, die dienstdeed als officieuze kantine voor dit bureau. En daarachter kon hij op heldere dagen de verre daken van Brighton zien, en soms het blauw van het Engelse Kanaal. Maar vandaag was dat alleen maar een grijs waas.

Hij zag een groene vrachtwagencombinatie van ASDA de weg op draaien en aan een kruipgang tegen de heuvel op beginnen. Grace keek weer op zijn scherm, drukte een paar toetsen in en riep de bijgewerkte gegevens op, zoals hij ongeveer elk halfuur deed. Dit was het logboek van alle gerapporteerde incidenten, dat constant werd bijgewerkt. Vluchtig lezend zag hij niets nieuws dat zijn belangstelling wekte, behalve dat ongeval op Portland Road. Gewoon de normale, dagelijkse dingen. Botsingen, geluidsoverlast, een weggelopen hond, aanrandingen, kraken, een inbraak in een busje, een gestolen auto, borgaanvragen, een ingegooide winkelruit, huiselijk geweld, twee fietsendiefstallen, jongelui die verdacht rondhingen bij een auto, een doos chocolaatjes gestolen bij een Tesco-pompstation, een G5 (plotseling overlijden) van een oude vrouw waarbij althans op dit moment geen verdachte omstandigheden te melden waren.

Met uitzondering van een grote verkrachtingszaak waarover Grace de leiding had gehad, waren de eerste twee maanden van het jaar betrekkelijk rustig verlopen. Maar sinds het begin van de lente leek het wel alsof het overal in de stad van start ging. Drie van de gemiddeld twintig moorden die Sussex jaarlijks kon verwachten, hadden in de afgelopen zes weken plaatsgevonden. Daarnaast was er een gewapende overval gepleegd op een juwelier, waarbij een agent die de achtervolging had ingezet in zijn been was geschoten, en vier dagen geleden was een verpleegster bruut verkracht langs de boulevard van Brighton.

Als gevolg daarvan waren de meeste van de vier coördinatiecentra voor zware misdrijven in de gemeente in gebruik, ook de beide coördinatieruimten hier. In plaats van te verhuizen van Sussex House naar de nog beschikbare coördinatieruimte in Eastbourne, zo'n halfuur rijden hiervandaan, had Roy

Grace het naastgelegen kantoor van Jack Skerritt geleend voor de eerste briefing van Operatie Viool. Dat was de naam die de computer had toegewezen aan het dodelijke ongeval met de fietser op Portland Road vanochtend. Skerritt, hoofd van het recherchehoofdkwartier, was naar een cursus en had een veel grotere vergadertafel dan de kleine ronde tafel in de kamer van Grace.

Hij was van plan het rechercheteam klein te houden. Uit zijn bestudering van het bewijs en de eerste ooggetuigenverslagen leidde hij af dat dit waarschijnlijk een eenvoudige zaak was. De bestuurder van de bestelwagen kon allerlei redenen hebben gehad om door te rijden: misschien had hij de auto gestolen, of hij was niet verzekerd, of hij was bang voor een alcoholcontrole, of hij had iets illegaals bij zich. Grace dacht dat het niet moeilijk zou zijn om hem te vinden. De assistent-onderzoeksrechercheur die hij het liefst had gehad, Lizzie Mantle, was met vakantie, dus maakte hij gebruik van de kans om Glenn aan te stellen als zijn assistent in deze zaak. Het zou een goede test zijn voor zijn vriend, dacht hij. Bovendien zou het hem afleiden van zijn huwelijksproblemen. Daarnaast zou het hem de kans bieden een goede indruk te maken bij de commissie die later dit jaar zijn promotie tot adjudant zou beoordelen, door te laten zien hoe hij een echt onderzoek aanpakte.

Er werd aangeklopt en rechercheur Nick Nicholl kwam binnen. Hij was lang als een bonenstaak en droeg een grijs pak dat oogde alsof het voor een nog langere man was gemaakt, en dankzij zijn pasgeboren kind had hij wallen onder zijn ogen. 'Je zei toch dat de briefing om vijf uur zou beginnen, chef?'

Grace knikte. Hij hield de vergadering vandaag vroeger dan op de normale tijd van halfzeven, omdat hij terug wilde naar Cleo.

'Hiernaast, in het kantoor van Skerritt.'

Hij volgde de rechercheur daarheen.

'Ik heb gehoord dat Cleo in het ziekenhuis ligt. Is alles goed met haar?' vroeg Nick Nicholl.

'Ja, tot nu toe wel, dank je. Ik meen me te herinneren dat jouw vrouw ook problemen had tijdens de zwangerschap, Nick. Klopt dat?'

'Ja, ze had twee keer een inwendige bloeding. De eerste keer rond de vierentwintig weken.'

'Klinkt ongeveer hetzelfde. Maar zij was in orde?'

'Nou, in het begin niet.'

'Het is een zorgwekkende tijd.'

'Zeg dat wel! Je moet zorgen dat ze veel rust krijgt, dat is het belangrijkste.'

'Bedankt, zal ik doen.'

Grace, aanvoerder van het politierugbyteam, was er trots op dat hij Nick

Nicholl had bekeerd van voetbal naar rugby, en de jonge rechercheur was een geweldige vleugelverdediger. Al was hij dankzij zijn zoontje van enkele maanden oud nu wat afgeleid en vaak moe.

Nicholl ging aan de lange vergadertafel zitten en werd even later gevolgd door Bella Moy. De rechercheur was halverwege de dertig. Ze had een opgewekt gezicht en een warrige bos roodgeverfd haar, en ze kleedde zich nogal nonchalant. Ze had een doosje Maltesers in de ene hand en een flesje water in de andere. Buiten het werk had ze niet echt een sociaal leven, omdat ze voor haar oude moeder zorgde. Als ze een make-over zou krijgen, dacht Grace altijd, zou ze heel aantrekkelijk kunnen zijn.

Daarna kwam rechercheur Emma-Jane Boutwood binnen. Ze was een slanke jonge vrouw met een alerte blik en lang blond haar in een paardenstaart. Emma-Jane had zich wonderbaarlijk goed hersteld nadat ze het jaar ervoor bijna was doodgereden door een gestolen bestelwagen.

Ze werd gevolgd door de sjokkende gestalte van rechercheur Norman Potting. Vanwege het pensioensstelsel bij de politie gingen de meeste agenten na dertig dienstjaren met pensioen; het stelsel was nadelig voor hen als ze langer doorwerkten. Maar Potting werd niet gemotiveerd door geld. Hij hield van zijn werk en leek vastbesloten zo lang te blijven als maar enigszins mogelijk was. Dankzij de eindeloze rampen in zijn priveleven was de recherche van Sussex de enige familie die hij had; hoewel veel mensen, inclusief de korpschef, vermoedde Grace, hem vanwege zijn ouderwetse, politiek incorrecte houding graag zouden zien vertrekken.

Maar hoezeer Potting mensen soms ook irriteerde, Grace had onwillekeurig respect voor de man. Norman Potting was een echte smeris, in positieve zin. Een rottweiler in een wereld van steeds meer politiek correcte watjes. Hij had een bolle buik, zijn haar was als een sleets kleedje over zijn kale hoofd gekamd, hij droeg iets wat eruitzag als het burgerkloffie van zijn vader uit de Tweede Wereldoorlog en had meestal een geur van pijptabak en mottenballen om zich heen. Potting ging zitten en zuchtte diep, met een geluid als van een geplet kussen. Bella Moy, die hem niet kon uitstaan, keek hem behoedzaam aan, alsof ze zich afvroeg wat hij nu weer zou gaan zeggen.

Hij stelde niet teleur. Met zijn norse plattelandsaccent klaagde Potting: 'Wat is dat toch met deze stad en voetbal? Manchester heeft Man United, Londen heeft de Gunners, Newcastle heeft de Toon Army. En wat hebben wij in Brighton? De grootste kolonie van nichten in Engeland!'

Bella Moy draaide zich abrupt naar hem toe. 'Heb je ooit in je leven zelf gevoetbald?'

'Toevallig wel, ja, Bella,' zei hij. 'Geloof het of niet, maar ik heb als jongen voor het tweede elftal van Portsmouth gespeeld. Middenvelder was ik. Ik wilde profvoetballer worden, maar toen raakte tijdens een wedstrijd mijn knieschijf verbrijzeld.'

'Dat wist ik niet,' zei Grace.

Norman Potting haalde zijn schouders op en bloosde. 'Ik ben fan van Winston Churchill, chef. Altijd al geweest. Weet je wat hij zei?'

Grace schudde zijn hoofd.

'Succes is het vermogen om van de ene mislukking naar de volgende te gaan zonder je enthousiasme te verliezen.' Hij haalde zijn schouders op.

Roy Grace keek hem medelevend aan. De brigadier had drie mislukte huwelijken achter de rug en zijn vierde, met een Thais meisje dat hij via internet had leren kennen, leek diezelfde kant op te gaan.

'Als iemand het weten kan, ben jij het wel,' kaatste Bella Moy terug.

Roy Grace keek naar de aantekeningen die zijn assistente had uitgetypt terwijl hij wachtte tot ook Glenn Branson, die net was binnengekomen, ging zitten. Glenn werd gevolgd door de opgewekte rechercheur van de verkeerspolitie, James Biggs, die had verzocht om bijstand van de afdeling Zware Criminaliteit in dit onderzoek.

'Oké,' zei Grace terwijl hij zijn agenda en beleidsboek voor zich neerlegde. 'Dit is de eerste briefing van Operatie Viool, het onderzoek naar de dood van Tony Revere, student aan de universiteit van Brighton.' Hij stopte even om Biggs, een aardige, nuchter ogende man met kortgeknipt haar, aan zijn team voor te stellen. 'James, wil jij beginnen met te vertellen wat er eerder vandaag is gebeurd?'

De rechercheur vatte de tragische gebeurtenissen van die ochtend samen, waarbij hij vooral aandacht besteedde aan de ooggetuigenverslagen over het witte busje dat was verdwenen nadat het door rood was gereden en de fietser had geschept. Tot nu toe, meldde hij, waren er twee bewakingscamera's in het gebied die het busje mogelijk hadden geregistreerd, maar de beelden ervan waren van te slechte kwaliteit, zelfs na bewerking, om een leesbaar kenteken op te leveren.

De eerste bestelwagen die was gezien was een Ford Transit, wat overeenkwam met het signalement, die binnen een halve minuut na de botsing snel in westelijke richting bij de plaats van het ongeval was weggereden. De tweede camera had een minuut later een busje opgepikt waarvan de spiegel aan de bestuurderskant ontbrak, en dat was een kilometer verderop rechts afgeslagen. Dit was belangrijk, zei Biggs, omdat er ter plaatse delen van een zijspiegel waren gevonden. De identiteit daarvan werd nu getraceerd aan de hand van een serienummer op een van de brokstukken. Dat was alles wat hij tot nu toe had.

'Over ongeveer een uur begint er een autopsie door de patholoog-anatoom,' zei Grace, 'waar Glenn Branson, als tijdelijk afgevaardigde van mij, naartoe zal gaan samen met Tracy Stocker en de hulpofficier van justitie.' Hij keek naar Glenn, die een grimas trok en vervolgens zijn hand opstak.

Grace knikte naar hem.

'Chef, ik heb net gesproken met de maatschappelijk ondersteuner van Verkeer die hier op is gezet,' zei hij. 'Hij had een telefoontje gehad van een agent bij de politie van New York. De overledene, Tony Revere, was een Amerikaans staatsburger die bedrijfseconomie studeerde aan de universiteit van Brighton. Ik weet niet of dit van belang is, maar de meisjesnaam van de moeder van het slachtoffer is Giordino.'

Alle ogen werden op hem gericht.

'Zegt die naam iemand iets?' vroeg Glenn, kijkend naar de andere aanwezigen.

Ze schudden allemaal het hoofd.

'Sal Giordino?' vroeg hij toen.

Nog steeds geen herkenning.

'Heeft iemand *The Godfather* gezien?' vervolgde Branson.

Deze keer knikten ze allemaal.

'Marlon Brando, toch? De Baas der Bazen? De Godfather, ja? *De Man*. De Capo der Capo's?'

'Ja,' zei Grace.

'Nou, dat is haar vader. Sal Giordino is de huidige Godfather van New York.'

21

Het was bij een melding over de dood van een Amerikaans staatsburger in het buitenland standaardprotocol dat het Interpolbureau van de politie van New York de politie in de woonplaats van de naaste familie informeerde, en dat die dan de familie ging inlichten. In het geval van Tony Revere zou dat dan de politie van Suffolk County zijn geweest, waar de Hamptons onder vielen.

Maar alles wat te maken had met een bekende misdaadfamilie als de Giordino's werd anders aangepakt. Er waren markeringen in de computer aangebracht bij alle bekende maffiafamilieleden, zelfs verre nichten en neven, met contactgegevens voor de politiebureaus en agenten die mogelijk op het ogenblik belangstelling voor die personen hadden.

Pat Lanigan, rechercheur bij de speciale onderzoekseenheid van het bureau van de officier van justitie, zat achter zijn bureau in Brooklyn toen het telefoontje van een collega van het Interpolbureau binnenkwam. Lanigan was in het betaalbare gedeelte van de internetcatalogus van Tiffany op zoek naar een cadeautje voor zijn vrouw Francene, ter gelegenheid van hun dertigjarige huwelijk. Maar binnen een paar seconden pakte hij een pen en richtte al zijn aandacht op het telefoongesprek.

Lanigan, een lange man van Ierse afkomst met een pokdalig gezicht, een grijzend borstelkapsel en een Brooklyns accent, was zijn loopbaan begonnen bij de Amerikaanse marine. Hij had nog een tijd als stuwadoor in de haven van Manhattan gewerkt voordat hij bij de politie van New York was gegaan. Hij had het ruige uiterlijk van een filmbandiet en een gespierd lichaam, waardoor maar heel weinig mensen in de verleiding kwamen ruzie met hem te zoeken.

Op zijn vierenvijftigste had hij nu zo'n dertig jaar ervaring in de omgang met de *Wise Guys*; de term die de politie van New York gebruikt voor de maffiosi. Hij kende persoonlijk veel leden van alle maffiafamilies, deels doordat hij was geboren en getogen in Brooklyn, waar de overgrote meerderheid van hen – de Gambino's, Genoveses, Colombo's, Lucheses, Bonnano's en Giordino's – woonde.

In de jaren zeventig, toen hij pas bij de politie van New York werkte, was

Lanigan ingedeeld bij het team dat de moordenaars zocht van maffioso Joe Gallo, een onderzoek dat enkele jaren duurde. De man was doodgeschoten bij een vergeldingsactie tijdens een etentje bij Umberto's Clam House in de wijk Little Italy. Maar Lanigan had moeite gehad om veel sympathie voor de man op te brengen. Crazy Joey, zoals hij bekend had gestaan, had een volwassen leeuw in zijn kelder gehouden. Hij gaf dat beest drie dagen niet te eten en leidde dan zijn schuldenaars voor de grauwende leeuw met de vraag of ze wilden betalen wat ze hem schuldig waren, of liever met zijn huisdier wilden spelen.

Vanaf dat moment had Lanigan het grootste deel van zijn carrière gewijd aan het arresteren van maffialeden.

Hij luisterde naar de informatie die de agent van Interpol doorgaf. Dat van die doorgereden bestelwagen beviel hem niet. Wraakacties waren een belangrijk onderdeel van de maffiacultuur. Alle families hadden oude vijanden en historische rivalen, en bijna iedere dag kwamen er nieuwe bij. Als hij wilde uitzoeken of die gedachtegang relevant was, kon hij het best naar East Hampton rijden en zelf bij de familie langsgaan. Hij ging graag op huisbezoek bij Wise Guys. Je kreeg dan een andere kant van hen te zien dan in de verhoorkamer op het politiebureau. En misschien liet iemand zich wel iets ontvallen als hij de schokkende boodschap overbracht.

Een halfuur later, nadat hij de pastasalade met kip die zijn vrouw had gemaakt had weggespoeld met cola light gevolgd door een snelle kop koffie, trok hij zijn stropdas strakker, deed zijn tweedjasje aan en haalde zijn vaste partner Dennis Bootle op. Samen liepen ze naar de parkeerplaats en stapten in een civiele modderbruine Ford Crown Victoria.

Pat Lanigan was een aanhanger van Obama en deed naast zijn baan veel liefdadigheidswerk voor gewonde veteranen. Dennis Bootle was een overtuigd Republikein die zijn vrije tijd vaak besteedde als activist voor de wapenlobby en met jagen. Hoewel hij twee jaar ouder was dan zijn collega had Bootle nog jeugdig, rossig blond haar en een jongensachtige kuif. Anders dan Lanigan, die ondanks zijn omgang met de maffia in al zijn dienstjaren nog nooit zijn vuurwapen had gebruikt, had Bootle bij drie verschillende gelegenheden al drie mensen neergeschoten en er twee gedood. Ze verschilden als dag en nacht. Ze hadden altijd ruzie. En toch hadden ze een hechte band.

Terwijl Lanigan de motor startte en optrok, schoof er een vierkant stuk karton met de tekst ACTIEF VOOR OFFICIER VAN JUSTITIE BROOKLYN van het dashboard en viel in Bootles schoot. Bootle gooide het op z'n kop op de achterbank en zei niets. Hij was een gesloten man met buien waarin hij soms urenlang niets zei. Maar er ontging hem nooit iets.

Terwijl ze wegreden, vroeg Bootle ineens: 'Wat denk jij hiervan?'

Lanigan haalde zijn schouders op. 'Ik weet niet. Jij?'

Bootle haalde ook zijn schouders op. 'Klinkt als een afrekening. Aan alle kanten.'

Het was niet druk op de weg zo vroeg in de middag op Long Island, en zo bleef het gedurende de anderhalf uur durende rit naar de Hamptons. In het hoogseizoen stond het verkeer hier bumper aan bumper. Ontspannen stuurde Lanigan de auto met één hand over de autoweg met weelderige struiken en gras aan weerskanten, hoewel hij behoedzaam een oogje hield op de borden voor afslagen. Hij vertrouwde nog steeds niet op de instructies van het navigatiesysteem dat tegen de voorruit geplakt zat.

Bootle had een nieuwe vriendin. Ze was rijk, had hij Pat verteld, en had een groot huis in Florida. Hij was van plan te stoppen met werken en bij haar te gaan wonen. Dat nieuws bedroefde Pat, want hij zou zijn makker missen. Hij wilde zelf nog niet over zijn pensioen nadenken omdat hij veel te veel van zijn werk hield.

Volgens het navigatiesysteem moesten ze verderop rechtsaf, waar de bomen en struiken plaatsmaakten voor de buitenwijken van East Hampton. Er verschenen grote huizen, die een flink eind van de weg stonden, en vervolgens een reeks witgeschilderde, duur uitziende winkels. Ze gingen rechtsaf voor een pompstation van Mobil Oil en reden door een lommerrijke laan met een dubbele gele streep in het midden.

'Weet je één ding waar je wel zeker van kunt zijn in de Hamptons?' vroeg Bootle ineens met zijn afgemeten Bostonse accent, na twintig minuten van zwijgen.

'Hè? Nee, wat?' Lanigan klonk altijd alsof hij een paar knikkers door zijn mond liet rollen.

Bootle knikte naar een reusachtig koloniaal landhuis voorzien van een portiek met zuilen. 'Er wonen hier nergens gepensioneerde agenten van de New Yorkse politie!'

'Dit is ook geen standaard maffiagebied,' kaatste Pat Lanigan terug.

'De moeder van die jongen is toch getrouwd met Lou Revere?'

'Uh-huh.'

'Hij is de bankier van de maffia. Wist je dat? Ze zeggen dat hij bij de vorige verkiezingen tien miljoen aan de Republikeinen heeft geschonken.'

'Des te meer reden om hem te arresteren.'

'Rot op.'

Pat Lanigan grijnsde.

De dubbele gele streep eindigde en de laan versmalde tot één rijbaan. Aan beide kanten stonden keurige heggen.

'Zitten we goed?'

'Ja.'

Volgens het navigatiesysteem waren ze er.

Recht voor hen bevonden zich gesloten, hoge, grijsgeschilderde hekken. Een bordje onder de intercom gaf aan: GEWAPENDE BEWAKING.

Pat stopte, draaide het raampje omlaag en stak zijn hand uit om op een knop op het paneel bij de hekken te drukken. Het ene oog van een bewakingscamera loerde argwanend naar hen.

Een stem sprak in gebroken Engels door de ruis: 'Ja, hallo, alstublieft?'

'Politie,' zei Pat, die zijn insigne pakte en het voor de camera omhooghield.

Even later zwaaiden de hekken langzaam open en reden ze erdoor.

Verderop, achter een groot grasveld met planten die rechtstreeks uit het tropisch regenwoud afkomstig leken, verrees de grijze bovenbouw van een imposant modern landhuis, met links ervan een rond gebouw dat Pat deed denken aan de commandotoren van een kernonderzeeër.

'Is dit net zoiets als het huis van je nieuwe vriendin?' vroeg Pat.

'Neuh. Dat van haar is veel groter. Dit lijkt meer op haar tuinhuisje.'

Pat grijnsde terwijl hij over houtsnippers naar een garage reed die groot genoeg was om een vliegdekschip te huisvesten, en hij stopte naast een goudkleurige Porsche Cayenne. Ze stapten uit en keken even om zich heen. De voordeur ging open en een Filippijnse werkster in uniform gluurde zenuwachtig naar buiten.

Ze beenden naar haar toe.

'We zoeken meneer en mevrouw Revere,' zei Pat Lanigan, die zijn insigne opstak.

Dennis Bootle liet ook zijn penning zien.

De werkster keek nu nog nerveuzer, en Pat had meteen medelijden met haar. Ze werd niet goed behandeld. Dat kon je altijd aan mensen zien.

Ze fluisterde iets wat ze niet konden verstaan en liet hen een enorme entreehal binnen, met een vloer van grijze flagstones en een brede, gebogen trap naar boven. Aan de muren hingen spiegels met druk bewerkte lijsten en abstracte moderne kunstwerken.

Ze gingen op haar nerveuze handgebaren af en volgden haar naar een paleisachtige salon met een hoog plafond en een minstreelbalkon. Het leek wel de set van een film over het Engeland van de Tudors, dacht Pat Lanigan. Hij zag eikenhouten plafondbalken en aan de muren hingen wandkleden en voorouderportretten, die hij geen van alle herkende. Waarschijnlijk waren de schilderijen op veilingen gekocht in plaats van geërfd.

Het meubilair was allemaal antiek: sofa's, stoelen, een chaise longue. Een groot venster keek uit over een gazon, struiken en daarachter de Long Island Sound. Hier lag de tegelvloer bezaaid met kleden en er hing een vaag zoete, muskusachtige geur die hem aan musea deed denken.

Het was een schitterend huis, en een schitterende kamer, en Lanigan was op dit moment van één ding overtuigd: er was een heleboel bloedgeld voor betaald.

In de kamer zat een aantrekkelijke maar hard ogende vrouw van halverwege de veertig, met kort blond haar en een neus die onmiskenbaar door een plastisch chirurg was gemaakt. Ze droeg een roze joggingpak en gympen met fonkelende steentjes, en ze hield een pakje Marlboro Lights in de ene hand en een aansteker in de andere. Terwijl zij binnenkwamen, schudde ze een sigaret uit het pakje, zette hem tussen haar lippen en klikte de aansteker aan, alsof ze hen uitdaagde er iets van te zeggen.

'Ja?' vroeg ze, terwijl ze een haal nam van haar sigaret en de rook naar het plafond blies.

Lanigan hield zijn insigne omhoog. 'Rechercheur Lanigan en rechercheur Bootle. Bent u Fernanda Revere?'

Ze schudde met haar hoofd alsof ze denkbeeldig lang haar uit haar gezicht gooide. 'Waarom wil je dat weten?'

'Is uw man thuis?' vroeg Lanigan geduldig.

'Hij is aan het golfen.'

De twee politiemannen keken om zich heen in de kamer. Ze zochten allebei naar foto's. Die waren er in overvloed: boven de haard, op tafels, op planken. Maar allemaal, voor zover Pat Lanigan met een snelle blik kon bepalen, waren ze van Lou en Fernanda Revere en hun kinderen. Helaas waren er geen foto's bij van hun vrienden of compagnons.

'Komt uw man snel thuis?'

'Geen idee,' zei ze. 'Over een uur of twee, drie.'

De agenten keken elkaar even aan. Toen zei Lanigan: 'Oké, het spijt me u dit te moeten vertellen, mevrouw Revere. U hebt een zoon, Tony, is dat juist?'

Ze stond op het punt nog een haal van haar sigaret te nemen, maar hield haar hand stil en trok een ongerust gezicht.

'Ja?'

'De politie van Brighton, in Engeland, heeft ons geïnformeerd dat uw zoon vanochtend is overleden ten gevolge van een verkeersongeval.'

Beide mannen gingen ongevraagd in stoelen tegenover haar zitten.

Ze staarde hen zwijgend aan. 'Wat?'

Pat Lanigan herhaalde wat hij had gezegd.

Ze bleef naar hen zitten staren als een bom die nog niet was afgegaan. 'Dat is een geintje, zeker?'

'Ik vrees van niet,' zei Pat. 'Het spijt me heel erg. Is er iemand die bij u kan blijven totdat uw man thuiskomt? Een buurvrouw? Een vriendin?'

'Dat is een geintje, hè? Zeg dat je een geintje maakt.'

De sigaret brandde op. Ze tikte de as in een grote kristallen asbak.

'Het spijt me heel erg, mevrouw Revere. Ik wou dat het zo was.'

Haar pupillen werden groter. 'Dat moet een geintje zijn,' herhaalde ze na een lange stilte.

Pat zag dat haar handen trilden. Ze drukte ruw haar sigaret uit in de asbak, alsof ze iemand neerstak. Toen greep ze de asbak en smeet hem tegen de muur. Hij belandde vlak onder een schilderij en barstte in scherven uiteen.

'Nee!' riep ze, en haar ademhaling ging sneller en sneller. 'Neeeeeeeee!'

Ze pakte de tafel waar de asbak op had gestaan en smeet hem op de grond, waardoor de poten braken.

'Neeeeeee!' schreeuwde ze. 'Neeeeeee! Het is niet waar. Zeg dat het niet waar is!'

De twee agenten bleven zwijgend zitten en keken toe terwijl ze opsprong en een schilderij van de muur rukte. Ze sloeg ermee op haar knie en scheurde dwars door het gezicht en lichaam van een Madonna met kind.

'Niet mijn Tony. Mijn zoon. Neeeeeeeee! Dat kan niet!'

Ze pakte een beeldje op van een lange, slanke man met gewichten in zijn handen. Geen van beide agenten had enig idee wie het gemaakt had of wat het ding waard was. Ze sloeg het hoofd van het beeldje stuk op de grond.

'Ga weg!' schreeuwde ze. 'Ga weg, ga weg, ga weg!'

22

Tyler zat ineengedoken aan de grenen keukentafel, gekleed in zijn grijze schoolbroek, met het bovenste knoopje van zijn witte overhemd open en zijn rood met grijze uniformdas halfstok. Op de televisie aan de muur was een van zijn lievelingsafleveringen van *Top Gear* bezig, waarin het team een caravan sloopte. Het geluid stond hard.

Zijn steile bruine haar viel over zijn voorhoofd en verborg deels zijn ogen, en met zijn ovale brilletje met het dunne montuur vonden mensen hem vaak op een jonge Harry Potter lijken. Tyler had daar geen problemen mee, het gaf hem wat prestige, maar hij deed Carly veel meer denken aan haar overleden echtgenoot Kes. Tyler was net een miniatuurversie van hem, en terwijl de magnetron piepte onderdrukte ze haar tranen. God, wat wenste ze dat Kes hier nu was. Hij zou wel hebben geweten wat ze moest doen, hoe ze het best met deze puinhoop kon omgaan, hoe ze zich iets minder verschrikkelijk kon voelen. Ze haalde het bord eruit.

'Ellebogen van tafel!' zei ze.

Otis, hun zwarte kruising labrador-nog-iets, volgde haar over de tegelvloer, altijd hoopvol. Ze zette het bord voor haar zoon neer, pakte de afstandsbediening en dempte het geluid.

'Pasta met gehaktballen?' vroeg Tyler, die zijn neus optrok.

'Dat vind je toch lekker?' Ze zette er een schaaltje sla naast.

'Ja, maar ik heb het tussen de middag op school ook al gegeten.'

'Heb jij even geluk.'

'Zij maken het beter dan jij.'

'En bedankt.'

'Jij zegt dat ik altijd eerlijk moet zijn.'

'Ik dacht dat ik ook had gezegd dat je tactvol moest zijn.'

Hij haalde zijn schouders op. 'Het zal wel.' Toen porde hij wantrouwig tegen een gehaktballetje. 'En hoe moet ik nou morgen naar school komen?'

'Je zou kunnen gaan lopen.'

'O, geweldig, heel fijn.' Toen klaarde zijn gezicht op. 'Hé, ik kan ook op de fiets!'

Dat idee gaf haar de rillingen. 'Vergeet 't maar. Echt niet dat je op de fiets naar school gaat, oké? Ik regel wel een taxi.'

Otis keek verwachtingsvol naar Tyler op.

'Otis!' waarschuwde ze. 'Niet bedelen!'

Toen ging ze naast haar zoon zitten. 'Moet je horen. Ik heb een rotdag gehad, oké?'

'Maar niet zo rot als die fietser, hè?'

'Wat moet dat nou weer betekenen?'

Ineens stond Tyler op en rende naar de deur, en hij riep: 'Ik wed dat die fietser geen zatlap als moeder had.' Hij sloeg de deur achter zich dicht.

Carly staarde naar de deur. Ze kwam half overeind uit de stoel, maar ging toen weer zitten. Even later hoorde ze een woest geram op het drumstel boven. Otis blafte naar haar, twee *woef-woefs* in snelle opeenvolging. Wachtend op iets lekkers.

'Sorry, Otis, ik voel me niet zo geweldig, oké? Ik ga straks wel met je lopen.'

De geur van de gehaktballen maakte haar misselijk. Nog misselijker dan ze zich al voelde. Ze stond op, liep naar de deur en deed hem open om naar Tyler te schreeuwen, maar toen bedacht ze zich. Ze ging weer aan tafel zitten, stak een sigaret op en keek, nog altijd met het geluid uit, naar de verrichtingen van de mensen van *Top Gear* terwijl ze rookte. Ze voelde zich verdoofd.

De telefoon ging. Het was Sarah Ellis. Sarah was getrouwd met een advocaat, Justin, en was niet alleen haar beste vriendin, maar ook de nuchterste persoon die Carly kende. En op dit moment, op de dag dat haar leven in een nachtmerrie was veranderd – de ergste dag sinds ze te horen had gekregen dat haar man dood was – had ze dringend behoefte aan nuchterheid.

'Hoe gaat het met je, lekker ding?'

'Ik voel me helemaal niet zo lekker,' antwoordde Carly grimmig.

'Je was op televisie. We hebben het net op het regiojournaal gezien. Dat ongeluk. De politie zoekt een wit busje. Hebben ze je dat verteld?'

'Ze hebben me niet zo veel verteld.'

'We zijn onderweg met een fles champagne om je op te vrolijken,' zei Sarah. 'We zijn er zo gauw mogelijk.'

'Bedankt, ik kan het gezelschap wel gebruiken. Maar het laatste wat ik nu moet doen, is drinken.'

23

Cleo lag te slapen in het ziekenhuisbed. De mouw van haar blauwe ziekenhuishemd was omhooggekropen. Grace, die al een uur naast haar zat, keek naar haar gezicht, naar het donzige blonde haar op haar slanke arm en naar hoe mooi ze was als ze sliep. Toen viel zijn blik op het grijze plastic bandje om haar pols en voelde hij weer een steek van angst opkomen.

Op haar buik geplakte draden voerden een constante stroom van gegevens naar een computer aan het voeteneinde van haar bed, maar hij wist niet wat de metingen op het scherm betekenden. Hij kon alleen maar hopen dat alles goed was. In het schelle licht en de flikkerende gloed van de televisie zag ze er heel bleek en kwetsbaar uit.

Hij was bang. Misselijk van angst om haar.

Hij luisterde naar haar regelmatige ademhaling. Het klaaglijke geluid van een sirene sneed door de lucht toen ergens beneden een ambulance naderde. Cleo was sterk en gezond. Ze zorgde goed voor zichzelf, at gezond, sportte en was in goede conditie. Oké, voordat ze zwanger werd dronk ze graag 's avonds iets, maar zodra ze ontdekte dat ze in verwachting was, had ze dat teruggeschroefd tot heel af en toe een glaasje, en in de afgelopen weken was ze daar plichtsgetrouw zelfs helemaal mee opgehouden.

Een van de dingen aan haar waar hij zo van hield was haar positieve instelling. Ze zag altijd de goede kant van mensen, zocht naar de beste oplossing in elke situatie. Hij dacht dat ze een geweldige moeder zou worden. De mogelijkheid dat ze de baby konden verliezen, raakte hem elke keer als hij eraan dacht harder.

Nog erger was het ondenkbare idee dat, zoals de gynaecoloog had gewaarschuwd, Cleo zou kunnen sterven.

Op zijn schoot lag een lijst van alle dossiers die nodig waren voor de aanklacht tegen die engerd van de snuffmovies, Carl Venner. Het afgelopen uur had hij geprobeerd zich daarop te concentreren; hij moest alles vanavond doorlezen om te controleren of er niets was weggelaten. Morgenochtend had hij hierover een bespreking met Emily Curtis, een financieel onderzoekster, om de beslagleggingsdocumenten te voltooien, maar zijn gedachten gingen alle kanten op. Hij herinnerde zichzelf eraan dat hij Emily naar haar hond Bobby moest vragen. Ze was dol op dat beest, had het er altijd over en liet Grace foto's van hem zien.

Het was tien over negen 's avonds. Er was een nieuwe misdaadserie op tv, met het geluid uit. Net als de meeste politiemensen keek Grace maar zelden naar politieseries, omdat hij zich stoorde aan de onnauwkeurigheden die hij er altijd in bespeurde. Bij de eerste aflevering van deze serie had hij het de week ervoor na een kwartier al voor gezien gehouden toen de hoofdpersoon, zogenaamd een ervaren rechercheur, in zijn gewone kleding over een plaats delict walste.

Zijn gedachten keerden terug naar het fatale ongeluk van die ochtend. Hij had samenvattingen gehoord van de eerste verklaringen van ooggetuigen. De fietser reed op de verkeerde weghelft, maar dat was niet ongebruikelijk; er reden wel vaker idioten aan de verkeerde kant van de weg. Als het een geplande afrekening was, dan had de fietser dat busje de perfecte kans geboden. Maar hoe had de bestuurder van dat busje kunnen weten dat die jongen aan de verkeerde kant zou fietsen? Die theorie paste helemaal niet en Grace was er niet blij mee, ook al was het busje door rood gereden.

Maar de relatie met de misdaadfamilie in New York zat hem dwars, om redenen waar hij de vinger niet op kon leggen. Hij had er gewoon een heel naar gevoel over.

Veel mensen zeiden dat de Italiaanse maffia zoals neergezet in films zoals *The Godfather*, tegenwoordig ingekakt was. Maar Grace wist wel beter. Zes jaar geleden had hij een korte cursus gevolgd bij het trainingscentrum van de FBI in Quantico, Virginia, en was bevriend geraakt met een in Brooklyn gebaseerde rechercheur die zich specialiseerde in de maffia.

Nee, het was niet meer dezelfde organisatie als in de hoogtijdagen. Tijdens de drooglegging waren de misdaadfamilies van de Amerikaanse maffia almaar sterker geworden. Medio jaren dertig hadden ze bevelstructuren naar het voorbeeld van Romeinse legioenen en raakte hun invloed bijna iedereen in Amerika wel op een of andere manier. Veel grote vakbonden stonden onder hun gezag. Ze waren betrokken bij de kledingindustrie, de bouwsector, de spoorwegen, de haven van New York, sigaretten, gokken, nachtclubs, prostitutie, afpersing voor de zogenaamde bescherming van duizenden bedrijven en bedrijfsterreinen, en woekerleningen.

Tegenwoordig waren de traditioneel gevestigde misdaadfamilies minder zichtbaar, maar niet minder rijk, ondanks wat concurrentie van de groeiende zogenoemde Russische maffia. Een groot deel van hun inkomsten kwam nu van verdovende middelen, ooit een taboe voor hen, namaak designergoederen en illegale kopieën van films, terwijl er grote stappen waren gemaakt op het gebied van internetpiraterij.

Voordat hij die avond het bureau had verlaten, had hij *Sal Giordino* gegoogeld, en wat hij had gevonden was geen aangenaam leesvoer. Hoewel Sal Giordino in de gevangenis zat, was zijn grote personeelsbestand zeer actief. Ze leken boven de wet te staan en even meedogenloos te zijn bij het uitschakelen van hun rivalen als alle misdaadfamilies die hun waren voorgegaan.

Kon het zijn dat hun tentakels Brighton hadden bereikt?

Drugs waren een grote factor in deze stad. Al negen jaar droeg Brighton de onwelkome titel van Injecteerbare-Drugshoofdstad van het Verenigd Koninkrijk. Het was big business om aan de plaatselijke junks te leveren, maar recreatieve drugs zoals cocaïne waren een nog betere handel. Het huidige politie-initiatief op dit vlak, Operatie Reductie, was bijzonder effectief geweest voor het oprollen van meerdere grote netwerken, maar hoeveel mensen ze ook arresteerden, er stonden altijd nieuwe spelers in de coulissen te wachten om hun plaats in te nemen. Tot op heden had het inlichtingenbureau van de politie nog geen verbanden gelegd met misdaadfamilies in Amerika, maar kon dat op het punt staan te veranderen?

Zijn telefoon ging.

Hij stapte de kamer uit terwijl hij opnam, omdat hij Cleo niet wilde wekken. De gynaecoloog had gezegd dat ze momenteel alle rust nodig had die ze kon krijgen.

Het was Norman Potting, nog altijd ijverig aan het werk in het coördinatiecentrum. Grace kende de droevige reden daarvoor, namelijk dat Potting het thuis zo verschrikkelijk vond dat hij liever tot laat achter zijn bureau bleef zitten, in een omgeving waar hij in ieder geval gewenst was.

'Chef, ik heb net een telefoontje gehad van Interpol in New York. De ouders van de overleden jonge fietser, Tony Revere, zijn onderweg in een privéjet. Ze landen om zes uur morgenochtend op Gatwick. Ik dacht dat je dat wel zou willen weten. Ze hebben een kamer geboekt in het Metropole in Brighton. De verkeerspolitie heeft een agent van maatschappelijke ondersteuning geregeld die wat later op de ochtend met ze naar het mortuarium gaat, maar ik dacht dat je misschien ook iemand van Zware Criminaliteit zou willen sturen.'

'Slim van je, Norman,' zei Grace, en hij bedankte hem.

Toen hij had opgehangen, dacht hij even na. Hij zou graag zelf die ouders ontmoeten en een inschatting van hen maken, maar hij wilde niet dat ze in dit stadium de indruk kregen dat er bij de politie verdenkingen bestonden, en misschien vonden ze het merkwaardig als er een agent van zijn rang kwam opdagen. Het was het risico niet waard, besloot hij. Als er iets te winnen was bij een ontmoeting met de ouders, dan zouden ze dat het best kunnen bereiken door alles rustig te houden. Het was dus beter om een jongere politieman te sturen; op die manier leek het alleen maar een blijk van respect.

Hij koos een nummer, en even later nam Glenn Branson op. Op de achtergrond hoorde Grace een melodie die hij herkende van een oude Clint Eastwood-film, *The Good, the Bad and the Ugly*. Branson had een passie voor oude films.

Hij kon voor zich zien hoe zijn vriend onderuithing op de bank in zijn – Grace' – huis, waar hij nu al maanden logeerde omdat zijn vrouw hem de deur had gewezen. Maar het zou niet veel langer zo blijven, want Grace had onlangs zijn huis te koop gezet.

'Hé, ouwe!' zei Branson, en hij klonk alsof hij had gedronken.

Hij had nooit veel gedronken voordat zijn huwelijk strandde, maar tegenwoordig dronk Branson zo veel dat Grace zich zorgen om hem maakte.

'Hoe ging de autopsie?'

'Daar is tot nu toe nog niks onverwachts uitgekomen. Er zat witte verf op de rechterschouder van de anorak van die jongen, kloppend met schaafwonden op zijn huid; waarschijnlijk de plek waar de Transit hem heeft geraakt. De doodsoorzaak is meervoudig inwendig letsel. Bloed en andere vloeistofmonsters zijn naar het lab gestuurd voor een drugstest.'

'Volgens alle getuigenverklaringen fietste hij aan de verkeerde kant van de weg.'

'Hij was een Amerikaan. Het was nog vroeg. Misschien was hij moe en in de war. Of gewoon een typische gestoorde fietser. Er zijn geen camerabeelden van het feitelijke ongeluk.'

Grace veranderde van onderwerp en vroeg: 'Heb je Marlon al gevoerd?' Hij moest Branson dagelijks helpen herinneren dat de goudvis eten moest hebben.

'Ja, ik ben met hem naar Jamie Oliver geweest. Hij heeft een driegangendiner gehad, inclusief dessert.'

Grace grijnsde.

'Hij ziet er droevig uit, vind ik. Hij heeft een partner nodig,' zei Branson.

Jij ook, en wel zo gauw mogelijk, dacht Grace, voordat hij uitlegde: 'Dat heb ik geprobeerd, maar hij vreet alle andere vissen die ik erin gooi op.'

'Hij lijkt Ari wel.'

Grace negeerde Bransons opmerking over zijn vrouw en vroeg: 'Ik hoop niet dat je van plan was morgen uit te slapen?'

'Hoezo?'

'Je moet komen opdraven bij het mortuarium.'

24

Om kwart over zeven 's morgens, nog maar twaalf uur nadat hij er was weggereden, parkeerde Glenn Branson zijn dienstauto, een civiele zilverkleurige Hyundai Getz, op de verlaten bezoekersparkeerplaats achter het mortuarium van Brighton & Hove. Hij zette de motor af en duwde met zijn vingers hard tegen zijn slapen in een poging van de stekende pijn in zijn voorhoofd af te komen. Zijn mond was droog en zijn keel voelde al helemaal als schuurpapier, ook al had hij een paar grote glazen water gedronken. De twee paracetamol die hij een uur geleden na het opstaan had genomen, werkten nog niet en hij had er niet veel vertrouwen in dat dat nog zou gaan gebeuren.

Zijn katers werden erger. Waarschijnlijk, zo redeneerde hij, doordat hij veel meer begon te drinken. Deze keer had hij zijn kater te danken aan een fles afgeprijsde rode wijn van de ASDA-supermarkt. Hij was van plan geweest één glaasje te drinken bij zijn stoofschotel met kip uit de magnetron terwijl hij de vorige avond voor de televisie zat te eten, maar ongemerkt had hij hem leeggedronken.

Om zijn woede te verdrinken.

Om die verschrikkelijke pijn in zijn hart te verdoven. Het voortdurende verlangen naar zijn kinderen, de scherpe steek in zijn maag telkens als hij dacht aan de nieuwe man die nu bij zijn vrouw woonde, met zijn kinderen speelde, ze in bad deed, goddomme. Een of andere flikflooiende personal trainer die hij dolgraag zou vermoorden. En dan nog al die leugens van haar in de echtscheidingspapieren. Die lagen naast hem, in een witte envelop op de passagiersstoel.

Hij had vanmiddag een afspraak met zijn advocaat om de scheidingspapieren door te nemen en verder advies te krijgen over de financiële gevolgen en zijn contact met de kinderen.

Het was allemaal zo oneerlijk. Terwijl de politie zich uit de naad werkte en agenten hun leven waagden om misdaden te voorkomen en boeven op te sluiten, waren alle normen en waarden het raam uit gegaan. Je vrouw hoefde je niet trouw te zijn. Ze kon naaien wie ze wilde, je vervolgens het huis uit zetten en haar minnaar bij haar laten intrekken.

Hij stapte somber de lichte motregen in en opende zijn paraplu. Zijn kleren vrolijkten hem niet bepaald op. Hij droeg een marineblauwe regenjas over zijn donkere pak, een ongebruikelijk sombere stropdas en het eenvoudigste paar zwarte schoenen dat hij had, glimmend gepoetst zoals al zijn schoeisel. Een van de weinige kledingtips die hij ooit van Roy Grace had gehad en waar hij echt iets mee deed, was hoe hij zich respectvol moest kleden voor dit soort gelegenheden.

Nu de frisse lucht hem wat helderder maakte, keek hij onbehaaglijk naar de gesloten deur van de ontvangsthal. Hij kreeg altijd de rillingen van dit gebouw, en met een kater was het nog erger.

Het gebouw zag er grijs en donker uit. Aan de voorkant leek het op een langgerekte bungalow in een buitenwijk, met grindstenen muren en ondoorzichtige ramen. Aan de achterkant leek het meer op een pakhuis met aan beide zijden deuren die groot genoeg waren voor een auto, zodat lijken konden worden aan- en afgevoerd zonder dat het publiek er iets van zag. Het stond vlak bij de drukke rotonde in het midden van Lewes Road in het centrum van Brighton, afgeschermd van de rij huizen ernaast door een hoge muur, en op de steile heuvel erachter lag de lommerrijke stilte van de begraafplaats Woodvale.

Hij wachtte toen hij een auto hoorde naderen. Even later kwam Bella Moy in haar paarse Nissan Micra de hoek om en parkeerde naast hem. Ze was hier op aanraden van Roy Grace omdat ze, naast rechercheur bij de afdeling Zware Criminaliteit, ook een getrainde en ervaren maatschappelijk ondersteuner was.

Beleefd opende Glenn het portier voor haar en hield de paraplu boven haar hoofd toen ze uitstapte.

Ze bedankte hem en glimlachte zwakjes. 'Alles goed?'

Hij trok een grimas en knikte. 'Ja, bedankt. Het gaat wel.'

Hij was zich bewust van haar blauwe ogen die onderzoekend in de zijne keken en vroeg zich af of ze zag dat zijn ogen bloeddoorlopen waren. Hij was niet fit meer, dat stond vast. Het was al een paar maanden geleden dat hij nog naar de sportschool was geweest en voor het eerst in zijn leven was zijn wasbordje vervangen door een heel klein buikje. Hij vroeg zich af of ze alcohol in zijn adem rook, groef in zijn zakken en haalde een pakje pepermuntkauwgom tevoorschijn. Hij bood haar er een aan, maar ze schudde haar hoofd. Toen stak hij een kauwgompje in zijn mond en begon te kauwen.

Hij had met zijn collega te doen. Bella was een prima rechercheur, maar op modegebied was ze een ramp. Ze had een aardig gezicht, maar het werd omkranst door futloos haar en ze was vandaag net zo slordig gekleed als altijd, in een dik donsjack over een ouderwets flesgroen mantelpakje en lompe zwarte enkellaarzen. Alles aan haar ontbeerde stijl, van haar saaie Swatch met het sleetse nylonbandje tot en met haar auto; een echte oudedamesauto, vond hij.

Het leek wel alsof ze zich op haar vijfendertigste al had neergelegd bij een leven dat verdeeld was tussen haar werk en de zorg om haar oude moeder en er geen moer meer om gaf hoe ze eruitzag. Als hij de moed had om haar een make-over te geven, zoals hij Roy Grace had gemoderniseerd, zou hij haar kunnen transformeren tot een mooie vrouw, dacht hij vaak. Maar hoe kon hij dat tegen haar zeggen? En bovendien moest je in de politiek correcte wereld van tegenwoordig altijd op eieren lopen. Ze zou misschien kwaad worden en hem beschuldigen van seksisme.

Ze draaiden zich allebei om bij het geluid van een andere auto. Er kwam een blauwe Ford Mondeo in zicht, die naast hen stopte. Branson herkende de bestuurder, Dan Pattenden van de verkeerspolitie. Naast hem, naar voren gebogen, zat een arrogant uitziende man van begin vijftig, met naar achteren zilvergrijs haar en een argwanende blik. Toen hij zijn hoofd draaide, deed hij Branson denken aan een das. Achter hem zat een vrouw.

De das stapte uit en geeuwde, en keek toen knipperend met zijn ogen om zich heen met een vermoeid, verslagen gezicht. Hij droeg een duur ogende beige Crombie-jas met een fluwelen kraag, een schreeuwerige oranje met bruine stropdas en bruine instappers met gouden gespen, en om zijn vinger zat een opzichtige ring met een smaragd. Zijn huid had de gelig bleke tint van zelfbruinende crème en een slapeloze nacht.

Maar hij had net zijn zoon verloren, en wie hij in de misdaadwereld van Amerika ook mocht zijn, Glenn had op dit moment toch medelijden met hem.

Het achterportier van de auto schoot open alsof iemand er een schop tegen had gegeven. Branson ademde een plotselinge wolk parfum in toen de vrouw verscheen, haar benen naar buiten zwaaide en zichzelf overeind lanceerde. Ze was iets langer dan haar man, met een aantrekkelijk maar hard gezicht dat strak stond van het verdriet. Haar korte blonde haar was modieus gekapt en onberispelijk, en haar camelkleurige jas, donkerbruine tas en bijpassende krokodillenleren laarzen hadden een ingetogen, duur aanzien.

'Meneer en mevrouw Revere?' vroeg Branson, terwijl hij met uitgestoken hand naar voren stapte.

De vrouw keek naar hem alsof hij lucht was, alsof ze niet met zwarte mensen praatte, en wendde minachtend haar gezicht af.

De man glimlachte nederig en knikte nog nederiger. 'Lou Revere,' zei hij. 'Dit is mijn vrouw, Fernanda.' Hij drukte Glenns hand veel steviger dan Glenn had verwacht.

'Ik ben rechercheur Branson en dit is rechercheur Moy. Wij zijn hier om u bij te staan en te helpen waar we kunnen, samen met agent Pattenden. We vinden het heel erg van uw zoon. Hoe was uw reis?'

'Afgrijselijk, als je het dan weten moet,' zei de vrouw, die nog steeds niet naar hem keek. 'Ze hadden geen ijsblokjes in het vliegtuig. Het is toch niet te geloven? Geen ijs. En alleen maar een paar droge broodjes. Moeten we hier in die kloteregen blijven staan?'

'Helemaal niet. Laten we naar binnen gaan,' zei Glenn, en hij gebaarde naar de deur.

'Schatje,' zei de man. 'Schatje...' Hij keek verontschuldigend naar de twee rechercheurs. 'Het was op het laatste moment geregeld. Een compagnon was net geland, gelukkig, en het vliegtuig stond nog bij La Guardia op de baan. Ze hebben ons opgehaald bij ons plaatselijke vliegveld. Anders waren we hier pas veel later geweest, of misschien zelfs pas morgen.'

'We hebben vijfentwintigduizend dollar betaald, en ze hadden verdomme niet eens ijs,' herhaalde ze.

Glenn Branson kon moeilijk geloven dat iemand die net haar zoon had verloren zich druk zou maken om zoiets onbelangrijks als ijsklontjes, maar hij reageerde diplomatiek. 'Dat is heel vervelend,' zei hij, en hij stapte naar voren en ging hun voor naar de ingang van het gebouw. Hij bleef voor een smalle blauwe deur met een melkglazen ruit erin staan, onder de blik van de bewakingscamera die erboven hing, en belde aan.

Er werd opengedaan door Cleo Moreys assistent, Darren Wallace. Hij was een opgewekte man van begin twintig, met zwart haar dat met gel rechtop was gezet, en hij was al gehuld in een blauwe overall met zijn broekspijpen in witte rubberlaarzen gestopt. Hij begroette hen met een vriendelijke glimlach en liet hen binnen.

De geur raakte Glenn Branson meteen, zoals altijd gebeurde, en hij moest bijna kokhalzen. De weeïg zoete geur van ontsmettingsmiddel kon de stank van de dood, die overal in dit gebouw hing, wel maskeren maar nooit verdrijven. De geur die elke keer weer in je kleren bleef hangen.

Ze liepen naar een kantoortje en werden voorgesteld aan Philip Keay, de hulpofficier van justitie. Hij was een lange, slanke man in een somber, donker pak. Hij was knap, met donker, kort geschoren haar en dikke wenkbrauwen, en hij was beleefd en efficiënt.

De assistent-patholoog ging hun voor door de betegelde gang, langs het glazen venster van de isolatieruimte. Hij leidde hen snel langs de open deur van de autopsieruimte, waar drie naakte lijken lagen, en ze betraden een kleine vergaderkamer. Daar stond een achthoekige tafel met acht zwarte stoelen eromheen en aan de muur hingen twee lege whiteboards en een ronde klok met een roestvrijstalen kast. De klok gaf 07:28 uur aan.

'Kan ik u misschien thee of koffie aanbieden?' vroeg Darren Wallace, gebarend dat ze konden plaatsnemen.

Beide Amerikanen schudden hun hoofd en bleven staan.

'Ik wist niet dat we bij Starbucks waren, verdomme,' zei Fernanda Revere. 'Ik ben hierheen gevlogen om mijn zoon te zien, niet om koffie te drinken.'

'Schatje,' zei haar man, en hij stak waarschuwend zijn hand op.

'Hou op met dat "schatje", ja?' kaatste ze terug. 'Je lijkt wel een gebarsten elpee.'

Darren Wallace wisselde een blik met de politiemensen, en toen sprak de hulpofficier van justitie de Amerikanen rustig maar vastberaden toe.

'Bedankt dat u de reis hierheen hebt ondernomen. Ik kan me voorstellen dat dit niet gemakkelijk voor u is.'

'O ja?' snauwde Fernanda Revere. 'Is dat zo?'

Philip Keay zweeg diplomatiek en bleef rechtop zitten. Hij negeerde haar vraag en sprak weer tegen de Reveres, wisselend tussen de twee.

'Ik vrees dat uw zoon ernstige schaafwonden heeft opgelopen tijdens het ongeluk. Hij is op zijn best gepresenteerd, zoals u zich hem misschien het liefst herinnert. Ik raad u aan door het kijkvenster naar hem te kijken.'

'Ik ben niet dat hele eind gevlogen om door een raam naar mijn zoon te kijken,' zei Fernanda Revere ijzig. 'Ik wil hem zien, oké? Ik wil hem vasthouden, knuffelen. Hij heeft het daar koud. Hij heeft zijn moeder nodig.'

Er werden weer onbehaaglijke blikken gewisseld, en toen zei Darren Wallace: 'Ja, natuurlijk. Als u mij wilt volgen? Maar wees alstublieft voorbereid.'

Ze liepen door een spartaanse wachtkamer met roomwitte stoelen langs de muren en een automaat voor warme dranken. De drie politieagenten bleven daar, terwijl Darren Wallace de Reveres en Philip Keay door de deur aan het eind meenam naar de smalle ruimte die dienstdeed als onkerkelijke kapel en zichtruimte.

De muren waren tot op schouderhoogte van houten lambrisering voorzien en erboven roomwit geschilderd. Er waren namaak-vensternissen aangebracht, met in één ervan kunstbloemen in een vaas, en in plaats van een altaar was er een abstract design aangebracht van gouden sterren op een zwarte achtergrond en dichte wolken. Op schappen aan beide kanten van de kamer waren blauwe doosjes met tissues neergezet voor rouwende bezoekers.

In het midden stond een tafel met daarop een menselijk lichaam onder een zijden laken.

Fernanda Revere begon diepe, hijgende snikgeluiden te maken. Haar man legde zijn arm om haar heen.

Darren Wallace trok voorzichtig het laken opzij en onthulde het hoofd van de jongeman, dat opzij was gedraaid. In zijn rouwtraining had hij leren omgaan met bijna elk soort situatie tijdens dit gevoelige moment, maar toch kon hij nooit voorspellen hoe iemand zou reageren bij het zien van een overleden geliefde. Hij was vele keren eerder aanwezig geweest toen moeders begonnen te gillen, maar nog nooit in zijn loopbaan had hij zoiets gehoord als de jammerkreet die deze vrouw plotseling slaakte.

Het leek wel alsof de krochten van de hel zelf waren opengescheurd.

25

Het duurde meer dan een uur voordat Fernanda Revere de zichtruimte weer uit kwam, amper in staat te lopen en ondersteund door haar uitgeput ogende man.

Darren Wallace leidde hen naar stoelen aan de tafel in de wachtruimte. Fernanda ging zitten, haalde een pakje sigaretten uit haar tas en stak er een op.

Beleefd zei Darren: 'Het spijt me heel erg, maar hier mag niet gerookt worden. U kunt buiten roken.'

Ze nam een lange haal, staarde hem aan alsof hij niets had gezegd, blies de rook uit en nam nog een haal.

Branson gaf haar diplomatiek zijn lege koffiebeker aan. 'Gebruik deze maar als asbak,' zei hij, met een zwijgend knikje naar Wallace en vervolgens naar zijn collega's.

Haar man sprak rustig maar assertief, met een licht accent uit Brooklyn, alsof hij plotseling de leiding over de situatie overnam, en hij keek de politiemensen om de beurt aan.

'Mijn vrouw en ik willen graag precies weten wat er is gebeurd. Hoe onze zoon is overleden. Snapt u wat ik bedoel? We hebben het alleen nog maar uit de tweede hand gehoord. Wat kunt u ons vertellen?'

Branson en Bella Moy wendden zich tot Dan Pattenden.

'Ik vrees dat we het volledige plaatje nog niet hebben, meneer en mevrouw Revere,' zei de agent van de verkeerspolitie. 'Er waren drie voertuigen bij het ongeval betrokken. Uit getuigenverklaringen hebben we tot dusverre afgeleid dat uw zoon uit een zijstraat de hoofdweg op kwam, Portland Road, en aan de verkeerde kant van de weg recht voor een Audi belandde. De vrouwelijke bestuurder lijkt te zijn uitgeweken en is tegen de pui van een café gebotst. De ademtest gaf aan dat ze te veel had gedronken, en daarvoor is ze gearresteerd.'

'Geweldig, verdomme,' zei Fernanda Revere, die nog een diepe haal van haar sigaret nam.

'In dit stadium weten we nog niet in hoeverre zij betrokken was bij de daadwerkelijke aanrijding,' zei Pattenden. Hij keek naar zijn notitieblok op tafel.

'Een witte Ford Transit die achter haar zat, schijnt door rood te zijn gereden en uw zoon te hebben geraakt, en door de klap is Tony met zijn fiets de weg over geslingerd en voor een vrachtwagen met aanhanger beland die van de andere kant kwam. Het was de aanrijding met de vrachtwagencombinatie die waarschijnlijk het dodelijke letsel heeft veroorzaakt.'

Het bleef lange tijd stil.

'Vrachtwagencombinatie?' vroeg Lou Revere. 'Zoiets als een Mack-truck?'

'Ja, een grote vrachtwagen.'

Dan Pattenden voegde eraan toe: 'We hebben vastgesteld dat de vrachtwagenchauffeur over zijn uren heen zat.'

'En dat betekent?' vroeg Lou Revere.

'We hebben in het Verenigd Koninkrijk strenge wetten over het aantal uren dat een vrachtwagenchauffeur mag rijden totdat hij rust moet nemen. Alle ritten worden bijgehouden door een tachograaf die in het voertuig is gemonteerd. Ons onderzoek van de tachograaf in de vrachtwagen die betrokken was bij het fatale ongeval met uw zoon heeft uitgewezen dat de chauffeur over de toegestane limiet zat.'

Fernanda Revere gooide haar sigarettenpeuk in de koffiebeker, haalde een nieuwe sigaret uit het pakje en zei: 'Dat is lekker. Dat is echt lekker, verdomme.' Ze stak minachtend de sigaret op, maar toen liet ze haar hoofd zakken en liep er een traan over haar wang.

'En dat witte busje?' vroeg haar man. 'Hoe zit het met die kerel? De bestuurder?'

Pattenden bladerde door een paar bladzijden van zijn notitieblok. 'Hij is doorgereden, en we hebben nog geen signalement van hem. Iedereen kijkt naar dat voertuig uit. Maar we hebben geen idee hoe de bestuurder eruitzag. We hopen dat camerabeelden nog iets opleveren.'

'Eens kijken of ik het snap,' zei Fernanda Revere. 'Jullie hebben een dronken bestuurder, een vrachtwagenchauffeur die over zijn uren zat en een bestuurder van een busje die is doorgereden na de aanrijding. Vat ik het zo goed samen?'

Pattenden keek haar behoedzaam aan. 'Ja. Hopelijk komt er meer informatie aan het licht terwijl ons onderzoek vordert.'

'O, hópelijk, hè?' drong ze aan. Haar stem was puur gif. Ze wees naar de gesloten deur. 'Dat is mijn zoon daarbinnen.' Ze keek haar man aan. 'Ónze zoon. Hoe denk je dat we ons voelen?'

Pattenden keek haar aan. 'Ik kan me met geen mogelijkheid voorstellen hoe u zich voelt, mevrouw Revere. Het enige wat ik, de verkeerspolitie en de verkeersongevallendienst kunnen doen, is proberen zo goed mogelijk alle feiten omtrent het gebeurde vast te stellen. Het spijt me heel erg voor u en uw familie. Ik ben hier om eventuele vragen te beantwoorden en u te verzekeren dat we alles zullen doen wat in ons vermogen ligt om de feiten rondom de dood van uw zoon boven water te krijgen.' Hij gaf haar zijn kaartje. 'Dit zijn mijn contactgegevens. Bel me gerust wanneer u wilt, dag of nacht. Ik zal u alle informatie geven die ik heb.'

Ze liet het kaartje op tafel liggen. 'Zeg eens... Hebt u wel eens een kind verloren?'

Hij keek haar enige tijd aan. 'Nee, maar ik heb ook kinderen. Ik kan me niet indenken hoe het zou zijn. Ik kan me niet voorstellen wat u doormaakt, en ik zou het niet eens willen proberen.'

'Ja,' zei ze ijzig. 'Dat heb je goed. Probeer het maar niet eens.'

26

Tooth en zijn compagnon Yossarian zaten op het terras bij de Shark Bite Sports Bar, die uitkeek over de kreek aan het zuidelijke uiteinde van de jachthaven Turtle Cove op Providenciales Island. Provo, zoals de locals het noemden, was vijftig kilometer lang en acht kilometer breed en lag in de Cariben, ten zuiden van de Bahamas. Het was het grootste toeristische eiland van de Turks- en Caicoseilanden, hoewel het nog grotendeels onontwikkeld was, en dat beviel Tooth wel. Zodra het te druk werd, was hij van plan te verhuizen.

Het was zesendertig graden en de luchtvochtigheid was hoog. Tooth, gekleed in een afgeknipte spijkerbroek, een T-shirt met een afbeelding van Jimmy Page erop en slippers, zat te zweten. Elke paar minuten sloeg hij naar de muggen die op zijn blote huid landden. Hij rookte een Lucky Strike en dronk een Maker's Mark-bourbon met ijs. De hond zat naast hem naar de wereld te loeren en dronk af en toe uit een bak water op de houten plankenvloer.

Het was Happy Hour in de bar en binnen, waar airco was, zat het vol met Britse, Amerikaanse en Canadese expats die elkaar kenden en regelmatig samen iets in deze bar gingen drinken. Tooth praatte nooit met hen. Hij praatte nooit met iemand. Hij was vandaag jarig en vond het prima om zijn verjaardag met zijn compagnon door te brengen.

Zijn verjaardagscadeau aan zichzelf was dat hij zijn hoofd liet scheren en dan ging neuken met dat zwarte meisje Tia bij Cameo's nachtclub aan de Airport Road, waar hij bijna elke week naartoe ging. Het kon haar niet schelen dat hij jarig was, en Yossarian ook niet. Dat vond hij best. Tooth deed daar ook niet aan.

Er klonk brullend gelach in de bar. Een paar weken geleden hadden er geweerschoten geklonken. Twee Haïtianen waren binnengekomen en hadden met halfautomatische wapens gezwaaid, schreeuwend dat iedereen moest gaan liggen en zijn portemonnee moest afgeven. Een dronken Engelse advocaat met een bierbuik, gekleed in een blazer, een witte sportpantalon en een oude schoolstropdas, trok een Glock .45 en schoot hen allebei dood. Meteen daarna had hij de barman toegeroepen dat hij nog een pink gin wilde.

Zo'n tent was dit.

En daarom wilde Tooth hier wonen. Niemand stelde vragen, en niemand kon het ene moer schelen. Ze lieten Tooth en zijn compagnon met rust, en hij liet hen met rust. Hij woonde in een appartement op de begane grond van een complex aan de overkant van de kreek, met een tuintje waar zijn compagnon naar hartenlust kon schijten. Hij had een werkster die de hond voerde als hij zelf weg moest voor zaken, wat twee tot drie keer per jaar voorkwam.

De Turks- en Caicoseilanden waren een Brits protectoraat dat de Britten niet nodig hadden en zich niet konden veroorloven. Maar omdat ze strategisch tussen Haïti, Jamaica en Florida lagen, waren ze een geliefde tussenhalte voor drugsrunners en illegale Haïtiaanse immigranten op weg naar Amerika. Het Verenigd Koninkrijk deed alsof het toezicht hield en had er een stroman neergezet als gouverneur, maar meestal werd alles overgelaten aan de corrupte plaatselijke politiemacht. De Amerikaanse kustwacht had hier een grote dependance, maar zij hadden alleen belangstelling voor wat er op zee gebeurde.

Niemand had belangstelling voor Tooths zaken.

Hij dronk nog twee glazen bourbon en rookte nog vier sigaretten, en toen liep hij samen met zijn compagnon over de donkere, verlaten weg naar huis. Dit was misschien wel of misschien niet de laatste avond van zijn leven. Daar zou hij snel genoeg achter komen. Het kon hem echt niet schelen, en dat kwam niet door de drank. Het was het harde stukje metaal in de afgesloten kast bij hem thuis dat de doorslag zou geven.

Tooth was op zijn vijftiende van school gegaan en had een tijdje rondgezworven. Hij was verzeild geraakt in New York, eerst in ploegendienst bij een magazijn, daarna als monteur bij een fabriek voor Grumman-gevechtsvliegtuigen op Long Island. Toen George Bush Senior Irak binnen viel, was Tooth bij het Amerikaanse leger gegaan. Daar ontdekte hij dat zijn aangeboren kalmte hem een bijzonder talent gaf. Hij was heel accuraat met een geweer op de lange afstand.

Na twee uur op de schietbaan had zijn luitenant hem aangeraden zich in te schrijven voor de scherpschuttersopleiding. Dat was de plek waar Tooth zijn metier had ontdekt. Aan de muur van zijn appartement hing een hele trits medailles als bewijs daarvan. Af en toe keek hij daar op een afstandelijke manier naar, alsof hij in een museum naar het leven van een vreemde uit vroeger tijden keek.

Een van de voorwerpen was een ingelijst certificaat voor heldenmoed, dat hij had gekregen nadat hij een gewonde collega uit de vuurlinie had gered. Een van de kreten die erop stonden was: *Een groot Amerikaans patriot.*

De dronken Engelse advocaat in de Shark Bite Sports Bar, die de twee Haïtianen had doodgeschoten, had hem een paar jaar geleden eens per se op wat te drinken willen trakteren. De advocaat had daar gezeten en een glas gin achterovergeslagen, naar hem geknikt en vervolgens gevraagd of hij een patriot was.

Tooth had gezegd dat hij nee, geen patriot was, en was weggelopen.

De advocaat had hem nageroepen: 'Goed zo. Patriottisme is het laatste toevluchtsoord van een schurk!'

Tooth herinnerde zich die woorden nu, terwijl hij nog een laatste keer naar die medailles en die ingelijste woorden keek, op de avond van zijn tweeënveertigste verjaardag. Toen, zoals elk jaar op zijn verjaardag, ging hij op zijn terras zitten met zijn compagnon en een glas Maker's Mark.

Hij rookte nog een sigaret en dronk nog een glas whisky, en in gedachten ging hij zijn financiën na. Bij zijn huidige levensstandaard had hij voldoende om vijf jaar van te kunnen leven, schatte hij. Hij kon wel weer een goed contract gebruiken. Hij had ongeveer tweeënhalf miljoen dollar vergaard op zijn Zwitserse bankrekening, een aardig buffertje, maar hé, hij wist niet hoeveel langer hij nog te leven had. Hij moest brandstof hebben voor zijn boot, zijn vijfendertig voet lange motorjacht de *Long Shot* met dubbele Mercedes-motoren, waarmee hij meestal op zijn eigen voedsel joeg.

Die dagen op pad met de *Long Shot* waren zijn leven.

En hij wist nooit hoe ze geteld waren.

Elk jaar was het zijn verjaardagsritueel om Russisch roulette te spelen. Hij stopte de kogel in een van de zes kamers, draaide aan de cilinder, luisterde naar het metalige *klik-klik-klik*, richtte het wapen op zijn slaap en haalde de trekker over, slechts één keer. Als de hamer een lege kamer raakte, dan moest het zo zijn.

Hij ging weer naar binnen, opende de kast en pakte de revolver. Dezelfde .38 kogel zat al tien jaar in de kamer. Hij klapte de revolver open en gooide de kogel in zijn handpalm.

Tien jaar geleden had hij er zelf een dumdum van gemaakt, met twee diepe verticale groeven in de neus. Dat betekende dat de kogel bij inslag zou openscheuren en een gat zo groot als een tennisbal in zijn hoofd zou maken. Hij zou met geen mogelijkheid meer te redden zijn.

Tooth stopte zorgvuldig de kogel terug in het wapen. Toen draaide hij de cilinder, luisterend naar het *klik-klik-klik*. Misschien zou de kogel in de vuurkamer terechtkomen, misschien niet.

Toen zette hij de loop van de revolver tegen zijn slaap. Precies op het gedeelte van zijn slaap waar hij wist dat het vernietigende effect maximaal zou zijn.

Hij haalde de trekker over.

27

Grace verplaatste de ochtendbriefing van Jack Skerritts kantoor naar de vergaderzaal, vanwege de extra mensen die er nu bij aanwezig waren. Daaronder waren Tracy Stocker, de manager plaats delict, James Gartrell, de forensisch fotograaf, Paul Wood, de brigadier van de verkeersongevallendienst die de vorige dag ter plaatse was geweest, en zijn eigen manager plaats delict.

Grace had zelf ook twee extra mensen bij het rechercheteam aangetrokken. De eerste was een jonge agent van tweeëntwintig, Alec Davies, die indruk op hem had gemaakt toen hij nog in uniform werkte en die hij versneld bij de recherche had gehaald door hem voor dit team te vragen. Davies was een rustige, verlegen man, die de leiding zou krijgen over het externe rechercheteam van politieassistenten. Zij gingen alle bedrijfspanden binnen anderhalve kilometer van de plaats van het ongeval af in de hoop nog meer camerabeelden te vinden.

Het tweede lid was David Howes, een lange, hoffelijke rechercheur van halverwege de veertig. Gekleed als hij was in een grijs krijtstreeppak en geblokt overhemd, met netjes gekamd rood haar, had hij kunnen doorgaan voor een aandelenhandelaar of manager in het bedrijfsleven. Een van zijn specialiteiten bij de recherche was als onderhandelaar. Hij was ook een voormalig medewerker gevangenisbetrekkingen.

In deze kamer stonden vijfentwintig harde, rode stoelen rondom een rechthoekige tafel met een open middengedeelte, en indien nodig waren er nog eens dertig staplaatsen. Hij werd onder andere gebruikt voor persconferenties, en daarvoor stond er aan het uiteinde tegenover het videoscherm een tweekleurig blauw bord van twee meter hoog en een meter breed, met daarop in vette letters de website van de politie van Sussex en het logo en telefoonnummer van Crimestoppers. Alle verklaringen voor de pers en media werden tegen deze achtergrond gegeven. Verticale jaloezieën schermden het troosteloze uitzicht op het huis van bewaring af dat boven hen uittorende.

Op de muur naast het videoscherm hing een whiteboard waarop James Biggs een tekening had gemaakt van de posities van de betrokken voertuigen direct na de botsing met de fietser.

De witte Ford Transit die vervolgens was verdwenen, was voorzien van het bijschrift *Voertuig 1*. De fiets was *Voertuig 2*, de vrachtwagen *Voertuig 3* en de Audi *Voertuig 4*.

Voorlezend uit zijn aantekeningen begon Roy Grace: 'Het is halfnegen 's morgens op donderdag 22 april. Dit is de tweede briefing van Operatie Viool, het onderzoek naar de dood van Anthony Vincent Revere, student aan de universiteit van Brighton. Het is dag twee na zijn aanrijding op Portland Road in Hove met een ongeïdentificeerde bestelwagen en vervolgens een vrachtwagen van Aberdeen Ocean Fisheries. Niet aanwezig bij deze bespreking zijn rechercheur Branson, agent Pattenden en rechercheur Moy, die momenteel een bezichtiging van het lichaam bijwonen met de uit de Verenigde Staten overgekomen ouders van het slachtoffer.'

Hij wendde zich tot brigadier Wood. 'Paul, ik denk dat het handig is om bij jou te beginnen.'

Wood stond op. 'We hebben alle informatie van de eerste getuigenverklaringen, remsporen en brokstukpatronen in het CAD-programma ingevoerd dat we voor ongevalssimulatie gebruiken. We hebben twee perspectieven van het ongeluk aangemaakt. Het eerste vanuit het gezichtspunt van de Audi.'

Hij pakte een afstandsbediening en drukte op een knop. Op het videoscherm verscheen een grijze weg met de breedte van Portland Road, maar waarbij de stoep en al het andere aan weerskanten lichtgrijs was ingekleurd. Op het scherm was te zien dat de witte bestelwagen vlak op de bumper van de Audi reed, de fietser uit een zijstraat kwam en de vrachtwagen met aanhanger een stukje verderop reed als tegenligger.

Hij drukte op een knop en de animatie kwam tot leven. Aan de andere kant van de weg kwam de vrachtwagen dichterbij. Ineens schoot de fietser de zijstraat uit, op de verkeerde weghelft, en kwam recht op de Audi af. Op het laatste moment zwenkte de fietser naar links, naar het midden van de weg, en de Audi dook links de stoep op. Een tel later raakte het busje de fietser, lanceerde hem over de andere weghelft en recht onder de vrachtwagen, tussen de voorste en achterste wielen. De fietser draaide mee met het achterwiel toen de vrachtwagen remde en zijn rechterbeen vloog onder de wagen vandaan.

Toen de animatie stopte, bleef het een hele tijd stil.

Grace verbrak die stilte uiteindelijk door zich tot hun collega van de verkeerspolitie te wenden. 'James, deze simulatie wijst erop dat de bestuurder van de Audi, Carly Chase, geen contact heeft gemaakt met Revere.'

'Dat denk ik ook, gebaseerd op wat we tot dusverre hebben gehoord. Maar ik ben er nog niet van overtuigd dat we het hele verhaal hebben. Het kan zijn dat ze gewoon pech had dat ze een ademtest moest doen na een avondje doorzakken, maar het is in dit stadium nog te vroeg om haar verwijtbaarheid uit te sluiten.'

Grace wendde zich tot de manager plaats delict van de afdeling Zware Criminaliteit. 'Tracy, heb jij iets te melden?'

Tracy Stocker, een hogergeplaatst lid van de technische recherche, was met haar lengte van iets meer dan anderhalve meter een nietige krachtcentrale en een van de meest gerespecteerde managers plaatsen delict bij de politie. Ze had een sterk, knap gezicht omlijst door steil bruin haar en droeg vandaag burgerkleding: een donkerblauw broekpak met een grijze blouse. Aan een sleutelkoord om haar hals hing een identiteitskaart van de politie, met in blauw en wit de woorden DIENSTBAAR VOOR SUSSEX erop.

'Ja, chef, wij hebben misschien iets belangrijks. We hebben het serienummer op het ter plaatse gevonden deel van de zijspiegel naar Ford gestuurd. Zij zullen ons kunnen vertellen of hij van een Ford Transit komt, en het fabricagejaar.'

'Dan hebben we het nóg over duizenden wagens, toch?' vroeg Nick Nicholl.

'Ja,' bekende ze. Toen voegde ze eraan toe: 'Maar de meeste daarvan zouden twee zijspiegels moeten hebben. Misschien krijgen we van een bewakingscamera nog een shot van een busje met een ontbrekende spiegel. De spiegel zelf is gebroken, maar ik heb om een vingerafdrukanalyse van de behuizing gevraagd. De meeste mensen stellen hun zijspiegels wel eens bij, dus er is een goede kans dat we daar iets op vinden. Het kan alleen wel een tijdje duren, want het plastic was vochtig van de regen en het is in het beste geval al geen goed materiaal om afdrukken van te halen.'

'Bedankt. Goed werk, Tracy.'

Grace wendde zich vervolgens tot Alec Davies. 'Hebben jullie al geluk gehad met camerabeelden?'

De jonge agent schudde zijn hoofd. 'Nee, chef. We hebben alle beelden bekeken, maar de camerahoeken en afstanden leveren niet genoeg detail op.'

Terwijl Davies antwoordde, begonnen Grace' gedachten af te dwalen naar Cleo, zoals tot nu toe elke paar minuten gebeurde. Hij had haar die ochtend al gesproken en toen had ze een stuk beter geklonken. Hopelijk zou ze de volgende dag naar huis kunnen.

Na een tijdje besefte hij dat Davies nog steeds aan het woord was. Hij staarde de jonge agent glazig aan en moest toen vragen: 'Sorry, maar zou je dat kunnen herhalen?'

Nadat Davies dat had gedaan, zette Grace zijn gedachten op een rijtje en zei: 'Oké, Alec, ik denk dat je het net wijder moet uitspreiden. Als die bus een snelheid heeft van vijftig kilometer per uur, dan is dat anderhalve kilometer per twee minuten. Breid je sleepvisactie uit tot een radius van zestien kilometer. Laat me maar weten hoeveel mensen je daarvoor nodig hebt, dan geef ik toestemming.'

Norman Potting stak zijn hand op, en Grace gaf hem het woord.

'Chef, die informatie die gisteren aan het licht kwam, over de relatie tussen het slachtoffer en de maffia van New York. Moeten we er rekening mee houden dat hier meer achter zit dan alleen een verkeersongeval? Ik weet dat het een geval van doorrijden na een ongeluk is, maar kan het zijn dat die bus is doorgereden omdat het om een afrekening ging?'

'Dat is een goed punt, Norman,' antwoordde Grace. 'Door wat ik tot nu heb gezien, begin ik het idee te krijgen dat dit waarschijnlijk geen bendemoord of zoiets is. Maar we moeten wel een onderzoek instellen om zeker te weten dat het niet met de maffia te maken heeft. We moeten inlichtingen verzamelen.' Hij keek de misdaadanalist aan die hij bij het team had gebracht, Ellen Zoratti, een intelligente vrouw van achtentwintig. 'Ellen heeft al contact met de politie in New York om vast te stellen of Tony Reveres familie, of die van zijn moeder, een of ander geschil heeft met leden van hun eigen familie of andere misdaadfamilies.'

Op dat moment ging Grace' telefoon. Hij verontschuldigde zich en nam op. Het was zijn baas, adjunct-hoofdcommissaris Rigg, die zei dat hij Grace meteen wilde spreken. Hij klonk niet vrolijk.

Grace zei dat hij er over een halfuur zou zijn.

28

Malling House, het hoofdkwartier van de politie van Sussex, lag op een kwartier rijden van Grace' kantoor. Het stond in de buitenwijken van Lewes, de provinciehoofdstad van East Sussex, en een groot deel van de administratie en het management van de vijfduizend agenten en medewerkers van de politie werd gedaan vanuit dit complex van moderne en oude gebouwen.

Terwijl hij de zilverkleurige Ford Focus voor de slagboom tot stilstand bracht, voelde Roy Grace dezelfde vlinders in zijn buik als wanneer hij vroeger op school naar de kamer van de directeur werd geroepen. Hij kon er niets aan doen. Elke keer dat hij hier kwam gebeurde dat, ook al was de nieuwe adjunct-hoofdcommissaris aan wie hij nu verantwoording aflegde, Peter Rigg, een veel goedaardiger mens dan zijn voorgangster, de zure en onvoorspelbare Alison Vosper.

Hij knikte naar de bewaker en reed naar binnen. Hij ging haaks rechtsaf, langs het hoofdkwartier en de rijschool van de verkeerspolitie, en zette zijn auto op een parkeerplek. Grace probeerde Glenn Branson te bellen voor een update, maar werd meteen doorgeschakeld naar Glenns voicemail. Hij liet een boodschap achter en probeerde toen Bella Moys nummer nog een keer, ook zonder succes. Uiteindelijk stapte hij uit en liep met gebogen hoofd door de motregen naar de deur.

Peter Riggs kantoor lag op de begane grond aan de voorzijde van het hoofdgebouw, een fraai landhuis in Queen Anne-stijl. Een groot schuifraam bood uitzicht op een oprit van grind en een rond gazon daarachter. Net als alle andere kamers was ook deze voorzien van fraai houtwerk en een schitterend gepleisterd plafond, dat zorgvuldig was gerestaureerd nadat het gebouw een paar jaar geleden bijna verloren was gegaan bij een brand. Sinds de adjunct-hoofdcommissaris aan het begin van het jaar deze baan had overgenomen, had Grace een goede indruk op hem gemaakt, wist hij. Hij mocht die man wel, maar tegelijkertijd had hij het gevoel dat hij in zijn aanwezigheid altijd op eieren liep.

Rigg was een parmantig, nogal voornaam uitziend mannetje van halverwege de veertig met een gave huid, blond haar dat netjes en conservatief was geknipt en een scherpe, ietwat bekakte stem. Hoewel hij een stuk kleiner was dan Grace, had hij een kaarsrechte houding die hem een militaire uitstraling gaf en waardoor hij langer leek dan hij was. Aan de muren hingen motorraceposters.

Hij was aan de telefoon toen Grace binnenkwam, maar wenkte hem vrolijk en gebaarde naar een van de twee leren stoelen voor zijn reusachtige palissanderhouten bureau. Toen legde hij zijn hand over de hoorn en vroeg Grace of hij iets wilde drinken.

'Ik zou best een kop koffie lusten; zwart met een beetje melk, alstublieft.'

Rigg herhaalde de bestelling over de telefoon tegen zijn assistente of stafofficier, nam Grace aan. Toen hing hij op en keek glimlachend naar Grace. De man gedroeg zich vriendelijk maar nuchter. Net als de meeste andere adjunct-hoofdcommissarissen bij de politie wekte hij de indruk dat hij op een dag korpschef zou kunnen worden. Een positie die Grace zelf nooit had geambieerd, omdat hij wist dat hij onvoldoende zelfbeheersing had om de vereiste politieke spelletjes te spelen. Hij vond het prettig als praktijkrechercheur; daar was hij het beste in, en dat was het werk waarvan hij hield.

In veel opzichten zou hij het liefst adjudant zijn gebleven, zoals een paar jaar geleden, om aan het front van elk onderzoek te werken. Door de promotie naar zijn huidige rol als inspecteur aan te nemen, en meer recent het opnemen van de verantwoordelijkheid voor de afdeling Zware Criminaliteit, was hij al met meer bureaucratie en politiek belast dan hem eigenlijk lekker zat. Maar nu kon hij in ieder geval, als hij dat wilde, zijn mouwen opstropen en zich met zaken bemoeien. Niemand zou hem tegenhouden. Het enige beletsel was de almaar groeiende papierberg op zijn kantoor.

'Ik heb gehoord dat je vriendin in het ziekenhuis ligt, Roy,' zei Rigg.

Grace stond ervan te kijken dat hij dat wist.

'Ja, meneer. Er zijn complicaties met haar zwangerschap.'

Zijn blik ging naar twee ingelijste foto's op het bureau. Op een ervan was een zelfverzekerde tiener te zien met warrig blond haar, gekleed in een rugbyshirt en met een zorgeloze glimlach, en op de andere een meisje van een jaar of twaalf in een schortjurkje, met lange blonde krullen en een brutale grijns op haar gezicht. Hij voelde een steek van afgunst. Misschien, met een beetje geluk, zou hij op een dag ook zulke foto's op zijn bureau hebben staan.

'Het spijt me dat te horen,' zei Rigg. 'Als je verlof nodig hebt, moet je het maar zeggen. Hoe ver is ze?'

'Zesentwintig weken.'

Hij fronste zijn voorhoofd. 'Nou, laten we hopen dat alles goed komt.'

'Dank u, meneer. Ze komt morgen naar huis, dus het lijkt erop dat het acute gevaar geweken is.'

Toen de assistente binnenkwam met koffie, keek de adjunct-hoofdcommissaris naar een vel papier op zijn bureauonderlegger, een uitdraai met wat handgeschreven notities erbij. 'Operatie Viool,' zei hij peinzend. Toen keek hij grijnzend op. 'Goed om te weten dat onze computer gevoel voor humor heeft!'

Nu fronste Grace zijn voorhoofd. 'Gevoel voor humor?'

'Ken je de film *Some Like It Hot* niet? Die maffialeden namen hun machinegeweren toch mee in vioolkoffers?'

'Ach ja, natuurlijk. Ik had het verband niet gelegd.'

Grace grijnsde. Maar ineens voelde hij zich een beetje onbehaaglijk. Dat was Sandy's lievelingsfilm aller tijden geweest. Ze keken hem altijd samen, elk jaar als hij met kerst op televisie werd herhaald. Sommige delen van de tekst kende ze uit haar hoofd. Vooral de allerlaatste regel. Dan hield ze haar hoofd schuin, keek hem aan en zei: '*Well, nobody's perfect!*'

Maar toen verdween de glimlach van het gezicht van de adjunct-hoofdcommissaris. 'Roy, ik maak me in deze zaak zorgen om de relatie tot de maffia.'

Grace knikte. 'De ouders zijn hier nu om het lichaam te identificeren.'

'Dat weet ik. Dit zaakje bevalt me niet omdat dit een terrein is waarmee wij niet vertrouwd zijn. Volgens mij heeft dit het potentieel in zich om faliekant fout te gaan.'

'In welk opzicht, meneer?'

Meteen wist Grace dat hij dat niet had moeten zeggen, maar nu kon hij het niet meer terugnemen.

Riggs gezicht betrok. 'We zitten midden in een recessie. Bedrijven in de stad hebben het zwaar. Toeristen laten het afweten. Brighton heeft al zeventig jaar een onverdiende reputatie als misdaadhoofdstad van het Verenigd Koninkrijk en daar proberen we iets aan te doen, door mensen te verzekeren dat het hier net zo veilig is als overal elders ter wereld. Het laatste wat we kunnen gebruiken is dat de Amerikaanse maffia hier de krantenkoppen haalt.'

'We hebben een goede relatie met de *Argus*, dus ik ben ervan overtuigd dat we dat aspect onder controle kunnen houden.'

'O ja?'

Rigg begon er boos uit te zien. Het was de eerste keer dat Grace die kant van hem zag.

'Als we omzichtig met ze omgaan en ze voldoende informatie geven voordat de landelijke pers die krijgt, dan denk ik van wel, meneer.'

'En die beloning dan?'

Dat woord raakte Grace als een mokerslag. 'Beloning?' vroeg hij verbaasd.

'Beloning, ja.'

'Het spijt me, maar ik weet niet wat u bedoelt.'

Rigg wenkte Grace naar zijn kant van het bureau. Hij boog zich naar voren, drukte op wat toetsen en wees toen naar zijn computerscherm.

Grace zag de banner van de *Argus* in zwarte letters, rood onderstreept. Daaronder stonden de woorden:

Laatste nieuws. Bijgewerkt 09:25 uur.

DOCHTER MAFFIABAAS LOOFT BELONING VAN $100.000 UIT VOOR MOORDENAAR ZOON

De moed zonk hem in de schoenen, maar hij las verder:

Fernanda Revere, dochter van de New Yorkse maffiabaas Sal Giordino, die momenteel elf keer levenslang uitzit voor moord, sprak vanmorgen bij de poort van het mortuarium van Brighton & Hove met Argus-verslaggever Kevin Spinella. Ze biedt $100.000 voor informatie die leidt tot de identiteit van de bestelwagenbestuurder die verantwoordelijk is voor de dood van haar zoon, Tony Revere. Revere, eenentwintig jaar en student aan de universiteit van Brighton, kwam gisteren in Portland Road in Hove om het leven. Hij was met zijn fiets betrokken geraakt bij een ongeval met meerdere voertuigen, waaronder een Audi, een bestelwagen en een vrachtwagen.

De politie is op zoek naar getuigen. 'We zoeken de bestuurder van een witte Ford Transit bestelwagen die betrokken was bij de aanrijding, maar die meteen erna op hoge snelheid wegreed. Dat was een harteloze daad,' zegt rechercheur James Biggs van de verkeerspolitie van Hove.

'Weet je wat me vooral niet aanstaat in dit artikel, Roy?'

Grace kon het wel raden. 'De verwoording van de beloning, meneer?'

Rigg knikte. '"Identiteit",' zei hij. 'Dat woord staat me niet aan. Het baart me zorgen. De gebruikelijke verwoording is "voor informatie die leidt tot de arrestatie en veroordeling". Ik ben niet blij met dat "leidt tot de identiteit". Het riekt naar wraakacties.'

'Het kan ook zijn dat ze gewoon moe was en dat ze dat niet werkelijk wilde zeggen.'

Al voordat het over zijn lippen was, wist Grace dat het slap klonk.

Rigg keek hem misprijzend aan. 'De laatste keer dat we elkaar spraken, zei je dat je die verslaggever Spinella in je zak had.'

Op dat moment had Grace Spinella het liefst met blote handen gewurgd. Of eigenlijk zou een snelle dood nog te goed zijn voor die vent.

‘Niet helemaal, meneer. Ik zei dat ik een goede werkrelatie met hem had opgebouwd, maar dat ik bang was dat hij een mol ergens bij de politie van Sussex had. En volgens mij bewijst dit het.’

‘Het bewijst wat mij betreft iets heel anders, Roy.’

Grace keek hem aan en voelde zich ineens niet meer op zijn gemak.

Rigg vervolgde: ‘Het zegt mij dat mijn voorgangster Alison Vosper gelijk had toen ze me waarschuwde dat ik je goed in de gaten moest houden.’

29

Grace reed weg bij het hoofdkantoor van politie en zocht zich een weg door de buitenwijken van Brighton naar het ziekenhuis, briesend van woede en verschrikkelijk vernederd.

Alle goodwill die hij bij Rigg had opgebouwd tijdens zijn vorige zaak, de jacht op een serieverkrachter, was nu foetsie. Hij had gehoopt dat de geest van Alison Vosper voorgoed verdwenen was, maar nu besefte hij tot zijn wanhoop dat ze toch een giftige erfenis had achtergelaten.

Hij belde handsfree het mobiele nummer van Kevin Spinella. De verslaggever nam bijna onmiddellijk op.

'Je hebt zojuist alle krediet verpest die je ooit bij mij en bij het recherchehoofdkwartier hebt gehad,' begon Grace woedend.

'Inspecteur Grace, waarom... Wat is er?' Hij klonk net iets minder brutaal dan gewoonlijk.

'Je weet verdomd goed wat er is. Je voorpagina-artikel.'

'O... Aha... O, dat.'

Grace hoorde een klakkend geluid, alsof de man kauwgom at.

'Hoe heb je zo onverantwoordelijk kunnen zijn?'

'We hebben dat artikel geplaatst op verzoek van mevrouw Revere.'

'Zonder de moeite te nemen met iemand van het rechercheteam te overleggen?'

Het bleef even stil en toen, almaar nederiger, zei Spinella: 'Dat leek me niet nodig.'

'En je hebt ook niet aan de consequenties gedacht? Als de politie een beloning uitlooft, ligt die rond de vijfduizend pond. Wat denk je hiermee te bereiken? Wil je op alle straten van Brighton burgerwachten met geweren in pick-uptrucks zien rondrijden? Misschien gaat het zo in het land waar mevrouw Revere woont, maar zo doen wij dat hier niet, en jij bent oud en wijs genoeg om dat te weten.'

'Het spijt me als ik u boos heb gemaakt, inspecteur.'

'Weet je wat? Je klinkt helemaal niet alsof het je spijt. Maar dat komt nog wel. Hier ben je nog niet van af, dat beloof ik je.'

Grace hing op en beantwoordde een gemiste oproep van Glenn Branson.

'Hé, ouwe!' zei de rechercheur voordat Grace de kans had om een woord te zeggen. 'Luister, er schoot me net iets te binnen. Operatie Viool; dat is slim! Het past goed bij het New Yorkse maffiathema!'

'*Some Like It Hot*?' vroeg Grace.

Branson klonk sip. 'O, dat had jij ook al bedacht.'

'Ja, sorry dat ik je ochtend vergal.' Grace besloot de zeldzame keer dat hij zijn vriend op filmgebied te snel af was niet te verpesten door zijn bron te onthullen. Toen veranderde hij van onderwerp en vroeg: 'Wat is er loos?'

'We werden bij het mortuarium opgewacht door die eikel van een Spinella. Er zal vanavond wel wat in de *Argus* staan.'

'Er staat al iets in de online editie,' zei Grace.

Vervolgens vertelde hij Branson in grote lijnen over het artikel, zijn uitbrander van adjunct-hoofdcommissaris Rigg en zijn gesprek van zo-even met de verslaggever.

'Ik ben bang dat ik niks kon doen, chef. Hij stond pal voor de deur van het mortuarium, wist precies wie ze waren en nam hen apart.'

'Van wie wist hij dat?'

'Tientallen mensen wisten dat de ouders hierheen kwamen. Niet alleen bij de recherche. Het kan ook iemand in het hotel zijn geweest. Ik moet Spinella één ding nageven: hij werkt er hard voor.'

Grace dacht even na. Goed, het had best iemand bij het hotel kunnen zijn. Een portier die af en toe wat geld opstreek als hij tips doorspeelde aan de krant. Misschien was dat alles. Maar het kwam te vaak voor dat Spinella op het juiste moment op de juiste plaats opdook.

Het moest een insider zijn.

'Waar zijn de ouders nu?'

'Bij Moy en de hulpofficier van justitie. Ze zijn niet blij dat het lichaam niet meteen aan hen wordt vrijgegeven; dat de patholoog-anatoom dat bepaalt. De verdediging wil misschien nog een tweede autopsie.'

'Wat zijn het voor mensen?' vroeg Grace.

'De vader is eng, maar vrij redelijk. Heel erg overstuur. De moeder is gif. Maar ja, ze heeft haar dode zoon moeten identificeren, hè? In zulke omstandigheden is het moeilijk om iemand te beoordelen, dus wie zal het zeggen? Maar zij heeft de broek aan, dat is zeker, en ik vermoed dat ze een echt kreng is. Ik zou met geen van beiden ruzie willen krijgen.'

Grace reed over de A27 naar het westen. Verderop aan de rechterkant lag de campus van de universiteit van Sussex. Hij nam de linkerbaan richting Falmer en reed links langs een deel van de universiteit van Brighton, waar de overleden jongen had gestudeerd. Daarna passeerde hij het imposante gebouw van het American Express Community Stadium waar het plaatselijke voetbalteam, de Albion, binnenkort naartoe ging verhuizen. Grace begon het stadion echt mooi te vinden naarmate de bouw vorderde, ook al was hij geen voetbalfan.

'De woorden die Spinella gebruikte over de beloning, zie jij daar iets sinisters in: geld voor de identiteit van de bestuurder van de bestelwagen in plaats van zijn arrestatie en veroordeling?'

Zijn vraag werd begroet met stilte, en Grace besefte dat de verbinding verbroken was. Hij boog zich naar voren en belde opnieuw.

Toen Glenn opnam, praatte Grace hem bij over de zorgen van de adjunct-hoofdcommissaris.

'Wat bedoelt hij met "het potentieel om faliekant fout te gaan"?' wilde Branson weten.

'Weet ik niet,' antwoordde Grace naar waarheid. 'Ik denk dat een heleboel mensen nerveus worden als het woord maffia wordt genoemd. De korpschef staat onder druk om af te komen van het historische beeld van Brighton als misdaadstad, dus willen ze zo min mogelijk aandacht besteden aan dat verband met de maffia, vermoed ik.'

'Ik dacht dat de maffia in New York wel zo ongeveer gedecimeerd was.'

'Ze hebben niet meer zo veel macht als vroeger, maar ze spelen nog steeds mee. We moeten die witte bestelwagen snel vinden en de bestuurder arresteren. Dat haalt de druk wel van de ketel.'

'Je bedoelt dat je hem in beschermende hechtenis wilt nemen?'

'Je hebt te veel maffiafilms gekeken,' zei Grace. 'Je verbeelding gaat met je op de loop.'

'Honderdduizend,' antwoordde Glenn Branson, die een accent uit *The Godfather* opzette. 'Dat is een aanbod dat iemand niet zal kunnen weigeren.'

'Kappen.'

Maar, dacht Grace bij zichzelf, Branson kon best eens gelijk hebben.

30

Lou Revere hield er niet van als zijn vrouw veel dronk, en in de afgelopen jaren, sinds hun drie kinderen het huis uit waren, dronk Fernanda elke avond behoorlijk. Het was een gewoonte voor haar geworden om rond acht uur ’s avonds al door het huis te zwalken.

Hoe meer ze dronk, hoe chagrijniger ze werd, en dan gaf ze Lou de schuld van zo ongeveer alles waar ze niet blij mee was. Het ene moment was het de hoogte waarop de televisie aan de muur hing, omdat ze er pijn van in haar nek kreeg. Dan was ze weer boos omdat hij zijn golfkleding op de vloer had laten slingeren. Maar het meest voorkomende onderwerp van haar tirades was dat hun jonge zoon Tony, die ze aanbad, met die slet in Engeland samenwoonde.

‘Als je een kérel was,’ schreeuwde ze hem dan toe, ‘dan had je je poot stijf gehouden en Tony zijn opleiding in Amerika laten afmaken. Míjn vader zou zijn zoon nooit hebben laten gaan!’

Lou haalde dan zijn schouders op en zei: ‘Zo werkt het niet meer met de huidige generatie. Je moet jongelui hun eigen gang laten gaan. Tony is een slimme jongen. Hij is een volwassen vent en heeft zijn onafhankelijkheid nodig. Ik mis hem ook, maar het is fijn om hem zo te zien.’

‘Fijn om hem te zien weggaan bij onze familie?’ antwoordde zij dan. ‘Je bedoelt eigenlijk míjn familie, toch?’

Dat bedoelde hij inderdaad, maar dat zou hij nooit durven zeggen. In stilte hoopte hij echter dat die jongen een eigen leven zou opbouwen, los van de klauwen van de Giordino’s. Soms wenste hij dat hij er zelf de moed voor had. Maar voor hem was het te laat. Dit was het leven dat hij had gekozen. Het was een goed leven, en hij moest zijn zegeningen tellen. Hij was rijker dan hij ooit had durven dromen. Goed, rijk zijn was ook niet alles, en het geld dat hij ontving was altijd smerig en soms zelfs bloedgeld, maar zo ging dat in het leven.

Ondanks het gedrag van zijn vrouw hield Lou van haar. Hij was trots op haar uiterlijk, trots op de royale feestjes die ze gaf, en ze kon nog steeds een wilde zijn in bed; op die avonden dat ze althans niet meteen beneveld in slaap viel.

En feit bleef natuurlijk dat haar connecties zijn carrière ook niet bepaald kwaad hadden gedaan.

Lou Revere was na zijn Harvardstudie bedrijfseconomie begonnen als accountant. Hoewel hij afkomstig was uit een rivaliserende misdaadfamilie in New York had hij in de beginjaren nooit de bedoeling gehad tot de criminele wereld toe te treden. Dat was veranderd op de avond dat hij Fernanda had leren kennen bij een liefdadigheidsbal. Hij was toen nog slank en knap, en ze was vooral op hem gevallen omdat hij haar aan het lachen maakte en omdat iets aan hem haar had doen denken aan de grote innerlijke kracht van haar vader.

Sal Giordino was onder de indruk geweest van Lous rustige, strategische geest, en een tijdlang had hij het verlangen gehad om banden te smeden met Lou Reveres eigen misdaadfamilie. Omdat hij het beste voor zijn dochter wilde, was het Sals plan om haar aanstaande te helpen. En dan kon Lou op zijn beurt hem misschien weer van nut zijn.

Binnen vijf jaar was Lou Revere de belangrijkste financieel adviseur van de familie Giordino geworden en had hij de leiding gehad over het witwassen van de honderden miljoenen dollars inkomsten uit hun handel in drugs, prostitutie en namaak designergoederen. In de daaropvolgende twintig jaar had hij het geld met slimme investeringen uitgespreid over legitieme zaken, de succesvolste daarvan hun afvalverwerkingsimperium, dat zich uitstrekte over de Verenigde Staten en Canada, en hun distributienetwerk van pornofilms. Hij had ook het vastgoedbezit van de familie vergroot, veel ervan in opkomende landen zoals China, Roemenië, Polen en Thailand.

In die periode had Lou Revere op sluwe wijze zichzelf en zijn gezin ingedekt. Toen Sal Giordino werd aangeklaagd voor belastingontduiking, werd Lou daar niet door geraakt. Een naaste compagnon van Giordino, die het gevaar liep al zijn geld kwijt te raken, sloot een deal met de aanklager en verschafte in drie maanden tijd veel bewijzen tegen de capo. Als gevolg daarvan eindigde iets wat begon als een historisch belastingonderzoek met een aanklacht tegen Giordino voor verschillende gevallen van samenzwering voor het plegen van moorden. Hij zou sterven in de gevangenis, maar als die ouwe schurk daar al mee zat, dan zou hij het nooit toegeven. Toen een verslaggever van de krant hem vroeg hoe hij het vond dat hij nooit meer de gevangenis uit zou komen, gromde hij de man toe: 'Je moet toch érgens doodgaan.'

Fernanda was nu dronken. De bemanning van de Gulfstream-jet, die had geleerd van haar scheldkanonnades op de heenvlucht naar Engeland, had Grey Goose-wodka, ijsblokjes en cranberrysap ingeslagen voor de vlucht naar huis, en allerlei voedsel dat Fernanda niet had aangeraakt. Toen de vlucht van zeven uur voorbij was, had ze een hele fles wodka leeg en was ze al begonnen aan een tweede. Ze had nog steeds een glas in haar hand toen het vliegtuig om kwart over twee 's middags op vliegveld Republic in East Farmingdale landde.

Lou hielp haar de vliegtuigtrap af. Ze was zich amper bewust van wat er om haar heen gebeurde terwijl ze Amerika weer binnen kwamen via de douane, waar niemand moeilijk deed, en een kwartier later rommelde ze in de minibar achter in de limousine die hen het kleine eindje naar hun huis in East Hampton bracht.

'Denk je niet dat je wel genoeg hebt gehad, schatje?' vroeg Lou, terwijl hij zijn hand uitstak om haar tegen te houden.

'Mijn vader zou wel weten wat hij moest doen,' antwoordde ze met dubbele tong. 'Jij weet helemaal niks, hè?' Onhandig bladerde ze door de contactenlijst in haar iPhone, turend naar de namen en nummers, die allemaal een beetje wazig waren. Toen tikte ze op de naam van haar broer.

Ze was nog net nuchter genoeg om te controleren of de glazen scheidingswand tussen hen en de chauffeur dichtzat en de intercom uitgeschakeld was terwijl ze de telefoon tegen haar oor drukte en wachtte tot hij aan de andere kant overging.

'Wie bel je?' vroeg Lou.

'Ricky.'

'Je had het hem toch al verteld?'

'Ik bel hem niet met nieuws. Hij moet iets voor me doen. Shit, ik krijg die stomme voicemail van hem. Ricky, met mij. Bel me. Ik moet je dringend spreken,' zei ze in het toestel, en toen verbrak ze de verbinding.

Lou keek haar aan. 'Waar gaat dat over?'

Haar broer was een gluiperd. Lui, zelfvoldaan en vals. Hij had de meedogenloze agressie van zijn vader geërfd, maar niets van de sluwheid van die ouwe. Lou tolereerde hem omdat hij geen keus had, maar hij had die kerel nooit gemogen.

'Ik zal je vertellen waar het over gaat,' zei ze met dubbele tong. 'Het gaat om een dronken vrouw achter het stuur, een bestuurder van een bestelwagen die niet is gestopt, en een vrachtwagenchauffeur die niet had moeten rijden. Dáár gaat het over.'

'Wat wil je dan dat Ricky doet?'

'Hij kent wel iemand.'

'Iemand?'

Ze draaide zich naar hem toe en keek hem kwaad aan, met glazige ogen zo hard als steen.

'Mijn zoon is dood. Ik wil die dronken hoer, die bestelwagenbestuurder en die vrachtwagenchauffeur te grazen nemen, oké? Ik wil dat ze pijn lijden.'

31

Zodra zijn team zich verzameld had in de vergaderkamer van Sussex House, begon Roy Grace: 'Het is halfnegen 's morgens op zaterdag 24 april. Dit is de zesde briefing van Operatie Viool, het onderzoek naar de dood van Tony Revere, aan het begin van dag vier.'

Het deed er weinig toe dat het weekend was. In de eerste paar weken van elk groot misdaadonderzoek werkte het team de klok rond, hoewel er met de huidige bezuinigingen veel minder overuren mochten worden gedraaid.

Bij de briefing van de vorige avond had agent Alec Davies camerabeelden laten zien die hij had gekregen van een bookmakerskantoor vlak bij de plaats van het ongeluk. De videobeelden waren korrelig, maar er was op te zien dat hoewel het niet veel had gescheeld, er geen botsing had plaatsgevonden tussen de fietser en de Audi. Rechercheur James Biggs van de verkeerspolitie had bevestigd dat ze er na een tweede gesprek met de bestuurder, Carly Chase, en een forensisch onderzoek van haar auto, van overtuigd waren dat er geen contact was geweest tussen de fiets en de Audi. Ze waren van plan haar alleen rijden onder invloed ten laste te leggen.

Carly Chase had ten onrechte gedacht, zoals heel veel mensen, dat de alcohol van 's avonds de volgende ochtend wel uit haar lichaam verdwenen zou zijn. Dat was iets wat Grace ook wel eens had dwarsgezeten bij Cleo. Er waren voor haar zwangerschap tijden geweest dat ze na het werk behoorlijk veel dronk. Soms vermoedde hij dat hij zelf ook meer zou drinken als hij haar baan had. Hij had gehoopt dat ze de vorige dag naar huis zou mogen, maar op het laatste moment had de gynaecoloog besloten haar nog één nacht in het ziekenhuis te houden. Grace ging haar vanmiddag ophalen.

Een belangrijk richtpunt van de vergadering van die ochtend was schadebeperking met betrekking tot de enorme beloning die de ouders van de overleden jongen hadden uitgeloofd. Er waren vette koppen over verschenen in veel landelijke kranten, en sindsdien waren er allerlei samenzweringstheorieën ontstaan. De wildste speculaties deden de ronde: Tony Revere was in een drugsoorlog vermoord door een misdaadfamilie in Brighton, of het was een vergeldingsmoord geweest door een rivaliserende misdaadfamilie, of Tony was undercoveragent van de CIA geweest.

Glenn Branson en Bella Moy brachten het team op de hoogte van de reactie van de ouders van de overleden jongen. Ze waren het erover eens dat de ouders niet de indruk hadden gewekt dat de dood van hun zoon misschien een doelgerichte actie was geweest of dat hij vijanden had gehad. Het enige probleem met de ouders, voegde rechercheur Branson eraan toe, was hun woede omdat ze het lichaam van hun zoon niet hadden mogen meenemen en dat het misschien nodig was nogmaals een sectie te laten uitvoeren door het hoofdkantoor. Philip Keay, de hulpofficier van justitie, had uitgelegd dat dat in hun belang zou kunnen zijn. Als de bestuurder van de bestelwagen werd gevonden en voor de rechter moest komen, zou zijn advocaat mogelijk niet tevreden zijn met de resultaten van de eerste autopsie.

In antwoord daarop had Tony Reveres vader hem in duidelijke bewoordingen verteld dat je verdomme geen Sherlock Holmes hoefde te zijn om te weten waaraan hun zoon was overleden.

Tracy Stocker, de manager plaats delict, stak haar hand op en Grace gaf haar het woord.

'Chef, Philip Keay en ik hebben de ouders uitgelegd dat de patholoog-anatoom het lichaam toch pas zal vrijgeven nadat de resultaten van het toxicologisch onderzoek binnen zijn, of er nu wel of niet een tweede sectie zal plaatsvinden. Dan hebben we het over minimaal twee weken, en misschien langer. Tony Revere reed op de verkeerde weghelft, en dat geeft mij het idee dat hij mogelijk onder invloed was van drugs of alcohol, misschien nog van de vorige avond.'

'Laten we het volledige toxicologische onderzoek doen, Roy?' vroeg David Howes.

De korpschef, Tom Martinson, stond onder druk van de overheid om tweeenvijftig miljoen pond op het jaarlijkse politiebudget te bezuinigen. De recherche had het verzoek gekregen om alleen essentiële zaken naar het lab te sturen, omdat een forensisch onderzoek een grote kostenpost was. Een volledig toxicologisch onderzoek, inclusief oogvloeistoffen, kostte meer dan tweeduizend pond.

Normaal gesproken zou Grace hebben geprobeerd dat geld te besparen. De fietser zat duidelijk fout. De vrouw in de Audi had onder invloed gereden, maar zij was voor zover hij had gezien geen factor in het ongeval geweest. De bestuurder van het busje, echter, was door rood gereden, en als hij werd gevonden zouden er ernstige aanklachten tegen hem worden ingediend. De vrachtwagenchauffeur, hoewel hij misschien over zijn uren heen had gezeten, had niets kunnen doen om de aanrijding te voorkomen. Het toxicologisch onderzoek zou niets toevoegen aan de feiten zoals ze nu op tafel lagen, behalve dat ze misschien zouden verklaren waarom de fietser aan de verkeerde kant van de weg had gereden. Maar het kon terugkomen in de verdediging van de bestelwagenbestuurder.

Bovendien was dit geen normale situatie. De ouders van het slachtoffer waren kwaad, een natuurlijke reactie van elke ouder, maar deze mensen waren in de gelegenheid om iets met die woede te doen. Hij was er vrij zeker van dat ze eenmaal thuis in New York meteen hun eigen advocaten zouden bellen. Tom Martinson was een man die het zekere voor het onzekere nam. Als de ouders een reeks claims indienden bij de bestuurster van de Audi, bij de verdwenen bestuurder van het busje en bij de vrachtwagenchauffeur, dan zou de verzekeringsmaatschappij als eerste bij de politie aankloppen om te kijken of zij er wel alles aan hadden gedaan om de mogelijke aansprakelijkheid van de fietser vast te stellen. En ze zouden een heleboel lastige vragen stellen als er geen grondig toxicologisch onderzoek was gedaan.

'Ja, David,' antwoordde Grace. 'Ik vrees dat dat nodig is.' Hij zette zijn redenen uiteen en veranderde toen van onderwerp. 'Ik ben blij te melden dat we vanochtend mogelijk een doorbraak hebben behaald,' vervolgde hij. 'Er is een vingerafdruk gelift van de beschadigde zijspiegel die ter plaatse is gevonden, waarvan we denken dat die van de Ford Transit is afgebroken door de aanrijding met de fietser. Hij kwam van een ander stuk dat gisteren na verder zoeken op de plek van het ongeval is gevonden.'

Alle ogen waren op de inspecteur gericht. Er was een plotselinge, diepe stilte in de kamer gevallen. Die vervolgens werd verbroken door de *Indiana Jones*-ringtone van Norman Pottings mobieltje. Hij drukte de oproep weg en mompelde een verontschuldiging. Toen ging agent Davies' telefoon ook, met een stotterend getjilp. Hij keek op het schermpje en drukte ook snel de oproep weg.

'De vingerafdruk is van Ewan Preece, een eenendertigjarige veroordeelde drugsdealer die de laatste drie weken uitzit van een straf van zes jaar in de Ford-gevangenis,' zei Grace. 'Hij zit in het dagverlofprogramma en werkt op een bouwterrein in Arundel. Op woensdag 21 april, de dag van het ongeval, is hij 's avonds niet teruggekomen. Ik heb een voertuigcheck laten doen in Swansea, en het enige wat hij op zijn naam heeft staan is een Opel Astra uit 1984, die een paar maanden geleden in beslag is genomen en vernietigd omdat er geen belasting of verzekering voor betaald was.'

'Ik ken die naam,' zei Norman Potting. 'Ewan Preece. Rotzakje. Ik heb hem jaren geleden gearresteerd voor autodiefstal. Hij was in zijn jeugd een van de onruststokers in Moulsecoomb.'

'Weet je nog iets courants over hem, Norman?' vroeg Grace. 'Waar hij zou kunnen zijn? Waarom zou iemand ervandoor gaan terwijl hij nog maar drie weken detentie te gaan heeft?'

'Ik weet wie ik ernaar kan vragen, chef.'

Grace maakte een aantekening. 'Oké, mooi. Als jij dat kan opvolgen. Ik heb net nog met een hogere gevangenisbeambte gesproken, Lisa Setterington. Zij zegt dat Preece zich voorbeeldig heeft gedragen bij Ford. Hij heeft zijn best gedaan, leren stukadoren. Ze zegt dat ze hem goed kent en vindt het niets voor hem dat hij dit heeft gedaan.'

'Niets voor hem, voor een boef als Preece?' zei Potting snuivend. 'Ik kan me hem nog herinneren van toen hij vijftien was. Ik was toen wijkagent. Hij kreeg een formele waarschuwing omdat hij omging met een stel jongelui die waren gearresteerd voor joyriding. Ik had medelijden met hem en droeg hem voor voor een baantje bij de houtfabriek, Wenban-Smith, maar hij kwam nooit opdagen voor het sollicitatiegesprek. Een paar weken later hield ik hem op een avond aan, hem en twee anderen, en vroeg waarom hij niet was gegaan. Hij hing een verhaal op over dat zijn ouders en hij uit hun huis waren gezet.' Potting knikte. 'Je moet het wel heel bont maken om met jonge kinderen uit een sociale huurwoning gezet te worden. Zijn ouders waren echte smeerlappen. Hij had geen schijn van kans. Maar ik dacht dat hij misschien wel deugde en had medelijden met hem. Ik wedde om een tientje met hem dat hij op zijn zestiende in de bak zou zitten. Hij nam die weddenschap aan.'

Bella Moy staarde hem ongelovig aan. 'Je eigen geld?'

Potting knikte. 'Ik wist dat ik dat gerust kon doen. Hij werd een halfjaar later gepakt voor autodiefstal. Het verbaast me niks, waar hij is geëindigd.' Hij knikte weer melancholiek.

'En heeft hij je nog betaald?' vroeg David Howes.

'Ha ha!' was Pottings antwoord.

Ineens liet Nick Nicholl van zich horen. 'Chef, het is misschien een goed idee om in de Ford-gevangenis het nieuws over die beloning te verspreiden. Waarschijnlijk weet iemand daar wel waar Preece mee bezig was. Alle gevangenen weten dat soort dingen over elkaar.'

'Goed idee,' zei Grace. 'Ga jij daar maar heen, Norman. Kijk of de gevangenen met je willen praten.'

'Doe ik, chef. Ik weet ook al waar ik moet gaan zoeken in Brighton. Een kerel als Ewan Preece zal zich niet lang kunnen verstoppen.'

'Vooral niet,' zei Grace, 'als er een prijs van honderdduizend dollar op zijn hoofd staat.'

32

Tooth was bij zonsopgang op, zoals elke morgen, voordat de hitte van de zon te intens werd. Hij rende zijn gebruikelijke rondje van vijftien kilometer door de droge heuvels bij zijn huis, gekleed in een singlet, korte broek en gympen, terwijl zijn compagnon met hem mee draafde.

Toen hij anderhalf uur later weer thuiskwam, werkte hij met gewichten in de kleine sportruimte met airco bij hem thuis, terwijl Yossarian geduldig op zijn ontbijt wachtte. Toen werkte hij zijn vechtsportroutine af. Soms was het gebruik van een vuurwapen achter de vijandelijke linies niet praktisch. Tooth kon zich prima redden met blote handen. Hij gebruikte die zelfs liever dan een mes. Je kon mensen veel meer pijn doen met je blote handen als je wist waar je moest knijpen. Je kon hun trommelvliezen laten knappen, of hun oogbollen, of hun testikels. Je kon ze echt een heleboel pijn doen voordat je ze vermoordde. En je liet geen bloedsporen achter.

Hij oefende zijn bewegingen in zijn sportzaaltje. Hij trainde vooral zijn handspieren, sloeg met gewichten aan zijn handen tegen de boksbal en deed daarna knijpoefeningen. Tooth was misschien klein van stuk, maar hij kon met zowel zijn linker- als zijn rechterhand een baksteen fijnknijpen.

Toen hij klaar was met zijn oefeningen ging hij onder de douche, gooide wat brokken in de bak van zijn compagnon, maakte een blik hondenvoer open en schepte dat erbij, en zette de bak op het terras. Een paar minuten later ging hij zelf ook naar buiten en ontbeet samen met Yossarian. Hij dronk energiepoeder vermengd met water, keek uit over het gladde oppervlak van Turtle Bay Cove en de bootjes langs de ponton bij de Shark Bite Sports Bar, en las de *New York Times* van vandaag op zijn Kindle.

Het was een mooie dag, zoals meestal hier, en de vooruitzichten voor de scheepvaart waren goed. Straks zou hij met Yossarian de zee op gaan op de *Long Shot*, de sonar aanzetten en achter vis aan gaan. Alles wat hij ving deelde hij met zijn compagnon. Ze zaten samen vast in dit rotleven en zorgden voor elkaar.

Eén keer, een paar maanden geleden, was een of andere smeerlap zijn appartement binnen gekomen terwijl hij boodschappen aan het doen was. Dat was niet zo moeilijk, want hij liet de terrasdeuren beneden altijd openstaan voor het geval Yossarian, die graag binnen in de schaduw sliep, naar buiten moest om zijn behoefte te doen. De enige reden dat Tooth wist dat er iemand binnen was geweest, was omdat er naast de eettafel vier bloederige, afgebeten vingers op de tegels lagen. Zijn compagnon had zijn werk gedaan.

Voordat ze gingen vissen, had Tooth nog iets te doen. Een ritueel dat hij elke morgen na zijn verjaardag uitvoerde. Het leven was simpel: je moest zorgen voor alles wat voor jou zorgde. Hij zorgde voor zijn compagnon, en hij zorgde voor zijn Colt.

Hij pakte de revolver uit de afgesloten kast, legde hem op een krant en begon hem uit elkaar te halen. Het koude metaal voelde prettig aan. Tooth keek graag naar de loop, de trekker, de cilinder, de hamer, het vizier en de trekkerbeugel die los op tafel lagen. Hij genoot ervan te weten dat dit levenloze, prachtig ontworpen stukje techniek voor hem besloot wanneer hij leefde en wanneer hij stierf. Het was een fijn gevoel om alle verantwoordelijkheid van zich af te schuiven.

Tooth goot wat wapenolie op een doek en veegde ermee over de loop. De geur van de olie was voor hem even lekker als sommige mensen, stelde hij zich zo voor, genoten van de geur van goede wijn. Hij had wijnkenners op televisie horen praten over tonen van ceder, sigaar, peper en kaneel, of over kruisbessen en citrus. Deze olie had een metalige geur met een beetje lijnzaad, koper en rottende appels. Voor hem rook het even lekker als de beste wijn.

Hij was heel vaak met zijn geweer en revolver alleen geweest op vijandelijk gebied. De geur van de wapens en van de olie die voor de soepele werking ervan zorgde, was voor hem sterker dan de geur van de mooiste vrouw die bestond. Het was de enige geur ter wereld die hij kon vertrouwen.

Ineens ging zijn telefoon.

Hij keek naar de zwarte Nokia die naast hem op tafel lag. Het nummer werd weergegeven. Een nummer in de staat New York, maar hij herkende het niet. Hij drukte de oproep weg en wachtte even, terwijl hij zijn gedachten ordende.

Slechts één persoon wist waar hij te bereiken was. Die man had het nummer van zijn huidige prepaid telefoon. Tooth had vijf van dergelijke toestellen in de kluis liggen. Hij nam altijd maar één oproep op een toestel aan, en daarna vernietigde hij het. Het was een voorzorgsmaatregel die hem goed had gediend. De man, een hoge baas bij een misdaadfamilie in New York, begreep Tooth, en op zijn beurt vertrouwde Tooth hem.

Hij haalde de simkaart uit de telefoon en hield hem in de vlam van zijn aansteker totdat hij onherstelbaar was gesmolten. Toen pakte hij een ander toestel uit de kluis, zorgde ervoor dat zijn nummer niet werd uitgezonden en belde.

'Ja?' zei de man aan de andere kant van de lijn, die bijna meteen opnam.

'Je belde net.'

'Ik heb gehoord dat jij me kunt helpen.'

'Je kent mijn voorwaarden?'

'Die zijn akkoord. Hoe snel kunnen we afspreken? Vanavond?'

Tooth berekende snel vluchttijden. Hij kende de vluchten van hier naar Miami en de vertrektijden van vluchten naar de meeste hoofdsteden die voor hem van belang waren. En hij kon altijd binnen een uur klaar zijn voor vertrek.

'De kerel die je dit nummer heeft gegeven, gaat je een ander nummer geven. Bel me daarop om zes uur vanmiddag en geef me het adres.' Toen hing Tooth op.

Hij belde de werkster die voor Yossarian zorgde als hij weg was. Toen stopte hij een paar spullen in een tas en bestelde een taxi. Terwijl hij wachtte op de taxi, kletste hij met zijn compagnon en gaf hem een extra groot hondenkoekje in de vorm van een bot.

Yossarian pakte het koekje aan en sloop treurig naar het donkere hoekje in het appartement waar zijn mand stond. Hij wist dat als hij een groot hondenkoekje kreeg, zijn roedelleider wegging. Dat betekende geen wandelingen meer. Het was een soort straf, alleen wist hij niet wat hij fout had gedaan. Hij liet het koekje in zijn mand vallen, maar begon er nog niet aan. Hij wist dat hij daar meer dan genoeg tijd voor zou hebben.

Een paar minuten later hoorde hij een geluid dat hij kende. Voetstappen die zich verwijderden. Toen een klap.

33

Even na halfdrie 's middags liet Roy Grace zijn team in Sussex House achter met de mededeling dat hij terug zou zijn voor de briefing van halfzeven, en reed toen de paar kilometer naar zijn huis. Hij wilde de post ophalen en kijken hoe de woning eruitzag, want de makelaar had voor morgen een bezichtiging geregeld. En hij wilde controleren of zijn goudvis Marlon genoeg voer had. Hij vertrouwde er niet op dat Glenn, in zijn huidige verstrooide toestand over het stranden van zijn huwelijk, eraan zou denken het reservoir vol te houden.

Het was een zonnige middag en het was warmer geworden; de eerste belofte van de naderende zomer. Terwijl hij door Church Road reed, langs alle bekende gebouwen daar, werd hij ineens verdrietig. Tien jaar geleden voelde hij altijd opgewonden tintelingen elke keer als hij door de brede straat reed, omdat hij dan bijna thuis was. Thuis bij de vrouw die hij aanbad. Sandy.

Hij wachtte aan het eind van de straat op een overstekende oude man op een scootmobiel en reed toen in de richting van de kust. De huizen waren identiek aan beide kanten van de weg: namaak-tudorhuizen, twee-onder-een-kap met drie slaapkamers, een inpandige garage, een kleine voortuin en een grotere tuin achter. Er veranderde hier in de loop der jaren weinig, behalve het merk van de auto van de buren en de bordjes TE KOOP, zoals dat van Rand & Co. dat nu voor zijn huis stond.

Terwijl hij vaart minderde en de oprit op reed, kwam het hem voor als een spookhuis. Hij had de afgelopen maanden een poging gedaan alles te verwijderen wat hem aan Sandy herinnerde, had zelfs haar kleren ingepakt en naar de kringloopwinkel gebracht, maar hij voelde haar aanwezigheid nog steeds heel sterk. Hij zette de Ford voor de garagedeur, wetend dat aan de andere kant ervan Sandy's oude zwarte VW Golf stond, met een laag stof erop en een allang overleden accu erin. Hij wist eigenlijk niet waarom hij hem niet verkocht had, hoewel het ding nu niet meer veel waard zou zijn. De auto was vierentwintig uur na haar verdwijning gevonden op Kort Parkeren bij de South Terminal van het vliegveld Gatwick. Misschien hield Grace hem omdat hij nog steeds het idee had dat de auto mogelijk nog onontdekte forensische aanwijzingen bevatte. Of misschien was het alleen maar uit sentimentele overwegingen.

Degene die had geschreven dat het verleden een ander land was had gelijk, vond hij. Ondanks het feit dat hier zo weinig was veranderd, werden dit huis en deze straat telkens als hij hier kwam vreemder voor hem.

Toen hij uitstapte zag hij iets wat vaste prik was op zaterdagmiddag in deze straat: de overbuurvrouw, Noreen Grinstead. Ze was een schichtig mens van in de zeventig met haviksogen. Haar man was een paar jaar geleden gestorven aan alzheimer. Zij stond buiten, met haar rubberhandschoenen aan, en poetste haar oude Nissan alsof haar leven ervan afhing. Ze keek om, bekeek hem een keer en zwaaide troosteloos.

Hij moest tegenwoordig bijna de moed bijeenschrapen om het huis binnen te gaan, alsof de herinnering steeds pijnlijker werd. Het was een bouwval geweest toen ze het op een executieveiling hadden gekocht, en met haar geweldige smaak en passie voor zen-minimalisme had Sandy het getransformeerd tot een fraaie, moderne woonruimte. Nu het huis en de zen-tuin verwaarloosd waren, begon de woning langzaam terug te keren naar zijn vroegere staat.

Misschien zou een ander jong stel, vol geluk en dromen, het kopen en er hun bijzondere plekje van maken. Maar met de huidige langdurige malaise in de woningmarkt werden er weinig huizen verkocht. De makelaar, Graham Rand, had voorgesteld om de vraagprijs te laten zakken, wat Grace ook had gedaan. Nu was het lente, en misschien trok de markt aan en met een beetje geluk zou het huis eindelijk verkocht worden. Dan zou hij, samen met de naderende doodverklaring van Sandy, eindelijk kunnen doorgaan met zijn leven. Hoopte hij.

Tot zijn verbazing lag de post in een net stapeltje op de tafel in de gang, en tot zijn nog grotere verbazing zag de gang eruit alsof er was gestofzuigd. En de woonkamer ook, terwijl Glenn daar de afgelopen maanden een puinhoop van had gemaakt. Grace rende naar boven en keek in Glenns slaapkamer. Die zag er ook onberispelijk uit, met een keurig opgemaakt bed. Het leek wel een modelwoning. Had Glenn dit gedaan?

En toch, vreemd genoeg, maakte dat het huis nog minder vertrouwd. Het leek wel alsof de geest van Sandy was teruggekeerd. Zij had de boel altijd bijna obsessief netjes gehouden.

Marlons voerreservoir zat vol en, voor zover je dat kon zien bij een goudvis, zijn huisdier leek echt blij om hem te zien. Hij zwom een paar heel snelle rondjes door de kom voordat hij zijn kop tegen het glas drukte, waarbij hij met een droevig gezicht zijn bek een paar keer open- en dichtdeed.

Het bleef Grace maar verbazen dat het beestje nog leefde. Hij had de vis elf jaar geleden gewonnen bij een schiettent op de kermis en kon zich nog steeds Sandy's verheugde gilletje herinneren. Toen hij later *kermisgoudvis* had gegoogeld en een verzoek om advies had geplaatst, had hij gehoord dat gezelschap heel belangrijk was voor zo'n beest. Maar Marlon had alle andere vissen die Grace daarna had gekocht opgegeten.

Hij keek uit het raam en kreeg nog een schok te verwerken. Het gras was gemaaid. Wat, vroeg hij zich af, ging er in het hoofd van zijn vriend om? Was Glenn in paniek geraakt door dat TE KOOP-bord en dacht hij dat als hij de boel opruimde, Grace zich misschien zou bedenken en het huis uit de verkoop zou halen?

Hij keek op zijn horloge; het was bijna drie uur. Vanaf vier uur kon hij Cleo uit het ziekenhuis ophalen, nadat de gynaecoloog zijn ronde had gedaan. Hij zette een kop thee en bekeek de post, waarna hij meteen de reclamefolders in de vuilnisbak deponeerde. De rest bestond voornamelijk uit rekeningen en een herinnering dat hij een nieuwe belastingschijf nodig had voor zijn afgeschreven Alfa Romeo. Toen kwam hij post tegen die was geadresseerd aan mevrouw Sandy Grace. Het was een uitnodiging voor een privévernissage bij een kunstgalerie in Brighton. Moderne kunst was een van haar passies geweest. Hij gooide de post weg, met het vermoeden dat ze nog op een heel oude adressenlijst stond die dringend moest worden bijgewerkt.

Twintig minuten later, terwijl hij langs de kust naar Kemp Town reed, puzzelde hij nog steeds op de vraag waarom Glenn Branson zo had opgeruimd. Schuldgevoel? Toen dacht hij terug aan de uitbrander van Peter Rigg, die hem nog steeds ontzettend stak. Hij kon amper geloven dat dat kreng van een Alison Vosper de nieuwe adjunct-hoofdcommissaris had gewaarschuwd om een oogje op hem te houden.

Waarom? Zijn staat van dienst was het afgelopen jaar goed geweest. Elke zaak die hij had behandeld was opgelost. Goed, er waren twee verdachten omgekomen in een auto en twee leden van zijn team, Emma-Jane Boutwood en Glenn Branson, waren gewond geraakt. Misschien had hij wat voorzichtiger kunnen zijn; maar zou hij dan ook zulke resultaten hebben behaald? En zelfs als Rigg niet volledig vertrouwen in hem had, dan nog wist Grace dat hij de steun had van commissaris Jack Skerritt, het hoofd van het recherchehoofdkwartier.

En shit, hij had al één indrukwekkend resultaat behaald voor de adjunct-hoofdcommissaris, door een serieverkrachtingszaak op te lossen die twaalf jaar terugging, of niet soms?

Hij richtte zijn gedachten op de huidige zaak: Ewan Preece, de bestuurder van de doorgereden bestelwagen. Het eerste probleem was dat ze er niet zeker van konden zijn dat hij de bestuurder was, ook al hadden zijn vingerafdrukken op de spiegel gezeten. Maar het feit dat hij die avond niet was teruggekeerd naar de Ford-gevangenis was een goede aanwijzing van schuld. En met toepassing van datzelfde principe van Ockhams scheermes, dat Grace altijd had geïnterpreteerd als *het simpelste en meest voor de hand liggende is meestal het juiste antwoord*, was hij er vrij zeker van dat Preece de bestuurder zou blijken te zijn.

Hij was er evenzeer van overtuigd dat ze de man snel zouden hebben. Zijn gezicht was bekend bij de helft van alle politieagenten in Brighton, zowel de mensen in uniform als de recherche, en Grace had zijn foto vaak op posters van gezochte personen op politiebureaus gezien. Als de politie hem niet vond, dan zou iemand hem ongetwijfeld verlinken voor de beloning.

Met een beetje geluk hadden ze hem binnen een paar dagen, en dan wisten ze ook waarom hij ervandoor was gegaan. Waarschijnlijk, speculeerde Grace, omdat hij om negen uur die woensdagochtend aan het werk had moeten zijn op een bouwplaats in de buurt van de gevangenis in plaats van rond te rijden in een busje in Brighton, veertig kilometer verderop. Bijna zeker met iets illegaals in de auto.

Als ze een verklaring van Preece konden krijgen, dan zou het onderzoek tegen het eind van de volgende week afgerond moeten kunnen zijn. En hopelijk verdiende Grace dan ook weer wat krediet bij Peter Rigg. Het zag er allemaal vrij rechtlijnig uit.

Gelukkig voor Roy Grace' stemming op dat moment wist hij niet hoe ontzettend anders alles zou uitpakken.

34

Er stond een lange file op de weg naar de rotonde tegenover de Palace Pier die – onterecht, vond Roy Grace vanuit traditionalistisch oogpunt – was omgedoopt tot de Brighton Pier. Terwijl hij langzaam mee kroop in het verkeer, zag hij een stel met een kinderwagen over de promenade lopen. Hij merkte dat hij met intense nieuwsgierigheid naar hen keek. Dat was iets, besefte hij, wat heel beslist in hem was veranderd. Hij had nooit ook maar de geringste belangstelling gehad voor baby's. Maar de afgelopen weken, waar hij ook kwam in de stad, had hij zichzelf er vaak op betrapt dat hij naar baby's in buggy's keek.

Een paar dagen geleden, toen hij een broodje ging halen in de ASDA-supermarkt tegenover het bureau, had hij onnozele opmerkingen gemaakt tegen de vader en moeder van een pasgeboren baby in een wagentje, alsof zij drieën nu lid waren van een zeer exclusieve club.

Met stationair draaiende motor en luisterend naar een oud nummer van de Kinks op BBC Radio Sussex, keek hij om zich heen of hij nog meer buggy's zag. Een paar avonden geleden, de avond voordat Cleo in het ziekenhuis was opgenomen, hadden ze zich daar een hele tijd in verdiept op internet en hadden ze een shortlist gemaakt van wagens die mogelijk geschikt voor hen waren.

Cleo wilde graag een buggy waarmee Grace kon gaan joggen. Ze dacht dat het hem zou helpen een band te krijgen met de kleine, aangezien hij door zijn werk anders weinig tijd met het kind zou kunnen doorbrengen. In een zwangerschapsboek dat ze allebei hadden gelezen werd hiervoor gewaarschuwd, omdat de moeder thuis was en haar relatie met de baby ontwikkelde, terwijl de vader op zijn werk was en steeds meer van het kind kon vervreemden.

Aan de overkant zag hij een man van ongeveer zijn leeftijd hardlopen met een baby in een Mountain Buggy Swift. Toen zag hij een vrouw joggen met de wagen die zijzelf voor ogen hadden, een iCandy Apple Jogger. Even later zag hij een andere die hun ook wel wat leek, vanwege de naam, een Graco Cleo. En aan het andere eind van de promenade zag hij een vrouw lopen met hun favoriet – die helaas ook een van de duurste was – een Bugaboo Gecko.

Gelukkig speelde geld geen rol. Cleo had hem verteld dat haar ouders hun graag de kinderwagen cadeau wilden geven. Normaal gesproken zou Grace erop hebben gestaan alles zelf te betalen, want zo was hij opgevoed. Maar hij had wat rekenwerk gedaan, en de kosten van een baby waren schrikbarend. En schijnbaar eindeloos. Om te beginnen moest de logeerkamer bij Cleo thuis een babykamer worden. Ze hadden het advies gekregen om ver van tevoren te gaan schilderen, zodat hun kind geen gevaarlijke verfdampen zou inademen. Er bestonden digitale babyfoons, die Cleo wilde hebben, zodat je de kleine kon horen ademen. Het wiegje waarin de baby in de eerste paar maanden zou slapen. Versieringen voor de kamer. Kleertjes die ze nog niet konden kopen omdat ze niet wisten of het een jongetje of een meisje werd.

Het was vreemd om geen geslacht aan de baby te kunnen toekennen. Het was gewoon een hét. Noch Grace, noch Cleo wilde het weten. Maar Cleo had een paar keer gezegd dat ze dacht dat het een jongetje was, omdat haar buik hoog zat en omdat, ook alweer zo'n oudewijvenpraatje, ze meer trek had in hartige dingen dan in zoetigheid.

Het maakte Grace niet uit. Het enige waar hij om gaf was dat de baby gezond was en, belangrijker nog, dat Cleo het goed maakte. Hij had gelezen dat vaders soms als het heel erg misging de keus moesten maken tussen het redden van de baby of de moeder. Voor hem was daar geen enkele twijfel over mogelijk. Hij zou altijd Cleo kiezen.

Er kwam een Ziko Herbie-buggy voorbij over de promenade. Gevolgd door een Phil & Teds Dash, een Mountain Buggy en een Mothercare Mychoice. Het was eigenlijk sneu, dacht hij, dat hij in zo korte tijd zo belachelijk veel kennis over kinderwagens had opgedaan. Toen ging zijn telefoon.

Het was Norman Potting. 'Chef,' zei hij. 'Ik heb goed nieuws en eh... geen goed nieuws. Maar de batterij van mijn BlackBerry is bijna leeg.'

'Nou?'

Het enige antwoord was stilte.

35

Iemand had de *Münchner Merkur* op de houten schragentafel laten liggen waar ze aan zat, in haar eentje, bij het Seehaus-meer in de Englischer Garten. De *Merkur* was een van de twee plaatselijke kranten van München. Op de voorpagina stond een foto van een grote zilverkleurige bus die was omgerold en boven op een doorgebogen vangrail langs de snelweg tot stilstand was gekomen. Er stonden hulpverleners in oranje pakken omheen en je zag deels een bloedend slachtoffer op een brancard.

De kop, die ze tijdens het lezen in gedachten in het Engels vertaalde, meldde: ZEVEN DODEN BIJ BUSONGELUK SNELWEG.

Hoewel ze nu vloeiend Duits sprak, dácht ze nog steeds in het Engels en besefte ze soms 's morgens dat ze in het Engels had gedroomd. Ze vroeg zich af of dat ooit nog zou veranderen. Ze had Duits bloed. Haar oma van moeders kant was afkomstig uit een dorp hier in de buurt en ze voelde steeds sterker, met elke dag die verstreek, dat Beieren haar ware thuis was. Ze was dol op deze stad.

En dit park was haar favoriete plek in de stad. Ze kwam hier als het kon elke zaterdagochtend. Vandaag was de aprilzon buitengewoon warm en ze was blij met het briesje dat over het meer werd aangevoerd. Hoewel ze alleen maar een T-shirt, een lycra joggingshort en gympen droeg, transpireerde ze hevig van haar tien kilometer hardlopen. Gulzig dronk ze achter elkaar het flesje koud mineraalwater dat ze net had gekocht voor de helft leeg.

Toen bleef ze stil zitten en ademde de zoete geuren in van gras, het water van het meer, houtlak en schone lucht. Plotseling ving ze een vleug sigarettenrook op van iemand verderop. Meteen, zoals bijna altijd gebeurde, maakte die geur haar droevig; herinneringen aan de man van wie ze ooit zo veel had gehouden.

Ze nam nog een slok uit het flesje en boog zich naar voren om de krant te pakken, aangezien niemand hem scheen te komen ophalen. Pas elf uur, en nu al was het druk in de Englischer Garten. Tientallen mensen zaten aan de terrastafels, sommige overduidelijk toeristen, maar ook veel lokale bewoners die genoten van het begin van het weekend. De meesten hadden een *Maß* bier voor zich staan, maar anderen, zoals zij, dronken water of cola. Er waren mensen op het meer in roeiboten en waterfietsen, en ze keek een tijdje naar een moedereend met een sliert bruine kuikentjes erachteraan, die om het beboste eiland heen zwom.

Toen kwam er ineens een heel vastberaden kijkende nordicwalker van in de zestig, gekleed in felrood lycra, met haar kaken op elkaar en haar wandelstokken tikkend op de grond, recht op haar af.

Laat me met rust, kom niet bij me in de buurt, dacht ze, terwijl ze haar ellebogen op tafel zette en de vrouw opstandig aankeek.

Het werkte. De vrouw liep kletterend verder en koos een tafel een stukje verderop.

Er waren momenten, zoals nu, dat ze naar afzondering verlangde, en dat kon ze maar ontzettend weinig vinden. Dat was een van de dingen die ze het meest waardeerde aan haar hardloopronden op zaterdagochtend. Er was altijd zo veel om over na te denken, en nooit genoeg tijd om zich erop te concentreren. Haar nieuwe meesters gaven haar elke week nieuwe gedachten om aan te werken. Deze week hadden ze gezegd: *Voordat je nieuwe horizonten kunt zoeken, moet je eerst de moed hebben om de kust uit het zicht te verliezen.*

Maar dat had ze toch zeker tien jaar geleden al gedaan?

Een volgende vleug sigarettenrook riep weer een steek van verdriet op. Ze had een slechte dag, een slechte week. Twijfelde aan alles. Ze voelde zich alleen, somber en onzeker over zichzelf. Ze was zevenendertig, vrijgezel, met twee mislukte relaties achter de rug, en wat lag er vóór haar?

Op dit moment niets.

Die goede oude Duitse filosoof Nietzsche zei dat als je lang genoeg in de leegte staarde, die leegte op een gegeven moment terug zou staren.

Ze begreep wat hij bedoelde. Om zichzelf af te leiden begon ze het krantenartikel over het ongeluk met de bus te lezen. Alle passagiers waren lid van een christelijk genootschap uit Keulen. Zeven doden, drieëntwintig mensen ernstig gewond. Ze vroeg zich af wat ze nu van God vonden. Toen schaamde ze zich voor die gedachte en sloeg de bladzijde om.

Er stond een foto van een fietser die op de vlucht was voor de politie en nog een verkeersongeval, deze keer een VW Passat die over de kop was geslagen. Op de volgende bladzijde stond een verhaal over de sluiting van een fabriek, wat haar niet kon boeien. En de foto van een schoolvoetbalteam ook niet. Ze sloeg de bladzijde om. En verstijfde.

Ze staarde naar de gedrukte tekst, niet in staat haar ogen te geloven, terwijl ze alles in gedachten in het Engels vertaalde.

Ze las de woorden, en toen nog eens.

Toen staarde ze er alleen maar naar, alsof ze een zoutpilaar was geworden.

Het was een advertentie. Niet groot, slechts één kolom breed en vijf centimeter lang. Er stond:

SANDRA (SANDY) CHRISTINA GRACE
Echtgenote van Roy Jack Grace uit Hove, City of Brighton & Hove, East Sussex, Engeland.
Al tien jaar vermist en vermoedelijk overleden. Voor het laatst gezien in Hove, East Sussex. Ze is 1,70 meter lang, met een tenger postuur, en had toen ze voor het laatst werd gezien schouderlang blond haar.
Behalve als iemand bewijs kan leveren dat ze nog leeft bij notariskantoor Edwards and Edwards LLP *op onderstaand adres, zal een aanvraag worden ingediend om haar wettelijk dood te laten verklaren.*

Ze bleef staren, lezen, herlezen, en toen nog eens herlezen.

En nog eens.

36

'Weet je waar ik echt naar uitkijk?' zei Cleo. 'Waar ik ontzettend veel zin in heb?'

'Wilde seks?' vroeg Roy Grace hoopvol, met een scheve grijns.

Ze zaten in de auto op weg naar huis uit het ziekenhuis, en Cleo zag er duizend keer beter uit. De kleur was op haar wangen terug en ze straalde. Ze was mooier dan ooit. De rust in het ziekenhuis had haar overduidelijk goed gedaan.

Ze streek suggestief met haar vinger over zijn bovenbeen. 'Nu meteen?'

Hij moest stoppen voor het verkeerslicht in Edward Street, bijna in het zicht van het politiebureau van John Street, dat in deze buurt 'de bak van Brighton' werd genoemd.

'Dat is waarschijnlijk niet zo'n goed idee nu.'

'Wilde seks zou leuk zijn,' gaf ze toe, terwijl ze uitdagend de binnenkant van zijn been bleef strelen. 'Maar hoewel ik misschien een deuk in je ego sla, moet ik bekennen dat er iets is waar ik nu meer naar verlang dan naar jouw lichaam, inspecteur Grace.'

'En wat mag dat dan wel zijn?'

'Iets wat ik niet mag hebben. Een groot stuk brie met een glas rode wijn!'

'Geweldig! Dus kaas is mijn concurrent?'

'Geen concurrent. Dat wint die kaas altijd.'

'Misschien moet ik je maar terugbrengen naar het ziekenhuis.'

Ze boog zich naar hem toe en kuste hem op de wang. Toen het licht groen werd, duwde ze haar vingers wat harder in zijn been. 'Trek het je niet aan.'

Terwijl ze doorreden trok hij een pruilend gezicht en zei: 'Ik ga verdorie elk stukje brie in de stad arresteren.'

'Geweldig. Leg ze in de koelkast voor als Bobbeltje is geboren, dan eet ik alles op. Maar jou eet ik als eerste op, dat is beloofd!'

Terwijl hij richting het zuiden de Grand Parade op reed en naar de rechter weghelft ging, met het Royal Pavilion verderop rechts, werd Grace zich bewust van een plotseling euforisch gevoel. Na zijn ongerustheid om Cleo en hun baby in de afgelopen paar dagen leek alles nu ineens weer goed te gaan. Cleo was in orde, weer haar gebruikelijke opgewekte zelf. Met hun baby was alles goed. De uitbrander van Rigg leek vergeleken hiermee plotseling heel onbeduidend. De waardeloze kleine crimineel die de bus had bestuurd, Ewan Preece, zou binnen enkele dagen of misschien zelfs uren worden gevonden, en dan zou Rigg weer tevredengesteld zijn. Het enige wat Grace op het ogenblik echt belangrijk vond zat naast hem.

'Ik hou ontzettend veel van je,' zei hij.

'O ja?'

'Ja.'

'Weet je dat zeker? Zelfs met die dikke buik en het feit dat ik liever kaas heb dan jou?'

'Ik ben gek op je dikke buik. Nóg meer om van te houden.'

Ze pakte zijn linkerhand en drukte die op haar buik. Hij voelde iets bewegen, iets kleins maar sterks, en hij kreeg een brok in zijn keel.

'Is dat Bobbeltje?'

'Hij schopt! Hij zegt dat hij blij is om naar huis te gaan!'

'Agossie!'

Cleo liet zijn hand los en streek haar haar van haar voorhoofd. Grace stopte in het voorsorteervak voor het Pavilion om naar rechts te gaan.

'En heb je me gemist?' zei ze.

'Elke seconde.'

'Leugenaar.'

'Nee, echt.' Het verkeerslicht werd groen en hij reed de kruising over en om de Old Steine heen. 'Ik heb me beziggehouden met buggy's en babynamen googelen.'

'Ik heb ook veel over namen nagedacht,' zei ze.

'En?'

'Als het een meisje is, maar dat denk ik niet, dan vind ik tot nu toe Amelie, Tilly of Freya het leukst.'

'En als het een jongen is?'

'Dan Jack, naar je vader.'

'Echt waar?'

Ze knikte.

Zijn telefoon ging. Hij stak verontschuldigend zijn vinger op en drukte op de handsfreetoets om op te nemen.

Het was Norman Potting. 'Sorry daarvoor, chef, mijn batterij is nog steeds leeg. Maar ik vond dat je moest weten...'

Toen was het stil.

'Wat moet ik weten?' vroeg Grace.

Maar de verbinding was verbroken.

Hij belde het coördinatiecentrum en vroeg of Potting een boodschap had achtergelaten. Maar Nick Nicholl, die opnam, zei dat niemand iets van hem had gehoord. Grace beloofde dat hij op tijd terug zou zijn voor de avondbriefing en hing op.

Cleo keek hem uitdagend aan. 'En hoe zit het met die wilde seks? Zal het een vluggertje moeten worden?'

'Helaas pindakaas,' antwoordde hij.

'De listeria zit in Franse kaas, niet in pindakaas.' Ze kuste hem nog eens.

37

Ze had geen zin meer om nog hard te lopen. Ze had zin in alcohol. Toen de serveerster langskwam bestelde ze een *Maß* bier. Een hele liter van dat spul. Toen staarde ze weer naar de tekst in de *Münchner Merkur*.

Ze voelde een blinde woede in zich opkomen. Die moest ze zien te beheersen. Het was een van de dingen die ze aan het leren was: woedebeheersing. Ze was er al veel beter in, maar ze moest zich er erg voor inspannen. Ze moest in gedachten terugkeren naar de plek waar ze was geweest voordat ze boos werd. Naar de *Münchner Merkur*, die op tafel lag.

Ze sloeg de krant dicht, schoof hem van zich af en voelde zich al wat kalmer. Maar het kostte moeite. De woede in haar dreigde naar buiten te komen, en dat mocht ze niet laten gebeuren, wist ze. Ze mocht haar woede niet laten winnen. Die had al te veel van haar leven bestuurd, en niet op een goede of verstandige manier.

Doof het uit, dacht ze. Doof het uit als de vlam van een lucifer in de wind. Laat het maar uitwaaien. Zie het uitgaan.

Een beetje gekalmeerd sloeg ze de krant weer open. Ze keek naar de gegevens onderaan. Er stonden een postadres, een e-mailadres en een telefoonnummer.

Haar volgende reactie was: waarom?

Toen, nog wat kalmer, dacht ze: maakt het uit?

Ze had hem enigszins gevolgd, vooral de laatste paar jaar, nu de plaatselijke krant van Sussex, de *Argus*, online beschikbaar was. Hij werd een steeds prominentere politieman, dus dat was gemakkelijk; hij werd vaak in het nieuws geciteerd vanwege zijn werk. Het werk waar hij van hield, bij de politie. Een waardeloze echtgenoot, maar een geweldige smeris. Als echtgenote kwam je daarbij altijd op de tweede plaats. Sommige vrouwen accepteerden dat. Sommige vrouwen waren zelf politieagent, dus begrepen ze het. Maar dat was niet het leven geweest dat zij had gewild. Of dat had ze althans gedacht.

Maar nu, hier, alleen, was ze elke dag minder overtuigd van het besluit dat ze had genomen. En deze aankondiging onthutste haar meer dan ze zich ooit had kunnen indenken.

Dood?

Ik?

Wat zou jou dat goed uitkomen, inspecteur Roy Grace, hoofd van de afdeling Zware Criminaliteit in Sussex. O ja, ik heb je gevolgd. Ik ben altijd in de buurt. De geest die je achtervolgt. Fijn voor je, met je passie voor je carrière. Je vader heeft het slechts tot brigadier geschopt. Jij bent al verder gekomen dan je ooit had durven dromen; althans, in de dromen waarover je mij vertelde. Hoe ver ga je nog komen? Hoe ver wíl je komen? Helemaal naar de top? De plek waarvan je zei dat je die eigenlijk niet wilde bereiken?

Ben je gelukkig?

Weet je nog dat we het wel eens over geluk hadden? Weet je nog die avond dat we dronken werden in die bar in Browns en dat je zei dat je best gelukkige momenten in je leven kon hebben, maar dat alleen een gek altijd alleen maar gelukkig kon zijn?

Je had gelijk.

Ze sloeg de krant weer open en las de advertentie nog een keer. De woede kookte weer binnen in haar. Een stille razernij. Een vuur dat ze moest blussen. Het was een van de eerste dingen die ze haar over zichzelf hadden geleerd. Over die woede, die zo'n groot probleem vormde. Ze gaven haar een mantra om in zichzelf op te zeggen. Om te herhalen, steeds opnieuw.

Ze herinnerde zich die woorden nu. Sprak ze in gedachten uit.

Het leven draait niet om wachten tot de storm gaat liggen. Het draait erom dat je leert dansen in de regen.

Terwijl ze die woorden herhaalde, steeds opnieuw, begon ze langzamerhand weer te kalmeren.

38

Tony Case, hoofd van de huishoudelijke dienst op het recherchehoofdkwartier, belde Roy Grace aan het begin van de middag om te vertellen dat een van de lopende onderzoeken in Sussex House eerder dan verwacht resultaat had opgeleverd en nu werd afgewikkeld, wat betekende dat Coördinatiecentrum 1 vrij was gekomen. Case, met wie Grace het goed kon vinden, wist dat de inspecteur die ruimte het liefst gebruikte voor zijn onderzoeken.

Terwijl Grace onderweg was naar Coördinatiecentrum 1 voor de briefing van halfzeven, ging zijn telefoon. Hij bleef in de gang voor een schema aan de muur staan: een vel wit papier op een rode achtergrond met de titel BEOORDELING PLAATS DELICT.

Kevin Spinella was aan de lijn.

'Inspecteur, hebt u een seconde tijd voor me?'

'Nog geen nanoseconde, vrees ik. Nog geen picoseconde. Ik heb niet eens een femtoseconde.'

'Ha ha, heel grappig. Nog geen miljoenste van een miljardste van een seconde. Zo kort nog niet eens?'

'Weet je wat dat is?' Grace was verbaasd.

'Nou, ik weet dat een nanoseconde een miljardste van een seconde is, en een picoseconde een triljoenste van een seconde. Dus ja, eigenlijk weet ik inderdaad wat een femtoseconde is.'

Grace kon over de telefoon horen dat hij kauwgom kauwde, zoals gewoonlijk. Het klonk als een paard dat door de modder draafde.

'Ik wist niet dat je natuurkundige was.'

'Ja, ach, het leven zit vol verrassingen, hè? Zo, en hebt u tijd om over Operatie Viool te praten?'

'Ik ga net een vergadering in.'

'De briefing van halfzeven?'

Grace hield met moeite zijn woede in bedwang. Wist dat etterbakje dan echt alles?

'Ja. Jij kent de agenda waarschijnlijk beter dan ik.'

Spinella negeerde die steek onder water en zei: 'Ewan Preece, jullie hoofdverdachte...'

Grace zei een tijdje niets. Zijn hoofd liep om. Hoe wist Spinella dat? Hoe? Maar hij besefte dat er tientallen mogelijke bronnen waren die die naam konden hebben gelekt, te beginnen bij de Ford-gevangenis. Hij had er niets aan als hij daar op dit moment op inging.

'We hebben in dit stadium nog geen hoofdverdachte,' zei hij tegen de verslaggever, vurig nadenkend over hoe hij Spinella kon inzetten voor zijn onderzoek. Om tijd te rekken zei hij: 'We willen Ewan Preece spreken om hem uit te sluiten van het onderzoek.'

'En hem weer op te sluiten in Ford? U vraagt zich vast af waarom iemand die nog maar drie weken straf uit te zitten heeft ervandoor zou gaan, of niet?'

Grace dacht weer zorgvuldig na voordat hij antwoordde. Hij vroeg zich dat inderdaad al een tijdje af. Hij had geprobeerd zich in Preece te verplaatsen. Dat was lastig, want de denkwijze van een recidivist was uniek voor zijn of haar omstandigheden. Maar alleen een idioot zou drie weken voor het einde van zijn straf ontsnappen, behalve als er een dringende reden voor was. Jaloezie kon er daar één van zijn; een andere kon een commerciële kans zijn.

Misschien was een derde reden dat hij op het verkeerde moment op de verkeerde plaats was? In een bestelwagen in Brighton terwijl hij eigenlijk op een bouwplaats in Arundel had moeten werken?

'Die beloning van honderdduizend dollar zal u vast helpen de bestuurder van het busje te vinden,' zei Spinella. 'U zult wel veel telefoontjes hebben gekregen op het coördinatiecentrum?'

Eigenlijk waren er opmerkelijk weinig telefoontjes binnengekomen, en dat had Grace verbaasd. Normaal gesproken lokte een beloning allerlei gekken en opportunisten. Maar dit telefoongesprek was een kans op meer publiciteit; en vooral om druk uit te oefenen op iedereen die misschien wist waar Preece zat.

'Ja,' loog hij. 'We zijn heel blij met de respons van het publiek en volgen verschillende tips op waarvan we denken dat die rechtstreeks als gevolg van die grote beloning zijn binnengekomen.'

'Mag ik u citeren?'

'Jazeker.'

Grace hing op en ging Coördinatiecentrum 1 in. Zoals altijd bij een onderzoek naar een grote misdaad had een grappenmaker een humoristische afbeelding op de deur geplakt: een grappige verwijzing naar de naam van het onderzoek. Vandaag was het een heel goede: een cartoon van een man in een regenjas met de kraag omhoog en een gleufhoed op, die een vioolkoffer vasthield en een dikke sigaar rookte.

De twee coördinatiecentra van Sussex House, Coördinatiecentrum 1 en

Coördinatiecentrum 2, waren de zenuwcentra voor grote misdaadonderzoeken. Ondanks de ondoorzichtige ramen die te hoog zaten om doorheen te kijken, had Coördinatiecentrum 1 een luchtige sfeer, veel licht en een goede energie. Het was Grace' lievelingsruimte in het hele hoofdkwartier. Hoewel hij in andere delen van Sussex House het rommelige geroezemoes miste van de crisiscentra op de politiebureaus waarmee hij was opgegroeid, voelde deze kamer aan als een krachtcentrale.

Het was een L-vormige ruimte, onderverdeeld in drie grote werkplekken, elk bestaande uit een lange, gebogen tafel met stoelen voor maximaal acht personen, en enkele grote whiteboards. Een ervan, met het opschrift OPERATIE VIOOL, bevatte de tekening van de voertuigen die betrokken waren geweest bij het ongeval, die rechercheur Biggs van de verkeerspolitie eerder had gemaakt. Op een andere stond het begin van de stamboom van Tony Revere, inclusief de naam en naaste familieleden van zijn vriendin. Op een derde hing een lijst van namen en telefoonnummers van de belangrijkste getuigen.

Er hing een sfeer van intense concentratie, doorbroken door het constante rinkelen van telefoons, die lukraak door leden van zijn steeds grotere team werden opgenomen.

Hij zag dat Norman Potting aan de telefoon zat en ondertussen aantekeningen maakte. Grace had Norman nog steeds niet gesproken sinds de twee pogingen tot telefoongesprekken in zijn auto. Hij ging op een lege werkplek zitten en legde zijn aantekeningen voor zich op tafel.

'Zo!' zei hij toen Potting ophing, en hij verhief zijn stem om ieders aandacht te trekken. 'Het is halfzeven 's avonds op zaterdag 24 april. Dit is de zevende briefing van Operatie Viool, het onderzoek naar de dood van Tony Revere.' Hij keek de manager plaats delict aan. 'Tracy, ik hoorde dat jij nieuws hebt.'

Er klonk een uitbarsting van housemuziek. Beschaamd legde agent Alec Davies zijn telefoon snel het zwijgen op.

'Ja, chef,' antwoordde Stocker. 'Ford heeft het type bestelwagen bevestigd naar aanleiding van hun analyse van het serienummer op de zijspiegel. Die spiegel zat op het model uit 2006. Dus gezien de tijd en de locatie waar het stuk van de spiegelbehuizing is gevonden, denk ik dat we met vrij grote zekerheid kunnen zeggen dat die van onze verdachte Ford Transit was.' Ze wees naar het whiteboard. 'Voertuig 1 in het schema.'

'Weten we hoeveel van die wagens er in dat jaar gemaakt zijn?' vroeg Emma-Jane Boutwood.

'Ja,' antwoordde Stocker. 'Er zijn in 2006 zevenenvijftigduizend vierhonderd en vierendertig Ford Transits verkocht in het Verenigd Koninkrijk. Drieënnegentig procent daarvan was wit, en dat betekent dat er drieënvijftigduizend vierhonderd en dertien wagens aan ons signalement voldoen.' Ze glimlachte droogjes.

Brigadier Paul Wood van de verkeersongevallendienst zei: 'Het zou de moeite waard kunnen zijn om alle schadeherstelbedrijven te benaderen, om te kijken of iemand een Transit binnen heeft gebracht voor een nieuwe zijspiegel. Die dingen raken wel vaker beschadigd.'

Grace maakte een aantekening en knikte. 'Ja, daar had ik ook al aan gedacht. Maar het zou wel behoorlijk stom van hem zijn om de bus al zo snel te laten repareren. Hij heeft hem waarschijnlijk eerder ergens in een garagebox gezet.'

'Ewan Preece klinkt niet al te intelligent,' zei Glenn Branson. 'Ik denk niet dat we het moeten uitsluiten, chef.'

'Ik zal het opnemen als actie voor het externe rechercheteam. Misschien kunnen we er een paar politieassistenten op zetten.' Toen wendde hij zich tot Potting. 'Norman, heb je al een update van de Ford-gevangenis?'

Potting tuitte zijn lippen en nam de tijd voordat hij antwoordde. 'Ja, chef,' zei hij uiteindelijk, met zijn vette accent.

In een ander tijdperk had Grace hem voor zich kunnen zien als een stijfkoppige bureauagent in een of ander plattelandsstadje. Potting sprak langzaam en zorgvuldig, deels puttend uit zijn geheugen en deels uit zijn aantekeningen. Elke paar seconden moest hij zijn ogen samenknijpen om zijn eigen handschrift te ontcijferen.

'Ik heb gevangenisbeambte Lisa Setterington gesproken, die jij ook al had gesproken, chef,' zei Potting.

Grace knikte.

'Zij bevestigde dat Preece een modelgevangene leek, vastbesloten het rechte pad op te gaan.'

Potting werd in de rede gevallen door het gesnuif van een paar agenten die eerder met de verdachte te maken hadden gehad.

'Als hij zo'n modelgevangene was,' vroeg Bella Moy sarcastisch, 'hoe kan het dan dat hij in een bestelwagen reed, veertig kilometer van de plek waar hij woensdagochtend eigenlijk had moeten zijn?'

'Precies,' zei Potting.

'En modelgevangenen gaan er ook niet vandoor,' voegde ze er zuur aan toe.

'Nee, Bella, dat klopt,' beaamde hij neerbuigend, alsof hij het tegen een kind had.

Grace keek hen allebei behoedzaam aan en vroeg zich af of ze op het punt stonden weer eens ruzie te gaan maken.

'Aan de positieve kant,' vervolgde Potting, 'het nieuws over die beloning heeft zich door de gevangenis verspreid, zoals je je kunt indenken. Een paar gevangenen die contact hebben gehad met Preece zijn naar de directeur gestapt met suggesties over waar hij zou kunnen zijn, en ik heb een lijst van zes namen en adressen van contactpersonen waar ik meteen mee aan de slag kan.'

'Goed werk, Norman,' zei Grace.

Potting stond zichzelf een zelfingenomen glimlachje toe en nam een slok thee voordat hij doorging. 'Maar er is ook slecht nieuws. Ewan Preece had een vriend in de Ford-gevangenis, ook een gedetineerde. Ze kenden elkaar al jaren.' Hij keek in zijn aantekeningen. 'Warren Tulley, die ongeveer net zo'n straf uitzat als Preece. Ze waren dikke vrienden daar. Setterington had geregeld dat Tulley met me zou komen praten. Iemand ging hem naar het kantoor halen en vond hem dood in zijn cel. Hij had zich opgehangen.'

Het bleef even stil terwijl het team dit verwerkte. Grace' eerste idee was dat dit nieuws Spinella nog niet ter ore was gekomen.

Rechercheur David Howes vroeg: 'Wat weten we over zijn omstandigheden?'

'Hij moest nog twee maanden zitten,' antwoordde Potting. 'Getrouwd, drie jonge kinderen, en kennelijk was alles goed met zijn huwelijk. Lisa Setterington kende hem ook. Ze verzekerde me dat hij ernaar uitkeek vrij te komen en bij zijn kinderen te zijn.'

'Niet iemand met een overduidelijke reden om zich van kant te maken?' vroeg Howes, de voormalige medewerker gevangenisbetrekkingen.

'Het lijkt er niet op, nee,' antwoordde Potting.

'Dit is pure speculatie,' vervolgde Howes, 'maar misschien wist Warren Tulley wel waar Preece zat.' Hij haalde zijn schouders op.

'En dat hij daarom dood is?' vroeg Grace. 'Dat het helemaal geen zelfmoord was?'

'Ze gaan een volledig onderzoek doen, in nauwe samenwerking met het team van de afdeling Zware Criminaliteit van het West Area,' zei Potting. 'Zij vonden het wat te toevallig.'

'Hoe moeilijk zou het zijn om jezelf op te hangen in Ford?' vroeg Glenn Branson.

'Makkelijker dan in een hoop andere gevangenissen. De gedetineerden hebben allemaal een eigen kamer, net als in een motel,' zei Potting. 'Omdat het een open inrichting is, hebben ze veel meer vrijheid en worden ze veel meer met rust gelaten dan in een strenger beveiligde inrichting. Als je jezelf wilt ophangen, dan is dat geen probleem.'

'En als je iemand anders wilt ophangen?' vroeg Howes.

Er viel een langdurige, onbehaaglijke stilte.

'Honderdduizend dollar is een hoop geld voor iemand in de bak,' zei Glenn.

'Het is voor iedereen een hoop geld,' antwoordde Nick Nicholl.

'Meer dan genoeg om voor te moorden,' concludeerde Howes grimmig.

Agent Alec Davies stak zijn hand op. Hij nam nogal verlegen het woord. 'Meneer, dit ligt misschien erg voor de hand, maar als Warren Tulley inderdaad wist waar Preece was, en als iemand hem vermoord heeft, dan deed hij dat waarschijnlijk met één reden. Omdat hij ook weet waar Preece is.'

39

Fernanda Revere zat rusteloos op het puntje van de groene bank. Met haar ene hand omklemde ze een glas en in de andere hield ze een sigaret, en ongeduldig tikte ze elke paar seconden de as in een kristallen asbak. Ineens snoof ze, legde haar sigaret neer, greep haar mobiele telefoon en loerde er woest naar.

Buiten onweerde het. De wind en regen trokken striemend over de Long Island Sound, door de duinen en het ruige gras en de struiken. Ze hoorde de regen tegen de ramen kletteren en voelde de ijzige kou die ervan afstraalde.

Deze reusachtige woonkamer met minstreelbalkon, kostbare meubels en muren met wandkleden voelde vanavond aan als een mausoleum. Er knetterde een vuur in de haard, maar ze werd er niet door verwarmd. Er was een footballwedstrijd op tv, de New York Giants tegen een ander team, en af en toe schreeuwde haar broer naar de televisie. Fernanda gaf geen moer om American football. Stom mannenspelletje.

'Waarom bellen die stomme lui in Engeland niet terug?' wilde ze weten, terwijl ze opnieuw naar haar telefoon staarde en vurig hoopte dat hij zou gaan.

'Het is daar midden in de nacht, schatje,' antwoordde haar man met een blik op zijn horloge. 'Ze lopen vijf uur voor, dus het is er één uur 's nachts.'

'Nou en?' Ze nam nog een boze haal van haar sigaret en blies de rook recht naar voren. 'En die compagnon van je, waar is die? Komt hij nog? Weet je het zeker? Weet je dat zeker, Ricky?'

Ze staarde wantrouwig naar haar broer, die tegenover haar zat met een glas whisky en een sigaar pafte met het formaat van een grote dildo.

Lou, in een geruite v-halstrui van alpacawol, een poloshirt, een pantalon en bootschoenen keek naar Ricky, en zijn gezicht verhardde opeens. 'Hij komt toch wel opdagen, hè?' vroeg hij. 'Is hij betrouwbaar? Ken je die kerel?'

'Hij is betrouwbaar. Een van de besten. Hij is onderweg, kan hier ieder moment zijn.'

Ricky pakte de bruine envelop die hij had voorbereid, controleerde de inhoud nog een keer, legde hem tevreden neer en richtte zijn aandacht weer op de wedstrijd.

Op zijn veertigste had Ricky Giordino het Italiaanse uiterlijk van zijn vader, maar niet het karaktervolle gezicht van die ouwe. Zijn gezicht was slap, een beetje kwabbig zoals dat van een baby, en pokdalig. Door een aangeboren probleem met zijn zweetklieren glom het van een bijna permanent aanwezige vettige laag. Hij droeg zijn zwarte haar in een kuif en zijn mond was een beetje vervormd, alsof hij als kind aan een hazenlip was geopereerd. Hij droeg een dik zwart vest met metalen knopen, een wijde spijkerbroek die het vuurwapen verborg dat hij altijd om zijn kuit droeg, en zwarte enkellaarzen. Tot nu toe was hij, tot wanhoop van hun moeder, nog vrijgezel. Hij werd normaal gesproken altijd begeleid door een eindeloze stroom domme blondjes, maar vanavond was hij alleen gekomen; zijn geheel eigen manier van respect tonen.

'Heb je al eerder zaken gedaan met die kerel?' vroeg Fernanda.

'Hij wordt aanbevolen door een compagnon van me.' Ricky glimlachte zelfingenomen. 'En er is nog een voordeel. Hij kent die stad, dat Brighton. Hij heeft er al een keer een klus gedaan. Hij zal doen wat jij wilt.'

'Dat hoop ik maar. Ik wil dat ze pijn lijden. Dat heb je toch wel tegen hem gezegd?'

'Hij weet het.' Ricky pufte aan zijn sigaar. 'Heb je mama gesproken? Hoe ging het met haar?'

'Hoe dénk je?' Fernanda dronk de rest van haar Sea Breeze op en stond wankel op om de tocht naar de drankenkast te maken.

Ricky richtte zijn aandacht weer op de wedstrijd. Een paar tellen later sprong hij uit zijn stoel, schudde met zijn vuist naar het scherm en strooide de as van zijn sigaar om zich heen.

'Tering!' schreeuwde hij. 'Wat doen die gasten?'

Terwijl hij weer ging zitten, klonk er een reeks scherpe belgeluiden in de gang.

Ricky stond alweer overeind. 'Hij is er.'

'Mannie doet wel open,' zei Lou.

Tooth zat achter in de Lincoln Town Car. Hij droeg nette vrijetijdskleding bestaande uit een sportjack, een overhemd met open kraag, een pantalon en bruinleren instappers; het soort kleding waarmee je je overal kon vertonen zonder aandacht te trekken. Zijn bruine weekendtas lag naast hem op de achterbank.

De bestuurder had de tas in de kofferbak willen stoppen toen hij hem bij het vliegveld Kennedy had opgehaald, maar Tooth verloor zijn spullen nooit uit het oog. Hij checkte de tas nooit in, maar nam hem op elke vlucht mee als handbagage. De tas bevatte zijn schone ondergoed, een extra overhemd, broek, schoenen, laptop, vier mobiele telefoons, drie reservepaspoorten en een verzameling namaakdocumenten, allemaal verborgen in drie uitgeholde paperbacks.

Tooth reisde nooit met wapens, behalve een beetje van het hallucinogene middel 3-quinuclidinyl benzilaat – BZ – vermomd als twee deodorantsticks, in zijn toilettas. Het was het risico niet waard. Bovendien zaten zijn beste wapens aan de uiteinden van zijn armen: zijn handen.

In het licht van de koplampen zag hij de hoge grijze elektrische poorten opengaan en de regen omlaag striemen. Toen reden ze erdoor en verscheen verderop de bovenkant van een opzichtig modern landhuis.

De chauffeur had niets gezegd tijdens de rit, en dat vond Tooth best. Hij deed niet aan kletsen met vreemden. Nu sprak de man bijna voor het eerst sinds hij in de aankomsthal van het vliegveld Tooths naam had gecontroleerd.

'We zijn er.'

Tooth reageerde niet. Dat zag hij ook wel.

De chauffeur opende het achterportier en Tooth stapte met zijn tas de regen in. Toen ze de veranda betraden, werd de voordeur van het huis opengedaan door een nerveus kijkende Filippijnse werkster in uniform. Bijna meteen stond er een vent met een gemeen gezicht en een bierbuik, gehuld in een duur zwart vest, spijkerbroek en zwarte laarzen naast haar, met een dikke sigaar in zijn hand.

Tooths eerste reactie was dat die sigaar een goed teken was, want die wees erop dat hij hier mocht roken. Hij stapte naar binnen, een enorme entreehal in met een vloer van grijze flagstones.

Verderop was een brede, gebogen trap naar boven. Er hingen vergulde spiegels en reusachtige, bizar abstracte schilderijen die hij niet snapte. Tooth deed niet aan kunst.

De man stak een vlezige hand bedekt met glinsterende ringen uit en vroeg: 'Tooth? Ricky Giordino. Goeie reis gehad?'

Tooth schudde kort de klamme hand van de man en liet zo snel mogelijk weer los, alsof het een ontbindend knaagdier was. Hij gaf niet graag handen. Op handen zaten bacillen.

'Prima.'

'Kan ik je iets te drinken inschenken? Whisky? Wodka? Glas wijn? We hebben zo ongeveer alles.'

'Ik drink niet als ik aan het werk ben.'

Ricky grijnsde. 'Je bent nog niet begonnen.'

'Ik zei dat ik niet drink als ik aan het werk ben.'

De glimlach verdween van Ricky's gezicht en liet er een onbeholpen grijns op achter. 'Oké. Misschien een glaasje water?'

'Ik heb water gehad in de auto.'

'Geweldig. Schitterend.' Ricky controleerde zijn sigaar en pufte er een paar keer aan zodat hij niet uitging. 'Misschien wil je dan iets eten?'

'Ik heb in het vliegtuig gegeten.'

'Niet te hachelen, dat vliegtuigvoer, hè?'

'Het was prima.'

Na vijf militaire uitzendingen, sommige solo, waarbij hij zichzelf had moeten redden op vijandelijk grondgebied en soms dagenlang kevers, knaagdieren en bessen had gegeten, vond Tooth alles wat je op een bord of in een kom kreeg eigenlijk prima. Hij zou nooit een fijnproever worden. Hij deed niet aan haute cuisine.

'Dan zijn we klaar. Alles geregeld. Wil je je tas kwijt?'

'Nee.'

'Oké. Kom mee.'

Tooth, met zijn tas in de hand, volgde hem door een gang met een chique antieke tafel met daarop drukke Chinese vazen, en langs een woonkamer die hem deed denken aan een Engelse kasteelzaal in een film die hij lang geleden had gezien. Er zat een wijf in donkerblauw velours op de bank een sigaret te roken, met een asbak vol peuken naast haar, en tegenover haar zat een of andere loser te kijken naar een stel klojo's die American football speelden.

Heb ik hier mijn leven voor gewaagd, alles voor gegeven, zodat dit soort klootzakken met dure telefoons in hun mooie huis kunnen zitten kijken naar eikels die spelletjes doen op grote televisieschermen?

Ricky dook de kamer in en verscheen bijna meteen weer met een bruine envelop. Hij dirigeerde Tooth terug door de gang naar de entreehal en leidde hem vervolgens de trap naar de kelder af. Beneden hing een levensgroot abstract schilderij met wat eruitzag als foto's van rare gezichten erop. Tooths ogen werden wat groter van milde belangstelling.

'Dat is een behoorlijk bijzonder ding,' zei de man. 'Een Santlofer. Een van de rijzende sterren van de moderne Amerikaanse kunst. Als je die nu zou willen kopen, zou je er dertigduizend voor moeten neerleggen. Over tien jaar is hij een miljoen waard. De Reveres zijn grote sponsoren. Dat is een van de dingen die mijn zus en zwager doen: nieuw talent spotten. Je moet de kunsten steunen, hè. Sponsoren.'

Wat Tooth betrof leek dat schilderij wel zo'n lachspiegel die je op de kermis ziet. Hij volgde de man een enorme biljartkamer in, waar de tafel bijna onzichtbaar was op de drukke vloerbedekking. Er was een bar in de hoek, compleet met leren krukken en een volle wijnkoelkast met een glazen deur.

De man zoog weer aan zijn sigaar, zodat zijn gezicht kortstondig werd verhuld door een grote wolk dichte grijze rook.

'Mijn zus is behoorlijk overstuur. Ze is haar jongste zoon kwijt. Was dol op die jongen. Dat moet je begrijpen.'

Tooth zweeg.

'Speel je biljart?' vroeg de man.

Tooth haalde zijn schouders op.

'Bowling?'

De man wenkte hem mee en liep door naar de kamer erachter. En nu was Tooth onder de indruk.

Hij keek naar een levensgrote ondergrondse bowlingbaan. Er was maar één baan, met een gewreven houten vloer, maar hij was onberispelijk. Er lagen ballen in de rail. Langs de muur naast de baan was behang aangebracht dat de indruk wekte van rijen volle boekenplanken.

'Speel je?'

Ten antwoord koos Tooth een bal uit en stak zijn vingers en duim in de gaten. Toen tuurde hij langs de baan en zag dat alle kegels wit en glanzend op hun plek stonden.

'Ga je gang,' zei de man. 'Veel plezier!'

Tooth had niet de juiste schoenen aan, dus nam hij behoedzaam een aanloop en rolde de bal. In de stilte van de kelder rommelde die als een verre onweersbui. Hij raakte de voorste kegel precies waar Tooth had gemikt, net naast het midden, en dat had het gewenste effect. Alle tien de kegels gingen om.

'Goeie worp! Dat is helemaal niet slecht, moet ik zeggen!'

De man pufte weer aan zijn sigaar, liet zijn wangen opbollen en blies de dikke rook uit. Hij drukte op de resetknop en keek toe terwijl de mechanische klauw de kegels oppakte en ze begon terug te zetten.

Tooth stopte zijn hand in zijn zak, haalde een pakje Lucky Strikes tevoorschijn en stak er een op. Nadat hij één hijs had genomen, griste de man plotseling de sigaret uit zijn hand en drukte hem uit in een onyx asbak op een richel naast hem.

'Die stak ik net op,' zei Tooth.

'Ik wil niet dat dat smerige goedkope ding mijn havanna verpest. Als je een sigaar wilt, moet je het zeggen, oké?'

'Ik rook geen sigaren.'

'Geen sigaretten hierbinnen!' Hij keek Tooth uitdagend aan.

'Zij rookte boven ook een sigaret.'

'Jij bent hier beneden bij mij. Je doet zaken op mijn manier of helemaal niet. Ik weet niet of ik je houding wel op prijs stel, Tooth.'

Tooth overwoog heel serieus of hij die man zou vermoorden. Het zou gemakkelijk zijn, binnen een paar seconden gebeurd. Maar het geld was aantrekkelijk. De laatste tijd waren de klussen niet bepaald komen binnenrollen. Zelfs zonder dat hij dit huis had gezien, had hij geweten van de rijkdom van deze familie. Dit was een goede klus. Hij kon het beter niet verpesten.

Hij pakte nog een bal, rolde hem en gooide weer een strike; alle tien de kegels omver.

'Je bent wel goed, hè?' zei de man, met enige tegenzin.

Tooth reageerde niet.

'Je bent toch wel eens in Engeland geweest, in een stad die Brighton heet? Net als Brighton Beach hier in New York, toch?'

'Weet ik niet meer.'

'Je hebt er een klus gedaan voor mijn neef. Een Estlandse scheepskapitein in de plaatselijke haven, die zijdealtjes sloot op ladingen drugs.'

'Weet ik niet meer,' zei hij, met opzet vaag.

'Zes jaar geleden. Mijn neef zei dat je goed was. Ze hebben het lichaam nooit gevonden.' Ricky knikte goedkeurend.

Tooth haalde zijn schouders op.

'Oké, dit is het aanbod. In deze envelop zitten de namen en al het andere wat we over ze weten. Mijn zuster is bereid om een miljoen dollar te betalen, de helft nu en de andere helft naderhand. Ze wil dat die lui pijn lijden, en erg ook. Dat is toch jouw specialiteit?'

'Wat voor pijn?'

'Volgens de geruchten heb je de stunt van de IJsman nagedaan, met die rat. Klopt dat?'

'Ik doe niemand na.'

De IJsman was betaald om iemand die hij moest vermoorden te laten lijden. De cliënt had bewijs willen zien. Dus had hij de man naakt in klustape gewikkeld en alleen zijn ogen, lippen en geslachtsdelen vrijgelaten. Toen had hij hem in een ondergrondse grot achtergelaten met een paar ratten die een week lang niets te eten hadden gehad en een videocamera. Naderhand had zijn cliënt kunnen zien hoe de ratten hem hadden opgegeten, te beginnen met de onbedekte delen.

'Mooi. Ze zal prijs stellen op creativiteit. Hebben we een deal?'

'Honderd procent in contanten, van tevoren,' zei Tooth. 'Ik onderhandel niet.'

'Weet je wel met wie je te maken hebt, verdomme?'

Tooth, die zeker vijftien centimeter kleiner was, keek hem strak aan. 'Ja. Jij ook?' Hij schudde nog een sigaret uit het pakje en zette hem tussen zijn lippen. 'Heb je een vuurtje?'

Ricky Giordino staarde hem aan. 'Je hebt wel lef, moet ik zeggen.' Hij drukte nog eens op de resetknop. 'Hoe kan ik er zeker van zijn dat je over de brug komt? Dat je ze alle drie krijgt?'

Tooth koos nog een bal uit de rail. Hij tuurde erlangs, nam een aanloop, bukte en rolde de bal. Weer gingen alle tien de kegels om. Hij stak zijn hand in zijn zak en haalde er een plastic aansteker uit. Toen stak hij die uitdagend omhoog, afwachtend of de man hem zou tegenhouden.

Maar Ricky Giordino verraste hem door een gouden Dunhill tevoorschijn te halen, open te klikken en de sigaret voor hem aan te steken.

'Ik denk dat jij en ik elkaar vrij aardig begrijpen.'

Tooth nam het vuurtje aan, maar antwoordde niet. Hij deed niet aan begrip.

40

Zelfverzekerde, succesvolle, zorgzame en empathische man, 46, houdt van rock & klassieke muziek, Belgische chocolade, woudloperskunst, integriteit en loyaliteit, zoekt intelligente en hartelijke vrouw 40-50 jaar om van alles te delen.

Woudloperskunst?

Carly zat met opgetrokken benen op de bank, met een glas rode rioja in de hand. *Top Gear* kwam zo meteen op televisie. De zondagsbijlagen lagen uitgespreid om haar heen. Het was haar eerste glas drank na het ongeluk en ze had het nodig, want ze voelde zich erg depressief.

De pagina van de *Sunday Times* waar ze elke week het meest naar uitkeek, die met de contactadvertenties, lag open voor haar. Ze zocht zoals altijd niet naar de perfecte man, maar naar iemand met wie ze in ieder geval uit kon gaan en lol kon hebben.

Woudloperskunst? Wat moest dat nou weer betekenen? Ze had uit lange ervaring geleerd dat veel van de bewoordingen in dit soort advertenties een onderliggende betekenis hadden. Waar kickte die vent op? Naakt buiten rondlopen? Terug naar de natuur gaan? Op dieren schieten met pijl en boog? De rest van zijn verhaal klonk prima. Maar woudloperskunst? Nee, dank je.

Misschien als hij 'fossielen' had geschreven, of 'archeologie', onderwerpen die Tyler zouden aanspreken, dat ze het eens met hem geprobeerd zou hebben. Maar ze had visioenen van een gek met een baard die met een Davy Crockett-muts op en een onderbroek van gras aan uit een oude Land Rover stapte. Niets zou haar nog verbazen.

Het was lang geleden dat ze met iemand had geslapen. Al meer dan een jaar, inmiddels, en de laatste was een ramp geweest. En die daarvoor ook. Al haar dates waren op fiasco's uitgelopen, en die met Preston Dave was nog maar de laatste in een lange reeks geweest.

Hij had haar nog drie sms'jes gestuurd dit weekend, die ze allemaal had gewist.

God, ze waren al vijf jaar verder en ze miste Kes nog steeds zo erg. Ze hoorde vaak van cliënten dat ze zich bij haar op hun gemak voelden omdat ze zo'n taaie was. Maar eigenlijk, iets wat ze vandaag meer dan ooit besefte, was ze helemaal niet zo taai. Dat was een rol die ze voor hen speelde. Een masker. Het 'Carly Chase aan het werk'-masker. Als ze echt zo'n taaie was, dan zou ze haar cliënten aan het eind van elke werkdag achter zich kunnen laten. Maar dat kon ze niet, althans veel van hen niet.

Kes had wel eens tegen haar gezegd dat ze te veel met haar cliënten meeleefde, zodanig zelfs dat ze er zelf onder leed. Maar daar kon ze niets aan doen. Een goed huwelijk, zoals dat van hen was geweest, gaf je een heerlijke innerlijke kracht en een gevoel van voldoening in je leven. Een slecht huwelijk, zoals ze elke dag merkte aan de tranen, overslaande stemmen en beverig ondertekende verklaringen van haar cliënten, was een gevangenis.

De *Argus* had elke dag verhalen over het ongeval geplaatst, behalve vandaag, gelukkig, omdat het zondag was. Op donderdag was de kop op de voorpagina de beloning van honderdduizend dollar geweest, die de familie van de overleden jongen had uitgeloofd voor informatie over de identiteit van de bestelwagenbestuurder. Haar foto had op de tweede pagina gestaan, met als bijschrift: *Advocaat uit Brighton gearresteerd bij dodelijk ongeluk.*

Ze had op vrijdag weer in de krant gestaan, en de dag daarna ook. Het had ook de landelijke pers gehaald, met een groot artikel in de tabloids, en vandaag had het in de *Sunday Times* gestaan. Het was groot nieuws dat Tony Revere de kleinzoon was van de New Yorkse maffiabaas Sal Giordino. Ze was zelfs op haar werk gebeld door verslaggevers, maar op advies van Acott, haar collega en nu haar advocaat, had ze niet met hen gesproken. Hoewel ze dat dolgraag had gewild; om te vertellen dat zij het ongeluk niet had veroorzaakt en helemaal niet in botsing was gekomen met de fietser.

Het leek wel alsof alles wat er maar mis kon gaan, in het huis en in haar leven, nu allemaal tegelijk misging. Ze voelde een donkere somberheid vanbinnen. Dat maandagochtendgevoel dat al zo lang als ze zich kon herinneren een onwelkome twaalf uur te vroeg kwam, al sinds haar jeugd.

De zondagavonden waren het zwaarst voor haar sinds Kes was overleden. Het was vijf jaar geleden rond deze tijd geweest dat er twee politieagenten op de stoep hadden gestaan. Ze waren via Interpol benaderd door een Canadese politieagent in Whistler, met de mededeling dat haar man vermist werd en dood werd geacht na een lawine bij het heli-skiën. Het had nog eens vier dagen van ongerust afwachten geduurd, van tegen beter weten in hopen op een wonder, voordat zijn lichaam was gevonden.

Ze overwoog vaak om het huis te verkopen en naar een ander deel van de stad te verhuizen. Maar ze wilde Tyler een beetje continuïteit en stabiliteit bieden, en enkele vriendinnen van haar en haar moeder, die ze op handen droeg, hadden haar in de maanden na de dood van Kes aangeraden om geen overhaaste beslissingen te nemen. Dus was ze hier vijf jaar later nog steeds.

Van buitenaf zag het huis er niet bijzonder aantrekkelijk uit. Het was in de jaren zestig gebouwd van rode baksteen, met een dubbele garage eronder, een amateuristische uitbouw en slordig geplaatst dubbel glas, dat de vorige eigenaren erin hadden laten zetten en dat Carly en Kes nog hadden willen vervangen. Maar ze waren allebei dol geweest op de enorme woonkamer met dubbele deuren naar de grote, mooie, hellende tuin. Er waren twee vijvertjes, een rotstuin en een zomerhuisje, dat Kes en Tyler hadden omgebouwd tot een mannenhonk. Tyler drumde daar graag, terwijl Kes er vaak zat om na te denken en een sigaar te roken.

Kes en Tyler waren hecht geweest; niet alleen vader en zoon, maar echte vrienden. Ze gingen samen naar elke thuiswedstrijd van Albion. In de zomer gingen ze vissen of bezochten ze cricketwedstrijden, en ze gingen vaak naar Tylers favoriete plek in Brighton, het Booth Museum of Natural History. Die twee waren zo close geweest dat zij er af en toe bijna jaloers op was en het gevoel kreeg dat ze soms werd buitengesloten van hun geheimen.

Na de dood van Kes had Tyler zijn drumstel naar binnen verplaatst, naar zijn kamer boven, en ze had hem nooit meer naar het zomerhuisje zien gaan. Hij was lange tijd in zichzelf gekeerd geweest. Ze had veel moeite gedaan, was zelfs met hem naar voetbal en cricket gegaan, en ze waren een keer een dagje wezen vissen op een bootje vanuit de jachthaven van Brighton; en voor de moeite was ze verschrikkelijk zeeziek geworden. Ze hadden een bepaalde hechte band opgebouwd, maar er was nog steeds een afstand tussen hen, een kloof die Carly nooit echt kon overbruggen. Alsof de geest van zijn vader altijd tussen hen in zou blijven staan.

Ze keek naar een steeds groter wordende bruine vlek op het behang tegenover haar. Doorslaand vocht. Het huis stortte rondom haar in. Ze zou er iets mee moeten doen: ofwel de boel een flinke opknapbeurt geven, of eindelijk gaan verhuizen. Maar waarheen? En bovendien woonde ze hier nog steeds graag. Ze hield van het gevoel van Kes' aanwezigheid. Vooral in deze woonkamer.

Ze hadden het er gezellig gemaakt met twee grote zitbanken voor de televisie en een moderne elektrische haard met dansende vlammen. Op de schoorsteen erboven stonden uitnodigingen voor feestjes, huwelijken en andere sociale bijeenkomsten waar ze naartoe hadden willen gaan in de maanden nadat Kes terugkwam van zijn jaarlijkse skitochtje met de jongens. Ze had nog altijd niet het hart om ze weg te halen. Het was alsof ze in een tijdlus leefde, wist ze. Op een dag zou ze doorgaan met haar leven, maar nu nog niet. Ze was er nog niet klaar voor.

En na de trauma's van de afgelopen paar dagen was ze er minder klaar voor dan ooit.

Ze keek naar de foto van Kes die tussen de uitnodigingen op de schouw stond. Hij stond naast haar op het gras bij de All Saints' Church in Patcham op hun trouwdag, in een zwart jacquet en een gestreepte broek en met zijn hoge hoed in de hand.

Hij was lang en knap, met enigszins weerbarstig pikzwart haar, en hij had een zeker air van arrogante nonchalance over zich. Althans, als je hem niet kende. Achter die façade, die hij vaak met vernietigend effect toepaste in de rechtszaal, zat een vriendelijke en verrassend onzekere man.

Ze nam nog een slok wijn en wapperde om de lucht te verdrijven van een extra zware, stinkende scheet van Otis, die aan haar voeten lag te slapen. Toen zette ze met de afstandsbediening het geluid van de televisie harder. Normaal gesproken kwam Tyler de kamer in rennen en ging dan naast haar op de bank zitten. Dit was zijn lievelingsprogramma, en een van de weinige keren dat ze samen ergens naar keken. Op deze sombere, regenachtige avond had ze extra veel behoefte aan zijn gezelschap.

'Tyler!' riep ze. '*Top Gear* begint!'

Haar stem wekte Otis, die overeind sprong en toen ineens zijn oren rechtop zette en grommend de kamer uit rende.

Jeremy Clarkson, in een nog schreeuweriger jasje en een nog slobberiger broek dan anders, praatte over een nieuwe Ferrari. Carly pakte de afstandsbediening weer en zette het programma op pauze, zodat Tyler niets zou missen.

Hij was in een rare bui de afgelopen dagen, sinds haar ongeluk. Ze wist niet precies waarom, maar het maakte haar van streek. Het leek haast wel alsof hij haar de schuld gaf van wat er was gebeurd. Maar terwijl ze die momenten in gedachten weer naging, voor de duizendste keer sinds die woensdagochtend, kwam ze nog steeds tot dezelfde conclusie: dat het haar schuld niet was. Zelfs als ze niet afgeleid was geweest door haar telefoon en een halve seconde eerder had geremd, dan nog zou die fietser zijn uitgeweken en door het busje zijn geschept.

Toch?

Ineens hoorde ze de klap van het hondenluik in de keukendeur en toen het woeste blaffen van Otis in de tuin. Waar blafte hij naar, vroeg ze zich af. Af en toe kwamen er stadsvossen langs, en ze was vaak bang dat hij er een zou aanvallen en zou ontdekken dat hij er niet tegen opgewassen was. Ze sprong op, maar net toen ze de keuken in liep kwam de hond hijgend weer naar binnen rennen.

'Tyler!' riep ze nog eens, maar hij reageerde nog steeds niet.

Ze ging naar boven, hopend dat hij niet in zijn eentje op zijn kamer naar het programma zat te kijken. Maar tot haar verbazing zat hij in een stoel achter zijn bureau en bekeek de inhoud van de herinneringendoos van zijn vader.

Tyler had een ongewone ambitie voor een kind van twaalf. Hij wilde museumcurator worden. Of eigenlijk, curator in een natuurhistorisch museum. Die ambitie was te zien in zijn slaapkamertje, dat zelf wel een museum leek en een afspiegeling was van zijn veranderde smaak naarmate hij ouder was geworden. Zelfs de kleuren, die hij zelf had gekozen, met lichtblauw op de muren en pastelgroen op de houten lambrisering, en de vrolijk gekleurde vaandels die kriskras tegen het plafond hingen, gaven de kamer een ecologische uitstraling.

Zijn boekenplanken stonden vol met plastic boompjes en modellen van reptielen, *Kuifje*- en *Star Wars*-strips, natuurhistorische naslagwerken, boeken over paleontologie en één boek dat hem helemaal typeerde, met als titel *Heel, heel belangrijke vragen*.

Aan de muren hingen zorgvuldig uitgekozen en ingelijste foto's van wilde dieren, fossiele pootafdrukken en een paar strips die hij zelf had getekend, allemaal in secties onderverdeeld. Een van de mooiste tekeningen, vond zij, had de titel: *Tylers droom*. Hij had zichzelf getekend als gestoorde professor, met links van hem een ruw skelet van een prehistorisch monster dat de *Tylersaurus* heette, en rechts van hem rijen kronkelige dingetjes met het bijschrift *Fossielen*. Onder aan de cartoon had hij geschreven: *Ik wil fossielenexpert worden bij het natuurhistorisch museum... De grootste fossielenverzameling ter wereld hebben... Een dinosaurus ontdekken.*

Er was ook een gedeelte gewijd aan Kuifje op de muur, met netjes opgehangen cartoons. En hij had een muzieksectie, waar zijn drumstel stond. Aan de muur hingen een gitaar en een bongo, en zijn cornet lag op een schap met een boek ernaast met de titel *Elke dag een nieuwe melodie*.

'Tyler, *Top Gear* begint!' zei ze.

Hij bewoog zich niet. Hij bleef zwijgend zitten in zijn grijze parka met NEW YORK JETS op de rug. De oude schoenendoos die hij in de maanden na Kes' overlijden had gevuld met dingen die hem aan zijn vader deden denken, stond voor hem. Ze wist niet zeker waar hij het idee van een herinneringendoos vandaan had, misschien uit een Amerikaanse televisieserie, maar ze had het een mooi idee gevonden, en dat vond ze nog steeds.

Hij had zijn toetsenbord en muismat opzijgeschoven en legde de inhoud op de kleine ruimte die niet al in beslag werd genomen door zijn lavalamp, telescoop, microscoop en diaprojector. Ze zag dat hij de gestippelde zijden zakdoek van zijn vader eruit haalde, zijn blauwe brillenkoker, visvergunning, een seizoenskaart voor Brighton & Hove Albion, een doosje forelvliegen en een strip die hij had getekend, met zijn vader als engel die langs een bord vloog dat de weg wees naar de hemel.

Ze stapte omzichtig langs het drumstel en legde haar handen op zijn schouders.

'Wat is er?' vroeg ze zachtjes.

Hij negeerde haar en haalde het vismes van zijn vader uit de doos. Op dat moment gromde Otis kwaadaardig. Een tel later hoorde ze de klap van het hondenluik en toen rende Otis weer woest blaffend door de tuin. Verwonderd liep ze naar het raam en keek naar beneden.

Het was nog niet helemaal donker en er scheen wat licht uit haar ramen en die van haar buren naar buiten. Ze keek langs het steile grasveld, langs de vijver naar het zomerhuisje, en zag Otis daar blaffend rondrennen. Waar blafte hij naar? Ze zag niets. Maar toch verontrustte het haar. Dit was geen normaal gedrag van de hond. Was er iemand in de tuin? Otis hield op met blaffen en rende weer over het gras, met zijn neus tegen de grond alsof hij een geur oppikte. Een vos, dacht ze. Waarschijnlijk alleen maar een vos. Ze draaide zich weer om naar Tyler en zag tot haar verbazing dat hij huilde.

Ze liep een paar stappen naar hem terug, knielde neer en omhelsde hem.

'Wat is er, lieverd? Zeg het maar.'

Hij staarde haar aan, en achter zijn bril stroomden de tranen over zijn wangen. 'Ik ben bang,' zei hij.

'Waar ben je bang voor?'

'Ik ben bang sinds je ongeluk. Je kunt toch wéér een ongeluk krijgen?' Toen keek hij haar ernstig aan. 'Ik wil niet nog een herinneringendoos maken, mama. Ik wil geen doos voor jou moeten maken.'

Carly sloeg haar armen om hem heen en knuffelde hem. 'Mama gaat nergens naartoe, oké? Je zit met me opgescheept.' Ze kuste hem op de wang.

In de tuin begon Otis ineens nog feller te blaffen.

Carly stond op en liep naar het raam. Ze tuurde weer naar buiten, met een gevoel van toenemend onbehagen.

41

Het vliegtuig landde hard op de landingsbaan, alsof de piloot niet in de gaten had dat hij er al was. Alle spullen in de pantry rammelden en kletterden, een van de kastdeurtjes vloog open en sloeg met een klap weer dicht. Tooth had geen vliegangst. Sinds zijn legertijd zag hij het als een meevaller als je ergens landde waar niemand op je schoot. Hij bleef onbewogen zitten, zette zich schrap in zijn stoel terwijl het toestel afremde en dacht diep na.

Hij had prima geslapen, kaarsrecht in dezelfde houding als nu, gedurende het grootste deel van de vlucht van zesenhalf uur vanuit Newark. Hij was eraan gewend geraakt zo te slapen toen hij voor het leger op scherpschuttermissies ging. Hij kon dagenlang op dezelfde plek blijven, in dezelfde houding als het moest, zijn behoefte doen in flessen en zakken, en hij kon overal slapen, waar hij zich ook bevond en wanneer het maar nodig was.

Hij had zijn cliënt kunnen laten betalen voor een stoel in de business of first class als hij had gewild, maar hij gaf de voorkeur aan de anonimiteit van de economy class. De bemanning lette op je als je voorin zat, en hij wilde niet dat iemand hem zich later nog zou herinneren. Een kleine voorzorgsmaatregel. Tooth nam alle kleine voorzorgsmaatregelen die hij kon. Om diezelfde reden was hij vertrokken vanaf Newark in plaats van Kennedy Airport. Het was er minder druk en in zijn ervaring was de beveiliging er minder scherp.

Regendruppels gleden langs het ruitje. Volgens zijn horloge was het vijf over zeven 's morgens in het Verenigd Koninkrijk. Dat horloge had een ingebouwde digitale videorecorder, met een cameralens zo groot als een speldenprik verstopt in de wijzerplaat. Het ding had zijn nut voor cliënten die zijn werk wilden zien. Zoals zijn huidige cliënt.

Een vrouwenstem deed een mededeling voor transferpassagiers die hem niet aanging. Hij keek naar de grijze hemel en het asfalt, het groene gras, de geparkeerde vliegtuigen, de borden en lampen langs de landingsbaan en de vierkante gebouwen van het vliegveld Gatwick. In zijn ogen leken alle burgervliegvelden op elkaar. Soms verschilde de kleur van het gras.

De bebrilde Amerikaan in de stoel naast hem had zijn paspoort en ingevulde landingskaart in zijn hand.

'Wel een beetje een onstuimige landing, hè?' zei hij.

Tooth negeerde hem. De man had al geprobeerd een gesprek aan te knopen sinds hij de vorige avond naast hem was komen zitten, en toen had Tooth hem ook al genegeerd.

Een kwartier later opende een douanebeambte met een tulband zijn Engelse paspoort, keek naar de foto van James John Robertson, haalde hem door de scanner en gaf hem zonder een woord te zeggen terug. Gewoon een Brits staatsburger die naar huis terugkeerde.

Tooth liep door en volgde de borden naar de bagageband en de uitgang. Niemand besteedde aandacht aan de magere, kleine man met zijn geschoren hoofd, gekleed in een donkerbruin tweedjasje, een grijs poloshirt, zwarte spijkerbroek en zwarte laarzen met schuine hakken. Hij beende naar de groene douanedoorgang met zijn tas in de hand en een dikke beige parka over zijn arm.

De douanehal was verlaten. Hij zag de doorkijkspiegel boven de roestvrijstalen onderzoekstafels en liep langs de laatste taxfreeshop de aankomsthal in, waar hij een zee van gretige gezichten en een wand van bordjes met namen erop zag. Hij bekeek uit gewoonte vluchtig de gezichten maar zag geen bekenden, niemand die speciaal naar hem keek, niets om zich zorgen over te maken.

Hij liep naar de verhuurbalie van Avis. De vrouw controleerde zijn reservering.

'U had gevraagd om een kleine sedan, een automaat, in een donkere kleur, meneer Robertson?'

'Ja.' Hij kon het Britse accent goed nadoen.

'Hebt u belangstelling voor een upgrade?'

'Als ik een betere auto had gewild, dan had ik die wel gereserveerd,' zei hij op vlakke toon.

Ze pakte een formulier dat hij moest ondertekenen, schreef de gegevens van zijn Britse rijbewijs over en gaf het hem terug, samen met een envelop waar met grote zwarte letters een kenteken op stond.

'Zo is het geregeld. De sleutels zitten hierin. Brengt u hem afgetankt terug?'

Tooth haalde zijn schouders op. Als zijn plannen voor de komende dagen uitkwamen zoals zijn bedoeling was, en dat gebeurde meestal, dan zou het verhuurbedrijf die auto niet meer terugzien. Hij deed niet aan huurauto's terugbrengen.

42

Als er geen nieuwe ontwikkelingen waren, dan kon de energie van de start van elk groot misdaadonderzoek snel wegebben. Roy Grace had het altijd als een van zijn belangrijkste taken als hoogste onderzoeksrechercheur gezien om zijn team gefocust en energiek te houden. Je moest je teamleden het gevoel geven dat ze vooruitgang boekten.

Eigenlijk werden veel grote misdaadonderzoeken langdurige en slepende zaken als er niet snel resultaat werd behaald. Te traag voor de hoge heren in Malling House, die zich altijd druk maakten over de pers, hun verplichtingen aan de samenleving en de altijd aanwezige schaduw van misdaadstatistieken, en veel te traag voor de familie van slachtoffers. Dagen konden snel weken worden, en weken konden vervolgens overgaan in maanden. En af en toe werden de maanden jaren.

Een van zijn helden, Arthur Conan Doyle, had eens de vraag gekregen waarom hij detectiveverhalen was gaan schrijven terwijl hij medicijnen had gestudeerd. Hij had geantwoord: 'De basis van alle goede medische diagnoses is de nauwkeurige en intelligente herkenning en erkenning van kleine verschillen. Is dat niet precies wat er van een goede rechercheur wordt gevraagd?'

Hij dacht nu aan die woorden, terwijl hij met zijn team de maandagochtendbriefing deed. Dag zes van het onderzoek. Halfnegen 's morgens. Een natte, grijze dag buiten. Een sfeer van frustratie binnen. Norman Potting was degene die uitsprak wat ze allemaal dachten.

'Hij is tuig, die Ewan Preece. En hij is dom. We hebben hier niet met een intelligent iemand van doen. Dit is een idioot die leeft van het slijm op de bodem van de genenpoel. Mijn snotjes zijn slimmer dan hij.'

Bella Moy trok walgend haar neus op. 'Dank je, Norman. En wat wil je daar nu eigenlijk mee zeggen?'

'Net wat ik zeg, Bella. Dat hij niet slim genoeg is om zich verborgen te houden, althans niet heel lang. Iemand zal hem verlinken, als hij niet voor die tijd al door een politieagent wordt gezien. Met een prijs van honderdduizend dollar op zijn hoofd maakt die gast geen schijn van kans.'

'Wou je zeggen dat we gewoon moeten wachten, dat we geen moeite hoeven doen om deze lijn van het onderzoek te volgen?' drong Bella aan.

Potting wees naar een whiteboard, waarop in het midden met grote rode letters de naam Ewan Preece stond omcirkeld, met zijn gevangenisfoto ernaast. Hij was een jongeman met een mager gezicht. Hij had kort, piekerig haar, een omlaag wijzende mond die Grace deed denken aan een balkende ezel, en één gouden oorringetje. Pijlen verbonden de cirkel om hem heen met verschillende namen: familieleden, vrienden, bekende compagnons, contactpersonen.

'Iemand van dat stel weet waar Preece zit. Hij is in de buurt, hier in de stad, let op mijn woorden.'

Grace knikte. Een man als Preece had hoogstwaarschijnlijk geen contacten buiten zijn eigen wereldje van kleine misdadigers in Brighton & Hove. Dit was waarschijnlijk de limiet van zijn horizon. En dat maakte het nog irritanter dat die kerel al vijf dagen uit het zicht wist te blijven.

In de aantekeningen die zijn assistente voor hem had uitgetypt, stonden tot dusverre kopjes voor vier verschillende onderzoekslijnen.

1. Ewan Preece – familie, vrienden, bekende compagnons en contactpersonen
2. Zoektocht naar bestelwagen – getuigen ter plaatse en beelden van bewakingscamera's
3. Zijspiegel Ford Transit
4. Ford-gevangenis – (link met 1.)

Hij keek naar het whiteboard, naar de stamboom van Preece' familie en sociale netwerk die ze aan het samenstellen waren. Hij staarde naar het wezelachtige gezicht vol littekens, zo mager dat Preece bijna ondervoed oogde. Grace had eerder met hem te maken gehad toen hij twee jaar bij Response had gewerkt, voordat hij bij de recherche was gekomen. Preece was net als veel andere mensen in deze stad een kind uit een eenoudergezin in een ruige buurt, die nooit enige begeleiding had gekregen van zijn waardeloze moeder. Grace was een keer bij haar thuis geweest toen Preece, destijds veertien, was gearresteerd voor joyriden. Hij herinnerde zich nog hoe ze de deur had opengedaan en met een sigaret in haar mondhoek had gezegd: 'Wat moet ík eraan doen? Ik moet weg, naar bingo.'

Hij wendde zich tot agent Davies, die er moe uitzag. 'Heb jij iets te melden, Alec?'

'Ja, chef.' Hij geeuwde. 'Sorry. Ik heb de hele nacht camerabeelden zitten bekijken. Binnen de gestelde tijdsperiode is ons busje mogelijk een paar keer gezien.'

'Heeft een van de camera's het kenteken geregistreerd?'

Hij schudde zijn hoofd. 'Nee, maar een paar beelden zijn vrij waarschijnlijk positief, want je ziet dat de zijspiegel eraf is. In de eerste, op de kruising van Carlton Terrace en Old Shoreham Road, ging hij naar het westen. Hij bleef naar het westen rijden, volgens de camera's op Benfield Way en Old Shoreham Road. Hetzelfde geldt voor de camera's op Trafalgar Road en Applesham Way. De laatste keer dat hij is gezien, reed hij naar het zuiden, in de richting van Southwick.'

'Is de bestuurder ergens te zien?' vroeg Glenn Branson.

Davies knikte. 'Ja, maar niet duidelijk genoeg om te identificeren. Ik heb de beelden aan Chris Heaver op de afdeling Beeldverwerking gegeven om te kijken of hij er iets mee kan.'

'Mooi,' zei Grace.

'Ik denk dat hij ergens in het centrum van Southwick is ondergedoken,' zei Alec Davies. Hij stond op en liep onzeker naar een ander whiteboard, waarop een uitvergrote stadsplattegrond hing. 'Het voertuig is voor het laatst hier gezien.' Hij wees. 'Deze camera hangt bij een slijterij dicht bij Southwick Green. Daarna is hij niet meer gezien. Ik heb mensen overal in die buurt laten kijken, en er hangen een paar camera's die de wagen bijna zeker zouden hebben opgepikt als hij naar de haven was gereden, als hij terug was gegaan over de Old Shoreham Road, of als hij de A27 op was gegaan.' Hij keek Grace aan. 'Mijn theorie is dat hij nog steeds in deze omgeving is, meneer.' Hij wees met zijn vinger rondom Southwick en Portslade en langs de noordkant van de haven van Shoreham.

'Goed werk,' zei Grace. 'Dat denk ik ook. Bepaal het zoekgebied en laat het externe rechercheteam straat voor straat gaan zoeken, samen met agenten die de omgeving ter plaatse kennen. Laat ze aanbellen bij alle huizen met afgesloten garages en toestemming vragen om erin te kijken. En kijk of er garageboxen in de buurt zijn, of andere plekken waar je een bestelwagen zou kunnen verstoppen. Laat je team ook praten met mensen in de buurt. Misschien zijn er getuigen die het busje rond die tijd snel of grillig hebben zien rijden.'

'Ja, meneer.'

'En nu denk ik dat je eerst eens moet gaan slapen.'

Davies grijnsde. 'Ik heb mezelf volgetankt met cafeïne, meneer. Het gaat wel.'

Grace keek hem even streng aan voordat hij zei: 'Ik bewonder je inzet, maar je moet jezelf niet uitputten.' Hij keek naar het volgende item op zijn lijst en wendde zich tot brigadier Paul Wood van de verkeersongevallendienst. 'Hebben we nog meer informatie over die zijspiegel?'

'Ik was niet tevreden, want we hadden niet alle brokstukken op de plaats van het ongeval gevonden, chef,' antwoordde Wood. 'Ik heb de technische recherche nog een keer in alle goten laten kijken, en zij vonden een stukje dat ik nog miste. Behalve als er nog meer ligt dat we niet hebben gevonden, en dat denk ik niet, dan is de spiegel netjes afgebroken en zit de montagebeugel zelf waarschijnlijk nog intact op de wagen. Als je hem wilt vervangen, kun je heel eenvoudig een nieuwe spiegel kopen of stelen. Die zet je er met simpel gereedschap binnen een paar minuten weer op.'

Grace maakte een aantekening met de gedachte dat de meeste, zo niet alle winkels met reserveonderdelen waarschijnlijk dicht waren geweest, aangezien het de vorige dag zondag was geweest. Toen keek hij naar Norman Potting, van wie hij er altijd op aan kon dat die nauwgezet te werk ging. En Nick Nicholl was ook een harde werker.

'Norman en Nick, gaan jullie bij alle bedrijven langs waar je nieuwe of tweedehands zijspiegels voor deze wagen zou kunnen krijgen. Ford-dealers, onderdelenhuizen, accessoirewinkels zoals Halfords, sloperijen. En controleer of er aangifte is gedaan van de diefstal van zijspiegels van gelijksoortige busjes rondom Brighton & Hove. Als jullie extra mankracht nodig hebben, moet je het zeggen. Ik wil dat alle mogelijkheden vóór de briefing van vanavond zijn nagelopen, als het kan.'

Nicholl knikte als een gretig jong hondje. Potting maakte een aantekening en fronste geconcentreerd.

'En eBay? Dat zou ook een goeie plek kunnen zijn om zo'n ding te kopen.'

'Goed punt, Norman. Geef dat maar aan Ray Packham van Digitale Expertise. Hij zal de effectiefste manier weten om daar te zoeken.'

Hij keek weer op zijn lijst. 'Oké, het laatste agendapunt is de Ford-gevangenis. Glenn en Bella, jullie gaan daarheen en kijken wat je los kunt krijgen uit de gedetineerden die Preece of Warren Tulley kenden. Ik heb al gesproken met Lisa Setterington, de beambte daar die over Preece ging, en zij trommelt ze voor jullie op. Ze heeft ook al samengewerkt met onze medewerker gevangenisbetrekkingen. Ik denk dat het onze strategie moet zijn om Preece te beschouwen als een vermiste in plaats van als verdachte van doorrijden na een ongeval, en noem Tulleys naam maar niet. Setterington is een ervaren vrouw. Zij zorgt wel dat jullie al Preece' kornuiten in Ford te spreken krijgen. Als iemand gaat praten, leg dan de nadruk op de beloning. En maak ze maar een beetje bang. Zeg maar dat Preece toch wel zal worden verlinkt, dus kunnen ze dat net zo goed zelf doen.'

'Hebben we al een autopsieverslag van Tulley, chef?' vroeg Nick Nicholl.

'Daar wacht ik nog op,' antwoordde Grace. Hij keek weer naar zijn aantekeningen. 'Preece is een goede verdachte. Ik verzoek jullie allemaal te praten met eventuele informanten die jullie kennen. Maak bekend dat we hem zoeken en vertel ze over die beloning. Niet iedereen leest de krant of kijkt naar het journaal.'

Rechercheur Boutwood stak haar hand op. 'Chef, ik heb een undercover lid van Operatie Reductie gesproken die een aantal informanten heeft. Hij heeft al navraag voor me gedaan, maar geen van Preece' vaste contactpersonen heeft de afgelopen week nog van hem gehoord.'

Ik denk dat ik ook niet met mijn vaste contactpersonen zou praten als er een prijs van honderdduizend dollar op mijn hoofd stond, dacht Grace, maar hij zei: 'Hij houdt zich ongetwijfeld gedeisd, E-J. Maar hij komt wel boven water.'

Als hij een kristallen bol had gehad, dan had hij misschien andere bewoordingen gebruikt.

43

Toen de bespreking afgelopen was, vroeg Grace aan Glenn Branson om over tien minuten naar zijn kantoor te komen. Terwijl hij door de gang liep belde hij Cleo. Ondanks instructies van de gynaecoloog om rust te nemen had ze vandaag per se weer aan het werk willen gaan, hoewel ze Roy wel had beloofd dat ze geen zware dingen zou tillen.

Ze klonk prima, maar ze had het te druk om lang aan de telefoon te blijven. Er overleden een heleboel mensen in het weekend doordat ze bij het klussen van een ladder vielen, hun motor weer eens van stal haalden voor een snelle rit, het loodje legden tijdens hun enige wip van de week of omdat ze eenzaam waren en het weekend hun te veel was geworden. Cleo's enthousiasme voor haar grimmige werk bleef hem maar verbazen. Maar aan de andere kant zei ze vaak hetzelfde over hem.

Hij maakte een kop koffie voor zichzelf in het keukentje zo groot als een kast, waar een waterkoker, aanrechtje, gootsteen en koelkast stonden – wat in Sussex House doorging voor de kantine – en nam die mee naar zijn kantoor. Hij zat nog maar net toen Glenn binnenkwam.

'Hé, ouwe. *What's popping?*'

Grace grijnsde. Onlangs had hij bij de recherche van Sussex een dvd laten circuleren die hem was toegestuurd door een hooggeplaatste rechercheur in Los Angeles, die hij een jaar geleden had ontmoet bij het jaarlijkse symposium van de International Homicide Investigators Association. Het was een documentaire over het grote aantal Latijns-Amerikaanse bendes op de straten van Los Angeles en in de gevangenissen, met informatie over het herkennen en vertalen van hun *slang*, de symbolen op hun kleding en in hun tatoeages, en hun handsignalen, die allemaal werden nageaapt door de minder goed georganiseerde maar even misdadige straatbendes in het Verenigd Koninkrijk.

'*Popping?*'

'Uh-huh.'

'Nou, wat er *popt* is dat jij de briefing van vanavond moet doen.' Grace grijnsde en keek naar Bransons nog fraaiere pak dan gebruikelijk: grijs met een paars krijtstreepje. 'Als je althans geen afspraak bij je kleermaker hebt.'

'Ja, ach, ik moet er eigenlijk een voor jou laten maken, voor wat nieuwe zomeroutfits.'

'Bedankt. Dat deed je vorig jaar ook, en dat heeft me tweeduizend pond gekost.'

'Je hebt een mooie jonge verloofde. Je moet niet met haar uitgaan in die ouwezakkenkleding.'

'Eigenlijk is dat het waarom je het vanavond van me moet overnemen. Ik ga met haar uit. Ik heb kaartjes voor een concert in de O_2 in Londen.'

Bransons ogen werden groot. 'Cool. Wat voor concert?'

'The Eagles.'

Branson gaf hem een 'sneue figuur'-blik en schudde zijn hoofd. 'Dat meen je niet! The Eagles? Dat is muziek voor ouwe zakken! Is ze fan van The Eagles?'

Grace tikte op zijn borst. 'Nee, ik.'

'Dat weet ik, ouwe. Heb ik bij je thuis gezien. Ongelooflijk hoeveel albums je van ze hebt.'

'"Lyin' Eyes" en "Take It Easy" zijn twee van de beste singles aller tijden.'

Branson schudde zijn hoofd. 'Je hebt waarschijnlijk ook Vera Lynn op je iPod.'

Grace bloosde. 'Eigenlijk héb ik nog steeds geen iPod.'

'Verbaast me niks.' Branson ging zitten, zette zijn ellebogen op Grace' bureau en staarde hem aan. 'Zij komt net uit het ziekenhuis en jij sleept haar mee naar The Eagles? Ik kan het nog steeds niet geloven!'

'Ik heb die kaartjes al eeuwen, en ze hebben me een fortuin gekost. En trouwens, het is een tegenprestatie.'

'O ja?'

'Ik heb beloofd met Cleo mee te gaan naar een musical.' Hij keek Glenn hulpeloos aan. 'Ik hou niet van musicals. Geven en nemen, toch?'

Bransons ogen werden weer groot. 'Laat me raden. *The Sound of Music?*'

Grace grijnsde. 'Ja, hou maar op.'

44

Tooth reed weg van het Avis-gedeelte van de parkeerplaats, maakte een rondje om het vliegveld en ging toen door de ingang het terrein van Lang Parkeren op. In plaats van de borden te volgen naar het parkeergedeelte van die dag, reed hij door langs de rijen auto's die er al geparkeerd stonden, zoekend naar andere Toyota Yarissen van hetzelfde bouwjaar en met dezelfde kleur als die waarin hij reed.

Binnen twintig minuten had hij er vijf gevonden. Drie ervan stonden achteraf, buiten bereik van de bewakingscamera's. Snel verwijderde hij bij elk ervan de kentekenplaten aan de voor- en achterkant en legde ze in zijn kofferbak. Toen betaalde hij het minimumtarief, reed de parkeerplaats af en ging naar de Premier Inn, een hotel dicht bij het vliegveld.

Daar vroeg hij om een kamer op de tweede verdieping, met uitzicht op de parkeerplaats van het hotel en de hoofdingang. Hij had het liefst een kamer op de tweede verdieping. Niemand kon van buitenaf naar binnen kijken, en als hij snel weg moest, via het raam, dan was het een sprong die hij zou overleven. Hij vertelde de vrouw achter de receptie ook dat hij een pakje van FedEx verwachtte.

Hij deed de deur op slot, zette zijn tas op het bed, ritste hem open en haalde er de bruine envelop uit die hij van Ricky Giordino had gekregen. Toen schoof hij het houten bureau voor het raam, klom erop en plakte de rookdetector op het plafond af voordat hij in de paarse stoel ging zitten om naar buiten te kijken. Het hotel had moeite gedaan met die parkeerplaats. Netjes gesnoeide struikjes, lage sierheggen, ronde houten tafels en een overdekt rokersgedeelte. Tweeënzeventig auto's, waaronder zijn kleine donkergrijze Toyota, stonden netjes in rijen geparkeerd. Hij onthield het merk, de kleur en de plek van alle auto's. Dat was iets wat hij had geleerd in zijn tijd bij het leger: alles onthouden. Als er een detail veranderde, hoe klein ook, dan moest je je zorgen gaan maken.

Voorbij de parkeerplaats stond een hoge rode hijskraan, en daarachter de donkere kolos van een gebouw dat in de verte verrees, met vlak onder het dak in grote witte letters de woorden GATWICK NORTH TERMINAL.

Hij maakte een kop oploskoffie en bekeek de inhoud van de envelop nog een keer.

Drie foto's. Drie namen.

Stuart Ferguson. Een gedrongen man van vijfenveertig met een kaalgeschoren hoofd en een driedubbele onderkin, in een groen poloshirt met in het geel de woorden ABERDEEN OCEAN FISHERIES erop. Carly Chase, eenenveertig, een vrij aantrekkelijke vrouw in een chic zwart jasje op een witte blouse. Ewan Preece, eenendertig, een stuk schorem met stekeltjes, in een donkere parka over een grijs T-shirt.

Tooth had de adressen van de eerste twee, maar alleen een telefoonnummer voor Preece. Hij pakte een van zijn mobiele telefoons en stak er de prepaid simkaart in die hij even daarvoor op het vliegveld Gatwick had gekocht, en toen belde hij een mobiel nummer.

Na zes keer overgaan werd er opgenomen. Een gespannen klinkende man zei: 'Ja?'

'Ricky zei dat ik je moest bellen.'

'O ja, klopt. Wacht even.' Tooth hoorde een schrapend geluid en toen de stem weer, rustiger, maar schichtig. 'Ik ben er weer. Lastig om te praten, snap je.'

Tooth snapte het niet. 'Je hebt een adres voor me.'

'Dat klopt, ja. Ricky kent de afspraak, hè?'

Het beviel Tooth niet hoe die man klonk. Hij hing op.

Toen wierp hij een kwade blik op de rookdetector, omdat hij behoefte had aan een sigaret. Even later ging zijn mobiele telefoon. Op het schermpje verscheen geen nummer. Hij nam op, maar meldde zich niet.

Na een tijdje zei de man die hij net gesproken had: 'Ben jij dat?'

'Ga je me dat adres nog geven, of krijg je de klere?' antwoordde Tooth.

De man gaf hem het adres. Tooth schreef het op het notitieblokje van het hotel en hing op zonder de man te bedanken. Hij haalde de simkaart uit het toestel, hield hem boven zijn aansteker tot het plastic begon te smelten en spoelde hem door de wc.

Vervolgens vouwde hij de stratenkaart van Brighton & Hove uit, die hij had gekocht bij de kiosk van WH Smith, en zocht het adres op. Het duurde even voor hij het gevonden had. Toen pakte hij een ander telefoontoestel dat hij bij zich had, een Google Android die geregistreerd stond onder de naam van zijn compagnon Yossarian, en voerde het adres in de satellietnavigatie in.

Het toestel gaf de route weer en berekende de reistijd. Met de auto was het eenenveertig minuten van de Premier Inn naar het adres. Vervolgens opende Tooth Google Earth op zijn laptop en voerde Carly Chase' adres in. Even later zoomde hij in op een satellietfoto van haar huis. Zo te zien lag er een heel stuk beschutte tuin omheen. Dat was mooi.

Hij nam een douche, trok schoon ondergoed aan en maakte nog een kop koffie. Toen keerde hij terug naar Google Earth en friste zijn geheugen op over een ander deel van de stad, een gebied dat hij de vorige keer dat hij hier was goed had leren kennen: de haven ten westen van Brighton, Shoreham Harbour. Tien kilometer kustlijn en een doolhof met een heleboel plekken waar nooit iemand kwam. En vierentwintig uur per dag toegankelijk. Hij kende het daar even goed als sommige vijandelijke gebieden.

Even na elf uur 's morgens ging de vaste telefoon op zijn kamer. Het was de receptie, met de mededeling dat er een koerier stond met een pakje voor hem. Hij ging naar beneden om het te halen, nam het mee naar zijn kamer, haalde de inhoud eruit en stopte die in zijn tas. Toen verbrandde hij het ontvangstbonnetje, de paklijst en al het andere aan het pakket dat aanwijzingen gaf over de herkomst ervan.

Hij pakte ook al zijn andere spullen weer in en nam ze mee. Hij had de kamer al voor een week vooruitbetaald, maar hij wist nog niet wanneer hij zou terugkomen, áls hij al terugkwam.

45

Carly begon de week niet met een goed humeur. Haar enige schrale troost was dat deze week, met een beetje geluk, een heel klein beetje minder rot zou worden dan de vorige. Maar met de cliënt die nu in de stoel tegenover haar ging zitten, begon de maandag niet veelbelovend.

Ken Acott had haar laten weten dat ze de volgende woensdag voor de rechter moest komen. Hij ging proberen haar Audi zo snel mogelijk van de politie terug te krijgen, maar de auto was ernstig beschadigd en het was niet waarschijnlijk dat hij binnen de komende tien dagen zou kunnen worden gerepareerd. Ze zou beslist haar rijbewijs kwijtraken, en hopelijk kreeg ze alleen de minimale rijontzegging van één jaar.

Clair May, een andere moeder met een zoon op St Christopher's met wie Carly het goed kon vinden, had Tyler vanochtend naar school gebracht en zou hem vanavond weer thuisbrengen. Ze had tegen Carly gezegd dat ze graag bereid was om dat te doen zolang het nodig was, en daar was Carly dan in ieder geval dankbaar voor. Ze had er nooit bij stilgestaan hoe onthand ze zou zijn zonder auto, maar vandaag was ze vastbesloten zich er niet door te laten kisten. Kes zei altijd dat ze in alle negatieve dingen iets positiefs moest zoeken. Ze was vast van plan dat te proberen.

Vanochtend vroeg had ze zich verdiept in prijzen voor vaste taxiritten, dienstregelingen voor de bus opgezocht en gekeken of de aanschaf van een fiets een optie was. Het was een behoorlijk stuk lopen van haar huis naar de dichtstbijzijnde bushalte, en de verbinding was ook niet al te gunstig. Een fiets zou de beste optie zijn; althans op dagen dat het niet zeikte van de regen. Maar met de herinnering aan het ongeval nog vers in haar geheugen kon ze niet veel enthousiasme opbrengen om te gaan fietsen.

Het dossier van haar cliënt lag open voor haar neus. Christine Lavinia Goodenough. Tweeënvijftig. Wat voor figuur de vrouw ook ooit had gehad, ze was nu een vormeloze massa, en het leek wel alsof ze haar grijze haar had laten doen in een trimsalon voor poedels. Ze legde haar mollige handen op haar handtas, die ze bezitterig op schoot had gezet alsof ze Carly niet vertrouwde, en had een gekrenkte uitdrukking op haar gezicht.

Een huwelijk liep maar zelden stuk op de grote dingen, dacht Carly. Het lag niet zozeer aan de man – of de vrouw – die vreemdging. Een huwelijk kon dergelijke problemen vaak wel overleven. Het lag vaak meer in de kleine dingen, en het omslagpunt kon iets heel onbelangrijks zijn. Zoals de vrouw die tegenover haar zat nu demonstreerde.

'Ik heb veel nagedacht sinds vorige week. Nog afgezien van zijn gesnurk, dat hij ronduit weigert toe te geven, ligt het aan de manier waarop hij 's nachts plást,' zei ze, en ze grimaste bij dat woord. 'Hij doet het expres, om mij te irriteren.'

Carly's ogen werden groot. Noch haar kantoor, noch haar bureau was imposant of op wat voor manier dan ook pretentieus. Het bureau was net groot genoeg voor de onderlegger, een paar postvakjes en wat foto's van zichzelf met Tyler. De kamer zelf, die een mooi uitzicht bood over het Pavilion – en waar je een minder fijn, constant gebrul van verkeer hoorde – was spartaans ingericht. Hoewel ze hem al zes jaar gebruikte, leek het nog steeds alsof ze hem pas onlangs in gebruik had genomen, op de stapel uitpuilende dossiers op de grond na.

'Hoe bedoelt u, exprés?' vroeg ze.

'Hij plast recht in het water, en dat maakt een verschrikkelijk klaterend geluid. Om precies twee uur, elke nacht. En dan doet hij het om vier uur nog eens. Als hij een beetje rekening met mij hield, zou hij langs de zijkanten tegen het porselein plassen, toch?'

Carly dacht aan Kes. Ze kon zich niet herinneren dat hij ooit 's nachts het bed uit had gehoeven om te plassen, behalve misschien als hij dronken was.

'Ja?' antwoordde ze. 'Denkt u dat echt?'

Hoewel Carly haar geld voor het kantoor verdiende met huwelijkszaken, probeerde ze haar cliënten altijd af te raden er een rechtszaak van te maken. Ze schepte er veel meer voldoening in hen te helpen samen oplossingen voor hun problemen te vinden.

'Misschien is hij gewoon slaperig en niet in staat zich te concentreren op waar hij richt?'

'Slaperig? Hij doet het expres. Daarom heeft God mannen toch een plasser gegeven? Zodat ze kunnen mikken als ze pissen.'

Nou, God heeft echt overal aan gedacht, hè?

Hoewel ze in de verleiding kwam dat hardop te zeggen, zei Carly in plaats daarvan: 'Ik denk dat het u moeite zou kosten dat aan te tonen tijdens een rechtsgeding.'

'Ja, omdat rechters allemaal kerels met kleine plassers zijn, hè?'

Carly staarde de vrouw aan en probeerde haar professionele integriteit en neutraliteit te bewaren. Maar ze begon snel tot de conclusie te komen dat als zij de echtgenoot van die koe was geweest, ze lang geleden al zou hebben geprobeerd haar te vermoorden.

Niet de juiste instelling, wist ze. Nou, jammer dan.

46

Tooth was niet blij toen hij de straat met woonhuizen in reed en een verkeersdrempel passeerde. De straat was breed en open, met weinig dekking van bomen. Het was een straat waar je een heel eind kon kijken, beide kanten op zonder belemmeringen. Een straat waarin je je moeilijk kon verbergen. Een kleine promenade met winkels en een mengeling van halfvrijstaande huizen en bungalows. Sommige hadden inpandige garages, andere bewoners hadden die ruimte omgebouwd tot een extra kamer aan de voorkant. Aan beide kanten stonden auto's langs de stoepranden geparkeerd, maar er waren meer dan genoeg vrije plekken. Een stukje verderop was een school, en dat was geen goed nieuws. Tegenwoordig hielden mensen een oogje op mannen alleen die in de buurt van scholen in geparkeerde auto's zaten.

Hij zag het huis dat hij zocht, nummer 209, bijna meteen. Het lag recht tegenover de winkels en had een aangebouwde garage. Dit was het huis waar zijn eerste doelwit Ewan Preece zou moeten zitten.

Hij reed erlangs, reed een stukje verder door de straat en zigzagde eerst door een paar zijstraten voordat hij vijf minuten later weer in de straat van bestemming terugkeerde. Er was een vrije parkeerplek een eindje van het huis, tussen een aftandse camper en een originele, beige Volkswagen Kever met verroeste spatborden. Hij parkeerde achteruit in.

Dit was een goede plek, waar hij bijna onbelemmerd uitzicht had op het huis. Het oogde bouwvallig. Het schilderwerk aan de buitenkant was ooit wit geweest, maar zag er nu grauw uit. De kozijnen waren verrot. In de voortuin stonden zwarte vuilniszakken en een verroeste wasmachine die eruitzag alsof hij daar al jaren stond. Mensen zouden meer zelfrespect moeten hebben, vond hij. Je moest geen vuilnis in je voortuin laten staan. Misschien dat hij dat nog tegen Preece zou zeggen. Ze zouden meer dan genoeg tijd hebben om te kletsen.

Of eigenlijk zou Preece meer dan genoeg tijd hebben om te luisteren.

Hij opende zijn raam een stukje, geeuwde en zette de motor af. Hoewel hij in het vliegtuig had geslapen, voelde hij zich nu moe en kon hij nog wel een kop koffie gebruiken. Hij stak een Lucky Strike op en rookte hem op, terwijl hij naar het huis keek en nadacht. Hij werkte een reeks plannen uit, elk afhankelijk van wat er de komende uren ging gebeuren.

Tooth pakte de foto van Ewan Preece en bestudeerde hem nog een keer. Preece zag eruit als een klootzak. Hij zou hem herkennen als hij wegging of thuiskwam. Aangenomen dat deze informatie klopte en dat hij nog steeds hier op nummer 209 woonde.

Er waren belangrijke dingen die hij niet wist. Te beginnen met wie er mogelijk verder nog in dat huis was bij Preece. Niet dat dat een probleem zou zijn. Dat loste hij dan wel op. Iemand die een kerel als Ewan Preece onderdak zou geven, was ongetwijfeld net zo'n stuk schorem als hij. Nooit een probleem. Er vielen een paar regendruppeltjes op de voorruit. Dat was goed. Regen zou van pas komen. Met een flinke regenbui zouden de ruiten beslaan en hem minder zichtbaar maken, en de buren zouden binnen blijven. Minder getuigen.

Toen verstarde hij ineens. Twee politiemannen in uniform kwamen aan het einde van de straat de hoek om. Hij zag dat ze naar de voordeur van een huis beenden en aanbelden. Even later belden ze nog eens aan en klopten op de deur. Een van hen haalde een notitieblokje tevoorschijn en schreef iets op, daarna liepen ze naar het volgende huis, dichter bij Tooth, en herhaalden de procedure.

Deze keer werd er opengedaan en zag hij een oude vrouw. Ze hadden een kort gesprek voor de deur, waarna zij weer naar binnen ging. Even later kwam ze met een regenjas aan naar buiten, schuifelde naar de garage en opende de roldeur.

Je hoefde geen hogere wiskunde te hebben gestudeerd om te raden waar ze naar zochten. Maar hun aanwezigheid hier verraste Tooth volkomen. Hij zag dat de twee agenten knikten, zich omdraaiden en naar het volgende huis liepen, nog dichter bij hem. Hij dacht koortsachtig na.

Wegrijden was één optie. Maar de politie was zo dichtbij dat hij dan misschien aandacht trok, en hij wilde niet dat ze zijn auto opmerkten. Hij keek naar de winkels aan de overkant. Hij kon beter hier blijven, rustig blijven. Er waren zo te zien geen parkeerbeperkingen. Het was toch niet verboden om in je auto te zitten en een sigaret te roken?

Hij drukte de peuk uit in de autoasbak en bleef naar hen zitten kijken. Bij het volgende huis werd niet opengedaan, ze bleven even staan praten op de stoep en gingen toen uiteen: een van hen stak over en ging de eerste winkel in de rij binnen.

Zijn collega klopte nu aan bij nummer 209.

Tooth had behoefte aan nog een sigaret. Hij schudde er een uit het pakje, zette hem tussen zijn lippen en stak hem aan, kijkend naar de ramen van het huis terwijl de politieman voor de deur stond zonder dat er werd opengedaan. Toen zag hij boven heel even een gordijn bewegen. Zo'n kleine beweging dat hij het niet zou hebben gezien als hij niet zo goed had opgelet.

Het was voldoende te weten dat er iemand thuis was. Iemand die de deur niet opendeed voor de politie. Mooi.

De agent klopte nog eens, en vervolgens drukte hij op wat Tooth aannam dat de bel was. Even later deed hij dat nog een keer. Toen draaide hij zich om, maar in plaats van naar de volgende voordeur in de rij te lopen, kwam hij naar de auto toe.

Tooth bleef kalm. Hij nam nog een haal van zijn sigaret en liet de foto van Ewan Preece tussen zijn voeten op de vloer vallen.

De politieman bukte en klopte op het raam aan de passagierskant.

Tooth draaide de sleutel naar het contact en deed het raam een stukje open.

De politieman was halverwege de twintig. Hij had scherpe, opmerkzame ogen en een serieuze, oprechte blik.

'Goedemorgen, meneer.'

'Morgen,' antwoordde Tooth met zijn Britse accent.

'We zoeken een witte Ford Transit bestelwagen die hier afgelopen woensdag is gezien en nogal grillig reed. Zegt u dat iets?'

Tooth schudde zijn hoofd en sprak op gedempte toon. 'Nee, niks.'

'Dank u. Alleen maar een formaliteit, maar mag ik vragen wat u hier doet?'

Tooth was klaar voor die vraag. 'Ik wacht op mijn vriendin. Ze zit bij de kapper.' Hij wees naar een kapsalon met de naam Jane's.

'Dan zult u hier nog wel even zitten, als ze net zo is als mijn vrouw.'

De agent staarde hem nog een tijdje aan, rechtte zijn rug en liep naar het volgende huis. Tooth deed het raam weer omhoog en keek hem na in de spiegel. Ineens draaide de agent zich om en keek nog een keer naar zijn auto. Vervolgens liep hij door naar de voordeur van het huis.

Tooth bleef naar hem en zijn collega kijken terwijl ze alle huizen langsgingen, helemaal tot aan het eind van de straat, tot ze veilig uit het zicht waren. Toen, voor het geval ze terugkeerden, reed hij weg. Bovendien had het geen zin om bij daglicht in deze straat rond te hangen. Hij zou na het donker wel terugkomen. En intussen had hij genoeg werk te doen.

47

Toen hij met een kop koffie in de hand plaatsnam op een werkplek in Coördinatiecentrum 1 voelde Roy Grace zich moe en een beetje zwaarmoedig. Ewan Preece was ondergedoken, en het was niet te voorspellen hoelang hij zich zou blijven verstoppen. De volgende dag was er sinds het ongeluk al een hele week verstreken zonder dat de man ook maar één keer was gesignaleerd, ondanks de beloning.

Een positief punt was dat Preece niet zo slim was, en vroeg of laat zou hij een fout maken en beslist gezien worden, als hij voor die tijd al niet werd verlinkt. Maar intussen lag er een heleboel druk op Grace van adjunct-hoofdcommissaris Rigg, die op zijn beurt onder druk stond van korpschef Tom Martinson, om snel resultaten te behalen.

Uiteraard zou het allemaal na verloop van tijd wel wegebben, vooral wanneer er belangrijker nieuws te melden was, maar voorlopig werden een heleboel mensen onbehaaglijk van Operatie Viool. Vooral de nieuwe burgemeester van Brighton & Hove, John Barradell, die zijn best deed om de stad te ontdoen van de onwelkome titel als misdaadhoofdstad van het Verenigd Koninkrijk. Hij oefende op zijn beurt de meeste druk uit op de commissarissen van politie.

'Het is halfnegen 's morgens op dinsdag 27 april,' zei Grace bij het begin van de ochtendbriefing. Hij keek naar zijn aantekeningen. 'We hebben nieuwe informatie uit de Ford-gevangenis over de dood van Warren Tulley, een vriend van Ewan Preece.'

Hij keek naar Glenn Branson en toen naar de rest van zijn team, dat met de dag groter werd. Ze hadden nu ook de beide andere werkstations in deze grote ruimte in gebruik genomen. De laatste aanwinst was rechercheur Duncan Crocker, die hij erbij had gehaald als inlichtingenmanager. Crocker, van zevenenveertig, had dun wordend, golvend haar dat hier en daar grijs werd, en een altijd joviale uitstraling die erop wees dat er aan het eind van de dag altijd een goede borrel op hem stond te wachten, hoe grimmig het werk ook werd. Dat logenstrafte de efficiëntie van de man. Crocker was een nauwgezette professional, een scherpe en schrandere rechercheur en een pietje precies.

'Ik heb het autopsieverslag van Tulley, chef,' meldde Glenn Branson. 'Hij hing aan een stalen balk in zijn cel, met repen van zijn beddenlaken als strop. De cipier die hem gevonden heeft, heeft hem boven de knoop losgesneden en geprobeerd hem te reanimeren, maar hij werd twintig minuten later ter plaatse doodverklaard door een ambulanceverpleegkundige. De conclusies van het rapport' – hij hield het omhoog om te laten zien dat het meerdere pagina's besloeg – 'zijn dat een aantal factoren erop wijzen dat het geen zelfmoord was. Het verslag van de afdeling Beoordeling, Gedetineerdenzorg en Teamwork meldt niets over suïcidale neigingen bij deze gedetineerde, en net als Ewan Preece zou hij over drie weken zijn vrijgekomen.'

Norman Pottings mobiele telefoon bracht een keiharde herkenningsmelodie van *James Bond* ten gehore. Grommend legde hij het toestel het zwijgen op.

'Je had toch eerst de melodie van *Indiana Jones*?' vroeg Bella Moy.

'Deze ringtone zat al op het toestel,' antwoordde hij ontwijkend.

'Wat ontzettend afgezaagd,' vond zij.

Branson keek in zijn aantekeningen. 'Er zijn sporen gevonden van een worsteling in Tulleys cel en hij had meerdere blauwe plekken op zijn lichaam. De patholoog zegt dat het erop lijkt dat hij eerst is gewurgd en toen opgehangen. Hij heeft ook menselijke cellen onder enkele vingernagels gevonden, en die zijn naar het lab gestuurd voor DNA-analyse. Dat wijst allemaal op een worsteling.'

'Als hij is gewurgd door een andere gedetineerde van Ford, dan hebben we die met de DNA-analyse zo te pakken,' zei Duncan Crocker.

'Met een beetje geluk,' beaamde Branson. 'Het wordt versneld behandeld, en we zouden later vandaag of morgen al resultaat moeten hebben.' Hij wierp weer een blik op zijn aantekeningen en keek toen naar Roy Grace alsof hij bemoediging zocht. Grace glimlachte naar hem, trots op zijn protegé. Branson ging door. 'Volgens Setterington, die enkele gevangenen heeft gesproken met wie Preece en Tulley omgingen, liep Tulley te kletsen over de beloning. Ze hadden daar allemaal over gehoord op televisie of gelezen in de *Argus*. Hij schepte op dat hij wist waar Preece zat en woog zijn loyaliteit aan zijn vriend af tegen de verleiding van honderdduizend dollar.'

'Wist hij het echt?' vroeg Bella Moy.

Branson stak zijn vinger op en tikte toen op zijn toetsenbord. 'Elke gedetineerde in een Britse gevangenis krijgt een pincode voor de gevangenistelefoon. Ze mogen maximaal tien nummers opgeven die ze willen bellen.'

'Ik dacht dat ze allemaal een mobieltje hadden,' zei Potting met een sluwe grijns.

Branson grijnsde terug. Het was een standaardgrap. Mobiele telefoons waren strikt verboden in alle gevangenissen, en daardoor waren ze een nog waardevoller ruilmiddel dan drugs.

'Ja, nou, gelukkig voor ons had hij er geen. Dit is een opname van een telefoontje uit de gevangenis, van Warren Tulley die belt naar het nummer van Ewan Preece.'

Hij tikte weer op het toetsenbord, er klonk luid geruis en toen hoorden ze een korte, gedempte conversatie tussen twee schurken.

'Ewan, waar zit je, verdomme? Je bent niet teruggekomen. Wat is er aan de hand?'

'Ja, ach, ik had een probleempje, snap je.'

'Wat voor probleempje, verdomme? Je bent me wat schuldig. Mijn geld zit in deze zaak.'

'Ja, ja, ja, rustig maar. Ik heb alleen maar een ongelukje gehad. Bel je met de gevangenistelefoon?'

'Ja.'

'Waarom gebruik je geen eigen toestel?'

'Omdat ik dat niet heb, oké?'

'Godver. Klootzak. Ik hou me een tijdje verborgen, oké? Maak je geen zorgen. Ik hou me aan de afspraken. En nu opzouten.'

Er klonk een klap, en het telefoongesprek was afgelopen.

Branson keek Roy Grace aan. 'Dit is afgelopen donderdag om vijf voor halfzeven 's avonds opgenomen, dus de dag na het ongeluk. Ik heb de timing ook gecontroleerd. Gevangenen die betaald reïntegratiewerk doen, zoals Preece, mogen vanaf halfzeven 's morgens de gevangenis uit en hoeven pas om tien uur 's avonds terug te zijn. Dat zou hem meer dan genoeg tijd geven om rond negen uur 's morgens op Portland Road te rijden.'

'Hij houdt zich verborgen,' zei Grace peinzend. 'Daarvoor heb je iemand nodig die je kunt vertrouwen.' Hij stond op en liep naar het whiteboard, waar de stamboom van Ewan Preece op getekend stond. Toen wendde hij zich tot Potting. 'Norman, jij weet vrij veel over hem. Enig idee met wie hij een goede band had?'

'Ik zal met een paar buurtteams overleggen, chef.'

'Het is mijn vermoeden, aangezien de bestelwagen schijnt te zijn verdwenen in Southwick, dat hij daar zit, bij een vriendin of een familielid.' Grace bekeek de namen op het whiteboard.

Zoals typisch voor een kind uit een eenoudergezin met een laag inkomen had Preece een overvloed aan halfbroers en -zussen en stiefbroers en -zussen, velen van hen goed bekend bij de politie.

'Chef,' zei Duncan Crocker, die opstond. 'Ik heb hier al wat werk aan gedaan.' Hij liep naar het whiteboard toe. 'Preece heeft drie zussen. Een ervan,

Mandy, is vier jaar geleden met haar man naar Perth in Australië geëmigreerd. De tweede zus, Amy, woont in Saltdean. Ik weet niet waar Evie, de jongste, woont, maar zij en Preece konden het als kinderen vrij goed met elkaar vinden. Ze werden gearresteerd toen Preece veertien was en zij tien, voor een inbraak in een wasserette. Ze zat later ook bij hem in de auto toen hij werd gepakt voor joyriden. Het zou goed zijn als we haar konden vinden.'

'En een echte bonus als ze toevallig in Southwick woont,' antwoordde Grace.

'Ik weet wel iemand die ons dat kan vertellen,' zei Crocker. 'Haar reclasseringsambtenaar.'

'Zit ze in haar proeftijd? Waarvoor?' vroeg Branson.

'Heling,' zei Crocker. 'Voor haar broer!'

'Bel die reclasseringsambtenaar maar meteen,' droeg Grace hem op.

Crocker liep naar de andere kant van de kamer om te bellen, terwijl zij doorgingen met de briefing. Twee minuten later keerde hij met een brede glimlach op zijn gezicht terug.

'Chef, Evie Preece woont in Southwick!'

Ineens sloeg Grace' melancholie om in adrenaline. Hij mepte uitgelaten op tafel. *Yes!*

'Goed werk, Duncan,' zei hij. 'Heb je het adres ook?'

'Natuurlijk! Manor Hall Road nummer 209.'

De rest van deze briefing leek nu overbodig.

Grace wendde zich tot Nick Nicholl. 'We hebben een huiszoekingsbevel nodig, en snel ook, voor Manor Hall Road nummer 209 in Southwick.'

De rechercheur knikte.

Grace wendde zich weer tot Branson. 'Oké, we mobiliseren het plaatselijke supportteam en gaan hem een bezoekje brengen.' Hij keek op zijn horloge. 'Met een beetje geluk komt dat bevel snel, kunnen we er meteen naartoe en zijn we nog op tijd om hem ontbijt op bed te brengen!'

'Bezorg hem maar geen indigestie, chef,' zei Norman Potting.

'Nee, Norman,' antwoordde Grace. 'Ik zal zeggen dat ze heel voorzichtig met hem moeten zijn. Vraag maar hoe hij zijn eieren het liefst heeft en of we de korstjes van zijn brood moeten snijden. Ewan Preece is het soort man dat het beste bij me bovenbrengt. Die mijn innerlijke Barmhartige Samaritaan naar boven haalt, zeg maar.'

48

Anderhalf uur later reden Grace en Branson langzaam langs Manor Hall Road 209 in Southwick. Branson zat achter het stuur en Grace bekeek het huis. De gordijnen waren dicht, wat erop wees dat de bewoners nog niet uit bed waren, of dat ze in elk geval thuis waren. De garagedeur zat dicht. Als het meezat stond de bestelwagen erin.

Grace nam contact op met de andere voertuigen in zijn team, terwijl Branson stopte op het afgesproken punt, een straat verderop, en de auto keerde. Het enige wat ze verder nog over Evie Preece hadden gehoord, was dat ze vervreemd was van haar man en dat ze kennelijk alleen in dat huis woonde. Ze was zevenentwintig en had een strafblad van vele jaren voor geweldpleging, openbare dronkenschap, bezit van gestolen goederen en drugsdealen. Momenteel had ze een uitgaansverbod voor een halfjaar in het centrum van Brighton. Alle drie haar kinderen, van drie verschillende vaders, waren op last van de kinderbescherming uit huis geplaatst. Zij en haar broer leken als twee druppels water op elkaar, dacht Grace. Ze zouden ongetwijfeld een grote mond van haar krijgen als ze naar binnen gingen.

'En, ouwe, hoe was het concert gisteravond? Wat vond Cleo van je band van sneue ouwe zakken?'

'Eigenlijk vond ze The Eagles geweldig!'

Branson keek hem vragend aan. 'O ja?'

'Ja!'

'Weet je zeker dat ze dat niet alleen zei om jou blij te maken?'

'Ze zei dat ze er best nog eens heen zou willen. En ze heeft na afloop een cd gekocht.'

Branson tikte tegen zijn hoofd. 'De liefde maakt mensen echt een beetje gek, weet je.'

'Heel grappig!'

'Je hebt waarschijnlijk halverwege wel even een oudemannentukje gedaan. En de band vast ook.'

'Klets. Je hebt het over een van de beste bands aller tijden.'

'Ga je vrijdagavond naar Londen, naar de Jersey Boys?' vroeg Glenn. 'Wou je die soms ook afkraken?'

'Frankie Valli en de Four Seasons, die gaan wel.'

'Wou je zeggen dat je hun muziek goed vindt?'

'Sommige nummers. Niet álle blanke muziek is troep.'

Grace grijnsde en stond op het punt iets tegen Glenn te zeggen, maar toen zag hij in de spiegel de bus van de hondenbrigade achter hen stoppen. Even later stopte de civiele witte bestelwagen met acht leden van het plaatselijke supportteam naast hen, zodat de weg tijdelijk versperd werd. Twee andere politiewagens meldden dat ze in positie stonden aan het einde van de straat.

Jason Hazzard, de brigadier van het buurtteam, keek bij hen naar binnen. Grace stak zijn duim naar hem op en zei: 'Gaan met die banaan.'

Hazzard deed zijn vizier omlaag en de drie voertuigen reden naar voren, snel accelererend, en remden voor het huis. Iedereen stapte uit. Dankzij Google Earth hadden ze zich van tevoren al vertrouwd kunnen maken met de omgeving.

Twee mannen van de hondenbrigade renden om het huis heen om de achtertuin in de gaten te houden. De leden van het plaatselijke supportteam, met blauwe pakken, hardplastic kniebeschermers, militair ogende helmen met de vizieren omlaag en dikke zwarte handschoenen renden naar de voordeur. Een van hen had een metalen cilinder bij zich zo groot als een flinke brandblusser: de stormram, die bij hen de bijnaam *Grote Gele Sleutel* had. Twee anderen sloten de rij met de reserveram, een hydraulisch exemplaar met accu, voor het geval de voordeur versterkt was. Nog twee mannen gingen bij de garagedeur staan om te voorkomen dat iemand via die weg ontkwam.

De eerste leden van het team die bij de deur aankwamen, bonsden er met hun vuisten op en brulden: 'POLITIE! DOE OPEN! POLITIE! DOE OPEN!' Het was een opzettelijke intimidatietactiek.

Eén agent zwaaide met de stormram, en de deur versplinterde en vloog open.

Alle zes stormden ze naar binnen en brulden uit volle borst: 'POLITIE! POLITIE!'

Grace en Branson volgden hen een gangetje in waar het naar verschaalde sigarettenrook stonk. De adrenaline gierde door Grace' lijf. Net als de meeste agenten was hij altijd dol geweest op de spanning van een inval en de angst die erbij kwam kijken. Je wist nooit wat je zou aantreffen. Of wat voor projectielen of wapens mogelijk tegen je zouden worden gebruikt. Zijn blik schoot behoedzaam heen en weer, want je moest er altijd rekening mee houden dat er iemand met een wapen verscheen. Hij en Glenn waren minder goed beschermd dan de leden van dit team, omdat zij alleen steekwerende vesten onder hun jas droegen.

De leden van het supportteam, allemaal ervaren en uitgebreid getraind in dit soort operaties, hadden zich hier opgesplitst. Enkelen van hen stormden kamers beneden in, terwijl anderen de trap op renden en dreigend riepen: 'POLITIE! BLIJF WAAR U BENT! BLIJF STAAN!'

De twee rechercheurs bleven in de smalle, kale gang staan en hoorden boven deuren open knallen. Zware voetstappen. Toen riep Vicky Jones, een teamlid dat Grace kende en dat hij een bijzonder slimme en moedige agent vond, hem op bezorgde toon toe: 'Meneer, u kunt beter even hier komen!'

Gevolgd door Glenn Branson liep hij door de open deur rechts van hem een kleine en walgelijk rommelige zitkamer in, waar het stonk naar ingetrokken sigarettenrook en urine. Hij zag de zitbank met houten poten, flessen wijn en bier overal tussen de vuile was op de sleetse vloerbedekking, en een enorme plasmatelevisie tegen de muur.

Op een van de weinige lege plekken op de vloer, lag een kronkelende, kreunende vrouw op haar buik, met een donzige roze ochtendjas aan. Ze was aan handen en voeten gebonden met grijze klustape en had een prop in haar mond.

'Niemand boven!' riep Jason Hazzard.

'Garage is leeg!' riep een andere stem.

Grace rende heel snel naar boven, keek in de twee slaapkamers en de badkamer, ging toen weer naar beneden en knielde bij de vrouw neer, terwijl Vicky Jones en een ander teamlid de tape van haar mond peuterden en vervolgens de rest losmaakten.

De vrouw was halverwege de twintig. Ze had dik, kort blond haar en een hard gezicht met een slechte huid. Ze sprak zodra haar mond was bevrijd.

'Klootzakken!' zei ze. 'Waar bleven jullie zo lang, verdomme? Hoe laat is het?'

'Vijf over tien,' zei Vicky Jones. 'Hoe heet je?'

'Evie Preece.'

'Ben je gewond, Evie?' Ze wendde zich tot een andere agent en zei: 'Bel een ambulance.'

'Ik heb geen kloteambulance nodig. Ik heb een borrel en een peuk nodig.'

Grace keek haar aan. Hij had geen idee hoelang ze hier al lag, maar ze leek verbazingwekkend beheerst voor iemand die met een prop in haar mond vastgebonden had gelegen. Hij vroeg zich af of het een afleidingsmanoeuvre was. Deze vrouw zou je van alles wijsmaken.

'Waar is je broer?' vroeg Roy Grace aan haar.

'Welke?'

'Ewan.'

'In de gevangenis. Waar jullie smerissen hem zelf in hebben gestopt.'

'Dus hij heeft niet bij jou gelogeerd?' drong hij aan.

'Er heeft hier niemand gelogeerd.'

'Iemand heeft in je logeerbed geslapen,' zei Grace.

'Dat moet het mannetje in de maan zijn geweest.'

'Is hij ook degene die je heeft vastgebonden? Houdt het mannetje in de maan van bondage?'

'Ik wil een advocaat.'

'Je staat niet onder arrest, Evie. Je krijgt alleen een advocaat als je wordt gearresteerd.'

'Arresteer me dan.'

'Doe ik zo meteen,' zei Grace. 'Ik kan je arresteren voor belemmering van de rechtsgang. Vertel nu maar wie er in de logeerkamer heeft geslapen.'

Ze zei niets.

'Dezelfde persoon die je heeft vastgebonden?'

'Nee.'

Mooi, dacht hij. Dat was een grote stap vooruit.

'We maken ons zorgen om je broer,' zei hij.

'Is dat verdomme effe ontroerend. Je zit al achter hem aan sinds hij klein was, maar nu maak je je ineens zorgen om hem? Ja, tuurlijk!'

49

Bij de avondbriefing bracht Grace zijn team op de hoogte van de inval. Evie Preece had geen informatie kunnen geven over haar aanvaller, maar het feit dat ze – ware het dan met tegenzin – instemde met een medisch onderzoek was voor Grace een indicatie dat de aanval echt was geweest, en niet in scène gezet door haar en haar broer, zoals hij aanvankelijk had vermoed. Het huis was zo'n vuilnisbelt dat moeilijk te bepalen was of het overhoop was gehaald, zodat een beroving mogelijk een motief voor de aanval had kunnen zijn.

De politiearts was van mening dat de ernstige blauwe plek in haar hals op een harde klap wees. Ze voegde eraan toe dat de zijkant van de nek, net boven het sleutelbeen, de plek was waar iemand met ervaring in vechtsporten zou toeslaan als hij zijn slachtoffer onmiddellijk bewusteloos wilde hebben.

Dit klopte met Evies verhaal dat ze rond elf uur de vorige avond de tuin in was gestapt om de kat naar buiten te laten, waarna ze niets meer wist tot ze vastgebonden op de vloer in de woonkamer was bijgekomen. Ze hield vol dat haar broer niet bij haar thuis was geweest en ontkende in alle toonaarden dat er onlangs nog een voertuig in haar garage had gestaan, ondanks bewijzen van het tegendeel. De eerste aanwijzing was een plas motorolie op de garagevloer, die er recent uitzag. De tweede en belangrijkere aanwijzing was de vondst van mannenkleding in de logeerkamer. Een paar gympen en een spijkerbroek in Ewan Preece' maat, en een T-shirt, ook in zijn maat, dat in de wasmachine werd gevonden.

Grace had Evie laten arresteren op verdenking van het huisvesten van een voortvluchtige en het belemmeren van de politie, en hij had een getrainde verhooradviseur, Bella Moy, toegewezen om een verhoorstrategie voor haar te bedenken terwijl ze in voorarrest werd gehouden.

Daarnaast had hij een zeer ervaren opsporingsadviseur en een zoekteam naar binnen gestuurd om te kijken of ze nog iets anders in het huis of de tuin konden vinden. Tot nu toe hadden ze, naast de olie en de kleding, sporen gevonden van braak bij de schuifdeuren van de keuken aan de achterkant van het huis. Het was heel subtiel gedaan, met een instrument zoals een schroevendraaier, door iemand die goed bekend was met sloten.

In Grace' gedachten sloot dat het soort gajes uit waar Ewan Preece en zijn zuster mee omgingen en die mogelijk op zoek waren geweest naar geld of drugs. Hun vriendjes zouden een raam hebben ingeslagen of een slot hebben geforceerd. Wie er ook binnen was gekomen, hij had verstand van zaken gehad. Niet alleen van inbreken, maar ook van aanvallen en vastbinden. Ze hadden nog geen vingerafdrukken gevonden, niets waar ze DNA uit konden halen en geen andere sporen. Het was nog vroeg, maar het zag er niet best uit.

50

Gehuld in een dikke fleecejas, spijkerbroek, gevoerde pet en rubberlaarzen begon David Harris om precies zeven uur 's morgens met zijn werkdag zoals hij dat al eenenveertig jaar lang elke dag deed: door de rijen rookhuizen te controleren waar de vis 's nachts te drogen had gehangen. Hij was in een goede bui: ondanks de recessie liepen de zaken goed, en hij hield echt van zijn werk.

Hij hield vooral van de zoete geuren van brandend hout en de rijke, olieachtige geur van de vis. Het was een mooie, zonnige ochtend, maar de lucht was nog fris en kil. Zijn favoriete soort ochtend. Hij keek naar de fonkelende dauw op de grazige hellingen van de South Downs die boven de rokerij uit torenden, een uitzicht waarop hij zelfs na een leven lang hier werken nog steeds niet was uitgekeken.

Hij was misschien minder vrolijk geweest als hij had geweten dat iemand hem gadesloeg, al sinds het moment waarop hij hier vanochtend was aangekomen.

Springs Smoked Salmon was een begrip in heel Europa, en de familie was trots op hun kwaliteit. Harris was van de tweede generatie en leidde het bedrijf dat zijn ouders waren begonnen. De locatie, in een vallei in de South Downs dicht bij Brighton, was onwaarschijnlijk voor een visbedrijf, en de fabriek was onopvallend; de lukrake verzameling van lage gebouwen had ook bij een bouwvallige boerderij kunnen horen in plaats van een bedrijf te huisvesten dat een internationale legende was geworden.

Hij liep een helling op, langs een heftruck en een rij geparkeerde bestelwagens tussen de identieke koelhuizen. Over de hele dertig meter lengte van de schuren was een railsysteem aan het plafond bevestigd, met daaraan haken waaraan de koploze Schotse zalm en forel werden gerookt, de specialiteit van zijn bedrijf. Of ze lagen ingepakt in witte piepschuim kratten, klaar voor verzending naar delicatessenwinkels, restaurants en cateringbedrijven overal ter wereld. Opgestapeld op pallets lagen andere vissen en schaaldieren die ze aan hun klanten leverden, vooral langoustines en scampi – de meeste uit Schotland – en sint-jakobsschelpen, kreeften en krabben.

Hij maakte het hangslot aan de eerste deur open en stapte naar binnen om te controleren of de temperatuur in orde was. Toen controleerde hij ook de volgende drie schuren voordat hij naar de rookovens doorliep. Die waren bijna vijftig jaar oud, maar ze deden het nog prima. Enorme, groezelige hokken van baksteen en staal, groot genoeg om in te staan, elk met een houtoven onderin en met rekken en haken langs het plafond waaraan rijen roze en goudbruine gerookte visfilets hingen.

Toen hij klaar was met zijn inspectie en de branders had bijgevuld met blokken eikenhout, ging hij de winkel in. Dit was een lang, smal gebouw met een toonbank langs één hele kant, terwijl aan de andere kant de schappen vol stonden met alle denkbare soorten ingeblikte zeevruchten, jam, paté en confituren. Het verkooppersoneel, allemaal gekleed in donkerblauwe overalls en met witte petten op, was bezig de displays met versgerookte vis op te zetten en de bestellingen klaar te maken die 's nachts per telefoon en e-mail waren binnengekomen.

Jane, de manager, meldde een probleem. Een van de nachtelijke bestellingen was van een klant gekomen die altijd pas heel laat betaalde. Ze hadden al een alarmerend hoge rekening openstaan en er waren al bijna drie maanden geen betalingen van hen ontvangen.

'Ik denk dat we moeten aandringen op betaling voordat we nog meer aan hen leveren, meneer Harris,' zei ze.

Hij knikte. De volgende tien minuten bleven ze werken aan de bestellingen, toen ging hij zitten om in de computer de voorraden te controleren. Op dat moment ging de telefoon. Omdat hij er het dichtst bij zat nam hij op.

Een Amerikaanse stem aan de andere kant van de lijn vroeg: 'Hoe snel zou u tweeënhalfduizend langoustines kunnen leveren?'

'Welk formaat, en hoe snel zou u ze nodig hebben, meneer?'

'De grootste die u hebt,' antwoordde de Amerikaan. 'Vóór eind volgende week. Een van onze leveranciers heeft ons laten zitten.'

Harris vroeg hem even te wachten en keek in de computer. 'We hebben momenteel niet zo'n grote voorraad, maar er komt dinsdag wel een nachtlevering van onze leverancier in Schotland, die hier dan woensdagochtend vroeg is. Als u die hoeveelheid wilt bestellen, zou ik het aan de zending kunnen laten toevoegen.'

'Wanneer hebt u daarvoor bevestiging van me nodig?'

'Eigenlijk zo snel mogelijk, meneer. Wilt u een prijsopgave?'

'Dat is geen punt van zorg. Maar die zending zou zeker aankomen? U kunt woensdagochtend garanderen?'

'We krijgen elke woensdag een levering uit Schotland, meneer.'

'Uitstekend. Ik bel u nog terug.'

In zijn huurauto, een stukje verderop langs de weg naar de rokerij, verbrak Tooth de verbinding op zijn mobiele telefoon. Toen keerde hij de auto en reed terug over de smalle weg, langs het bord waarop stond: SPRINGS SMOKED SALMON – WINKEL OPEN.

Hij vroeg zich even af of hij de klantenparkeerplaats op moest rijden om alvast een kijkje in de winkel te gaan nemen. Misschien iets te kopen. Maar hij had al alles gezien wat hij moest weten en besloot dat het geen zin had om zijn gezicht te laten zien. Dat was een onnodig risico.

Bovendien deed hij niet aan gerookte vis.

51

De week ging voorbij zonder dat er veel vooruitgang werd geboekt door Roy Grace' team. Dit was ondanks het DNA dat onder Tulleys vingernagels was gevonden en een verdachte uit de Ford-gevangenis had aangewezen; een reus van een kerel die Lee Rogan heette. Rogan diende zijn laatste maanden uit voor een gewapende overval en ernstige geweldpleging voordat hij voorwaardelijk zou vrijkomen.

Rogan was gearresteerd op verdenking van de moord op Warren Tulley, maar beweerde dat ze op de avond van Tulleys dood ruzie hadden gehad over geld. Tot nu toe had intern onderzoek geen telefoontjes aan het licht gebracht die door Rogan waren gepleegd met zijn pincode, en er was geen mobiele telefoon in zijn cel gevonden. Als hij van plan was geweest om de beloning op te strijken, dan hadden ze daar nog geen bewijs van. Maar met het hoge aantal illegale mobiele telefoons dat zich in de Ford-gevangenis bevond, was het meer dan mogelijk dat hij een toestel van een andere gedetineerde had geleend of gehuurd. En dat zou bijna onmogelijk vast te stellen zijn. Het team van de afdeling Zware Criminaliteit in het West Area hield Grace op de hoogte.

Dankzij haar sluwe pro-Deoadvocaat, een man genaamd Leighton Lloyd, met wie Grace al vele keren aanvaringen had gehad, beriep Evie Preece zich op haar zwijgrecht en was ze na achttien uur op borgtocht vrijgelaten. Grace had surveillance op haar huis gezet, voor het geval haar broer terugkwam. Dat was onwaarschijnlijk, wist hij, maar aan de andere kant was Preece er misschien stom genoeg voor.

Hij had een gesprek gehad met een hulpvaardige politieman in New York, rechercheur Pat Lanigan van de speciale recherche-eenheid van de officier van justitie, die hem gedetailleerde achtergrondinfo had gegeven over de ouders van de overleden jongen, maar Lanigan had geen specifieke inlichtingen over de huidige situatie. Zijn verhaal over de woede van Fernanda Revere toen hij haar had ingelicht over de dood van haar zoon, was gestaafd door haar gedrag toen ze in het Verenigd Koninkrijk was.

Grace wist dat het altijd een slecht teken was als de verslaggever van de *Argus* hem niet meer belde, en hij had nu al een paar dagen niets meer van Spinella gehoord. Hij besloot een persconferentie te plannen voor de volgende dag, vrijdag, in de hoop het publiek weer even wakker te schudden, gevolgd door een reconstructie op de plaats van het ongeval. Nog los van andere overwegingen moest hij de familie Revere laten zien dat al het mogelijke werd ondernomen om de bestuurder te vinden die zich zo harteloos uit de voeten had gemaakt na de fatale aanrijding met hun zoon.

Om elf uur 's morgens zat de vergaderzaal van Sussex House propvol. De maffiaconnectie en de beloning van honderdduizend dollar hadden een enorme toeloop van de media gegenereerd; nog veel meer dan Roy Grace had verwacht. Hij deed een beroep op burgers die op de ochtend van woensdag 21 april in de buurt waren geweest van Portland Road om terug te denken of ze zich misschien een witte Ford Transit herinnerden en om de reconstructie bij te wonen, die de volgende dag zou plaatsvinden.

Toen deed hij specifiek een beroep op de inwoners van Southwick, en vooral van Manor Hall Road, of iemand zich herinnerde de bestelwagen of Ewan Preece te hebben gezien; hij toonde daarbij een reeks politie- en gevangenisfoto's van de man. Hoewel het hem stak om te moeten blijven samenwerken met Spinella, werkte die etterbak nu in ieder geval mee.

Terwijl hij direct na de persconferentie door de gangen terugliep naar zijn kantoor, bekeek Grace de agenda in zijn BlackBerry. Er was voor twee uur die middag een bijeenkomst over bewijsstukken gepland waar hij bij moest zijn.

Glenn Branson haalde hem in en zei: 'Weet je, voor een ouwe kerel doe je die persconferenties best goed.'

'Ja, nou, dat zul jij ook moeten leren. We hebben de pers nodig. Je kunt niet met ze leven en je kunt niet zonder ze leven. Hoe zou je het vinden om er zelf een te doen?'

Branson keek hem aan. 'Waarom vraag je dat?'

'Ik zat te denken om jou de volgende te laten doen.'

'Shit.'

'Dat zeg ik ook elke keer voor ik begin. En nog iets: jij moet de briefing van vanavond van me overnemen. Is dat goed?'

'Ja, best. Ik heb toch geen leven, weet je nog wel?'

'Wat is het laatste nieuws?'

'Volgens Ari's advocaat was ik een agressieve bullebak en stelde ik onredelijke seksuele eisen aan haar.'

'Deed je dat dan?'

'Ja, kennelijk heb ik haar gevraagd om boven op me te komen zitten. Dat ging tegen haar religieuze principes in.'

'Religieuze principes?' vroeg Grace verbaasd.

'In sommige staten in Amerika is het nog steeds verboden om het op enige andere manier te doen dan in de missionarishouding. Ze doet zich nu voor als religieus fundamentalist. Ik ben kennelijk abnormaal in de ogen van God.'

'Is Hij dan niet eigenlijk een voyeur?'

Op dat moment ging Grace' mobiele telefoon. Met een verontschuldigend knikje naar Glenn nam hij op.

Het was de manager plaats delict, Tracy Stocker.

'Roy,' zei ze. 'Ik ben in de haven van Shoreham. Je kunt maar beter hierheen komen. Ik geloof dat we Preece hebben gevonden.'

52

Grace liet Glenn Branson rijden. Sinds hij zijn certificaat voor achtervolgingen had behaald, liet Branson zijn vriend graag zijn bekwaamheid zien. En elke keer als hij Branson liet rijden, had Roy Grace daar snel spijt van.

Ze reden de glooiende helling in de A27 af, passeerden de uitvoegstrook naar de A23 en gingen aan de andere kant weer omhoog, waarbij de snelheidsmeter tot bijna tweehonderd kilometer per uur opliep. Glenn had volgens Grace een volkomen misplaatst vertrouwen in de blauwe zwaailichten en jankende sirene op hun auto. Je hoefde als normale, verstandige politieman niet heel vaak op noodoproepen te reageren om te beseffen dat de meeste burgers op de weg doof, blind of dom waren, en vaak een combinatie van alle drie.

Grace drukte zijn voet hard tegen de vloer van de auto, meeremmend terwijl ze langs een rij auto's reden die allemaal ineens konden gaan inhalen, waarop zij de vangrail zouden raken en er geweest waren. Het was meer dankzij puur geluk dan iets wat hij wilde toeschrijven aan rijvaardigheid dat ze uiteindelijk levend op de weg naar de haven van Shoreham aankwamen en links langs Hove Lagoon reden, vlak bij Grace' huis. Hij was op van de zenuwen.

'Wat vind je van mijn rijstijl, ouwe? Wordt beter, hè? Ik geloof dat ik dat driften op vier wielen nu ook onder de knie heb!'

Grace wist niet zeker waar zijn stembanden waren. Het voelde alsof hij ze een paar kilometer geleden had achtergelaten. 'Volgens mij moet je nog wat meer leren anticiperen op wat andere weggebruikers kunnen gaan doen,' antwoordde hij diplomatiek. 'Daar moet je nog aan werken.'

Ze reden recht over een minirotonde, rakelings langs een Nissan Micra die werd bestuurd door een man met een platte pet op, en gingen een industriegebied in. Rechts van hen stond een hoog bakstenen pakhuis, midden over de weg liep een dubbele gele streep, en links stond een blauw golfplaten pakhuis. Ze reden langs een opening tussen twee gebouwen, waardoor Grace een glimp opving van het klotsende water van Aldrington Basin, de uiterst oostelijke punt van het Shoreham Port-kanaal. Ze reden langs een bestelwagen met het opschrift D & H Electrical Installations en zagen verderop op een gebouw een reclamebord voor veevoeders staan. Recht voor hen stond een politiewagen met een stationair draaiend zwaailicht.

Toen ze dichterbij kwamen zagen ze meerdere geparkeerde voertuigen, waaronder de auto van de manager plaats delict en nog een andere politiewagen die dwars tussen twee gebouwen stond. Hij blokkeerde de toegang tot een geopende poort in een draadhek. Daarachter was de kade. Er was politielint opgehangen tussen de muren van de twee gebouwen, en een politieassistente stond ervoor.

Ze stapten uit in de vlagerige, vochtige wind, liepen naar haar toe en noemden hun naam.

'U zult zich allebei moeten inpakken, heren,' zei ze tegen Grace, en ze knikte beleefd naar Branson. 'Op verzoek van de manager.'

Zodra een manager plaats delict op de mogelijke plaats van een misdrijf arriveerde, werd die plek zijn of haar verantwoordelijkheid. Een van de belangrijkste beslissingen van de manager was het aantal mensen dat er toegang toe kreeg en wat ze moesten dragen, om de kans te minimaliseren dat ze de plaats delict besmeurden met dingen als kledingvezels, die tot valse sporen konden leiden.

Grace en Branson liepen terug naar de auto en wurmden zich in blauwpapieren overalls met capuchon. Hoewel hij die dingen honderden keren had gedragen, bleef Grace het een crime vinden om ze aan te krijgen. Je schoenen kwamen halverwege de pijpen vast te zitten, en dan bleef het pak weer hangen als je het over je heupen omhoog wilde sjorren.

Toen ze eindelijk klaar waren, doken ze onder het lint door en liepen naar de kade, langs een groezelig bord met de tekst CHAUFFEURS MELDEN BIJ DE RECEPTIE. Grace keek om zich heen of hij bewakingscamera's zag, maar helaas leken die er niet te zijn. Recht voor hen zagen ze de achterkant van de grote gele mobiele truck van de bergingseenheid, de boeg van een afgemeerde vissersboot, een roestige heftruck, een container vol afval en, aan de overkant van het water, de pakhuizen en stapels hout van een van de grootste houtopslagen van de haven.

Grace had altijd van dit deel van de stad gehouden. Hij haalde diep adem en genoot van de prikkelende geuren van zout, olie, teer en touw, die hem aan zijn jeugd deden denken, toen hij hier met zijn vader kwam om aan het eind van de havendam te vissen. Als kind had hij de haven van Shoreham een mysterieuze, opwindende plek gevonden: de tankers en vrachtschepen met hun internationale vlaggen langs de kade, de enorme kranen, de trucks, de bolders, de pakhuizen en de reusachtige elektriciteitscentrale.

Toen ze de hoek om gingen, zagen ze een centrum van activiteit. Er liepen meerdere politieagenten, allemaal in beschermende pakken. Meteen zagen ze de kleine, forse gestalte van de manager plaats delict, Tracy Stocker, de lange gestalte van de fotograaf, James Gartrell, en de slanke gestalte van de hulpofficier van justitie, Philip Keay.

Leden van de bergingseenheid stonden eromheen, gehuld in donkerblauw fleece, een waterdichte broek, rubberlaarzen en een zwarte honkbalpet met het woord POLITIE erop. Een van hen stond naast een rol kabel, rood, geel en blauw, die van een vierkant apparaat over de rand van de kade het water in liep. Grace besefte dat er een duiker beneden was.

Midden op de kade stond een matwitte, gebutst uitziende Ford Transit, waarvan het dak en de zijkanten waren besmeurd met modder. Er liep een gestage stroom water tussen de portieren vandaan. Grace zag dat de zijspiegel aan de bestuurderskant ontbrak. Vier stalen kabels liepen verticaal omhoog van de wielkassen naar de lier aan de arm van een mobiele kraan die ernaast was geparkeerd.

Maar Grace keurde de kraan nauwelijks een blik waardig. Al zijn aandacht was gericht op de man die duidelijk zichtbaar was op de bestuurdersstoel, roerloos over het stuur gebogen.

Tracy Stocker kwam hen begroeten. Ze werd vergezeld door een stevige, ruig uitziende man van in de vijftig met een verweerd gezicht, warrig peper-en-zoutkleurig haar en blote armen met zeemanstatoeages. Hij droeg een fluorescerend geel hesje over een wit overhemd met korte mouwen, een donkere werkbroek en stevige rubberlaarzen, en hij scheen geen last te hebben van de snijdende wind.

'Hoi, Roy en Glenn,' zei ze vrolijk. 'Dit is Keith Wadey, de assistent-hoofdmonteur hier in de haven. Keith, dit is inspecteur Grace, de hoogste onderzoeksrechercheur, en rechercheur Glenn Branson, de assistent-onderzoeksrechercheur.'

Ze drukten elkaar de hand. Grace mocht Wadey meteen; de man straalde een vriendelijk air van zelfvertrouwen en ervaring uit.

Hij richtte zich weer tot Tracy. 'Heb je het kenteken van de auto nagetrokken?'

'Ja, chef. Valse kentekenplaten. Het serienummer is van het chassis en de motor gevijld, dus hij is bijna zeker gestolen, maar meer weten we nog niet.'

Grace bedankte haar en sprak Wadey aan. 'Wat hebben we hier?' vroeg hij, kijkend naar de man achter het stuur van de bestelwagen.

'Nou, meneer,' zei Wadey tegen Grace, maar hij keek ook naar Branson. 'We voeren regelmatig sonarcontroles uit in het kanaal om het zoutgehalte te checken en te kijken of er geen obstakels liggen. Gistermiddag rond half-vijf zagen we iets wat leek op een voertuig op ongeveer vijfendertig meter vanaf de rand van deze kade en op bijna acht meter diepte. Hij lag op de kop, met de wielen omhoog. Dat gebeurt vaak met motorvoertuigen die in diep water belanden; de motor aan de voorkant trekt ze omlaag, zodat ze kantelen tijdens het zinken.'

Grace knikte.

'Je ziet daarbeneden helemaal niks. De stroming door het openen en sluiten van de sluisdeuren woelt de dikke laag modder om. Ik heb het wagen gevonden met behulp van een geleidingstouw. Hij lag in een dikke meter modder verzonken. Toen heb ik contact opgenomen met het duikteam van de politie – de bergingseenheid – omdat dat onze standaardprocedure is, en we hebben hen ongeveer een uur geleden geholpen het voertuig uit het water te halen. Die arme drommel zat erin. Ik weet niet of het zelfmoord was – dat hebben we hier vrij vaak – maar hij lijkt geen poging te hebben gedaan om eruit te komen.'

Grace keek om zich heen. Het grote, roestige pakhuis achter hem zag er verlaten uit, hoewel de aanwezigheid van de container erop wees dat er gewerkt werd.

'Wat is dit hier?' vroeg hij.

'Het is nu van Dudman, de aggregatenbouwer. Ze hebben het een paar maanden geleden gekocht. Het gebouw stond al een paar jaar leeg, sinds een faillissement.'

'Werkt hier iemand? Zijn er bewakers?'

'Nee, geen bewakers of camera's, meneer. Er waren hier vorige week wat bouwvakkers, maar die zijn weggehaald voor onderhoud aan een van de andere gebouwen van het bedrijf.'

Dit was een afgelegen plek, dacht Grace. Zorgvuldig gekozen? Het was niet het soort plek waar je bij toeval terechtkwam. 'Is de boel hier 's nachts op slot?'

'Met een ketting en hangslot, ja,' zei Wadey. 'Maar de poort stond open toen wij hier aankwamen. Iemand heeft het slot opengemaakt met een sleutel of een loper.'

Grace liep naar de bestuurderskant van het busje. 'Hoelang heeft hij in het water gelegen?'

'Ik denk maximaal drie of vier dagen,' antwoordde de monteur. 'U kunt zien dat hij opgezwollen is, een verschijnsel dat binnen vierentwintig uur intreedt, maar hij is intact; de vissen en schelpdieren wachten het liefst een weekje voordat ze aan het werk gaan, omdat dan het lichaam begint te ontbinden.'

'Bedankt.'

Grace tuurde naar binnen door het raam aan de bestuurderskant, dat open was, net als het raam aan de passagierskant, merkte hij op. Om de wagen sneller te laten zinken? De achterportieren waren ook open. De eerste vraag die bij hem opkwam was of dit een ongeluk, zelfmoord of moord was. De ervaring had hem geleerd nooit overhaaste conclusies te trekken.

Hoewel het lichaam was opgezet door gassen, was het gezicht smal en besmeurd met modder. De ogen waren wijd open en staarden met een geschokte blik voor zich uit. Hij zag er in het echt nog bleker uit dan op zijn foto's, en het met gel rechtop gezette haar van de foto lag nu levenloos tegen zijn hoofd geplakt. Maar toch was zijn identiteit duidelijk. Gewoon ter controle haalde Roy Grace de foto van Ewan Preece uit zijn zak en hield hem ernaast.

En nu wist hij het zeker. Door het litteken van een meswond onder zijn rechteroog, het gouden kettinkje om zijn hals en zijn leren armband. Toch moest er een vingerafdruk of DNA-monster worden genomen om zijn identiteit boven alle twijfel te bevestigen. Grace zou niet snel vertrouwen op een identificatie door enig lid van de achterbakse familie van Preece. Hij keek naar de handen van de dode man.

Preece omklemde het stuur met schijnbaar grimmige vastberadenheid. Alsof hij had gedacht dat als hij maar vasthield, hij zich op een of andere manier uit de problemen kon sturen.

En dat sloeg nergens op.

'Een dodemansrit,' zei een vrouwenstem achter hem.

Hij draaide zich om en zag de brigadier die de leiding had over de bergingseenheid, Lorna Dennison-Wilkins.

'Lorna!' zei hij. 'Hoe gaat het?'

Ze grijnsde. 'Onderbemand, ondergewaardeerd en overwerkt. En jij?'

'Ik had het zelf niet beter kunnen zeggen!' Hij knikte naar de dode man en hoorde op datzelfde ogenblik een merkwaardig metalig schuifgeluid binnen in de bus. 'Doodsgreep?'

'Rigor mortis,' zei ze. 'Door de abruptheid van de onderdompeling kan dat heel snel optreden. Als iemand verdrinkt en op dat moment iets vasthoudt, is het heel moeilijk om zijn vingers ervan los te krijgen.'

Hij staarde naar Preece' vingers. Ze waren stevig om het grote stuur geklemd.

'We hebben nog niet geprobeerd ze los te peuteren,' zei ze. 'Anders beschadigen we misschien forensisch bewijs.'

Net als bij zijn vroegere ervaringen met deze vrouw en haar team was Roy Grace onder de indruk: ze snapte hoe belangrijk het was om een mogelijke plaats delict niet te besmetten. Maar waarom hield Preece het stuur vast? Was hij verstijfd geweest van doodsangst? Grace wist zeker dat als hijzelf van een havenkade het water in reed, hij alles zou doen wat hij kon om eruit te komen; hij zou in ieder geval niet proberen te sturen.

Was Preece bewusteloos geraakt door de klap toen hij in het water was beland? Dat was één mogelijkheid. Er was niets aan zijn hoofd te zien en hij droeg een veiligheidsgordel, maar dat was iets wat de patholoog zou kunnen vaststellen tijdens de sectie. Welke andere reden kon hij hebben om het stuur vast te houden? Had hij opzettelijk willen verdrinken? Maar Ewan Preece leek een onwaarschijnlijke zelfmoordkandidaat. Uit de inlichtingen die Grace over hem had gelezen, en uit zijn eigen eerdere ervaringen met de man, had hij afgeleid dat Preece nergens om gaf. Hij zou niet bepaald suïcidaal verdrietig zijn geweest om de dood van een fietser. En over een paar weken zou hij een vrij man zijn geweest.

Grace trok een paar wegwerphandschoenen aan die in de zak van zijn overall zaten, boog zich naar voren door het raam en probeerde de rechterwijsvinger van de man van het stuur te halen. Maar er zat geen beweging in. Een krabbetje zo groot als een vingernagel schuifelde over de bovenkant van het dashboard.

En weer hoorde hij achter in de wagen dat metalige, schuivende geluid. Hij probeerde de vinger nog eens van het stuur te krijgen, voorzichtig, omdat hij de huid niet wilde scheuren waardoor er geen vingerafdruk meer kon worden gemaakt, maar het lukte niet.

'Wauw!' zei Keith Wadey ineens.

De havenmonteur dook naar binnen door de achterportieren. Even later stond hij weer op, met een grote zwarte kreeft in zijn hand. Hij was zeker een halve meter lang, met scharen zo groot als een mannenhand, en kronkelde als een dolle.

'Dat is een mooie!' riep Wadey tegen de groep van de zoekeenheid, en hij liet hun zijn vondst zien.

Meteen had hij de aandacht van iedereen op de kade.

'Iemand zin om de mensen thuis vanavond te trakteren op verse kreeft?'

Niemand had belangstelling. Hij oogstte alleen walgende blikken en een paar kreten.

Hij gooide het beest het kanaal in, waar het verdween onder de klotsende golven.

53

Na een telefoongesprek met Roy Grace en de manager plaats delict was de patholoog van het hoofdkantoor het met hen eens dat ze beslist het lichaam ter plaatse wilde bekijken voordat het naar het mortuarium werd gebracht. Maar ze rondde net een klus af in een lab in Londen, wat betekende dat het team nog een tijdje op de koude havenkade zou moeten wachten.

Het goede nieuws was dat Nadiuska De Sancha, een van de twee vaste pathologen van het hoofdkantoor voor dit gebied, aan hen was toegewezen. Met haar werkten Grace en alle anderen het liefst. De statige, roodharige Spaanse was zowel goed als snel in haar werk, bijzonder hulpvaardig, en toevallig ook nog eens heel mooi.

Nadiuska De Sancha was eind veertig, maar ze kon gemakkelijk voor tien jaar jonger doorgaan. Als mensen wilden zeuren, zouden ze kunnen zeggen dat het vak van haar man, die plastisch chirurg was, misschien iets te maken had met haar blijvende jeugdige uitstraling. Maar vanwege haar hartelijke en openhartige karakter hadden weinig mensen iets over haar te zeuren. Er waren er veel meer die afgunstig waren op haar uiterlijk, en de helft van alle mannen op de afdeling Zware Criminaliteit verlustigde zich aan haar; net als aan Cleo Morey.

Een lichaam dat in zee was gevonden, zou normaal gesproken naar het mortuarium zijn gebracht, waar de volgende dag sectie zou worden verricht door iemand uit het team van plaatselijke pathologen. Maar als de patholoog-anatoom de zaak niet vertrouwde, moest er een volledige forensische lijkschouwing worden uitgevoerd door een getrainde specialist, waarvan er dertig waren in het Verenigd Koninkrijk. Een standaardautopsie duurde meestal nog geen uur. Een autopsie door de patholoog-anatoom kon afhankelijk van de conditie van het lichaam en de omstandigheden, en ook in hoge mate van wie de autopsie uitvoerde, tussen de drie en zes uur duren, en soms nog wel langer.

Als hoogste onderzoeksrechercheur had Roy Grace de plicht erbij aanwezig te zijn. En dat betekende, besefte hij teleurgesteld, dat hij geen schijn van kans maakte om die avond met Cleo naar de Jersey Boys in Londen te gaan. Hij had daar een hotel geboekt en de volgende dag, als de voorjaarsvakantie begon, hadden ze tickets voor de rugbywedstrijd van het leger en de marine in Twickenham; op uitnodiging van Nobby Hall en zijn vrouw Helen. Nobby was een oude vriend en tevens het hoofd van de kustpolitie in Cyprus.

In ieder geval zou Cleo het wel begrijpen; anders dan Sandy, dacht hij met een plotselinge steek van droefheid. Hoewel Sandy met elke week verder naar de achtergrond verdween, was het telkens als hij aan haar dacht alsof er een donkere wolk over hem heen kwam die hem desoriënteerde. Sandy werd altijd kwaad, zelfs als hij haar uitgebreid uitlegde dat je bij een moordonderzoek nu eenmaal alles uit je handen moest laten vallen, compleet met de redenen waarom dat zo was.

Ze zei dan dat ze het niet leuk vond dat zij ondergeschikt was aan zijn werk. Hoe vaak hij dat ook probeerde te weerleggen, ze bleef erop hameren, alsof het een fixatie van haar was.

Wat zou je kiezen? had ze hem een keer gevraagd. *Als je moest kiezen tussen mij en je werk, Grace?*

Ze had hem altijd 'Grace' genoemd.

Jou, had hij geantwoord.

Leugenaar! Ze had erbij gegrijnsd.

Het is waar!

Ik keek naar je ogen. Die truc die je me geleerd hebt, van als je ogen de ene kant op bewegen wanneer je liegt en de andere kant op als je de waarheid zegt. Die van jou gingen naar rechts, Grace, en dat is de kant waar je heen kijkt als je liegt!

Boven hem krijste een zeemeeuw. Hij keek op zijn horloge. Bijna halféén.

Een baggerschip voer midden in het kanaal langs, op weg naar de sluis en dan naar open zee. Nadiuska schatte dat ze er rond twee uur zou zijn. Ze zou hier minimaal een uur nodig hebben om de exacte positie van het lichaam te bestuderen en te registreren, alles te fotograferen, Preece' lichaam na te kijken op blauwe plekken en schaafwonden die al dan niet consistent waren met contact met de binnenkant van de wagen, en zoeken naar kledingvezels, haren en al het andere dat verloren kon gaan als het lichaam werd verplaatst. Hoewel Grace betwijfelde of er na enkele dagen in het water nog veel vezels of haren op het lichaam gevonden zouden worden, stond hij er steeds weer van te kijken hoeveel details een goede forensisch patholoog kon vinden die rechercheurs met haviksogen en getrainde leden van het zoekteam waren ontgaan.

Hij staarde naar binnen door het open raam aan de bestuurderskant. Preece' magere, scherpe gelaatstrekken van de foto waren onveranderd, maar zijn huid had nu een spookachtige, bijna doorschijnende glans. Er was in ieder geval zo te zien niet aan hem geknabbeld door aaseters. Preece droeg een wit, met modder besmeurd T-shirt en een zwarte spijkerbroek, maar geen schoenen. Vreemd om met blote voeten te rijden, dacht Grace, en hij herinnerde zich de gymschoenen die in de logeerkamer van het huis van zijn zus waren gevonden. Was Preece zo halsoverkop vertrokken dat hij ze had laten liggen?

Het was een onwaardig einde aan een kort, droevig en vergooid leven, vond hij. Maar in ieder geval was Preece gered van de schelpdieren. Of misschien was het, als je naging wat voor menselijk tuig dit was, wel andersom.

54

Grace belde het coördinatiecentrum om te melden dat de zoektocht naar Ewan Preece en de Ford Transit kon worden gestaakt en dat ze zich in plaats daarvan moesten concentreren op de naaste buren van Preece' zus, om te kijken of iemand iets had gezien of gehoord in de nacht van maandag 26 april of de vroege ochtend van dinsdag de 27e. Hij vroeg zich ook af of de zus van de overledene misschien zodanig geschokt zou zijn dat ze de waarheid zou vertellen over wat er die nacht was gebeurd, áls ze dat al wist.

Een uur later voltooide Grace een zorgvuldige inspectie van de onmiddellijke omgeving. Hij was speciaal op zoek naar bewakingscamera's die op de toegangswegen naar deze kade gericht waren, maar zonder succes. Hij had het ijskoud en nam dankbaar een beker koffie aan bij de truck van de bergingseenheid, waarin een tafel en stoelen stonden.

Hij ging het trapje op, gevolgd door Branson, en allebei wreven ze hun handen weer een beetje warm. Een van de politieassistenten was naar een supermarkt in de buurt gestuurd om broodjes te halen. Even later kregen ze gezelschap van de lange Philip Keay, de hulpofficier van justitie, en Tracy Stocker, die aankondigde dat Nadiuska De Sancha had doorgebeld dat ze er over een paar minuten zou zijn. Twee leden van de bergingseenheid, een van hen een potige man die door zijn collega's 'Juice' werd genoemd en de ander, met een tenger postuur en blond haar, die de bijnaam WAFI droeg, wat stond voor *Water Assisted Fucking Idiot*, schoven op om ruimte te maken.

Grace probeerde Cleo te bellen, maar zowel haar mobiele telefoon als de telefoon van het mortuarium schakelde door naar de voicemail. Hij werd meteen ongerust. Stel dat ze daar alleen was en was gevallen? Meestal waren er als er geen secties werden verricht maar drie mensen aanwezig: Cleo, Darren en Walter. Als Darren en Walter op pad waren gegaan om een lichaam op te halen, kon ze alleen zijn achtergebleven. Als haar iets overkwam, dan kon ze daar een paar uur liggen voordat iemand haar vond.

In het verleden had hij zich vaak zorgen gemaakt omdat ze daar wel eens alleen was, maar nu voelde hij dat nog scherper. Hij belde naar haar huis, maar daar werd ook niet opgenomen. Hij overwoog naar het mortuarium te rijden om te kijken of alles goed was, toen hij ineens tot zijn verbazing haar stem hoorde.

'Hé! Noem je dat werken?' riep ze grappend, staand bij de deur van de truck.

Grace stond op. Er waren niet veel mensen die er in een blauwe papieren overall konden uitzien alsof ze designerkleding droegen, dacht hij, maar Cleo wel. Met de broekspijpen in haar laarzen gestopt, haar haar in een knot en haar bolle buik zag ze eruit als iemand die net met een ruimteschip was aangekomen van een planeet waar iedereen veel mooier was dan hier op aarde. Een nieuwe wereld waarvan hij nog steeds niet helemaal kon geloven dat hij er nu deel van uitmaakte. Zijn hart maakte een sprongetje van blijdschap, zoals elke keer gebeurde als hij haar zag.

Juice en WAFI floten allebei als bouwvakkers naar haar.

Nu ze weer wat meer kleur in haar gezicht had, zag Cleo er stralender uit dan ooit, dacht hij terwijl hij het trapje af ging en haar begroette met een kus op de wang.

'Wat doe jij hier?' vroeg hij. Hij wilde haar het liefst omhelzen, maar niet in het bijzijn van een stelletje cynische collega's die hem bij elke gelegenheid pestten.

'Nou, ik vermoedde dat de musical wel niet zou doorgaan, dus besloot ik in plaats daarvan maar eens naar zee te gaan. Ik hoor dat je een heel interessant zeeschepsel hebt gevonden.'

Hij grijnsde. 'Je hebt een strikt tilverbod van de dokter gekregen, oké?'

Ze gaf een ruk met haar hoofd en wees. 'Dat zit wel goed. Ik neem die heftruck wel!' Toen glimlachte ze. 'Maak je geen zorgen, ik heb Darren bij me. Walter is ziek.'

Er klonk een stem uit Grace' portofoon. Het was de bewaker bij de ingang. 'Meneer, er is hier iemand voor u. Hij zegt dat u hem verwacht. Kevin Spinella.'

Grace verwachtte hem inderdaad, net zoals je kon verwachten dat er vliegen om een ontbindend kadaver heen zoemden. Hij liep de hoek om naar het politielint. Spinella stond daar, klein en slank, met de kraag van zijn beige regenjas opgezet als een cliché filmspeurneus, kauwgom kauwend met zijn rattentanden, en zijn haar zo vol gel dat de wind het niet in beweging kreeg.

'Goedemorgen, inspecteur!' zei hij.

Grace tikte op zijn horloge. 'Het is al middag.' Hij keek de verslaggever verwijtend aan. 'Niks voor jou om achter te lopen.'

'Ha ha,' zei Spinella.

Grace keek hem vragend aan, maar zei niets.
'Ik hoor dat jullie een lijk in een busje hebben gevonden,' zei de verslaggever.
'Waar bleef je zo lang?' zei Grace. 'Ik ben hier al uren.'
Spinella keek verward. 'Ja, dat zal wel. Nou, wat kunt u me erover vertellen?'
'Waarschijnlijk niet zo veel als jij *mij* kunt vertellen,' kaatste hij terug.
'Het zal Ewan Preece toch niet zijn?'
Was dat een gefundeerde schatting, vroeg Grace zich af, of had iemand van het team hier Spinella gebeld?
'Er is een lichaam in een bestelwagen gevonden, maar het slachtoffer is nog niet geïdentificeerd,' antwoordde Grace.
'Kan het dat busje zijn dat jullie zochten?'
Hij zag Nadiuska De Sancha naar hen toe lopen. Ze droeg een overall en witte laarzen en had haar grote zwarte tas bij zich.
'Het is nog te vroeg om dat te zeggen.'
Spinella maakte een aantekening in zijn notitieblokje.
'Het ongeluk is tien dagen geleden gebeurd. Hebt u het gevoel dat u vooruitgang boekt met uw zoektocht naar de bestelwagen en de bestuurder daarvan, inspecteur?'
'We zijn heel blij met het aantal reacties van het publiek,' loog Grace. 'Maar we willen graag een beroep doen op iedereen in de omgeving van Southwick die tussen zes uur 's avonds op maandag 26 april en acht uur 's morgens op dinsdag 27 april een wit busje heeft gezien. Ze kunnen contact met ons opnemen op het telefoonnummer van onze centrale, of anoniem via *Crimestoppers*. Wil je de nummers?'
'Die heb ik,' antwoordde Spinella.
'Dat is alles wat ik nu heb,' zei Grace, die zwijgend naar de patholoog knikte en gebaarde dat hij zo bij haar kwam.
'Misschien wilt u zo vriendelijk zijn het me te laten weten wanneer het lichaam is geïdentificeerd en is bevestigd wat voor busje het is?'
'Heel grappig.'
Nadiuska tekende het logboek van de bewaker en dook onder het lint door, dat Grace voor haar omhooghield.
'Patholoog van het hoofdkantoor?' vroeg Spinella. 'Het lijkt erop dat jullie hier mogelijk met een moordonderzoek bezig zijn.'
Grace draaide zich om en keek hem aan. 'Weer eens wat anders, hè, om de laatste te zijn die iets weet.'
Hij draaide zich met veel voldoening om en begeleidde Nadiuska De Sancha naar de kade en vervolgens naar rechts, uit het zicht van de verslaggever. Toen,

wetend dat ze het liefst in alle rust werkte en in haar eigen tempo, liet hij de patholoog alleen en ging met Cleo en de rest van het team in de warme truck zitten wachten.

Een halfuur later kwam Nadiuska De Sancha het trapje op en zei: 'Roy, ik moet je iets laten zien.'

Grace wurmde zich in zijn anorak en volgde haar naar buiten, naar het witte busje. De patholoog bleef bij het geopende bestuurdersportier staan.

'Ik denk dat we een ongeval kunnen uitsluiten, Roy, en ik ben er vrij zeker van dat we zelfmoord ook kunnen uitsluiten,' rapporteerde ze.

Hij keek haar vragend aan.

Ze wees naar een klein, kokervormig voorwerp dat Grace nog niet was opgevallen, met een clip aan de zonneklep van de bestuurder bevestigd. 'Zie je dat? Dat is een digitale onderwatercamera met een zender. En hij is ingeschakeld, al is de batterij nu leeg.'

Grace fronste zijn voorhoofd, geërgerd omdat hij het ding niet had opgemerkt. Hoe had hij dat nu over het hoofd kunnen zien? De camera was ongeveer tweeënhalve centimeter dik en zevenenhalf lang, met een donkerblauwe metalen behuizing en een bolle lens. Waarvoor hing die daar? Had Preece zichzelf gefilmd?

Ze onderbrak zijn gedachten door naar de handen van de man te wijzen en hem verbijsterd aan te kijken. 'Een doodsgreep wordt veroorzaakt door rigor mortis, toch?'

Grace knikte.

Ze stak haar in blauw latex gestoken hand uit en tilde een van Preece' vlezige, spierwitte vingers op. De huid van zijn vingertop bleef achter op het stuur. Het leek wel een blaar met tentakels eraan.

'Ik zal nog wat testen moeten doen in het lab om het te bevestigen, maar er zit hier een soort lijm. Het lijkt er als je het mij vraagt op dat de handen van die arme man met secondelijm aan het stuur geplakt zitten.'

55

Tooth zat aan het bureau op zijn kamer in de Premier Inn en dronk een mok koffie, terwijl hij op zijn laptop de video van Ewan Preece' laatste paar minuten bewerkte. De rookdetector tegen het plafond was nog steeds afgeplakt, en een pakje sigaretten en een plastic aansteker lagen naast het schoteltje dat dienstdeed als asbak.

Hij had drie camera's gebruikt: die om zijn pols, de camera die hij binnen in de bestelwagen had opgehangen en nog een die hij op de rand van een container had gezet. De film bevond zich in een ruw stadium en moest nog bewerkt worden. Hij begon met een afstandsshot van de buitenkant van de wagen bij nacht, aan de rand van de kade. Rechts ervan was een bolder te zien. Volgens het tijd- en datumstempel in de rechter bovenhoek van het frame was het twee uur 's nachts op dinsdag 27 april. Preece was te zien achter het stuur, kennelijk bewusteloos en met klustape over zijn mond.

Vervolgens verscheen er een shot van het interieur van de wagen. Een groothoekshot van Preece, in zijn stoel gegespt en gekleed in een smoezelig wit T-shirt. Hij deed zijn ogen open alsof hij wakker werd uit zijn slaap, schijnbaar verward en gedesoriënteerd. Toen keek hij naar zijn handen, die op het stuur lagen, en was duidelijk verbaasd omdat hij ze niet kon bewegen.

Hij begon te kronkelen, te proberen zijn handen te bevrijden. Zijn ogen puilden angstig uit toen hij begon te beseffen dat er iets niet klopte. Een hand verscheen in beeld en trok de klustape van zijn mond. Preece gaf een gil van pijn, draaide zijn hoofd naar het portier toe en sprak tegen iemand buiten beeld. Hij klonk brutaal, maar ook angstig.

'Wie ben jij? Wat doe je? Wat doe je, verdomme?'

Het portier werd dichtgeslagen.

De camerahoek ging naar een shot van buitenaf. De hele bestuurderskant van de bestelwagen was te zien, en een klein stukje erachter. Een gestalte in een sweater met capuchon, zijn gezicht onherkenbaar, reed op een vorkheftruck naar de achterkant van de bestelwagen, ramde hem een stukje naar voren en begon hem toen gestaag naar de rand van de kade te duwen.

De bus schoot plotseling naar voren toen de voorwielen over de rand gingen en de onderkant van het chassis met een metalig, knarsend geluid op de stenen belandde.

De film ging terug naar het interieur van de wagen. Ewan Preece zat met grote, uitpuilende ogen te schreeuwen: 'Nee, nee! Wat wil je? Zeg dan wat je wilt! Alsjeblieft! Klootzak, zeg het dan!' Toen klapte hij naar voren, werd tegengehouden door de veiligheidsgordel, en zijn mond ging open in een langgerekte, stille schreeuw, alsof hij in zijn doodsangst geen woord meer kon uitbrengen.

De film ging weer terug naar buiten. De heftruck gaf nog een laatste duw, de achterkant van de bus ging over de rand van de kade en verdween uit het zicht. Er klonk een plons.

Nu verscheen er een nieuw beeld van buitenaf. De bus dreef deinend op de golven, een stukje bij de kade vandaan. Hij dook duidelijk met de voorkant omlaag en zonk langzaam maar zeker, terwijl er luchtbellen omheen opstegen.

De film schakelde terug naar de camera binnen in de wagen. Preece' gezicht was een masker van doodsangst. Hij probeerde uit alle macht zijn handen te bevrijden; hij bewoog zich heftig naar voren en naar achteren in de veiligheidsgordel en draaide met zijn armen en schouders, met een vertrokken mond en jammerend van afgrijzen. 'Alsjeblieft... Alsjeblieft... Alsjeblieft... Help me! Help me! Laat iemand me helpen!'

Er volgde een lang shot van buitenaf, waarbij de bestelwagen haaks op de kade draaide. Preece was door het open raam te zien, kronkelend als een slangenmens, terwijl de neus dieper zonk en de hele bus naar voren begon te duikelen naarmate er meer water door de open ramen naar binnen stroomde.

De camera ging terug naar het interieur. Er klonk een luid, dof brullend geluid. Donker water met witte, schuimende luchtbellen stroomde naar binnen. Het waterpeil rees snel, over steeds meer van Preece' schokkende borst. Hij wiegde naar achteren en naar voren, met scherpe, wanhopige rukken in een poging zichzelf te bevrijden, en hij jammerde nu aaneengesloten: 'Nee... Nee... Nee... Nee...'

Het water kwam voorbij zijn nek, tot net onder zijn kin, tot de onderkant van zijn oorringetje, en het steeg snel. Binnen enkele seconden kwam het boven zijn kin uit. Hij kreeg wat in zijn mond en spuugde het uit. Toen verdween zijn mond onder water. In wanhoop gooide hij zijn hoofd in zijn nek en kwam zijn kin weer boven water uit. Hij smeekte deerniswekkend: 'Help me, alsjeblieft. Laat iemand me helpen.'

Het water steeg onhoudbaar langs zijn ontblote hals en weer over zijn kin. Hij schudde zijn hoofd heen en weer.

Tooth nam een slok koffie, stak nog een sigaret op en keek onbewogen toe. Hij luisterde naar de ademhaling van de man; diepe, hikkende ademteugen alsof hij uit alle macht probeerde lucht te tanken.

Toen bereikte het water het dak van de bus. Preece' hoofd schokte, zijn ogen waren nog steeds wijd open. Het beeld werd nu heel wazig. Een stroom luchtbellen steeg op uit zijn mond. Het geschok vertraagde en stopte en zijn hoofd bewoog nu rustiger, wiegend in de stroming.

Het laatste shot in de reeks was weer van buitenaf genomen. De achterkant van de bestelwagen was nog even te zien, met de portieren open, en vervolgens verdween hij onder het klotsende, inktzwarte water. Er kwamen nog een paar luchtbellen omhoog en toen sloten de golven zich eroverheen, als gordijnen.

56

De autopsieruimte in het stadsmortuarium van Brighton & Hove was onlangs uitgebreid en twee keer zo groot gemaakt. De verbouwing was nodig geweest, zodat er meer lichamen tegelijkertijd konden worden voorbereid op sectie en om de bestaande koelcellen te vervangen door een nieuwe, bredere generatie die berekend was op de trend van toenemende zwaarlijvigheid in de samenleving.

Roy Grace had de vorige ruimte altijd claustrofobisch gevonden, vooral als alle mensen aanwezig waren die verplicht waren een sectie van de patholoog-anatoom bij te wonen. Nu was er in ieder geval meer ruimte voor hen. Maar desondanks gaf deze plek met zijn betegelde muren en schelle, kille verlichting hem nog evenzeer de rillingen als vroeger.

Op de politieacademie, tijdens zijn rechercheurstraining, had een van de instructeurs de morele code van de FBI over moordonderzoeken voorgelezen, geschreven door de eerste directeur ervan, J. Edgar Hoover:

Er wordt een agent nooit een grotere eer toebedeeld, of een zwaardere plicht opgelegd, dan wanneer hem het onderzoek naar de dood van een ander mens wordt toevertrouwd.

Grace had die woorden altijd onthouden, en de last die als hoogste onderzoeksrechercheur bij elke zaak op zijn schouders rustte. Maar tegelijk met dat gewicht van verantwoordelijkheid voelde hij ook andere emoties in deze ruimte. Altijd een beetje bedroefdheid om het verlies van een leven; zelfs het leven van een stuk tuig als Ewan Preece. Wie weet wat voor persoon Preece had kunnen zijn onder andere omstandigheden, als het leven hem minder slechte kaarten had toebedeeld?

Ondanks zijn verantwoordelijkheidsgevoel voelde Grace zich hier af en toe ook een indringer. Een lijk, opengesneden en blootgelegd in deze kamer, vertegenwoordigde het ultieme verlies van privacy. Maar noch de doden, noch hun naasten hadden er iets over te zeggen. Als je onder verdachte omstandigheden overleed, dan eiste de patholoog-anatoom een autopsie.

Op dit moment bood Ewan Preece een surrealistische aanblik, liggend op zijn rug in zijn spijkerbroek en T-shirt op de roestvrijstalen sectietafel, met zijn handen nog om het zwarte stuur, dat Nadiuska De Sancha had laten demonteren uit het voertuig en met hem mee had laten komen naar het mortuarium. Hij zag er in de dood uit alsof hij een spookvoertuig bestuurde.

Op een sectietafel aan de andere kant van de boogpoort lagen de bloedige organen van een ander lijk. Een student kreeg daar onderricht van een van de consulterende pathologen van Brighton, en Grace' maag kwam zoals altijd in opstand door de stank van ontsmettingsmiddel, bloed en ontbindende menselijke ingewanden. Hij keek ernaar, naar de hersens, de lever, het hart en de nieren die daar lagen, en naar de elektronische weegschaal op een plank erachter. Daarnaast, op een andere tafel, lag de dode waaruit ze waren verwijderd; een wasbleke oude vrouw met haar mond open en haar middenrif opengelegd. Het gele vetweefsel aan de binnenzijde wees omhoog, en haar borstbeen was over haar pubis geklapt alsof de patholoog had geprobeerd haar zedigheid te bewaren.

Grace rilde en zette een paar passen naar Preece toe, waarbij zijn groene hemd ruiste. Nadiuska plukte voorzichtig aan de huid van een van de vingers met een pincet. James Gartrell, de politiefotograaf, werkte zich nauwgezet om het lichaam heen. Glenn Branson stond in een hoek en sprak onopvallend in zijn telefoon. Met Ari misschien, vroeg Grace zich af. Of zijn advocaat? De hulpofficier van justitie, Philip Keay, stond verderop in een groen hemd, zijn blauwe masker hing aan de koordjes onder zijn kin en hij dicteerde met een ongeruste frons opmerkingen in een apparaatje.

Cleo en haar assistent Darren stonden erbij, klaar om de patholoog te assisteren, maar op het ogenblik hoefden ze niets anders te doen dan toekijken. Af en toe keek Cleo in Grace' richting en glimlachte dan heimelijk.

De inspecteur dacht koortsachtig na. Preece' handen die aan het stuur waren vastgelijmd bevestigden, wat hem betrof boven alle twijfel verheven, dat de man was vermoord. En de aanwezigheid van die camera in de auto zat hem danig dwars. Was hij daar opgehangen door de moordenaar? Een of andere sadistische premiejager, een compagnon van Preece die had geweten waar hij zich verstopte?

Of zat hier een nog duisterder aspect aan? De connectie met de maffia bleef door zijn hoofd spelen. Kon dit een wrede vergeldingsactie zijn?

Het lichaam was nog niet formeel geïdentificeerd. Dat zou later worden gedaan door de moeder of zus van het slachtoffer. Nadiuska zei dat ze de lijm kon oplossen met aceton, zodat Grace' team vingerafdrukken kon nemen om zijn identiteit te bevestigen, en als back-up zouden ze nog een DNA-monster kunnen nemen. Maar de Ford-gevangenis had zijn identiteit al vrij overtuigend bevestigd aan de hand van zijn tatoeages en het litteken in zijn gezicht.

Omdat Kevin Spinella van de *Argus* en de rest van de pers verre van de plaats delict waren gehouden, wisten alleen het team op de kade en de mensen hier in het mortuarium dat de handen van het slachtoffer aan het stuur waren vastgelijmd. Grace was ook van plan dat nog even stil te houden. Als die informatie in de komende paar uur bij de pers terechtkwam, zou hij weten waar hij naar het lek moest zoeken.

Hij stapte de autopsieruimte uit en belde naar Coördinatiecentrum 1, om Norman Potting te vragen een groep binnen het rechercheteam samen te stellen die alles zou uitzoeken over de camera, vooral waar zo'n apparaat in of rondom Brighton te koop was en eventuele recente aankopen van zo'n ding.

Vervolgens belde hij naar rechercheur Pat Lanigan, hun tussenpersoon voor de familie Revere in Amerika, om te vragen of de ouders van de overleden jongen in zijn ervaring mensen waren die zo gegriefd konden zijn dat ze een vergeldingsmoord zouden laten plegen.

Lanigan liet hem weten dat ze het geld, de macht en de connecties ervoor hadden, en dat er bij dit soort mensen een heel ander stel regels gold. Hij zei dat hij zou kijken wat hij kon achterhalen. Soms als er opdracht werd gegeven voor een huurmoord, kwam hun daar wel iets over ter ore. Hij beloofde Grace terug te bellen zodra hij iets ontdekte.

Grace hing met een zwaar gemoed op. Ineens besefte hij dat hij hoopte dat de moordenaar van Preece gewoon een plaatselijke opportunist was. Het idee van een door de maffia gesteunde moord in het hart van Brighton zou niemand lekker zitten; niet de gemeenteraad, niet de toeristenbranche, niet zijn baas, en hem zelf ook niet.

Hij ging op een bank in het kleine voorkantoor van het mortuarium zitten, schonk een kop aangebrande koffie in uit de pot op de warmhoudplaat en voelde een plotselinge, grimmige vastberadenheid. Lanigan had gezegd dat er 'een heel ander stel regels gold'.

Nou, niet in zíjn geliefde stad.

57

'Het is halfnegen op zaterdag 1 mei,' zei Roy Grace tegen zijn team in Coördinatiecentrum 1. 'Dit is de achttiende briefing van Operatie Viool. Het eerste wat ik te melden heb, is de positieve identificatie van Ewan Preece.'

'Jammer dat we zo'n rechtschapen lid van de samenleving van Brighton kwijt zijn, chef,' zei Norman Potting. 'Van mij had hij nog wel even mogen blijven plakken.'

Er werd hier en daar gelachen. Grace keek hem misprijzend aan.

'Dank je, Norman. Zullen we de grappen even achterwege laten? We hebben een paar serieuze zaken te bespreken.'

Bella Moy rammelde met haar doosje Maltesers, haalde er eentje uit, stopte het in haar mond en beet het snoepje krakend doormidden.

Grace keek weer naar zijn aantekeningen. 'Het zal nog een paar dagen duren voordat we de uitslag krijgen van het toxicologisch onderzoek, maar ik heb belangwekkende bevindingen van de autopsie. De eerste is dat er aan de zijkant van Preece' nek een blauwe plek zat, ongeveer net zoals bij zijn zus Evie, die beweert niets meer te weten nadat ze op maandagavond naar buiten stapte om haar kat eruit te laten. Volgens Nadiuska De Sancha is dit consistent met een klap uit de vechtsport, met de zijkant van de hand, waarmee je iemand meteen bewusteloos slaat. Zo is Preece misschien door zijn aanvaller overmeesterd.'

Grace keek weer omlaag. 'Het zeewater in Preece' longen wijst erop dat hij nog leefde toen hij in het water belandde en dat de doodsoorzaak verdrinking is. Het feit dat zijn handen aan het stuur waren gelijmd, maakt zelfmoord zeer onwaarschijnlijk. Heeft iemand daar een ander idee over?'

'Als hij bewusteloos was,' zei Nick Nicholl, 'hoe is de wagen dan in het water beland? Het zal lastig zijn geweest om hem fysiek in het water te duwen, want zodra de voorwielen over de rand van de kade gaan, loopt meteen de bodem van het chassis vast. Was daar niet nogal wat snelheid voor nodig?'

'Dat is een goed punt,' zei Grace. 'De mensen bij Dudman, de eigenaren van dat deel van de haven, zeggen dat hun heftruck was verplaatst. Die kan zijn gebruikt om de wagen in het water te duwen.'

'Had de moordenaar daar dan geen contactsleutel voor nodig?' vroeg Bella Moy.

'Ik heb gehoord dat dat merk heftruck een universele sleutel heeft,' antwoordde Grace. 'Eén sleutel die op alle heftrucks in Engeland past. En iedereen met een beetje basiskennis had hem kunnen starten met een schroevendraaier.'

'Is de lijmsoort al vastgesteld?' vroeg rechercheur Duncan Crocker.

'De lijm is naar het lab gestuurd voor analyse. Die informatie hebben we nog niet.'

'Lag er geen lijmtube op de vloer van het voertuig?' vroeg Crocker.

'Nee,' antwoordde Grace. 'De bergingseenheid heeft uitgebreid gezocht in de omgeving van de bestelwagen, maar tot nu toe hebben ze niets gevonden. Je ziet daarbeneden geen hand voor ogen, en dat helpt ook niet bepaald. Ze blijven vandaag zoeken en de kade afspeuren. Maar mijn gevoel zegt dat ze niets nuttigs zullen vinden.'

'Waarom denk je dat, chef?' vroeg Glenn Branson.

'Omdat ik vind dat dit riekt naar het werk van een beroeps. Het heeft alle kenmerken,' antwoordde Grace. Toen keek hij de kamer rond. 'Ik was van het begin af aan niet blij met die beloning van honderdduizend dollar. Die werd niet zoals gebruikelijk uitgeloofd voor informatie die zou leiden tot een arrestatie en veroordeling, maar alleen voor de identiteit van de bestuurder. Ik denk dat we hier misschien te maken hebben met een afrekening uit de onderwereld.'

'Verandert dat iets aan ons onderzoek?' vroeg Emma-Jane Boutwood.

'In de jaren dertig kreeg deze stad de titel van moordhoofdstad van Europa,' zei Grace. 'Ik ben niet van plan de indruk te wekken dat je hierheen kunt komen, iemand kunt vermoorden voor een beloning en dan ongestraft weer weg kunt komen. En dat is waar we misschien nu mee te maken hebben.'

'Als het een professionele huurmoord in opdracht van de maffia is,' zei Nick Nicholl, 'dan kan de dader alweer terug zijn in Amerika. Of waar hij dan ook vandaan is gekomen.'

'Evie Preece heeft geen tussendeur vanuit haar huis naar de garage,' zei Grace. 'Als de dader Preece bewusteloos heeft geslagen, dan heeft hij hem buitenom naar de garage moeten dragen; in een straat in een dichtbevolkte buurt. Eenmaal in de haven van Shoreham heeft hij hem in de bus moeten achterlaten terwijl hij de poort opende. Daarna moest hij zijn handen aan het stuur vastlijmen, de heftruck starten en daarmee de bestelwagen in het water duwen. Oké, het is speculatie, maar Evie Preece heeft een heleboel buren. Bovendien staan er ook huizen bij de haven. Het is mogelijk dat Preece' moordenaar geluk heeft gehad en dat niemand iets heeft gezien, maar ik wil nog een keer alle huizen in haar straat en in de omgeving van de haven langs. Iemand liet misschien op dat moment de hond uit of zo. Er móét een getuige zijn, en die moeten we vinden.'

Hij keek weer naar zijn aantekeningen en wendde zich tot rechercheur Howes. 'David, heb jij iets te melden vanuit Ford?'

'Tot nu toe niet, chef,' antwoordde hij. 'Het is de gebruikelijke gevangenissituatie, en iedereen dekt elkaar. Niemand heeft iets gezien. Ze werken er nog aan, beluisteren alle telefoongesprekken die rond het betreffende tijdstip zijn opgenomen, maar dat kan nog een paar dagen duren.'

Grace wendde zich vervolgens tot rechercheur Boutwood en rechercheur Nicholl, die hij had gevraagd de camera na te trekken die in het busje was gevonden.

'Hebben jullie iets te melden?'

E-J schudde haar hoofd. 'Tot nu toe niet. De camera is een Canon, die hier en in Amerika in veel winkels te koop is. Hij kost ongeveer duizend pond. Er zijn zeventien winkels in Brighton en talloze online winkels die hem verkopen, waaronder Amazon. In de VS zijn er duizenden winkels, en Radio Shack, een landelijke keten, is een van de grootste aanbieders.'

'Geweldig. Dus we zoeken een speld in een hooiberg, bedoel je?'

'Daar komt het wel op neer.'

'Oké,' antwoordde Grace, die haar in de ogen keek. 'Dat is een van de dingen waar we goed in zijn. Spelden vinden in hooibergen.'

'We doen ons best, chef!'

Hij maakte nog een aantekening en bleef toen even zwijgend zitten nadenken. Hij kon er de vinger niet op leggen, maar hij had een naar voorgevoel. Zijn speurneus, noemden ze dat vroeger. Buikgevoel. Intuïtie.

Wat dan ook.

Dat etterbakje van een Kevin Spinella drong aan op een nieuwe persconferentie. Maar daar was Grace nog niet klaar voor, en dus wilde hij tijd rekken. Het enige wat de verslaggever in dit stadium wist – behalve als hij inmiddels weer van zijn interne bron had gehoord – was dat er een dode in een bestelwagen was gevonden in de haven van Shoreham. Het feit dat dat verhaal slechts een kort artikeltje had opgeleverd in de krant van vandaag, zowel in de gedrukte als in de online versie, wees erop dat de verslaggever in ieder geval tot nu toe verder in het duister tastte.

En dat was mooi.

Behalve dan, dacht Grace, dat hij zelf ook in het duister tastte. En dat was helemaal niet mooi.

58

Tooth zat ook in het duister. En dat was precies waar hij wilde zijn. Helemaal in het zwart gekleed, met een zwarte honkbalpet diep over zijn ogen getrokken, wist hij dat hij buiten bijna onzichtbaar zou zijn.

Dinsdagavond, 11:23 uur. Het was droog en de autoweg was donker en druk. Alleen maar achterlichten, koplampen en af en toe een knipperende richtingaanwijzer. Onder het rijden dacht hij na over zijn volgende stappen, eventuele alternatieven, best- en worstcasescenario's.

Eindelijk reed de vrachtwagen die hij al vanaf Aberdeen volgde de afrit naar een pompstation af. De chauffeur had bijna vijf uur aan één stuk door gereden sinds hij was gestopt voor een pauze langs de A74M even ten zuiden van Lockerbie, en Tooth moest plassen. De drang was zo groot geworden dat hij bijna de uitvouwbare fles had gepakt die hij voor dat doel in de auto had liggen. Dezelfde soort fles die hij vroeger altijd meenam naar vijandelijk gebied, zodat hij geen sporen achterliet die de vijand kon volgen.

Hij volgde de achterlichten van de truck over de afrit en een lichte helling op. Ze reden langs borden met symbolen voor brandstof, eten, accommodatie en de vrachtwagenparkeerplaats.

Gelukkig, alsof hij gehoor gaf aan de stille wens van Tooth, stuurde de chauffeur de koelwagen met aanhanger langs rijen geparkeerde wagens en zette hem op een plek een stukje voorbij de laatste truck, op een extra donker deel van de parkeerplaats.

Tooth schakelde zijn koplampen uit. Een paar kilometer eerder had hij de interieurverlichting van de Toyota al uitgezet. Hij stopte, sprong uit de auto en rende ineengedoken en onzichtbaar naar de vrachtwagen. Er waren geen tekenen van leven om hem heen. Hij zag geen bewakingscamera's in dit gedeelte. Bij de vrachtwagen die het dichtst bij die van zijn doelwit stond, waren de gordijntjes dicht. De chauffeur lag te slapen, televisie te kijken of had seks met een snelweghoer. Ondanks zijn wanhopige drang om te plassen hield Tooth het op, wachtte af en keek toe.

In de cabine van zijn vierentwintigtons Renault-koelwagen reikte Stuart Ferguson naar de handrem, maar bedacht toen dat die op een andere plek zat dan in de Volvo waar hij normaal in reed. Die wagen stond nog in een depot van de politie van Sussex, waar hij schijnbaar zou blijven staan totdat het onderzoek naar de jongeman die onder de wielen van dat voertuig dodelijk was verongelukt – alweer twee weken geleden – voltooid was.

Hij zette de motor af, schakelde de koplampen uit, en de stem van Stevie Wonder uit de cd-speler viel ook stil.

Stuart was nog steeds ernstig van slag en had nachtmerries. De afgelopen twee weken was hij meerdere keren voorzichtig gewekt door zijn lieve Jessie, en dan zei ze dat hij had gehuild en geschreeuwd. Hij bleef dat arme joch maar over de weg naar hem toe zien rollen, recht op hem af, nog met zijn handen om het stuur van zijn fiets geklemd. En dat afgerukte been dat hij in zijn achteruitkijkspiegel had gezien, dat een paar meter achter de wagen lag toen hij was gestopt.

Daarnaast had hij zich druk gemaakt dat dit wel eens het einde kon zijn van zijn loopbaan als chauffeur. Omdat hij over de toegestane uren heen was gegaan, hing het dreigement van doodslag door roekeloos rijden boven zijn hoofd, en het was een opluchting geweest te horen dat de politie hem alleen wilde vervolgen voor de betrekkelijk lichte en eenvoudige overschrijding van zijn uren. Ondanks het ongeluk hield hij van zijn werk. Daarnaast kleedde zijn ex-vrouw Maddie hem financieel bijna uit, dus moest hij behoorlijk verdienen, alleen al voor haar alimentatie en om te zorgen dat de kinderen alles kregen wat ze nodig hadden.

Maar in ieder geval voelde het wel goed om weer achter het stuur te zitten. Eigenlijk voelde het zelfs veel beter dan hij had verwacht. Hij had afgelopen dinsdag zijn vaste rit naar Sussex gemist omdat het bedrijf geen extra wagen ter beschikking had en zijn baas hem die week vrij had gegeven. In feite stond het bedrijf echt achter hem, al met al, ondanks die naderende aanklacht. Te lang doorrijden was niet iets wat ze ooit officieel konden goedkeuren, maar iedereen wist dat het gebeurde. Ze zaten in een recessie, en iedereen had klandizie nodig.

Als er al een zonnestraal door de donkere wolken van afgrijzen brak, dan was het hoe ontzettend liefdevol Jessie, vier maanden zwanger van hun kind, met hem omging. Hij had alweer een mooie kant van haar ontdekt. Meer dan ooit verlangde hij ernaar zijn lading van bevroren vis en zeevruchten te lossen en naar haar terug te gaan. Als er niets tegenzat, kon hij in de vroege uurtjes van donderdagochtend bij haar in bed stappen en zijn armen om haar warme, blote lichaam slaan. Hij keek daar ontzettend naar uit en kwam in de verleiding om haar vanavond nog een keer te bellen, maar het was al halftwaalf. Te laat.

Op dit moment verheugde hij zich ook op een kop sterke koffie en iets zoets. Een donut of puddingbroodje zou er wel in gaan, en een chocoladereep, om hem energie te geven voor het laatste stuk naar Sussex. Een paar kilometer ten noorden van Brighton zou hij dan een parkeerplaats opzoeken en een paar uur gaan pitten.

Hij zette zijn voet op de treeplank, sloot het portier en deed het op slot. Toen zijn rechtervoet het asfalt raakte, kreeg hij een klap tegen zijn nek en werd zijn hoofd gevuld met verblindend witte strepen, gevolgd door een regen van elektrische vonken. Net een psychedelische lichtshow, dacht hij in de fractie van een seconde voor hij het bewustzijn verloor.

Tooth knielde neer met het slappe lichaam van de kleine, potige man in zijn armen en keek om zich heen. Hij hoorde het geraas van verkeer op de snelweg een stukje verderop. Het gerammel van een dieselmotor die werd gestart. Klanken van muziek, heel zacht, uit een geparkeerde vrachtwagen ergens in de buurt.

Hij sleepte de man het korte stukje naar zijn auto, waarbij de zware werkschoenen van de vrachtwagenchauffeur lawaaiig over het asfalt schraapten, maar Tooth was ervan overtuigd dat er niemand in de buurt was die het zou horen. Hij manoeuvreerde hem op de achterbank, sloot de portieren, reed een stukje verder over de parkeerplaats en stopte op een geheel donker gedeelte, uit de buurt van alle andere voertuigen.

Vervolgens trok hij de man zijn poloshirt uit zijn broek. Met zijn duimen tastte hij langs zijn ruggengraat en telde van bovenaf weer voorzichtig omlaag naar C4. Toen, met een beweging die hij in het leger had geleerd voor het met blote handen geruisloos uitschakelen of doden van een vijand, zwaaide hij hem de auto uit, tilde hem op en liet hem hard vallen. Hij belandde met zijn rug op Tooths knieën en er knakte iets. De plek in de rug die Tooth had gekozen zou de vrachtwagenchauffeur niet doden. Het zou er alleen voor zorgen dat hij niet kon wegrennen.

Tooth werkte hem weer de auto in en bond klustape om zijn mond en armen. Toen propte hij hem in de smalle ruimte tussen de voorstoelen en de achterbank en gooide er een dekentje overheen dat hij voor dat doel had meegenomen, gewoon voor het geval hij om wat voor reden dan ook zou worden aangehouden door de politie, en deed het portier op slot.

Hij had nog één klusje te doen, waar hij een schroevendraaier voor nodig had. Het kostte hem maar een kwartiertje. Naderhand liep hij rustig naar de cafetaria van het pompstation, trok de honkbalpet nog wat dieper over zijn ogen en zette de kraag van zijn jack rechtop toen hij de bewakingscamera zag. Hij liep er met afgewend gezicht langs toen hij naar binnen ging.

Tooth ging eindelijk naar het toilet en bestelde daarna een grote zwarte koffie en een puddingbroodje. Hij koos een tafeltje uit in een rustig gedeelte, at zijn broodje en dronk wat van de gloeiend hete koffie. Toen nam hij de beker mee naar buiten, leunde tegen de muur, stak een sigaret op en dronk nog een beetje koffie. Deze sigaret smaakte extra lekker. Hij voelde zich goed. Zijn plan verliep uitstekend, zoals zijn plannen altijd uitstekend verliepen.

Hij deed niet aan half werk.

59

Stuart Ferguson werd verward wakker. Even dacht hij dat hij thuis was bij zijn ex-vrouw Maddie. Maar de ruimte waarin hij zich bevond voelde niet vertrouwd. Jessie? Was hij bij Jessie? Wervelende duisternis overal om hem heen, een soort leegte. Zijn hoofd bonsde. Hij hoorde een geluid: een gezoem, een vaag gejank als van banden op asfalt. Zijn hoofd bewoog, trilde, wiegde een beetje, alsof hij in de ruimte zweefde.

Lag hij te slapen in zijn cabine?

Hij probeerde helder na te denken. Hij was bij het pompstation gestopt om iets te eten te halen en uit te rusten. Was hij gaan slapen in zijn cabinebed? Hij probeerde zijn hand uit te steken naar de lichtschakelaar, maar er leek niets te gebeuren, alsof hij was vergeten hoe hij zijn arm moest bewegen. Hij probeerde het nog eens. Nog steeds niets. Lag hij er soms op? Maar hij voelde eigenlijk zijn armen en benen helemaal niet, besefte hij.

Ineens werd zijn hoofd warm van paniek. Er liepen zweetdruppeltjes over zijn gezicht. Hij luisterde naar dat gezoem. Dat gejank. Hij probeerde te praten, maar merkte dat hij zijn mond niet kon bewegen.

Hij lag op zijn buik. Was hij vastgebonden? Waarom voelde hij niets? Had hij een ongeluk gehad? Werd hij naar het ziekenhuis gebracht?

Er liep nu zweet in zijn ogen. Hij knipperde, want het zout prikte. Hij had jeuk aan zijn linkerwang. Wat was er gebeurd? Shit. Hij concentreerde zich even op wat hij hoorde. Ja, hij bevond zich beslist in een rijdend voertuig. Hij was zich bewust van lichten. Koplampen. Maar hij zag niets van zijn omgeving. Alleen maar donkere vezels. De geur van stoffige vloerbedekking drong in zijn neus.

Er was iets heel erg mis. Paniek en angst tolden door zijn hoofd. Hij verlangde naar Jessie. Wilde haar armen om hem heen voelen. Haar stem horen. Hij gromde en probeerde zijn hoofd te draaien. Nu hoorde hij een klikkend geluid. Aanhoudend, elke paar seconden, *klik-klik-klik*. Het voertuig minderde vaart. Zijn angst verhevigde.

Hij dacht aan Jessie. Lieve Jessie. Hij wilde zo wanhopig graag bij haar zijn. Hij riep haar, maar er kwam geen geluid over zijn dichtgeplakte lippen.

60

David Harris, zoals gebruikelijk gehuld in zijn warme fleece, een dikke spijkerbroek, pet en rubberlaarzen, keek naar de lucht terwijl hij de ochtendinspectie van de rokerij deed. Het dichte wolkendek van eerder vanochtend scheen op te breken en er verschenen scherven glazig blauwe lucht in de openingen. Het voelde vandaag ook een beetje warmer. De lente was laat, maar misschien begon hij nu dan eindelijk.

Hij keek op zijn horloge: kwart voor acht. De chauffeur van Aberdeen Ocean Fisheries was hier doorgaans elke woensdag stipt om halfacht 's morgens. Hij was een opgewekte kleine Schot, Stuart Ferguson genaamd. De man was altijd snel en zakelijk. Hij loste zijn lading, hielp Harris en zijn personeel de goederen in de schuren te leggen, liet alles aftekenen op de paklijst, haalde een handtekening en vertrok weer. Hij leek altijd haast te hebben om weg te komen.

Vorige week was een van de weinige keren in alle jaren die Harris zich kon herinneren dat er geen levering van Aberdeen was gekomen. De week daarvoor was de vrachtwagen namelijk betrokken geraakt bij dat ongeluk dat steeds in het nieuws was. De zoon van een of andere belangrijke criminele familie uit New York was verongelukt. Ferguson was genoemd als de vrachtwagenchauffeur, en Harris had uitgerekend dat het ongeluk korte tijd nadat de chauffeur hier zijn lading had afgeleverd moest zijn gebeurd.

Hij vroeg zich af of Ferguson vandaag weer zou komen, of dat ze misschien een andere chauffeur hadden gestuurd. Hij hoopte dat Ferguson kwam, want het zou interessant zijn om van hem te horen wat er nu echt was gebeurd. Maar misschien was de man hierom wel ontslagen of geschorst. Hij keek nog eens op zijn horloge en luisterde even of hij het geluid van een naderende vrachtwagen hoorde. Maar het enige wat hij hoorde was het zachte geblaat van schapen op de Downs boven hem. Het moest een nieuwe chauffeur zijn, dacht hij, die een ander schema aanhield of misschien verdwaald was geraakt; wat niet zo moeilijk was op de smalle kronkelwegen hierheen.

Hij liep naar de helling tussen twee lage gebouwen, langs een rij geparkeerde bestelwagens, en zag toen tot zijn verbazing dat het hangslot op de deur van het eerste rookhuis, dat een van zijn personeelsleden 's avonds laat altijd dichtdeed, openhing. Hij voelde een plotseling onbehagen. De rookhuizen van baksteen en staal bevatten elk vele duizenden ponden aan vis, en tot nu toe hadden ze in de hele geschiedenis van het bedrijf nog nooit een inbraak gehad. Daarom had hij het ook nooit nodig gevonden te investeren in dure beveiligingssystemen zoals een alarminstallatie of camerasysteem. Misschien moest hij dat nu toch maar doen, dacht hij.

Hij haastte zich naar het gebouw toe, trok de deur open en stapte naar binnen. De sterke, vertrouwde walm van rook en vis waar hij zo van hield omhulde hem. In de schemerige binnenruimte zag alles er prima uit, en de vis – allemaal wilde Schotse zalm in deze rokerij – hing in dichte, opeengepakte rijen aan haken aan het plafond. Hij stond op het punt te vertrekken toen hij besloot toch een snelle controle te doen en draaide aan de hendel waarmee de rij vissen langs de dakrail werd verplaatst, zodat ze konden worden gedraaid om ze te inspecteren. Halverwege zag hij dat vier grote vissen van de haken waren gevallen en op de afvoergoot eronder lagen.

Hoe kon dat nou zijn gebeurd?

Was er gedurende de nacht een probleem geweest met deze oven? Een van de technische hoogstandjes waarin ze hadden geïnvesteerd, was een temperatuuralarm. Als de temperatuur in een van de rookovens te laag werd, of de temperatuur in een van de koude opslagruimten te hoog, dan kreeg zijn monteur Tom White een belletje op zijn mobiele telefoon en moest hij meteen komen. Had Tom iets aan deze oven moeten doen? Maar zelfs als dat zo was, Tom was een zorgvuldig man; hij zou geen vier dure zalmen op het afvoerrooster laten liggen.

Hij belde het mobiele nummer van de monteur. Tom zou op dit uur wel in zijn werkplaats achter de rokerij zijn. White nam meteen op, maar gaf niet het antwoord waar David Harris op had gehoopt. Er waren 's nachts geen problemen geweest. Geen storingsmeldingen.

Terwijl hij ophing vroeg hij zich af of er een inbraakpoging was gedaan. Haastig hing hij de zalmen weer op en controleerde daarna de andere vier ovens, maar alles was in orde. Toen liep hij naar de koude opslag en staarde met stijgende onthutsing en onbehagen naar het hangslot op de eerste schuurdeur, dat ook openhing.

Shit!

Hij beende verder en rukte de zware, verzegelde schuifdeur open, in de verwachting dat de boel leeggeroofd zou zijn. In plaats daarvan staarde hij vol ongeloof door de wolk ijskoude lucht die op hem af kwam. Alles zag er normaal uit, prima, onverstoord. Rijen gerookte zalm hingen aan haken aan de plafondrails van het gemotoriseerde katrollensysteem. Zes rijen, met onvoldoende ruimte om ertussendoor te lopen, die een bijna massieve wand vormden. Hij schoof opgelucht de deur weer dicht.

Pas veel later op de dag, toen zijn personeel begon de vis in te pakken voor de verzending naar klanten, zouden ze ontdekken wat hij in deze schuur over het hoofd had gezien.

61

'Het is halfnegen 's morgens, woensdag 5 mei,' opende Roy Grace de vergadering in Coördinatiecentrum 1. 'Dit is de zesentwintigste briefing van Operatie Viool.' *En we boeken totaal geen vooruitgang*, wilde hij eraan toevoegen, maar hij hield zich in. Je had bijna bij elk onderzoek wel van die dode momenten.

Hij was in een slecht, ongerust humeur. Zijn grootste zorg was Cleo. Ze was die ochtend toen ze uit de douche was gestapt bijna flauwgevallen. Ze had volgehouden dat het alleen maar kwam doordat het water te heet was geweest, maar hij had het liefst meteen met haar naar het ziekenhuis gewild. Ze had geweigerd en gezegd dat ze zich prima voelde, gezond als een vis; het mortuarium was onderbemand en ze moest naar haar werk.

Hij was ook ongerust over deze zaak. Dit was een volledig moordonderzoek, maar hij had het gevoel dat er een bepaalde vonk ontbrak. Hoewel zijn team grotendeels bestond uit vertrouwde, vaste medewerkers miste hij de sfeer van toewijding en concentratie die er normaal altijd hing. Hij kende de reden. Het was de verkeerde reden, maar wel heel menselijk. Het kwam doordat Ewan Preece het slachtoffer was.

Ondanks de verschrikkelijke manier waarop hij was gestorven, zou niemand bij de politie van Sussex een traan laten bij Preece' uitvaart, hoewel Grace er wel een paar agenten heen zou sturen om een oogje te houden op wie er verscheen of in de buurt rondhing.

Maar hoe onverkwikkelijk Preece ook was geweest, hij was wel vermoord. En het was niet Grace' werk om te oordelen, maar om de moordenaar te zoeken en op te sluiten. Daarvoor moest hij zorgen dat zijn team beter gemotiveerd was.

'Voordat we jullie afzonderlijke verslagen behandelen,' zei hij, 'wil ik onze onderzoekslijnen nog even samenvatten.' Hij stond op en wees naar het whiteboard, waarop in rode blokletters drie genummerde kopjes stonden. 'Ten eerste kijken we naar de mogelijkheid dat er misschien geen verband is tussen de moord op Preece en de dood van Tony Revere, duidelijk? Preece was een man die vijanden maakte. We kunnen ook te maken hebben met een drugsoorlog of verraad. Hij kan ook gewoon de verkeerde persoon hebben genaaid.'

Duncan Crocker stak zijn hand op. 'Bij die gedachtegang zit de camera me niet lekker, chef. Waarom hebben ze hem niet gewoon vermoord? Waarom zouden ze zo'n dure camera laten liggen?'

'Er lopen meer dan genoeg sadisten rond,' antwoordde Grace. 'Maar ik ben het wel met je eens over die camera. Daar komen we nog op terug. Oké, de tweede richting van het onderzoek is dat we ervan uitgaan dat Preece is vermoord door iemand die op de beloning uit is.'

'Is daarbij dan niet hetzelfde van toepassing met die camera, chef?' vroeg Bella Moy. 'Als ze die beloning willen hebben, waarom gooien ze dan zo'n dure camera weg?'

'Ik denk dat we onszelf moeten herinneren aan de bewoording van de beloning, Bella,' antwoordde Grace. 'Het was niet het gebruikelijke "voor informatie die leidt tot de arrestatie en veroordeling".' Hij keek even in zijn aantekeningen en sloeg een paar bladzijden om. Toen las hij voor: '"Voor informatie die leidt tot de identiteit van de bestelwagenbestuurder die verantwoordelijk is voor de dood van haar zoon."' Hij keek op. 'Dat is een groot verschil.'

'Denk je dat er misschien iets mis is gegaan, Roy?' vroeg Nick Nicholl. 'Misschien was de moordenaar van plan Preece voor de camera te laten bekennen en gebeurde dat niet.'

'Of misschien is het wel gebeurd,' zei Glenn Branson. 'De camera had een zender. We weten niet wat er is gezegd of aan wie het is verzonden.'

'Hij had waarschijnlijk niet veel te zeggen onder water,' merkte Norman Potting grinnikend op.

Enkele anderen onderdrukten een grijns.

'Ik kan niet speculeren over of er al dan niet iets mis is gegaan, Nick,' antwoordde Grace. Toen wees hij weer naar het whiteboard. 'Onze derde onderzoekslijn is om te kijken of dit een professionele vergeldingsmoord was – een aanslag – gezien de banden van Reveres familie met de georganiseerde misdaad. Tot nu toe, volgens connecties van me in Amerika, lijken er geen aanwijzingen te zijn dat hiervoor opdracht is gegeven, maar we moeten nader naar de VS kijken.' Hij wendde zich tot Crocker. 'Duncan, ik wil graag dat jij meer en betere informatie verzamelt over de familie Revere en hun relaties.'

'Ja, chef,' zei de rechercheur, en hij maakte een aantekening.

'Ik heb om halfvier vanmiddag een afspraak met de adjunct-hoofdcommissaris. Ik heb iets nodig om te bewijzen dat we hier niet allemaal zitten te pitten.'

Op dat moment ging zijn telefoon. Hij stak verontschuldigend zijn hand op en nam op. Kevin Spinella was aan de lijn, en wat de verslaggever van de *Argus* hem vertelde maakte zijn slechte humeur nog een heel stuk slechter.

62

Deze woensdag beloofde niet een van de betere dagen in Carly's leven te worden. Ze had om kwart over negen vanochtend een afspraak bij de politierechtbank met haar advocaat en collega Ken Acott en zou nog even koffie met hem gaan drinken voordat ze voor de rechter moest verschijnen.

Nogal overbodig had Ken haar gewaarschuwd dat ze niet met de auto moest komen, omdat ze beslist haar rijbewijs zou kwijtraken en het rijverbod meteen zou ingaan. Aangezien haar kapotte Audi nog steeds bij het politiedepot stond, was rijden toch geen optie geweest en was ze met een taxi gekomen.

Ze droeg een eenvoudig marineblauw mantelpakje, een witte blouse met een conservatieve zijden sjaal van Cornelia James erop en simpele marineblauwe pumps. Ken had haar aangeraden er netjes en respectabel uit te zien, geen powerdress aan te trekken en zich niet te behangen met bling.

Alsof ze dat ooit deed!

Toen ze uit de taxi stapte, brak haar rechterhak en liet bijna helemaal los van de schoen.

Nee, nee, nee! Doe me dit niet aan!

Er was geen spoor van Acott. Verderop stonden een paar tieners en een kwaad kijkende, magere vrouw van middelbare leeftijd. Een van de jongens, in een trainingspak en met een honkbalpet op, had een slome, ineengezakte houding, terwijl de andere, met een sweater met capuchon aan, er assertief uitzag. Alle drie stonden ze zwijgend te roken. De vrouw was de moeder van een van hen, of van allebei, nam ze aan. De jongens zagen er ruig en gehard uit, alsof ze nu al doorgewinterde misdadigers waren.

Carly voelde de warmte van de zon, maar de belofte van een mooie dag deed weinig af aan de duistere kilte binnen in haar. Ze was ontzettend zenuwachtig. Acott had haar al gewaarschuwd dat er een heleboel afhing van welk trio van rechters ze vanochtend tegenover zich zou krijgen. In het beste geval kreeg ze één jaar rijontzegging – de minimale straf voor rijden onder invloed in het Verenigd Koninkrijk – en een flinke boete. Maar als ze pech had, kon het een stuk erger zijn. Zelfs als de politie haar geen dood door roekeloos of gevaarlijk rijden ten laste legde, dan nog konden de rechters besluiten dat haar straf moest passen bij de omstandigheden en konden ze haar flink laten boeten. Dat kon drie jaar rijontzegging betekenen, of nog langer, en een boete die tot duizenden ponden kon oplopen.

Gelukkig was geld voor haar tot nu toe geen probleem geweest sinds Kes was overleden, maar provinciale advocatenkantoren betaalden niet overdreven veel en volgend jaar zou Tyler naar een particuliere school gaan, waar het schoolgeld drie keer zo hoog was als wat ze momenteel bij St Christopher's betaalde. Ze zou het moeilijker krijgen. Het vooruitzicht van een rijontzegging van drie jaar en alle kosten van taxi's die ze dan zou moeten maken, naast de enorme boete, nog afgezien van het feit dat haar veroordeling ongetwijfeld weer breed in de plaatselijke krant zou worden uitgemeten, deed haar stemming bepaald geen goed.

En nu was die stomme hak ook nog afgebroken. Wat voor indruk zou ze maken als ze de rechtszaal in kwam hobbelen?

Ze leunde tegen een muur, ving een verlokkelijke geur van sigarettenrook op en trok haar schoen uit. Er vloog een krijsende meeuw over, alsof hij haar uitlachte.

'Rot op, meeuw,' bromde ze chagrijnig.

De hak hing er nog aan een reepje leer aan. Twee kromme spijkertje staken uit de bovenkant. Ze keek op haar horloge: zeven over negen. Ze vroeg zich af of ze tijd genoeg had om naar een hakkenbar te strompelen en hem te laten repareren, maar waar was de dichtstbijzijnde? Ze had er pas geleden nog een gezien, niet ver hiervandaan. Maar waar?

Haar iPhone pingelde toen er een sms binnenkwam. Ze pakte hem uit haar tas en keek op het schermpje. Hij was van Ken Acott, met de mededeling dat hij er over twee minuten zou zijn.

Toen ging ze via het apps-scherm naar Friend Mapper, om te controleren of haar vriendin, Clair May, Tyler veilig op school had afgezet. Zijn stemming maakte haar van streek. Ze was altijd close met hem geweest – en sinds de dood van Kes was er een speciale band tussen hen ontstaan – maar nu had hij een muurtje om zichzelf opgetrokken en deed hij zelfs elke dag moeilijk over het inschakelen van Friend Mapper.

'Wil je niet kunnen zien waar ik ben?' had ze hem de vorige dag gevraagd.

'Waarom?' Hij had zijn schouders opgehaald.

Al twee jaar gebruikten ze deze gps-app elke dag. Een blauwe stip gaf op een stratenkaart precies aan waar zij was, en een paarse stip – de kleur die hij had gekozen – markeerde zijn locatie. Als ze allebei waren aangemeld, konden ze altijd zien waar de ander was. Het was een soort spelletje voor

Tyler en hij had het altijd leuk gevonden om haar te volgen, en af en toe stuurde hij haar een sms als ze weg was van kantoor: *Ik zie je*

Tot haar opluchting was de paarse stip waar hij hoorde te zijn: op de hoek van New Church Road en Westbourne Gardens, waar de St Christopher's School stond. Ze stopte haar telefoon weer in haar tas.

Op dat moment kwam Ken Acott de hoek om, fraai uitgedost in een donkergrijs pak met groene stropdas en zwaaiend met een enorme attachékoffer. Hij glimlachte. 'Sorry dat ik zo laat ben, Carly. Ik had een dringende voogdijzaak, maar ik heb goed nieuws!'

Als je zijn gezicht zag, zou je denken dat hij ging vertellen dat haar zaak was geseponeerd.

'Ik heb net even snel met de bode van de rechtszaal gesproken. Onze rechter is Juliet Smith. Ze is heel ervaren en heel eerlijk.'

'Geweldig,' zei Carly, die het nieuws ontving met hetzelfde enthousiasme als een ter dood veroordeelde die hoorde dat de executieruimte onlangs opnieuw was geschilderd.

63

Tooth was moe, maar hij moest doorgaan, de vaart erin houden. Snelheid was essentieel. Als je de politie een beetje ruimte gaf, haalden ze je heel snel in. Hij moest hun twee zetten voor blijven. Maar wanneer je moe was, liep je het risico dat je fouten ging maken.

Hij draaide op adrenaline en hazenslaapjes, zoals vroeger bij het leger, als hij op vijandelijk grondgebied was. Vijf minuten pitten en hij kon weer door. Dat was onderdeel van de training geweest bij de scherpschuttersopleiding. Hij kon dagen zo doorgaan. Weken, als het moest. Maar die hazenslaapjes waren wel essentieel. Als je een kat zijn slaap ontzegde, ging hij binnen twee weken dood. Een mens werd er psychotisch van.

Hij zou later wel slapen. Als de klus geklaard was, kon hij slapen zolang hij wilde, tot de dag dat zijn Russisch roulette eindelijk misging. Niet dat hij ooit in zijn leven langer dan vier uur achtereen had geslapen. Hij voelde zich niet op zijn gemak als hij sliep; hij hield niet van het idee dat er dingen om je heen konden gebeuren waar je je niet bewust van was.

Tijdens het rijden keek hij om zich heen. Je hoefde geen genie te zijn om te snappen dat je geld moest hebben om in deze buurt te wonen. Vrijstaande huizen, mooie gazons, dure auto's. Met geld kocht je afzondering. Betere lucht. Privacy. Deze huizen hadden grote tuinen. Tuinen waren stadsjungles. Tooth was goed in stadsjungles.

Er lag een groot park links van hem terwijl hij door de brede, gebogen straat reed. Tennisbanen. Een afgesloten speeltuin met kinderen en moeders. Tooth fronste zijn voorhoofd. Hij hield niet van kinderen. Hij zag een vrouw die met een plastic zakje de drol van haar hond opraapte. Een voetbalwedstrijd die werd gespeeld tussen doelpalen. Dit was het soort veilige buurt dat vijf eeuwen van oorlogen winnen tegen indringers hadden opgeleverd. Hier hoefde je je geen zorgen meer te maken over plunderende soldaten die de mannen vermoordden en de vrouwen en kinderen verkrachtten; anders dan op sommige andere plekken in de wereld waar dat wel gebeurde.

De comfortabele zone van de beschaving.

De comfortabele zone die Carly Chase bewoonde, of dat dacht ze althans.

Hij reed haar straat in. Hove Park Avenue. Hij was hier al eerder geweest, op de terugweg van Springs Smoked Salmon.

Dit zou een makkie worden. Zijn cliënt zou er heel blij mee zijn. Daar was hij van overtuigd.

64

Grace ziedde nog steeds bij de gedachte aan zijn gesprek met Kevin Spinella toen hij precies om halfvier het kantoor van Peter Rigg binnen stapte. De adjunct-hoofdcommissaris, die er parmantig uitzag in een blauw pak met krijtstreep en felgekleurde stippenstropdas, bood hem thee aan, wat hij dankbaar aannam. Hij hoopte dat ze er ook koekjes bij kregen, want hij had nog niet geluncht. Hij had de hele dag gewerkt, geprobeerd wat positieve beetjes informatie te verzamelen om zijn baas voor te schotelen over Operatie Viool, maar hij had verdomd weinig. In zijn hand hield hij een bruine envelop met de laatste bewijzenlijsten, meegenomen van de vergadering van een uur eerder.

'Zo, hoe gaat het, Roy?' vroeg Rigg opgewekt.

Grace bracht hem op de hoogte van de huidige drie onderzoekslijnen van het team en hun toenemende betrokkenheid bij het onderzoek naar de moord op Warren Tulley in de Ford-gevangenis. Toen overhandigde hij een exemplaar van de bewijzenlijst en behandelde de sleutelpunten daarin met zijn baas.

'Die camera bevalt me niet, Roy,' zei de adjunct-hoofdcommissaris. 'Die strookt niet.'

'Waarmee, meneer?'

Riggs assistente kwam binnen met porseleinen kop-en-schotels op een dienblad, met een suikerpotje erbij en, tot Grace' blijdschap, een bordje met verschillende koekjes. Een bonus die hij nooit had gekregen in de tijd van de vorige adjunct-hoofdcommissaris. Rigg gebaarde dat hij moest toetasten en Grace schrokte een rond koekje met jam naar binnen, waarna hij zijn blik op een chocoladebiscuitje richtte. Tot zijn teleurstelling boog zijn baas zich over de tafel en griste dat koekje van het bord.

Met zijn mond vol zei Rigg: 'We hebben vaak genoeg gezien dat tuig hun geweldsdaden vastlegt op de camera van hun mobiele telefoon; *happy slapping*, dat soort dingen. Maar dit is te verfijnd. Waarom zou iemand die moeite doen, en belangrijker nog, die kosten maken?'

'Dat dacht ik ook, meneer.'

'En wat zijn je conclusies?'

'Ik blijf openstaan voor verschillende mogelijkheden. Maar ik denk dat dit gedaan is door iemand die de beloning wilde opstrijken. En dat brengt me op iets wat ik ter sprake wilde brengen. We hebben een echt probleem met de misdaadverslaggever van de *Argus*, Kevin Spinella.'

'O?'

Rigg greep een koekje met pudding erin, waar Grace zijn oog ook al op had laten vallen.

'Hij belde me daarstraks. Ondanks al onze pogingen om voorlopig nog voor de pers te verzwijgen dat Ewan Preece' handen aan het stuur van zijn wagen waren gelijmd, is Spinella erachter gekomen.'

Grace praatte zijn baas bij over de historie van lekken aan de verslaggever in het afgelopen jaar.

'Heb je enig idee wie het zou kunnen zijn?'

'Nee, op dit moment niet.'

'Gaat de *Argus* dat verhaal over die lijm plaatsen?'

'Nee. Ik heb hem ervan weten te overtuigen dat hij daar nog even mee moet wachten.'

'Mooi zo.'

Grace' telefoon ging. Hij verontschuldigde zich en nam op. Het was Tracy Stocker, de manager plaats delict, en ze had geen goed nieuws.

Grace stelde haar een paar korte vragen, hing op en keek weer naar zijn baas, die aandachtig de bewijzenlijst bestudeerde. Hij keek nog een keer naar een chocoladekoekje op het schoteltje, maar ineens had hij geen trek meer. Rigg legde de lijst neer en keek hem vragend aan.

'Ik vrees dat we weer een lijk hebben, meneer,' zei Grace.

Hij verliet het kantoor en haastte zich door het complex van het hoofdbureau naar zijn auto.

65

Een van de vele dingen die Roy Grace fijn vond aan Brighton was de duidelijke grens tussen de stad en het schitterende platteland ten noorden ervan. Er was geen onregelmatige uitgroei van bebouwing, alleen maar een strakke scheidslijn gevormd door de bocht van de A27 tussen de stad en het begin van de Downs.

Dat deel van het platteland waar hij nu naartoe reed, de Devil's Dyke, was een gebied waar hij telkens weer van onder de indruk was, hoe vaak hij hier ook kwam en om wat voor reden dan ook; zelfs die middag, terwijl hij wist dat het grimmig zou worden.

De Devil's Dyke was een prachtige plek waar hij in hun verkeringstijd vaak met Sandy kwam, en na hun trouwen gingen ze hier in het weekend vaak wandelen. Ze reden dan naar de parkeerplaats boven en liepen over de velden, met spectaculaire vergezichten over de glooiende heuvels in de ene richting en over de zee aan de andere kant. Ze namen dan het pad langs het oude, vervallen en enigszins enge fort waar hij als kind zo graag met zijn ouders kwam. Hij en zijn zusje speelden hier cowboytje of politieagentje tussen en rondom de vervallen muren; altijd oppassend dat ze niet in de talloze koeienvlaaien trapten die hier het grootste gevaar vormden.

Als het boven te winderig was, gingen hij en Sandy de steile hellingen af naar de vallei beneden. Volgens de legenden had de duivel hier een enorme greppel gegraven – eigenlijk een mooie, natuurlijke vallei – om de zee het binnenland in te laten en alle kerken in Sussex onder water te zetten. Het was een van de minst waarachtige mythen over het duistere erfgoed van zijn stad.

In de eerste paar jaar na Sandy's verdwijning was hij hier vaak in zijn eentje naartoe gegaan en was dan in zijn auto blijven zitten, starend door de voorruit, of uitgestapt om rond te lopen. Altijd had hij in zijn achterhoofd de vage hoop gehad dat ze hier ineens zou opduiken. Een van de overtuigingen waar hij aan had vastgehouden, was dat ze misschien haar geheugen kwijt was. Een neuroloog die hij had gesproken, had hem verteld dat mensen met die aandoening soms flarden van hun geheugen vasthielden en naar plekken gingen die hun bekend voorkwamen.

Maar soms was hij hier in die eenzame jaren gewoon naartoe gegaan om het gevoel te krijgen dat ze dicht bij hem was, om haar geest in de wind te voelen.

Hij had die wandelingen nooit met Cleo gemaakt. Grace wilde niet dat die herinneringen een schaduw wierpen over hun relatie, dat Cleo kennismaakte met zijn geesten. Samen hadden ze van andere plekken in de stad en de omgeving hun eigen bijzondere plekjes gemaakt.

Hij reed zo snel hij durfde over de hoge weg bovenlangs, met zwaailichten en sirene. Open land strekte zich aan beide kanten uit, trillend onder de bijna strakblauwe middaghemel. Ongeveer anderhalve kilometer naar het zuiden maakten de velden plaats voor de huizen van de woonwijk Hangleton en, nog verder naar het zuiden, Shoreham en de haven daar. Hij maakte heel even zijn blik los van de verlaten weg voor hem en ving een glimp op van de hoge schoorsteen van de elektriciteitscentrale, een kenmerk van de stad en een herkenningspunt voor zeelui.

Terwijl hij in zijn zilverkleurige Ford Focus een lange bocht naar rechts door reed, zag hij een eindje verderop een auto die op het punt stond van de parkeerplaats van golfclub Waterhall de weg op te rijden. Hij drukte op de knop van het paneel midden op het dashboard om de toon van de sirene te veranderen in een doordringend *toet-wop-toet-wop*. Dat werkte, en tot zijn opluchting ging de bestuurder op de rem staan.

Elke keer als hij naar een plaats delict ging, voerde Roy Grace in gedachten een reeks controles uit. Hij herinnerde zichzelf aan alle belangrijke punten uit de rechercheursbijbel, het *Murder Investigation Manual*. Een overzichtsvel met kopjes en flowdiagrammen was op een opvallende plek aan de muur opgehangen in de gang bij de afdeling Zware Criminaliteit. Elke rechercheur die daar werkte, liep er een paar keer per week langs. Hoe vaak je ook onderzoeken uitvoerde, je moest jezelf eraan herinneren dat je altijd bij de basis moest beginnen. Nooit zelfgenoegzaam worden. Een van de eigenschappen van een goede rechercheur was dat hij methodisch en uitermate nauwgezet te werk ging.

Grace voelde de last van de verantwoordelijkheid elke keer even sterk. Hij had die vorige week gevoeld op de kade, met Ewan Preece, en voelde het nu weer. Het eerste stadium was altijd de beoordeling van de plaats delict. Vijf vette koppen waren in zijn geheugen gegrift: LOCATIE. SLACHTOFFER. DADER. TECHNISCH ONDERZOEK. AUTOPSIE.

Deze eerste, belangrijkste fase van een onderzoek, letterlijk het uur onmiddellijk na de ontdekking van een moordslachtoffer, werd ‘het gouden uur’ genoemd. Dit was de beste kans om forensisch bewijs te verzamelen voordat de plaats delict werd besmet door steeds meer mensen, ook al droegen ze dan beschermende kleding, en voordat het weer, zoals regen of harde wind, zaken veranderde.

Hij reed in volle vaart door het pittoreske dorpje Poynings en vervolgens door het nog mooiere dorpje Fulking, met een scherpe bocht naar rechts langs de Shepherd and Dog Pub, waar hij met Sandy was gaan eten bij een van hun eerste dates. Toen versnelde hij over de weg onder in de Downs.

Springs Smoked Salmon was een instituut in Sussex, met een wereldwijde reputatie. Grace had in vele restaurants gegeten die met hun gerookte vis pochten als kenmerk van kwaliteit, en hij had zich altijd afgevraagd waarom ze hun bedrijf hier hadden gevestigd, op zo'n ontzettend afgelegen plek. Misschien hadden ze deze locatie oorspronkelijk gekozen omdat ze dan geen buren zouden storen met de geur van hun vis.

Hij passeerde een cluster boerenbedrijven en woningen en minderde vaart toen hij door een diep dal reed. Toen hij de volgende hoek omging, zag hij de zwaailichten van een geparkeerde politiewagen. Nog enkele andere voertuigen – een paar surveillancewagens, de stationwagen van de onderzoeker plaats delict en een busje van de technische recherche – stonden achter elkaar langs de struiken in de berm.

Hij stopte achter de laatste auto, zette de motor af, drukte op de knop van het paneel op zijn dashboard met het opschrift STATIONAIRE VERLICHTING en stapte uit. Terwijl hij zich in een papieren overall wurmde, ving hij de geur op van houtrook en de scherpere, zwaardere lucht van vis vermengd met de frisse, grazige geuren van het platteland.

Er hing een blauw met wit politielint voor de ingang naar de rokerij, en een jonge agent die hij niet kende trad op als bewaker.

Grace liet hem zijn insigne zien.

'Goedemiddag, meneer,' zei de jongeman een beetje nerveus.

Grace trok een paar handschoenen aan en dook onder het lint door. De agent gaf aan dat hij een steile helling tussen twee rijen schuren op moest. Grace hoefde maar een klein stukje te lopen voordat hij een groep mensen zag staan, net als hij gehuld in overalls. Een van hen was Tracy Stocker.

'We moeten eens ophouden elkaar zo te ontmoeten, Roy!' zei ze opgewekt.

Hij grijnsde. Hij mocht Tracy heel graag. Ze was briljant in haar werk, een echte professional, maar zij had – anders dan sommigen van haar collega's, of in ieder geval één in het bijzonder – weten te voorkomen dat ze cynisch werd. Als hoogste onderzoeksrechercheur leerde je al snel dat een efficiënte manager plaats delict een groot verschil kon maken aan het begin van je onderzoek.

'Wat hebben we hier?'

'Niet het fraaiste plaatje dat ik ooit heb gezien.'

Ze draaide zich om en ging hem voor. Grace knikte naar paar bekende rechercheurs. Zij waren ongetwijfeld onmiddellijk hierheen geroepen door de agenten die op de melding af waren gegaan om de situatie te beoordelen. Hij volgde haar naar de eerste in een rij grijze, lage schuren, elk met een dik asfaltdak en een witte schuifdeur. De deur van het gebouw stond open.

Ineens ving hij de geur van braaksel op. Nooit een goed teken. Tracy stapte naar binnen en wenkte hem. Hij kreeg een vlaag ijzige lucht in zijn gezicht en werd zich bewust van een heel sterke, bijna overstelpende geur van gerookte vis. Recht voor zich zag hij een massieve wand van grote, koploze, donkerroze vissen, opgehangen aan stevige haken aan een plafondrail. Er waren vier rijen vis met smalle gangpaden ertussen, amper breed genoeg om je er tussendoor te persen.

Bijna meteen werd zijn blik naar de voorzijde van de derde rij getrokken. Hij zag iets wat er op het eerste gezicht uitzag als een reusachtig, zwartgeblakerd dik beest dat tussen de vissen hing. Een varken, dacht hij heel even. Terwijl zijn hersens begonnen te verwerken wat hij zag, besefte hij wat het eigenlijk was.

66

Ze was dol op haar uitzicht over de Isar, de mooie rivier die München doorsneed en bijna helemaal door parkgebied liep. Ze zat graag hier bij het raam, in haar appartement op de vierde verdieping boven de drukke Widenmayerstrasse, om te kijken naar de mensen die hun hond uitlieten, jogden of met kinderwagens langs de oever liepen. Maar bovenal hield ze ervan om naar het water te kijken.

Om diezelfde reden ging ze graag naar de Englischer Garten bij het meer. Dicht bij water zijn was een soort drug voor haar. Ze miste de zee ontzettend. Dat miste ze het meest aan Brighton. Ze hield van al het andere in deze stad, maar soms had ze dagen dat ze smachtte naar de zee. En er waren ook dagen dat ze naar iets anders smachtte: naar de eenzaamheid van vroeger. Goed, ze was er af en toe gepikeerd over geweest, die opgelegde eenzaamheid, als haar man werd weggeroepen voor zijn werk, hun plannen van het ene op het andere moment werden afgezegd en ze dan een heel weekend in haar eentje zat, en de weekenden erna ook.

De Italiaanse auteur Gian Vincenzo Gravina schreef: *een vervelend persoon is iemand die je je eenzaamheid ontzegt zonder je gezelschap te houden.*

Zo was het nu gaan voelen in haar nieuwe leven. Hij was zo verrekte veeleisend. Haar nieuwe leven draaide totaal om hem. Ze keek op haar horloge. Hij zou straks terugkomen. Zo ging het nu. Elk uur van haar nieuwe leven was van tevoren ingevuld.

Op het scherm van de computer op haar bureau stond de online versie van de *Argus*, de krant van Sussex. Sinds ze de advertentie van Roy Grace in de plaatselijke krant van München had gezien en wist dat hij haar wettelijk wilde laten doodverklaren, las ze nu dagelijks alle pagina's van de *Argus*.

Als hij haar wilde laten doodverklaren, na al die tijd, dan moest daar een reden voor zijn. En ze kon eigenlijk maar één reden bedenken.

Ze haalde diep adem en herinnerde zichzelf aan de mantra om haar woede te beheersen. *Het leven draait niet om wachten tot de storm gaat liggen. Het draait erom dat je leert dansen in de regen.*

Ze zei het hardop. Toen nog eens. En nog eens.

Uiteindelijk voelde ze zich rustig genoeg om het gedeelte met aangekondigde huwelijken te bekijken. Ze keek vluchtig langs de rij. Zijn naam stond er niet bij.

Ze sloot de site met dezelfde opluchting die ze elke dag voelde.

67

In de loop der jaren had Roy Grace veel afschuwwekkende taferelen gezien. Meestal kon hij die, zeker naarmate hij meer ervaring opdeed, wel van zich afzetten, maar heel af en toe kwam hij net als de meeste andere politiemensen iets tegen wat hij mee naar huis nam. Als dat gebeurde, lag hij 's nachts wakker en bleef hij het in gedachten maar voor zich zien. Of hij werd schreeuwend wakker van de nachtmerrie die hij ervan kreeg.

Een van zijn ergste ervaringen was als jonge politieagent in uniform geweest, toen een jongetje van vijf was geplet onder de wielen van een containerwagen. Grace was als eerste ter plaatse geweest. Het hoofd van het jochie was vervormd en met zijn blonde stekelhaar had dat arme kind Grace op een absurde en afgrijselijke manier doen denken aan Bart Simpson. Hij had enkele jaren lang twee of drie keer per maand een nachtmerrie over dat jongetje gehad. Zelfs tegenwoordig had hij moeite om naar de tekenfilmserie te kijken, vanwege de herinnering die door Bart Simpson werd gewekt.

Hij zou dat wat hij nu zag ook mee naar huis nemen, wist hij. Het was verschrikkelijk, maar hij kon zijn blik er niet van afwenden en bleef maar denken aan hoe deze man in zijn laatste ogenblikken moest hebben geleden. Hij hoopte dat het snel was gegaan, maar hij had het idee dat dat waarschijnlijk niet zo was geweest.

De man was klein en gedrongen, met stekelhaar, een driedubbele onderkin en tatoeages op de rug van zijn handen. Hij was naakt en zijn kleren lagen op de grond, alsof hij ze had uitgetrokken om in bad te gaan of te gaan zwemmen. Zijn blauwe overall, sokken en een groen poloshirt met de woorden ABERDEEN OCEAN FISHERIES erop lagen netjes opgevouwen naast zijn werkschoenen. Delen van zijn huid waren zwart geworden door de rook en er waren ijskristalletjes te zien op zijn hoofd, gezicht en handen. Hij was opgehangen aan een van de dikke haken, waarvan de scherpe punt door het verhemelte van zijn wijd openstaande mond was geduwd en net onder zijn linkeroog weer naar buiten kwam, als een vis die verkeerd aan de haak was geslagen.

Maar de uitdrukking van shock op het gezicht van de man – zijn uitpuilende, doodsbange ogen – was het ergste van alles.

De ijzige lucht bleef naar buiten golven. Er kwam een scherpe geur van gerookte vis mee, maar ook van urine en uitwerpselen. De arme man had alles laten lopen. Niet bepaald verrassend, dacht Grace, die naar hem bleef kijken en nadacht over de eerste stukjes informatie die hij had gekregen. Er was ook ingebroken in een van de rookhuizen. Was die arme drommel eerst daarin gestopt, om vervolgens hier in de kou het leven te laten?

De mengeling van geuren bracht Grace gevaarlijk dicht op het randje van overgeven. Daarom begon hij, zoals een patholoog hem eens had aangeraden, alleen nog maar door zijn mond te ademen.

'Je zult niet blij zijn met wat ik je ga vertellen, Roy,' zei Tracy Stocker luchtig, alsof ze nergens last van had.

'Ik ben hier al niet bijzonder blij mee. Weten we wie hij is?'

'Ja, de baas hier kent hem. Hij is vrachtwagenchauffeur. Komt hier elke week met een levering uit Aberdeen. Al jaren.'

Grace bleef gefixeerd naar het lichaam staren. 'Is hij al doodverklaard?'

'Nog niet. Er is een ambulance onderweg.'

Hoe dood een slachtoffer er ook uitzag, wettelijk werd vereist dat een ambulanceverpleegkundige de dood formeel vaststelde. Vroeger zou dat een politiearts zijn geweest. Niet dat Grace enige twijfel had over de toestand van deze man. De enige mensen die er doder uitzagen, dacht hij cynisch, waren bergjes as in het crematorium.

'Komt er ook een patholoog?'

Ze knikte. 'Ik weet alleen niet wie.'

'Met een beetje geluk is het Nadiuska.' Hij keek weer naar het lijk. 'Ik hoop dat je me niet kwalijk neemt als ik even naar buiten stap wanneer ze de haak losmaken.'

'Ik denk dat ik dan maar met je meega,' antwoordde ze.

Hij glimlachte grimmig.

'Er is iets wat heel belangrijk zou kunnen zijn, Roy,' zei ze.

'Wat dan?'

'Volgens meneer Harris, de baas hier, is dit de chauffeur die betrokken was bij ons fatale ongeval op Portland Road; Stuart Ferguson.'

Grace keek haar aan. Voordat de betekenis hiervan volledig tot hem kon doordringen, ging de manager plaats delict alweer verder.

'Ik denk dat we een beetje dichterbij moeten gaan, Roy. Ik moet je iets laten zien.'

Ze zette een paar stappen naar voren, en Grace ging mee. Toen draaide ze zich om en wees naar de binnenmuur, een centimeter of dertig boven de deur. 'Komt dat je niet bekend voor?'

Grace staarde naar het kokervormige voorwerp met de glanzende glazen lens.

En nu wist hij zeker dat zijn grootste angst bewaarheid werd.

Het was weer een camera.

68

Carly begroette de vrouw die haar kantoor binnen kwam met een glimlach en bood haar een stoel aan. Ze was uitgelopen, omdat haar hele dag in de war was gestuurd. Het was al kwart voor vijf. Gelukkig was dit haar laatste cliënt, dacht ze opgelucht.

De vrouw heette Angelina Goldsmith. Ze was moeder van drie tieners en had pasgeleden ontdekt dat haar man, een architect, al twintig jaar een dubbelleven leidde en nog een ander gezin had in Chichester, bijna vijftig kilometer verderop. Hij was niet daadwerkelijk met die vrouw getrouwd, dus wettelijk gezien was hij geen bigamist, maar moreel gezien was hij dat beslist wel. Het arme mens was er begrijpelijkerwijs kapot van.

En ze verdiende een advocaat die zich een heel stuk beter kon concentreren dan waar Carly op dit moment toe in staat was, dacht Carly.

Angelina Goldsmith was zo'n fatsoenlijk, vertrouwend mens dat ze tot in haar ziel geschokt was toen haar man haar dumpte en ervandoor ging met een andere vrouw. De vrouw had een goedmoedige aard, zag er leuk uit met haar bruine haar en goede figuur, en had haar carrière als geoloog opgegeven voor haar gezin. Haar vertrouwen was geschaad en ze had dringend advies nodig.

Carly bood een luisterend oor en besprak haar mogelijkheden. Ze gaf advies waarmee ze hoopte dat de vrouw weer een toekomst voor zichzelf en haar kinderen kon zien.

Toen de cliënt was vertrokken, dicteerde Carly een paar aantekeningen voor haar secretaresse, Suzanne. Vervolgens beluisterde ze haar voicemail, een reeks boodschappen van cliënten en de laatste van haar vriendin, Clair May, die Tyler naar school en weer thuis had gebracht. Clair zei dat Tyler de hele weg naar huis had gehuild, maar niet had willen vertellen waarom.

In ieder geval was haar moeder er om op hem te passen totdat Carly thuiskwam. Hij was gek op zijn oma, dus hopelijk zou hij daardoor opvrolijken. Maar zijn gedrag zat haar echt dwars. Ze zou proberen eens goed met hem te praten als ze thuiskwam. Ze belde een taxi en verliet haar kantoor.

In de taxi op weg naar huis was Carly in gedachten verzonken. De chauffeur, een netjes in pak geklede man, was kennelijk nogal praatgraag en bleef proberen een gesprek met haar aan te knopen, maar ze reageerde niet. Ze was niet in de stemming om te kletsen.

Ken Acott had gelijk gehad over de rechter. Ze had één jaar rijontzegging en een boete van duizend pond gekregen, en Ken Acott had naderhand gezegd dat het niet veel milder had gekund. Ze had ook het aanbod van de rechtbank aangenomen om een verkeerscursus te volgen, waarmee haar rijontzegging zou worden teruggebracht naar negen maanden.

Ze had zich ontzettend stom gevoeld toen ze op haar ene hak naar het beklaagdenbankje heen en weer was gehobbeld. En net toen ze zich was gaan verheugen op haar lunch met Sarah Ellis, om haar op te vrolijken, had Sarah gebeld met het nieuws dat haar alleen wonende oude vader was gevallen en vermoedelijk een gebroken pols had, en dat ze met hem naar het ziekenhuis ging.

Toen had Carly gedacht: de pot op ermee. En in plaats van op zoek te gaan naar een hakkenbar was ze naar een winkel in Duke's Lane gestrompeld en had even fijn therapeutisch gewinkeld. Ze droeg nu het resultaat nu: een paar geruststellend dure Christian Louboutins met absurd hoge hakken, van zwart lakleer met smalle enkelbandjes en rode zolen. Die schoenen waren vandaag het enige wat haar blij had gemaakt.

Ze keek uit het raam. Ze konden gelukkig doorrijden, ondanks het spitsverkeer op de Old Shoreham Road. Ze stuurde Tyler een sms om te vertellen dat ze over tien minuten thuis zou zijn en eindigde met een smiley en een rijtje kusjes.

'U zit richting het einde van Goldstone Crescent, nietwaar, leid ik uit het huisnummer af...'

'Ja. Wat goed.'

'Uh-huh.'

De mobilofoon van de chauffeur kwam knetterend tot leven en was toen weer stil. Even later vroeg hij: 'Hebt u in uw huis een wc met een hoge of een lage stortbak?'

'Een hoge of een lage stortbak, vroeg u?'

'Uh-huh.'

'Ik heb geen idee,' antwoordde ze.

Ze kreeg een sms'je terug van Tyler: *Je hebt Mapper niet aan staan*

Ze antwoordde: *Sorry. Verschrikkelijke dag. Hou van je XXX*

'Bij een hoge spoelbak heb je een ketting. Bij een lage een hendel.'

'We hebben hendels. Dus lage stortbakken, denk ik dan.'

'Waarom?'

De stem van de man klonk opgewekt en opdringerig. Als hij niet ophield over wc's, kon hij naar zijn fooi fluiten.

Gelukkig hield hij verder zijn mond tot ze voor haar huis stopten. De meter gaf negen pond aan. Ze gaf hem een tientje en zei dat hij de rest mocht houden. Toen ze uitstapte riep hij haar na: 'Mooie schoenen! Christian Louboutin? Maat achtendertig? Uh-huh?'

'Goed geraden,' zei ze, en ze glimlachte in weerwil van zichzelf.

Hij glimlachte niet terug. Hij knikte alleen en draaide de dop van een thermosfles af.

Wat een engerd. Ze had de neiging om het taxibedrijf te bellen dat ze die chauffeur niet meer moesten sturen. Maar misschien was dat gemeen van haar; hij probeerde alleen maar aardig te doen.

Terwijl ze het trapje naar haar voordeur beklom keek ze niet om. Ze stapte de portiek in en graaide in haar tas naar haar sleutels.

Aan de overkant van de weg maakte Tooth, in zijn donkergrijze gehuurde Toyota die dringend gewassen moest worden, een aantekening in zijn elektronische agenda: *Jongen thuis 16:45 uur. Moeder thuis 18:00 uur.*

Toen geeuwde hij. Het was een heel lange dag geweest. Hij startte de motor en reed de straat op. Terwijl hij wegreed zag hij langzaam een politiewagen van de andere kant naderen. Hij trok zijn honkbalpet dieper over zijn ogen toen ze passeerden en keek hen in zijn achteruitkijkspiegel na. Hij zag remlichten opgloeien.

69

Carly hoorde het gerammel van borden in de keuken. Het klonk alsof haar moeder aan het opruimen was na Tylers avondeten. Er hing een etensgeur. Lasagne. Het zonlicht viel in strepen naar binnen door het raam. De zomer kwam eraan, dacht Carly toen ze met een zwaar gemoed naar binnen stapte. Normaal gesproken vrolijkte ze in dit jaargetijde op, als de klok vooruit was gezet en de dagen merkbaar langer werden. Ze hield van het licht vroeg in de ochtend en van de vogels bij zonsopgang. In de eerste verschrikkelijke jaren nadat Kes was overleden, waren de winters het ergst geweest. Op een of andere manier had ze in de zomer iets gemakkelijker met haar verdriet kunnen omgaan.

Maar wat was nu verdomme nog normaal?

Normaal gesproken kwam Tyler het hek bij school uit rennen om haar te begroeten. Normaal gesproken zou hij naar de voordeur komen hollen om haar een knuffel te geven als ze weg was geweest. Maar nu stond ze alleen in de gang en staarde naar de victoriaanse kapstok met de panamahoed van Kes nog op een haak, de gleufhoed die hij een keer in een opwelling had gekocht en zijn paraplu met de zilveren knop in de vorm van een eendenkop in de paraplustandaard. Hij had van cartoons gehouden, en aan de muur hing een grote, ingelijste Edwardian van schaatsende mensen op de oude baan van Brighton in West Street, naast een poster van de allang verdwenen pier van Brighton.

Ze werd geraakt door het besef dat alles van de zomer een stuk onhandiger zou gaan nu ze geen rijbewijs meer had. Maar ach, dacht ze. Ze was vastbesloten positief te blijven denken. Ze was het Tyler – en zichzelf – verschuldigd om zich hier niet door te laten deprimeren. Nadat vier jaar geleden haar vader was overleden had haar moeder haar verteld, op de gebruikelijke filosofische manier waarop ze alles benaderde, dat het leven net een reeks hoofdstukken in een boek was en dat ze nu begon aan een nieuw hoofdstuk in haar leven.

Dat was dit ook, besloot ze. Het hoofdstuk *Carly heeft geen rijbewijs*. Ze zou zich gewoon vertrouwd moeten maken met de dienstregelingen van bussen en treinen, net als duizenden andere mensen. En als bonus zou dat ook nog eens ontzettend milieuvriendelijk zijn. Ze zou haar vrije dagen gebruiken om Tyler precies dezelfde soort zomer te bezorgen als altijd. Dagen op het strand. Uitstapjes naar dierentuinen en pretparken zoals Thorpe Park en naar de musea in Londen, vooral het natuurhistorisch museum, dat hij het allermooist vond. Misschien zou ze die manier van reizen wel zo prettig gaan vinden dat ze geen auto meer wilde rijden.

En misschien zouden varkens leren vliegen.

Toen ze de keuken in liep kwam haar moeder, met een schort voorzien van de tekst VERTROUW ME, IK BEN ADVOCAAT over een zwarte coltrui en spijkerbroek, naar haar toe voor een knuffel en een kus.

'Arme schat, wat een gedoe.'

Haar moeder was er al haar hele leven voor Carly. Ze was halverwege de zestig, had kort, kastanjebruin haar en was een knappe, zij het wat droevig kijkende vrouw. Ze was verloskundige geweest, daarna verpleegkundige, en tegenwoordig hield ze zich bezig met liefdadigheidswerk, waaronder een parttime baan bij Martlets, de kliniek in Brighton.

'Het ergste is in ieder geval achter de rug,' antwoordde Carly. Toen zag ze de *Argus* op de keukentafel liggen. Hij zag eruit alsof hij al was gelezen. Ze had zelf de krant niet gekocht omdat ze niet de moed had erin te kijken. 'Sta ik erin?'

'Een klein artikeltje maar. Pagina vijf.'

Het hoofdartikel op de voorpagina ging over een seriemoordenaar die Lee Coherney heette en die ooit in Brighton had gewoond. De politie was bezig de tuin op te graven bij twee van zijn vroegere adressen. Het verhaal was ook op het journaal op de kleine flatscreentelevisie die aan de muur boven de keukentafel hing. Een knappe politieman gaf een verklaring over het onderzoek. Volgens het bijschrift onder aan het scherm was hij hoofdrechercheur Nick Sloan van de recherche van Sussex.

Ze bladerde door de krant tot ze het kleine artikeltje over zichzelf vond en was heel even dankbaar voor dat monster, die Coherney, omdat hij haar verhaal opzij had gedrukt.

'Hoe gaat het met Tyler?' vroeg ze.

'Best. Hij is boven aan het spelen met dat aardige vriendje van hem, Harrison, die net is gekomen.'

'Ik ga even gedag zeggen. Moet je weg?'

'Ik blijf nog wel even om iets te eten voor je te maken. Waar heb je zin in? Er is nog een beetje lasagne en sla.'

'Ik heb zin in een joekel van een glas wijn!'

'Ik doe met je mee!'

De bel ging.

Carly keek haar moeder vragend aan en wierp een blik op haar horloge. Het was kwart over zes.

'Tyler zei dat er misschien nog een vriendje kwam. Ze spelen een of ander vechtspel op de computer.'

Carly liep naar de voordeur. Ze keek naar het loshangende veiligheidskettinkje, maar het was nog vroeg in de avond en ze voelde geen behoefte om het voor de deur te doen. Ze deed open en zag een lange, kale zwarte man van in de dertig, gekleed in een mooi pak en een opzichtige stropdas. Naast hem stond een saai ogende vrouw van gelijke leeftijd. Ze had een bos met henna gekleurd bruin haar tot net boven de schouders en droeg een grijs broekpak en een blouse die tot bovenaan was dichtgeknoopt, wat haar een nogal stijve uitstraling gaf.

De man hield een zwart portemonneetje omhoog met een kaartje erin, met daarop het logo van de politie van Sussex en zijn pasfoto.

'Mevrouw Carly Chase?'

'Ja,' antwoordde ze een beetje aarzelend, met de gedachte dat ze nu echt geen zin had om nog een heleboel vragen over het ongeluk te beantwoorden.

Hij deed vriendelijk, maar leek een beetje slecht op zijn gemak. 'Ik ben rechercheur Branson en dit is rechercheur Moy, van de recherche van Sussex. Mogen we binnenkomen? We moeten u dringend spreken.'

Hij keek behoedzaam over zijn schouder. Zijn collega keek in beide richtingen langs de straat.

Carly stapte achteruit en liet hen binnen, van streek over iets waar ze de vinger niet op kon leggen. Ze zag haar moeder ongerust om de hoek van de keuken gluren.

'We willen u graag onder vier ogen spreken, als het kan,' zei rechercheur Branson.

Carly leidde hen naar de woonkamer en gebaarde naar haar moeder dat alles goed was. Ze liep achter hen aan, wees naar een van de banken en sloot de deur achter zich, met een beschaamde blik op de bruine vlek op het behang, die nu bijna een hele muur besloeg. Toen ging ze op de bank tegenover hen zitten en keek hen opstandig aan, terwijl ze zich afvroeg waar ze nu weer mee zouden komen.

'Wat kan ik voor u doen?' vroeg ze uiteindelijk.

'Mevrouw Chase, we hebben reden om aan te nemen dat uw leven acuut in gevaar zou kunnen zijn,' zei Glenn Branson.

Carly knipperde met haar ogen. 'Pardon?'

Toen zag ze pas dat hij een grote bruine envelop bij zich had. Hij hield die voor zo'n grote man merkwaardig voorzichtig vast, alsof het een breekbare vaas was.

'Dit heeft te maken met dat verkeersongeval van twee weken geleden, dat resulteerde in de dood van een jonge student aan de universiteit van Brighton, Tony Revere,' zei hij.

'Wat bedoelt u precies met "acuut gevaar"?'

'Er waren twee andere voertuigen bij betrokken, mevrouw Chase; een Ford Transit en een Volvo-koeltruck.'

'Dat waren de voertuigen die die arme fietser hebben geraakt, ja.' Ze ving de blik van de vrouwelijke rechercheur, die op een storend medelevende manier naar haar glimlachte.

'Weet u wie die fietser was?' vroeg hij.

'Ik heb de kranten gelezen, ja. Het is heel droevig, en heel verschrikkelijk om erbij betrokken te zijn geweest.'

'En u weet dat zijn moeder de dochter is van een man die kennelijk het hoofd is van de maffia in New York?'

'Dat had ik gelezen. En over de beloning die ze heeft uitgeloofd. Ik wist niet eens dat ze nog bestonden. Ik dacht dat de maffia iets van vroeger was, zeg maar uit *The Godfather*.'

De rechercheur wisselde een blik met zijn collega, die vervolgens het woord nam. 'Mevrouw Chase, ik ben maatschappelijke ondersteuner. Die term zegt u waarschijnlijk wel wat, aangezien u advocaat bent?'

'Ik doe geen strafrecht, maar inderdaad.'

'Ik ben hier om u te helpen bij de volgende stappen die u kiest. We hadden het net over die Ford Transit-bestelwagen.'

'Die pal achter me reed?'

'Ja. U moet weten dat de bestuurder dood is. Zijn lichaam is afgelopen vrijdag in dat busje gevonden, in de haven van Shoreham.'

'Ik had wel in de *Argus* gelezen dat daar een wagen met een lichaam erin was gevonden.'

'Ja,' zei Bella Moy. 'Wat u niet in de krant hebt gelezen, is dat hij de bestuurder was van wie wij denken dat hij bij de aanrijding betrokken was. En wat u ook niet hebt gelezen, is dat hij vermoord is.'

Carly fronste haar voorhoofd. 'Vermoord?'

'Ja. Ik kan u geen details geven, maar geloof ons. De reden dat we hier zijn, is omdat de chauffeur van de vrachtwagen, die ook betrokken was bij het ongeluk met Tony Revere, een paar uur geleden ook vermoord is gevonden.'

Carly voelde een koude rilling van angst. Alles leek om haar heen te draaien, en er viel een plotselinge, verschrikkelijke, intense stilte. Toen leek het wel alsof ze zich niet meer echt in haar lichaam bevond, alsof ze het had verlaten en nu rondzweefde in een zwarte, ijskoude, stille leegte. Ze probeerde te praten, maar er kwam geen geluid naar buiten. De twee agenten verdwenen uit haar zicht en keerden terug. Toen gloeide haar voorhoofd ineens. De vloer leek naar haar toe te komen en weer weg te zakken, alsof ze op een schip zat. Ze legde haar rechterhand op de leuning van de bank en hield zich vast.

'Ik...' begon ze. 'Ik... Ik... Ik dacht dat de beloning die... die de moeder... die de moeder had uitgeloofd... voor de identificatie van de bestuurder van die bestelwagen was.'

'Dat klopt,' zei Bella Moy.

'Dus... Dus waarom zijn ze dan vermoord?' Een draaikolk van angst wervelde binnen in haar.

'Dat weten we niet, mevrouw Chase,' antwoordde Glenn Branson. 'Dit kan een buitengewoon toeval zijn. Maar de politie heeft een zorgplicht. Het rechercheteam heeft de dreiging ingeschat, en we denken dat uw leven mogelijk gevaar loopt.'

Dit kon niet waar zijn, dacht Carly. Dit was een misselijke grap. Zo meteen kwam de clou. Dit was een of andere subtiele misleiding. Haar advocatengeest nam het over. Ze waren hier om haar bang te maken, zodat ze een bekentenis zou afleggen over het ongeluk.

Toen zei Glenn Branson: 'Mevrouw Chase, er zijn verschillende dingen die we kunnen doen om u te beschermen. Een daarvan is dat we u hier weghalen en naar een veilige plek elders in de stad brengen. Wat zou u daarvan vinden?'

Ze staarde hem aan en haar angst verergerde. 'Hoe bedoelt u?'

Bella Moy antwoordde. 'Het zou net zoiets zijn als wanneer een getuige in beschermende hechtenis wordt genomen, mevrouw Chase... Mag ik Carly zeggen?'

Carly knikte somber en probeerde te verwerken wat haar werd verteld. 'Verhuizen?'

'Carly, we zouden jou en je gezin onder politiebegeleiding naar een andere woning brengen, als tijdelijke maatregel. Dan, als we het gevoel hebben dat het gevaar zal blijven bestaan, kunnen we overwegen je naar een ander deel van Engeland te laten verhuizen, je een andere naam en een volledig nieuwe identiteit geven.'

Carly staarde hen onthutst aan, als een opgejaagd dier. 'Mijn naam veranderen? Een nieuwe identiteit? Naar een andere plek in Brighton verhuizen? Jullie bedoelen nu meteen?'

'Nu meteen,' zei Glenn Branson. 'Wij blijven hier terwijl u uw spullen pakt en regelen een politie-escorte.'

Carly stak haar handen in de lucht. 'Wacht eens even. Dit is belachelijk. Mijn leven is in deze stad. Ik heb mijn zoon hier op school zitten. Mijn moeder woont hier. Ik kan niet zomaar mijn boeltje pakken en verhuizen. Vergeet het maar. Zeker niet vanavond. En verhuizen naar een ander deel van het land is al helemaal gestoord.' Haar stem trilde. 'Luister, ik had geen aandeel aan dat ongeluk. Oké, ik weet het, ik ben veroordeeld voor rijden onder invloed, maar ik heb die arme jongen niet geraakt, in godsnaam! Zijn dood kan míj toch niet worden verweten? De verkeerspolitie heeft dat ook al gezegd. En vandaag is het in de rechtbank ook weer genoemd.'

'Carly,' zei Bella Moy, 'dat weten we. De ouders van de overleden jongen hebben alle informatie over het ongeluk gekregen. Maar zoals mijn collega al zei, de politie van Sussex is wettelijk verplicht zich om je te bekommeren.'

Carly wrong haar handen en probeerde helder na te denken. Het lukte niet. 'Even duidelijkheid scheppen,' zei ze. 'De bestuurder achter me, in dat witte busje, jullie zeggen dat hij dood is, dat hij vermoord is?'

Glenn Branson keek heel ernstig. 'Daar bestaat geen twijfel over, mevrouw Chase. Ja, hij is vermoord.'

'En de vrachtwagenchauffeur?'

'Ook geen twijfel over zijn dood. We hebben zo veel mogelijk inlichtingen verzameld over de familie van de overleden jongen, en helaas zijn zij absoluut in staat om dergelijke vergeldingsmoorden te laten plegen. Ik durf het amper te zeggen, maar dat soort dingen zijn onderdeel van hun cultuur. Ze leven in een heel andere wereld.'

'Nou, dat is dan lekker, hè?' zei Carly toen haar angst omsloeg in woede. Ineens had ze dringend behoefte aan een borrel en een sigaret. 'Kan ik jullie iets te drinken aanbieden?'

Beide agenten schudden hun hoofd.

Ze bleef even stil zitten en dacht vurig na, maar ze kon zich moeilijk concentreren. 'Bedoelen jullie dat die familie een huurmoordenaar, of hoe je dat ook noemt, in de arm heeft genomen?'

'Dat is een mogelijkheid, Carly,' zei Bella Moy zachtjes.

'O, tuurlijk. En wat zijn de andere mogelijkheden? Toeval? Dat moet dan wel een verdomd groot toeval zijn, of niet?'

'Honderdduizend dollar is een hoop geld, mevrouw Chase,' zei rechercheur Branson. 'Het is een aanwijzing over hoe kwaad de ouders zijn.'

'Dus volgens jullie moeten mijn zoon en ik hier misschien weg? Een nieuwe identiteit aannemen? En gaan jullie ons dan de rest van ons leven beschermen? Hoe moet ik dat zien?'

De twee rechercheurs keken elkaar aan. Toen antwoordde rechercheur Moy.

'Ik denk dat geen enkele politiemacht dat soort bescherming kan bieden, Carly, helaas. Maar we kunnen je wel aan een nieuwe identiteit helpen.'

'Dit is mijn huis. Hier is ons leven. Onze vrienden zijn hier. Tyler is zijn vader al kwijt; moet hij nu ook nog al zijn vrienden kwijtraken? Willen jullie nu echt dat ik me verstop, met mijn zoon, vanavond nog? Dat ik mijn baan opzeg? En stel dat we naar een ander huis gaan, of een andere gemeente? Als die mensen het menen, denk je dan niet dat ze ons toch wel vinden? Moet ik de rest van mijn leven in angst zitten wanneer er wordt aangeklopt, als ik iets hoor kraken in huis of een tak hoor knappen in de achtertuin?'

'We dwingen je niet om te verhuizen, Carly,' zei Bella Moy. 'We zeggen alleen dat wij denken dat het de beste optie is.'

'Als u besluit te blijven, zorgen we voor bescherming,' zei Glenn Branson. 'We organiseren een camerasysteem en bewaking, maar dat kan slechts voor twee weken.'

'Twee weken?' zei Carly. 'Waarom? Vanwege jullie budget?'

Branson stak zijn handen omhoog. 'Dit zijn echt uw beste opties.' Hij pakte de envelop die hij bij zich had en haalde er een document uit. 'Als u dit even voor me wilt lezen en ondertekenen, alstublieft.'

Carly keek ernaar. Toen ze het zwart op wit zag, kreeg ze nog koudere rillingen.

70

APPENDIX F – POLITIE SUSSEX
'Osman'-waarschuwing
Melding van bedreiging persoonlijke veiligheid
Mevrouw Carly Chase
37 Hove Park Avenue
Hove
BN3 6LN
East Sussex

Geachte mevrouw Chase,

Ik ben in het bezit van de volgende informatie, die erop wijst dat uw persoonlijke veiligheid momenteel in gevaar is.

Ik moet benadrukken dat ik onder geen beding de identiteit van de verstrekker van deze informatie aan u zal onthullen, en hoewel ik geen uitspraken kan doen over de betrouwbaarheid of anderszins van de bron of inhoud van deze informatie, heb ik geen reden om de bij ons bekende gegevens te wantrouwen. Ik heb geen andere inlichtingen met betrekking tot deze kwestie, noch ben ik direct betrokken bij deze zaak.

Ik heb reden om aan te nemen, na de dood van Ewan Preece, de bestuurder van de bestelwagen die in botsing is gekomen met fietser Tony Revere, en Stuart Ferguson, chauffeur van de vrachtwagen die ook in botsing is gekomen met Tony Revere, dat uw leven op dit moment acuut in gevaar is door wraakacties in opdracht van een onbekende persoon of personen, uitgevoerd door een nog onbekende persoon of personen.

Hoewel de politie van Sussex alle mogelijke stappen zal ondernemen om het risico te minimaliseren, kan de politie u niet van dag tot dag en van uur tot uur tegen deze dreiging beschermen.

Ik moet ook benadrukken dat het feit dat mij deze informatie is verstrekt u in geen geval het gezag geeft om acties te ondernemen waarmee u de wet zou overtreden (bijvoorbeeld door verdedigingswapens te dragen, anderen aan te vallen of de openbare orde te verstoren) en dat indien u zich hieraan wel schuldig maakt, u dienovereenkomstig zult worden benaderd.

Ik beveel u daarom aan gepaste actie te ondernemen om uw veiligheid te vergroten (bijvoorbeeld met een inbraakalarm, wijzigingen in uw dagelijkse routine, enz.). U kunt ook besluiten dat het beter is om uw woonomgeving gedurende de afzienbare toekomst te verlaten. Dat besluit is aan u.

Als u mij op de hoogte wilt stellen van de complete adresgegevens van uw verblijfplaats, zal ik ervoor zorg dragen dat de nodige onderzoeken worden uitgevoerd door politiebeambten om u te adviseren over bovenstaande veiligheidsmaatregelen.

Ik wil u ook verzoeken contact op te nemen met de politie over eventuele verdachte gebeurtenissen omtrent deze dreiging.

Ondertekend door inspecteur Roy Grace
Tijd/datum: 17:35 uur, woensdag 5 mei

Ik .... bevestig dat om .... : .... uur op .... - .... -20 ..
bovenstaande melding aan me is voorgelezen door ....
van de politie van Sussex
Ondertekend: ....
Handtekening agent die melding heeft voorgelezen: ....
Tijd/datum: ....
Handtekening agent als getuige van voorlezing: ....
Tijd/datum: ....

Carly las het formulier door. Toen ze klaar was, keek ze de twee rechercheurs aan. ‘Even voor de duidelijkheid. Willen jullie zeggen dat als ik niet wil verhuizen, ik er alleen voor sta?’

Bella Moy schudde haar hoofd. ‘Nee, Carly. Zoals rechercheur Branson al heeft uitgelegd, zouden we je tijdelijk – twee weken – voorzien van vierentwintiguurs politiebewaking. En we zouden bewakingscamera’s voor je ophangen. Maar we kunnen je veiligheid niet garanderen, Carly. We kunnen alleen maar ons best doen.’

‘Willen jullie dat ik teken?’

Bella knikte.

'Die handtekening is niet voor mij, hè? Die dient om jullie in te dekken. Als ik vermoord word, kunnen jullie aantonen dat jullie je best hebben gedaan. Dat is het toch?'

'Luister, u bent een intelligente vrouw,' zei Glenn Branson. 'Iedereen van de politie van Sussex zal al het mogelijke doen om u te beschermen. Maar als u niet wilt verhuizen, en dat kan ik best begrijpen, en ik kan me ook voorstellen dat u niet wilt worden opgesloten in een safehouse, dan zijn onze opties beperkt. We zullen moeten proberen samen te werken.' Hij legde zijn visitekaartje voor Carly op tafel neer. 'Rechercheur Moy zal uw eerste aanspreekpunt zijn, maar bel me gerust, wanneer u wilt.'

Carly pakte haar pen. 'Geweldig,' zei ze terwijl ze ondertekende, misselijk van angst, en haar best deed om helder na te denken.

71

Roy Grace lag in bed naast Cleo te woelen, klaarwakker en opgefokt. Hij was tot twee uur 's nachts in het mortuarium geweest voordat de sectie op de vrachtwagenchauffeur eindelijk afgerond was. In ieder geval had hij Cleo weten over te halen eerder naar huis te gaan, dus zij was kort voor middernacht vertrokken. Hij leefde nu voortdurend in angst dat Cleo ieder moment weer een bloeding kon krijgen. Een potentieel levensbedreigende bloeding, voor haarzelf en voor hun baby.

Nadiuska De Sancha was niet beschikbaar geweest en ze waren opgezadeld met de betweterige patholoog van het hoofdkantoor, dokter Frazer Theobald. Maar hoewel hij traag werkte, was Theobald wel grondig, en hij had wat nuttige informatie kunnen geven over de dood van het ongelukkige slachtoffer.

De felblauwe cijfers van de wekkerradio, een paar centimeter voor Grace' ogen, gingen van 03:58 uur naar 03:59 uur, en na wat een eindeloze tijd leek naar 04:00 uur.

Shit.

Hij had een lange, zware dag voor zich. Hij zou in topconditie moeten zijn om zijn uitdijende rechercheteam aan te sturen, om te gaan met de onvermijdelijke vragen van Peter Rigg en belangrijke beslissingen te nemen over een aangepaste persstrategie. Maar het allerbelangrijkste, de absolute prioriteit, was de bescherming van een vrouw die acuut in levensgevaar kon zijn.

Hij keek weer op de wekkerradio. 04:01 uur.

De eerste strepen ochtendlicht vielen over de stad. Maar binnen in hem zat een dieper wordende duisternis. Hoe kon je iemand echt volledig beschermen, behalve door diegene op te sluiten in een cel of in te metselen in een safehouse? Ze was niet bereid haar huis te verlaten, wat de beste optie zou zijn, en daar kon hij best inkomen. Maar nu was het aan hem om voor haar veiligheid te zorgen.

Hij dacht weer aan de aanblik van Ewan Preece in de bestelwagen. En het afschrikwekkende lijk van Stuart Ferguson aan de haak. Maar bovenal dacht hij aan die camera's. Vooral de tweede.

Het zendbereik ervan was maar een paar honderd meter. Wat betekende dat de moordenaar vlakbij moest hebben gewacht met een ontvanger, bijna zeker in een auto. Grace kon wel begrijpen dat het lastig was geweest om de camera uit de bestelwagen terug te krijgen, maar hij had toch wel terug kunnen gaan voor de tweede? De camera's, waterbestendig en met nachtzicht, waren zeker duizend pond per stuk waard. Een hoop geld om zomaar weg te gooien.

Wie was deze moordenaar? Hij was slim, berekenend en georganiseerd. In zijn hele carrière was Grace nog nooit zoiets als dit tegengekomen.

Dat filmen deed hem denken aan een zaak waar hij de vorige zomer aan had gewerkt, die draaide om een distributienetwerk van zieke snuffmovies, en het was even bij hem opgekomen dat dit op hetzelfde vlak kon liggen, maar dat betwijfelde hij nu toch. Dit ging om wraak voor de dood van Tony Revere. De chauffeur met zijn vrachtwagenlading bevroren zeevruchten, terechtgesteld in de rokerij, liet weinig ruimte voor twijfel.

De patholoog schatte dat Ferguson in de koude opslag binnen twee uur dood was geweest, en waarschijnlijk nog sneller. Als de moordenaar in de buurt was gebleven, de beelden van de camera had opgevangen en waarschijnlijk had gewacht totdat de vrachtwagenchauffeur dood was, waarom had hij dan die camera niet opgehaald?

Omdat hij het risico niet had willen nemen? Was er iemand aangekomen? Of misschien een langsrijdende surveillerende politiewagen? Of was het om een boodschap – een bewijs – voor iemand achter te laten? Gewoon een cynische mededeling aan het volgende slachtoffer? *Dit is wat er met jou gaat gebeuren, en het doet er niet toe wat het kost...*

Had de moordenaar in zijn auto zitten kijken naar de beelden van Ferguson die kronkelde, rilde en gedurende twee uur langzaam doodvroor? Frazer Theobald zei dat de huid van de man gedeeltelijk verbrand was en dat er rook in zijn longen zat, maar niet voldoende om ervan te zijn gestikt. De haak die door zijn verhemelte was gedrukt en onder zijn oog weer naar buiten was gekomen, zou verschrikkelijk pijn hebben gedaan, maar was op zich niet levensbedreigend. Zijn dood in de koude opslag moest hels zijn geweest.

Wat was die sadist mogelijk met Carly Chase van plan?

Het team van rechercheur Lanigan verhoorde de familie Revere en Fernanda Reveres broer, die de functie als officieel hoofd van de misdaadfamilie had overgenomen na de arrestatie van zijn vader, maar Lanigan had niet veel hoop dat hij bij hen iets zou bereiken.

Grace nam een slokje water en draaide toen zo voorzichtig mogelijk zijn kussen om, met de koele kant naar boven.

Cleo sliep ook niet goed. Het was moeilijk voor haar om met een kussen onder haar arm op haar linkerzij te slapen, zoals de gynaecoloog had aangeraden, en ze moest bijna elk uur plassen. Ze sliep nu en ademde diep. Hij vroeg zich af of hij misschien voldoende tot rust zou komen om weer in slaap te vallen als hij even ging lezen. Op de vloer naast het bed lag hun puppy Humphrey, een kruising tussen een labrador en een bordercollie, af en toe te snurken.

Geruisloos, om Cleo niet te storen, zette hij het leeslampje op de meest gedimde stand en tuurde naar het stapeltje boeken op zijn nachtkastje; de helft ervan gekocht op aanraden van zijn collega Nick Nicholl.

Vaderschap. Van jongen tot vader. Het nieuwe kleine boek voor tevreden baby's. Geheimen van de babyfluisteraar.

Hij pakte het bovenste, *Vaderschap*, en ging verder met lezen bij de bladwijzer. Alleen werd hij na een paar bladzijden niet rustiger, maar juist steeds bezorgder over de verantwoordelijkheden van het vaderschap. Hij moest aan zo veel dingen denken. En dat allemaal naast zijn werk bij de politie.

Vanaf het moment waarop Cleo had verteld dat ze zwanger was, had hij zich vast voorgenomen om een betrokken en toegewijd vader te worden. Maar terwijl hij deze boeken las, leken de tijd en verantwoordelijkheid die van hem geëist zouden worden afschrikwekkend. Hij wilde die tijd er wel aan wijden, en hij wilde die verantwoordelijkheid ook, maar hoe moest hij dat allemaal klaarspelen?

Om halfzes gaf hij de hoop om nog in slaap te vallen eindelijk op, glipte het bed uit, liep naar de badkamer en spetterde wat koud water in zijn gezicht. Zijn ogen voelden aan alsof hij er met schuurpapier in had gewreven. Hij vroeg zich af of een eindje hardlopen hem misschien zou verfrissen, maar daar voelde hij zich gewoon te moe voor. In plaats daarvan trok hij een trainingspak aan en besloot een blokje om te gaan om zijn gedachten te richten op de dag die voor hem lag. Hij nam Humphrey, die per se mee wilde, mee aan de riem. Daarna tankte hij zichzelf vol met koffie, nam een douche, kleedde zich aan en reed naar zijn werk.

Hij kwam even voor zeven uur aan, nam een blikje Red Bull en belde naar de hoofdagent van het bewakingsteam dat verdekt opgesteld stond rondom het huis van Carly Chase. Tot zijn opluchting was alles rustig gebleven.

De afgelopen nacht, in ieder geval.

72

'Ik wilde even melden,' zei Roy Grace aan het begin van de briefing van halfnegen 's morgens in Coördinatiecentrum 1, 'dat ik helemaal niet blij ben.'

Iedereen in de kamer was al op de hoogte van de moord op de vrachtwagenchauffeur. Grote ontwikkelingen in een onderzoek op deze schaal werden onmiddellijk aan iedereen doorgegeven.

Hij nam een slok koffie, bekeek zijn aantekeningen en vervolgde: 'Item 1 op mijn agenda is dat er nog altijd iemand lekt naar onze vriend Kevin Spinella van de *Argus*. Oké?'

Hij bekeek de vijfendertig ernstige gezichten. De weerzinwekkende ontdekking van de vorige middag had zelfs de meest geharde agenten tussen dit stel geraakt. 'Ik beschuldig hier niemand, maar iemand heeft hem verteld dat Preece' handen met secondelijm aan het stuur van zijn bus waren geplakt. Het is ofwel een lid van dit rechercheteam, of van de bergingseenheid, of een medewerker bij de haven van Shoreham, of iemand bij het mortuarium geweest. Ik zal die persoon op zeker moment vinden, en wanneer dat gebeurt zal hij hangen, aan iets pijnlijkers dan een vleeshaak. Is dat duidelijk?'

Iedereen knikte. Alle mensen die met Roy Grace samenwerkten, kenden hem als gelijkmoedig en evenwichtig, iemand die zich zelden gek liet maken. Ze schrokken ervan hem zo boos te zien.

Hij nam nog een slok koffie. 'Onze mediastrategie kan van vitaal belang zijn. We denken dat er een professionele huurmoordenaar in Brighton rondloopt, naar alle waarschijnlijkheid ingehuurd door de familie Revere in New York om de dood van hun zoon te wreken. We moeten extreem voorzichtig met de media omgaan, zowel om de hulp van het publiek te krijgen als om die moordenaar te vinden voordat hij nog eens toeslaat, en om mogelijke impact op de samenleving te voorkomen.'

'Chef,' zei rechercheur Stacey Horobin, een intelligent ogende vrouw van begin dertig met modieus warrig bruin haar, die pas was aangesteld bij het rechercheteam, 'wat zijn precies uw zorgen over de impact op de samenleving?'

Nick Nicholls telefoon ging. Na een vernietigende blik van Grace legde hij het toestel haastig het zwijgen op. Gedurende een kort ogenblik leek het alsof Grace zou ontploffen, maar toen antwoordde hij rustig. 'Ik denk dat als het nodig is, we het publiek er wel van kunnen verzekeren dat er voor hen geen risico bestaat,' antwoordde hij. 'Maar ik wil niet dat de mensen denken dat we niet eens een onschuldige burger kunnen beschermen.'

'Heeft mevrouw Chase de Osman gekregen, chef?' vroeg Duncan Crocker.

'Ja,' antwoordde Glenn Branson in plaats van Grace. 'Bella en ik hebben die gisteravond even na zessen bij haar gebracht. We hebben mevrouw Chase de kans geboden om te verhuizen naar een onderduikadres, maar dat weigerde ze vanwege haar familie en haar werk. Eerlijk gezegd vind ik het onverstandig van haar. Rechercheur Moy heeft de nacht bij haar thuis doorgebracht in afwachting van de installatie van een camerasysteem vanochtend, en een eenheid van het bewakingsteam houdt zich sinds negen uur gisteravond in de buurt van haar huis op. Tot nu toe zonder incidenten.'

'Wordt ze ook beschermd als ze naar haar werk gaat?' vroeg Norman Potting. 'En terwijl ze daar is?'

'Ik heb rechercheur Hazzard van het politieteam Hove gesproken,' zei Grace. 'Vandaag en morgen, en de eerste helft van volgende week, wordt ze in een surveillancewagen naar haar werk gebracht en weer opgehaald. En ik zet een politieassistent bij de receptie op haar werk. Ik wil die moordenaar duidelijk laten merken dat we hem in de smiezen hebben als hij het op die vrouw voorzien heeft.'

'En Reveres familie in New York, chef?' zei Nick Nicholl. 'Praat iemand met hen?'

'Ik heb onze contactpersoon bij de politie van New York op de hoogte gebracht van de situatie, en ze zitten er bovenop. Hij zegt dat deze moorden een gelijksoortige stijl hebben als die van een vroegere huurmoordenaar van de maffia, een charmeur die Richard Kuklinski heette en die bekendstond als de IJsman. Hij gebruikte ook koelcellen, en een van zijn specialiteiten was dat hij zijn slachtoffers vastbond en in een grot legde, waarbij hij dan een camera liet draaien om vast te leggen hoe ze levend door ratten werden opgegeten.'

Bella, die op het punt had gestaan een Malteser uit het doosje dat voor haar stond te pakken, trok haar hand terug en keek walgend.

'Dat klinkt als onze man, chef!' zei Norman Potting geanimeerd.

'Inderdaad, Norman,' antwoordde Grace. 'Er is alleen één probleem met Kuklinski.'

Potting wachtte ongerust af.

'Hij is vier jaar geleden in de gevangenis overleden.'

'Ja, dat zal hem hier wel enigszins vrijpleiten,' zei Potting. Hij keek grijnzend om zich heen, maar niemand lachte terug. 'Stinkend zaakje in die koelcel gisteren,' voegde hij eraan toe, en weer keek hij om zich heen, tevergeefs zoekend naar een lach. Het enige wat hij kreeg was een schroeiende blik van Bella Moy.

'Dank je, Norman,' zei Grace kortaf. 'Rechercheur Lanigan zou gisteravond naar de Reveres gaan en me terugbellen, maar eigenlijk verwacht ik niets van hen. En één ding dat Lanigan me vertelde, wat geen goed nieuws is voor ons, is dat ze heel weinig informatie hebben over huurmoordenaars.'

'Verlamde die Kuklinski zijn slachtoffers eerst?'

'Niet voor zover ik tot nu toe gehoord heb uit de autopsie, Nick. Onze dader heeft Preece niet verlamd, alleen Ferguson.'

'Waarom denk je dat hij dat heeft gedaan?'

Grace haalde zijn schouders op. 'Misschien uit sadisme. Of misschien om hem gemakkelijker aan te kunnen. Hopelijk,' zei hij, terwijl hij zijn wenkbrauwen optrok, 'krijgen we nog de kans om hem dat te vragen.'

'Chef, wat voor informatie wil je aan de pers vrijgeven over de dood van de vrachtwagenchauffeur?' vroeg rechercheur Emma-Jane Boutwood.

'Voorlopig alleen dat er een dode man is gevonden in een koelcel bij Springs Smoked Salmon,' antwoordde Grace. 'Ik wil geen gespeculeer. Laat de mensen maar denken dat het een bedrijfsongeval was.'

Hij keek naar zijn mobiele telefoon, die naast zijn aantekeningen op het werkblad voor hem lag, alsof hij op het onvermijdelijke telefoontje van Spinella wachtte. Voorlopig bleef het toestel echter stil. 'Ik heb nog niet besloten wat we verder bekendmaken. Maar ik twijfel er niet aan dat iemand anders me dat besluit uit handen zal nemen.'

Hij keek uitdagend naar zijn team, zonder er iemand in het bijzonder uit te pikken. Toen wierp hij weer een blik op zijn aantekeningen. 'Oké, volgens zijn werkgevers is Stuart Ferguson dinsdag even na twee uur 's middags uit het depot weggereden. We moeten die vrachtwagen vinden.' Hij keek rechercheur Horobin aan. 'Stacey, ik wil graag dat jij probeert de route van de vrachtwagen te achterhalen en getuigen te vinden die hem hebben gezien, vanaf het moment waarop hij het depot in Aberdeen verliet tot waar hij momenteel staat. We moeten hem vinden. Je zou een groot deel van de route vrij eenvoudig moeten kunnen achterhalen door te zoeken op het kenteken.'

Langs veel snelwegen en belangrijke doorgaande wegen in het Verenigd Koninkrijk stonden camera's met automatische kentekenherkenning. Ze filmden de kentekens van alle passerende voertuigen en sloegen die op in een database.

'Doe ik,' beloofde ze.

Grace las vervolgens een samenvatting voor van de bevindingen van de autopsie tot zover. Toen hij daar nog enkele vragen over had beantwoord, dronk hij zijn koffie op en ging door met het volgende item op zijn lijst.

'Oké, een update van onderzoekslijnen. Het onderzoek naar de moord op Preece' vriend Warren Tulley in de Ford-gevangenis is nog gaande.' Hij keek rechercheur Crocker aan. 'Duncan, heb je daarover iets voor ons?'

'Niks nieuws, chef. Nog steeds hetzelfde stilzwijgen van de andere gedetineerden. Het verhoorteam praat met alle gevangenen, maar tot nu toe hebben we geen doorbraak.'

Grace bedankte hem en wendde zich tot rechercheur Nick Nicholl. 'De secondelijm op Ewan Preece' handen. Nick, iets te melden?'

'Het externe rechercheteam is nog steeds bezig langs te gaan bij alle winkels in de omgeving van Brighton & Hove die secondelijm verkopen. Het is een enorme klus, en we zijn echt onderbemand. Elke kiosk, elke doe-het-zelfzaak en gereedschapwinkel, elke supermarkt.'

'Laat ze ermee doorgaan,' zei Grace. Toen wendde hij zich tot Norman Potting. 'Heb jij iets te melden over de camera?'

'We zijn alle winkels af geweest die hem verkopen, ook de banken van lening die ze tweedehands verkopen. Een van hen was zo vriendelijk om het serienummer na te gaan op de camera uit het busje. Hij vermoedt dat het een model is dat niet in Engeland wordt verkocht, alleen in Amerika. Ik heb nog geen kans gehad om die uit de koelcel van Springs na te trekken, maar hij zag er identiek uit.'

Toen de vergadering afgelopen was, kreeg Glenn Branson een oproep op zijn portofoon. Het was een van de beveiligingsagenten bij de balie, Duncan Steele.

Hij bedankte hem en wendde zich tot Roy Grace. 'Mevrouw Chase staat beneden.'

Grace fronste zijn voorhoofd. 'Hier, in dit gebouw?'

'Ja. Ze zegt dat ze me dringend wil spreken.'

'Misschien heeft ze zich bedacht.'

73

Tooth zat aan het bureau op zijn kamer in de Premier Inn, met zijn laptop open voor zich. Door het raam hield hij een oogje op de parkeerplaats. Erachter zag hij in de verte het gebouw van de North Terminal van Gatwick Airport en de blauwe hemel erboven. Het zou niet lang meer duren voordat hij in een vliegtuig in die blauwe hemel zat, op weg naar huis, naar de bijna altijd blauwe hemel van de Turks- en Caicoseilanden. Hij hield van warmte, was in zijn legertijd graag naar warme plekken gegaan. Zijn ervaring met het Engelse weer was dat het er meestal regende.

Hij deed niet aan regen.

Er bungelde een Lucky Strike tussen zijn lippen. Hij staarde naar het scherm, dacht wat voor zich uit en klikte door afbeeldingen. Foto's van Hove Park Avenue, waar Carly Chase woonde. Foto's van de voorkant, achterkant en zijkant van haar huis.

Vroeg in de ochtend, toen hij klaar was bij de rokerij van Springs, was hij door de straat gereden en had zich de auto's daar ingeprent. Toen was hij even bij haar huis langs geweest. Er was binnen een hond gaan blaffen en boven was het licht aangegaan toen hij weer vertrok. De vorige avond was hij er nog een keer heen gereden en had hij een donkere Audi geparkeerd zien staan, met een onduidelijke gestalte achter het stuur. Die Audi had er voorheen niet gestaan.

De politie was niet achterlijk. Hij had in de loop der jaren geleerd dat je de vijand nooit moest onderschatten. Zo bleef je in leven. Zo bleef je op vrije voeten. In Amerika opereerde politiesurveillance in teams van acht man en ploegen van acht uur, zodat vierentwintig agenten een dienst van vierentwintig uur bestreken. Hij twijfelde er niet aan dat er nog andere agenten in de buurt waren die hij niet had gezien. Enkele te voet, waarschijnlijk in de achtertuin of aan de zijkanten van het huis.

Hij had al geluisterd naar het gesprek dat binnen was gevoerd toen de politie de vorige avond bij haar was langsgekomen, dat was opgepikt door de piepkleine richtmicrofoons die hij in de tuin had verstopt en op haar ramen had gericht. Ze had de politie verteld dat ze niet weg wilde.

Hij bekeek zijn aantekeningen. Dat joch was vanmorgen om vijf voor halfnegen in zijn schooluniform opgepikt door een vrouw in een zwarte Range Rover met nog twee kinderen erin. Om vijf over halfnegen was Carly Chase achter in een surveillancewagen van huis vertrokken.

Om vijf over negen belde hij naar haar kantoor, deed zich voor als een cliënt en zei dat hij haar dringend moest spreken. Hij kreeg te horen dat ze er nog niet was. Een tweede telefoontje om halftien wees uit dat ze nog steeds niet was gearriveerd.

Waar was ze?

74

Carly Chase zat naast Glenn Branson aan de kleine ronde vergadertafel in het kantoor van Roy Grace. Grace ging bij hen zitten.

'Aangenaam kennis te maken, mevrouw Chase,' zei hij terwijl hij plaatsnam. 'Het spijt me alleen dat het niet onder betere omstandigheden is. Wilt u misschien iets drinken?'

Ze voelde zich te misselijk van angst om te kunnen slikken. 'Ik... Nee, dank u.'

Ze was zich ervan bewust dat ze met haar rechtervoet wiebelde, maar kon er niet mee ophouden. Beide mannen keken haar indringend aan, en dat maakte haar nog nerveuzer.

'Ik wilde u spreken,' stamelde ze met een blik op Glenn Branson, en toen keek ze weer naar de inspecteur. 'Rechercheur Branson en zijn collega hebben me gisteravond de situatie uitgelegd. Ik heb er vannacht over nagedacht. Ik weet niet of u dit weet, maar ik ben advocaat, gespecialiseerd in echtscheidingen.'

Grace knikte. 'Ik weet vrij veel over u.'

Ze wrong haar handen en slikte om het ploppen van haar oren te laten ophouden. Haar blik schoot van een collectie oude aanstekers op een plank naar ingelijste certificaten aan de muur, vervolgens naar een opgezette forel in een vitrinekastje en toen weer terug naar Grace.

'Ik ben een groot voorstander van compromissen in plaats van confrontaties,' vertelde ze. 'Ik probeer huwelijken te redden in plaats van ze te verwoesten; dat is altijd mijn filosofie geweest.'

Grace knikte weer. 'Een heel nobel streven.'

Ze keek hem schuins aan, niet zeker of hij een loopje met haar nam, maar besefte toen dat ze niets over zijn privéleven wist. 'In mijn ervaring ontbreekt heel vaak de dialoog,' zei ze. Ze haalde haar schouders op en haar voet wiebelde nog sneller.

Grace staarde haar aan. Hij had geen idee waar ze op aanstuurde.

'Vijf jaar geleden is mijn man verongelukt tijdens het skiën in Canada. Hij kwam in een lawine terecht. Mijn eerste reactie was om in een vliegtuig te stappen, de gids op te zoeken die hem die berg op had gebracht – en het zelf wel had overleefd – en hem met blote handen te wurgen. Oké?'

Grace keek naar Branson, die hulpeloos zijn schouders ophaalde. 'Iedereen gaat op zijn eigen manier met verdriet om,' antwoordde hij.

'Precies,' zei Carly. 'En daarom ben ik hier.' Ze wendde zich tot Glenn Branson. 'U zei gisteravond dat mijn leven gevaar loopt door een vergeldingsactie van de ouders van die arme jongen die met zijn fiets is verongelukt. Maar ik had daar geen schuld aan. Goed, ik weet dat ik ben aangeklaagd voor rijden onder invloed, maar het zou geen moer hebben uitgemaakt als ik broodnuchter was geweest; dat heeft de verkeerspolitie bevestigd. En het was ook niet de schuld van de bestuurder van die bestelwagen, ook al reed hij door, en het was al helemaal niet de schuld van de vrachtwagenchauffeur. Dat hele ongeluk is veroorzaakt door die arme jongen zelf, omdat hij op de verkeerde weghelft fietste!'

Branson stond op het punt te reageren, maar Grace was hem voor. 'Mevrouw Chase, dat weten we allemaal. Maar zoals mijn collega al heeft uitgelegd, we hebben hier niet te maken met normale, rationele mensen. De Reveres, voor zover wij hebben begrepen, komen uit een cultuur waarin geschillen niet in de rechtszaal worden beslecht, maar met fysiek geweld. Er is hun verteld dat u niet in botsing bent gekomen met hun zoon, en misschien zijn ze nu klaar met hun verschrikkelijke wraakacties; als dat althans is waar deze twee moorden om draaien. Maar ik ben verantwoordelijk voor uw veiligheid en heb een zorgplicht aan u.'

'Ik kan niet mijn hele leven in angst zitten, meneer Grace... sorry: inspecteur. Er is altijd een oplossing voor problemen, en ik denk dat ik die hier ook heb gevonden.'

Beide politiemannen keken haar strak aan.

'O ja?' vroeg Glenn Branson.

'Ja. Ik... Ik heb vannacht geen oog dichtgedaan, heb alleen maar liggen piekeren over wat ik kon doen. Ik heb besloten dat ik naar hen toe ga. Ik ga naar New York om als vrouwen onder elkaar met mevrouw Revere te praten. Zij heeft haar zoon verloren. Ik heb mijn man verloren. We willen allebei graag andere mensen de schuld geven om iets van zingeving achter ons verlies te vinden. Ik denk voortdurend aan die stomme skigids, die mijn man nooit bij zulk weer mee de berg op had moeten nemen. Maar wraak zal Kes niet bij me terugbrengen of de pijn van mijn verlies verminderen. Ik moet manieren verzinnen om door te gaan met mijn leven. Zij en haar man zullen hetzelfde moeten doen.'

'Ik weet ook wel iets van verlies,' zei Roy Grace vriendelijk. 'Ik heb er ervaring mee. En ik snap uw gedachtegang wel. Maar voor zover ik op de hoogte ben van die familie, denk ik niet dat het een goed idee is om bij ze langs te gaan; en het is zeker niet iets wat de politie van Sussex zou kunnen steunen.'

'Waarom niet?' Ze keek Grace aan met een plotselinge felheid waar hij van schrok.

'Omdat wij verantwoordelijk zijn voor uw veiligheid. Ik kan u hier in Brighton beschermen, maar niet in New York.'

Ze wendde zich tot Glenn Branson. 'U zei gisteravond dat de politie me maar twee weken bescherming kan bieden, toch?'

Branson knikte en antwoordde: 'Nou, voor het einde van die periode zouden we de situatie opnieuw bekijken.'

'Maar u kunt me niet de rest van mijn leven beschermen. En daar zou ik bang voor zijn. Ik wil niet de komende vijf jaar steeds achterom moeten kijken. Ik moet hier nu iets aan doen.' Ze zweeg even en vroeg toen: 'Bedoelt u dat u me zou verbieden daarheen te gaan?'

Grace spreidde zijn handen. 'Ik heb niet de macht om u tegen te houden. Maar ik kan niet instaan voor uw veiligheid als u gaat. Ik zou een agent met u mee kunnen sturen, al zou die eerlijk gezegd buiten zijn rechtsgebied niet veel kunnen doen...'

'Ik ga alleen,' zei ze vastbesloten. 'Ik kan best voor mezelf zorgen. Ik kan dit wel aan. Ik heb zo vaak met lastige mensen te maken.'

Glenn Branson bewonderde haar vastberadenheid en wenste heimelijk dat hij deze doodsbange maar pittige vrouw in de arm had genomen tijdens zijn scheiding, in plaats van de nogal slappe advocaat die hij nu had.

'Mevrouw Chase,' zei Roy Grace, 'we hebben een paar inlichtingen over de familie Revere. Wilt u die horen voordat u uw definitieve besluit neemt?'

'Alles wat u me kunt vertellen zou nuttig kunnen zijn.'

'Oké. Tot voor kort hadden ze een club in Brooklyn die de Concubine heette. Ze nodigden hun vijanden daar uit om iets te komen drinken en als ze dan aankwamen, als speciale eregasten, werden de ongelukkigen naar de viplounge beneden geleid. Bij binnenkomst werden ze begroet door drie mannen, een van hen een lange Amerikaans-Italiaanse charmeur met de bijnaam Dracula, omdat hij op Bela Lugosi leek. Een vierde man, die zij nooit te zien kregen, schoot hen in het achterhoofd met een wapen met geluiddemper. Dracula liet hun bloed in een badkuip lopen. Een andere kerel, die was begonnen als slager, hakte de lijken dan in zes stukken. De vierde kerel pakte de ledematen, het lichaam en het hoofd in en dumpte die op verschillende vuilnisbelten rondom New York en in de rivier de Hudson. Er wordt geschat dat ze meer dan honderd mensen hebben vermoord. Sal Giordino, Tony Reveres grootvader, zit hiervoor momenteel elf keer levenslang uit, met een minimum van zevenentachtig jaar gevangenisstraf. Snapt u met wat voor mensen u te maken zou krijgen?'

'Ik heb ze gegoogeld,' zei ze. 'Er was een heleboel te vinden over Sal Giordino, maar ik heb niets over zijn dochter gelezen. Maar alles wat u me over hun wereld hebt verteld, is toch alleen maar des te meer reden om erheen te gaan en te proberen een redelijk gesprek met ze te voeren?' zei ze.

'Die mensen staan niet open voor redelijkheid,' zei Grace.

'Geef me in ieder geval de kans om het te proberen. Hebt u hun adres? Hun huisadres?'

'Zou u niet eerst een mail sturen of bellen met mevrouw Revere, om te kijken wat voor reactie dat oplevert?' vroeg Grace.

'Nee, het moet face to face, moeder tegenover moeder,' antwoordde Carly.

De twee rechercheurs keken elkaar aan.

'Ik kan het adres voor u achterhalen, op één voorwaarde,' zei Roy Grace.

'En die is?'

'U laat ons een escorte voor u regelen in New York.'

Na een lange stilte vroeg ze: 'Mag... Mag ik die weigeren?'

'Nee,' antwoordde hij.

75

Om 10:17 uur ging er een alarm op Tooths laptop. Er werd een geluidsbestand opgenomen. Dat betekende dat iemand in Carly Chase' huis praatte.

Hij klikte met de muis en luisterde mee. Ze was aan de telefoon met een vrouw die Claire heette, vroeg naar vluchten die vandaag nog naar New York gingen en bevestigde dat ze nog een visum had van een reisje van het jaar ervoor. Het klonk alsof die Claire reisagent was. Ze ratelde een lijst van vluchttijden af. Nadat ze de beschikbaarheid had gecontroleerd, boekte ze voor Carly Chase een vlucht van British Airways die om 14:55 uur vanmiddag van Londen naar Kennedy Airport in New York ging. Vervolgens bespraken ze hotels. De reisagent maakt een reservering voor haar in het Sheraton op Kennedy Airport.

Tooth keek op zijn horloge, controleerde de tijd nog een keer en glimlachte. Ze maakte dit wel heel gemakkelijk voor hem. Ze had geen idee!

Vervolgens hoorde hij Carly Chase bellen met taxibedrijf Streamline. Ze reserveerde een taxi naar terminal 5 van Heathrow Airport, die haar om halftwaalf zou komen halen; over iets meer dan een uur. Toen pleegde ze nog een telefoontje.

Ze sprak met iemand die Sarah heette. De vrouw klonk als een vriendin. Carly Chase vertelde haar dat Tyler om halftwaalf de volgende dag een afspraak bij de tandarts had om zijn beugel te laten verstellen, waar hij last van had. Gewoonlijk zou zijn oma hem hebben gebracht, maar haar arts had een afspraak voor een scan gemaakt omdat hij niet gerust was op iets in haar buik en Carly wilde niet dat ze die moest afzeggen. Ze zei dat ze de bedoeling had gehad om zelf met Tyler mee te gaan, maar dat er iets dringends tussenkwam. Kon Sarah hem er misschien heen brengen?

Sarah kon zelf niet, omdat haar vader inderdaad zijn pols had gebroken, maar ze zei dat Justin de hele week vrij had om wat te klussen in hun nieuwe huis en dat ze ervan overtuigd was dat hij Tyler wel kon ophalen. Ze zei dat ze over een paar minuten zou terugbellen.

Tooth maakte nog een kop koffie voor zichzelf en rookte nog een sigaret. Toen pingelde zijn laptop weer en hoorde hij Sarah tegen Carly Chase zeggen dat alles in orde zou komen. Justin, waarschijnlijk haar man, zou Tyler morgen om kwart over elf ophalen van school. Carly Chase gaf haar het adres en bedankte haar.

Tooth staarde naar zijn notitieblok, waarop hij de vluchtgegevens van Carly Chase had geschreven. Ze had alleen de heenreis gereserveerd, op een open ticket. Hij speculeerde over waar ze naartoe ging en had er wel een idee van. Hij vroeg zich af of ze een beetje kon bowlen.

Alleen dacht hij niet dat ze zo ver zou komen als de bowlingbaan van de Reveres.

Hij hoopte dat ze haar niet vermoordden, want dat zou al zijn plannen verpesten.

76

'We kunnen haar dit niet laten doen,' zei Roy Grace, die zijn handen op het tafelblad in Coördinatiecentrum 1 legde en zich naar Glenn Branson toe boog.

'We hebben wettelijk niet het gezag om haar tegen te houden,' antwoordde Branson. 'En ze is gek van angst.'

'Weet ik. Dat kon ik wel zien. Zou ik ook zijn, in haar situatie.'

Het was een uur geleden dat Carly Chase zijn kantoor had verlaten. Grace had een heleboel dringende dingen te doen, en een van de belangrijkste daarvan was het organiseren van een persconferentie. Een les die hij lang geleden al had geleerd, was dat je veel meer medewerking van de media kreeg als je hen inlichtte over een moordzaak in plaats van te wachten tot zij naar jou toe kwamen. Vooral in het geval van Kevin Spinella.

Maar hij had zich op niets daarvan kunnen concentreren. Hij maakte zich ernstige zorgen om de veiligheid van die vrouw. Het was halfzes 's morgens in New York en de telefoon van rechercheur Pat Lanigan schakelde meteen door naar de voicemail. Hij stond waarschijnlijk uit. Verstandige kerel, dacht Grace. En een bofkont. Sinds Grace hoofd van de afdeling Zware Criminaliteit was geworden, had hij niet langer de luxe om 's nachts zijn telefoon te kunnen uitschakelen.

Bransons mobiele telefoon ging. De rechercheur stak zijn hand op naar zijn baas, nam op en zei toen kortaf: 'Ik kan nu niet praten. Ik bel je terug.' Hij verbrak de verbinding. Kijkend naar het toestel schold hij: 'Kreng.' Hij schudde zijn hoofd. 'Ik snap het niet. Waarom haat ze me zo? Ik zou het kunnen begrijpen als ik was vreemdgegaan, maar dat heb ik nooit gedaan. Ik heb nooit naar andere vrouwen gekeken. Ari moedigt me aan om hogerop te komen, dan doe ik dat en is ze nóg niet tevreden. Dan zegt ze ineens dat ik mijn carrière belangrijker vind dan haar en mijn gezin.' Hij haalde zijn schouders op. 'Heb jij ooit gesnapt wat er in het hoofd van vrouwen omgaat?'

'Ik zou wel willen snappen wat er in het hoofd van Carly Chase omgaat,' antwoordde Grace.

'Makkie. Dat kan ik je ook wel vertellen, en ik heb er geen psychiater met een uurloon van tweehonderdvijftig pond voor nodig. Angst. Snap je, ouwe? Ze is doodsbang. En ik snap dat wel. Zou ik ook zijn.'

Grace knikte. Toen ging zijn telefoon. Het was een van zijn collega's, die vroeg of hij nog meedeed aan hun vaste pokeravond die avond. Het was de tweede week op rij dat Grace zich moest verontschuldigen omdat hij er niet bij zou kunnen zijn. Ze kaartten al jaren elke donderdagavond, maar gelukkig waren het allemaal politieagenten die de verplichtingen van zijn baan begrepen.

'Het moet wel een rotsituatie zijn als iemand het gevoel heeft dat we hem of haar niet kunnen beschermen, hè?' zei Branson toen Grace ophing.

'We kúnnen ze wel beschermen, maar alleen als ze dat willen,' antwoordde de inspecteur. 'Als ze bereid zijn te verhuizen en een andere identiteit aan te nemen, kunnen we ze vrij goed beschermen. Maar ik begrijp haar redenering wel. Ik zou mijn huis en baan ook niet willen opgeven en mijn kind van school halen. Maar mensen doen dat zo vaak – ze pakken hun spullen en verhuizen – en niet alleen maar omdat er iemand achter hen aan zit.'

'Laten we haar zomaar in haar eentje naar New York gaan? Moeten we niet iemand met haar meesturen? Bella bijvoorbeeld?'

'Nog los van het kostenplaatje hebben we daar geen jurisdictie. Het beste wat wij voor haar kunnen doen, is de politie van New York op haar laten passen. Wij houden een oogje op haar huis – als haar moeder en zoon daar alleen achterblijven – en als voorzorgsmaatregel laten we dat kind schaduwen op weg van en naar school. Onze contactpersoon in New York, rechercheur Lanigan, klinkt als een goeie kerel. Hij zal veel beter weten wat hij moet doen dan iedereen die wij meesturen.' Toen keek Grace zijn vriend grimassend aan. 'Dus er is niks veranderd met Ari?'

'O, ze is wel degelijk veranderd. Er groeien tegenwoordig hoorntjes uit haar hoofd, verdomme.'

77

Carly stond in een lange kronkelende rij in de drukke douanehal op Kennedy Airport. Elke paar minuten keek ze nerveus op haar horloge, dat ze vijf uur terug had gezet naar de tijd in New York, en toen controleerde ze nog eens het witte immigratieformulier dat ze in het vliegtuig had ingevuld.

Ze had de zenuwen. Ze had zich nog nooit zo onzeker gevoeld.

De vlucht was bijna twee uur vertraagd, en ze hoopte dat de limousine die ze via internet had besteld stond te wachten. Het was halfelf 's avonds in Engeland, wat betekende dat het hier halfzes was. Maar het leek wel midden in de nacht. Misschien was die bloody mary, gevolgd door een paar glazen chardonnay in het vliegtuig, toch niet zo'n goed idee geweest. Ze had gedacht dat iets te drinken haar zou kalmeren en ze misschien een paar uur zou kunnen slapen, maar nu had ze knallende hoofdpijn en een droge mond, en ze voelde zich beslist onder invloed.

Het was vreemd, dacht ze. Ze was afgelopen december met Tyler naar New York geweest als kersttraktatie. Toen hadden ze allebei zo opgewonden in deze rij gestaan.

Ze belde naar huis omdat ze wilde weten hoe het met hem ging. Maar net toen haar moeder opnam, dook er een boos kijkende man in uniform voor haar op en wees naar een bord dat het gebruik van mobiele telefoons verbood. Met een verontschuldiging hing Carly op.

Eindelijk, na nog eens twintig minuten, stond ze voor een gele streep en was ze bijna aan de beurt. De douanebeambte, een vrolijk kijkende, mollige zwarte vrouw, kletste eindeloos met de magere man met rugzak die voor haar was. Toen liep hij door en werd Carly naar voren gewenkt. Ze overhandigde haar paspoort. Ze moest in de lens van een camera kijken en haar vingers op een elektronisch paneel drukken.

De vrouw had bij de vorige persoon misschien gelachen en grapjes gemaakt, maar nu was ze niet meer zo vrolijk.

'Harder drukken,' droeg ze Carly op.

Carly drukte harder.

'Ik krijg nog geen resultaat.'

Carly drukte nog harder en eindelijk werd het rode lampje groen.

'Nu uw rechterduim.'

Terwijl ze hard drukte met haar rechterduim, keek de vrouw fronsend op haar scherm.

'Linkerduim.'

Carly gehoorzaamde.

Toen zei de vrouw ineens: 'Oké, u moet even met mij meelopen.'

Ontdaan volgde Carly haar langs de rij balies en door een deur aan de andere kant van de ruimte. Ze zag enkele gewapende douanebeambten staan kletsen en een paar vermoeid uitziende mensen van diverse etnische achtergronden in de kamer zitten, de meeste glazig voor zich uit kijkend.

'Mevrouw Carly Chase uit Engeland,' kondigde de vrouw luidkeels aan, schijnbaar tegen niemand in het bijzonder.

Een lange man in een geruit tweedjasje, een eenvoudig wit overhemd en bruine stropdas, kwam naar haar toe. Hij sprak met een Brooklyns accent. 'Mevrouw Chase?'

'Ja.'

'Ik ben rechercheur Lanigan van het bureau van de officier van justitie in Brooklyn. Het politiebureau in Sussex heeft me gevraagd me om u te bekommeren terwijl u hier bent.'

Ze staarde hem aan. Hij was in de vijftig, schatte ze, en had een gespierd postuur, een pokdalig gezicht, een borstelig kapsel en een bezorgde maar vriendelijke gezichtsuitdrukking.

'Ik heb begrepen dat u het huisadres van meneer en mevrouw Revere voor me hebt?' vroeg ze.

'Ja. Ik breng u erheen.'

Ze schudde haar hoofd. 'Ik heb een auto gereserveerd. Ik moet er alleen naartoe.'

'Dat kan ik niet toestaan, mevrouw Chase. Uitgesloten.'

De ferme manier waarop hij sprak, maakte duidelijk dat het besluit al was genomen en niet herroepen zou worden.

Carly dacht even na. 'Oké, luister. Volg me maar naar hun huis, maar laat me in ieder geval in mijn eentje naar binnen gaan. Ik kan het wel aan. Mag dat, alstublieft?'

Hij staarde haar een tijdje aan.

'Het is ongeveer tweeënhalf uur rijden hiervandaan. We gaan in konvooi. Ik zal buiten wachten, maar dit is wat we gaan doen. U stuurt me elk kwartier een sms zodat ik weet dat alles goed is. Als ik geen sms krijg, kom ik naar binnen. Is dat begrepen?'

'Heb ik een keus?'

'Natuurlijk. Ik kan de immigratiedienst ook de eerst beschikbare vlucht terug naar Londen voor u laten boeken.'

'Bedankt,' zei ze.

'Graag gedaan, mevrouw.'

78

Achter in de Lincoln Town Car was het donker en stil. Carly zat in gedachten verzonken en nam af en toe een slokje water uit een van de flesjes in het rek in de middenconsole. Misschien had ze ja moeten zeggen tegen die rechercheur uit New York en zich op een vlucht terug naar Engeland moeten laten zetten. Ze voelde een brok in haar keel en had koude rillingen van angst, verergerd door de airconditioning in de auto.

De zwartleren stoelen en getinte ramen maakten het interieur van de auto even somber als haar stemming. De chauffeur scheen ook een rothumeur te hebben en had amper twee woorden tegen haar gezegd sinds ze bij het vliegveld waren weggereden. Elke paar minuten ging zijn telefoon. Dan brabbelde hij een paar kwade woorden in een taal die ze niet verstond en hing weer op.

Elke keer ergerde ze zich er meer aan. Ze had behoefte aan stilte. Ze moest nadenken. Zodra ze in de auto zat had ze weer naar huis gebeld, en haar moeder had gezegd dat alles goed was. Ze had haar moeder herinnerd aan Tylers tandartsafspraak de volgende morgen en haar succes gewenst bij de scan.

Haar grootmoeder was overleden aan darmkanker, en nu zat er iets in de buik van haar moeder wat haar huisarts niet aanstond. Sinds Kes was overleden, was haar moeder haar rots in de branding. En als er iets met Carly gebeurde, zou haar moeder ook Tylers rots in de branding worden. De gedachte dat ze ziek kon worden en kon overlijden, kon Carly nu niet aan. Ze hoopte en bad vurig dat er niets op de scan zichtbaar zou zijn.

Toen richtte ze haar gedachten weer op wat ze ging zeggen als ze straks bij de familie Revere op de stoep stond. Als ze haar binnenlieten.

Af en toe keek ze om door de achterruit. De donkergrijze sedan van rechercheur Lanigan bleef achter haar. Ze voelde zich geremd door zijn aanwezigheid, en haar intuïtie zei haar dat ze in haar eentje moest komen opdagen als ze een schijn van kans wilde maken bij Fernanda Revere.

Maar meestal staarde ze naar een saai uitzicht van een schijnbaar eindeloze rechte weg, met groene bermen en lage bomen. De zon ging achter hen onder en de schemering zette snel in. Over een uur zou het donker zijn. Ze had in haar hoofd dat haar ontmoeting met de Reveres bij daglicht zou moeten plaatsvinden. Ze keek op haar horloge. Het was halfacht. Ze vroeg de chauffeur hoe laat hij verwachtte dat ze zouden aankomen.

Zijn knorrige antwoord was: 'Uur of negen. Gelukkig is het geen zomer. Dan zou het wel elf uur worden. Het verkeer is een ramp in de zomer.'

Haar hoofdpijn werd met de minuut erger. Net als haar twijfels. Al het zelfvertrouwen dat ze eerder vandaag nog had, liet haar nu in de steek. Ze voelde zich steeds angstiger. In gedachten probeerde ze hun rollen om te draaien. Hoe zou zij zich voelen als ze in de schoenen van die vrouw stond?

Ze wist het gewoon niet. Ze kwam ineens in de verleiding de chauffeur te vragen om te keren, naar het hotel te gaan dat ze had geboekt en dit hele idee uit haar hoofd te zetten.

Maar wat dan?

Misschien niets. Misschien waren die twee moorden toeval geweest. Misschien had de familie nu voldoende wraak genomen, maar als ze er wat langer bij stilstond, vroeg ze zich af hoe ze daar ooit zeker van zou kunnen zijn. Wanneer zou ze die angst dan kunnen loslaten?

En ze wist dat dat niet kon, nooit, als dit niet werd opgelost.

Haar vastberadenheid keerde terug. Ze had de waarheid aan haar kant staan. Ze hoefde die vrouw alleen maar de waarheid te zeggen.

Plotseling, het leek nog maar een paar minuten later, kwamen ze in een stadje aan.

'East Hampton,' zei de chauffeur op vriendelijker toon, alsof hij eindelijk doorhad dat hij zijn kans op een goede fooi verknalde.

Carly keek op haar horloge. Het was vijf voor negen, wat betekende dat het vijf voor twee 's nachts was in Engeland. Haar maag verstrakte. Ze had verschrikkelijk de zenuwen.

Haar angst werd erger toen de auto rechts afsloeg voor een pompstation van Mobil Oil en een lommerrijke laan met een dubbele gele streep in het midden op reed. Al haar heldere gedachten maakten ineens plaats voor een nevel van paniek. Ze begon dieper te ademen, te zweten, bijna te hyperventileren. Ze keek door de achterruit en zag de koplampen van de auto van rechercheur Lanigan achter haar, en nu, in plaats van zich te ergeren, werd ze gerustgesteld door zijn aanwezigheid.

Ze voelde opnieuw een brok in haar keel en een steeds strakkere knoop in haar maag. Haar handen trilden. Ze haalde een paar keer diep adem om rustig te worden en probeerde haar gedachten op een rijtje te zetten, te oefenen voor het cruciale moment waarop ze zich voorstelde aan mevrouw Revere. De telefoon van de chauffeur ging weer, maar alsof hij haar stemming aanvoelde drukte hij het gesprek weg.

De dubbele gele streep stopte en de laan versmalde naar één rijbaan. In de gloed van de koplampen zag Carly nette heggen aan beide kanten.

De auto minderde vaart en stopte toen. Recht voor hen bevonden zich hoge, gesloten hekken, grijs geschilderd en met punten erbovenop. Er hing een intercompaneel en een waarschuwingsbordje met de tekst GEWAPENDE BEWAKING.

'Moet ik aanbellen?' vroeg de chauffeur.

Ze draaide zich om, keek door de achterruit en zag dat de rechercheur uit zijn auto stapte. Snel stapte Carly ook uit.

'Succes, mevrouw,' zei Lanigan. 'Laten we maar kijken of ze u binnenlaten. Zo ja, dan sta ik hier te wachten. Ik sta te wachten op die eerste sms over een kwartier. Dat vergeet u toch niet, hè?'

Ze probeerde antwoord te geven, maar er kwam niets. Haar mond was kurkdroog en het voelde alsof er een ijzeren band om haar keel zat. Ze knikte.

Hij voerde zijn nummer in Carly's telefoon in en tikte 'OK' in. 'Dat gaat u me sms'en, elk kwartier.'

Het was windstil en zwoel. Carly had zich in conservatieve vrijetijdskleding gehuld: een lichtgewicht beige regenjas over een donkergrijze blazer, een eenvoudige witte blouse, een zwarte spijkerbroek en zwartleren laarzen. Het leek wel alsof elk flardje zelfvertrouwen haar had verlaten, en ondanks de pompende adrenaline voelde ze zich nu nog versufter. Ze probeerde uit haar hoofd te zetten dat het voor haar lichaam al na twee uur 's nachts was.

Ze drukte op de vierkante metalen knop. Meteen scheen er een lichtje in haar gezicht. Erboven zag ze een bewakingscamera op haar gericht.

Een stem antwoordde in gebroken Engels, begeleid door ruis: 'Ja, wie is daar?'

Carly staarde recht in de camera en forceerde een glimlach. 'Ik ben uit Engeland gekomen om meneer en mevrouw Revere te spreken. Mijn naam is Carly Chase.'

'Verwachten ze u?'

'Nee. Maar ik denk dat ze wel weten wie ik ben. Ik was betrokken bij het ongeval van hun zoon Tony.'

'Wachten, alstublieft.'

Het lichtje ging uit. Carly wachtte met haar iPhone in de hand en haar vinger boven de verzendtoets. Ze draaide zich om en zag rechercheur Lanigan tegen zijn auto leunen en een sigaar roken. Hij trok zijn wenkbrauwen naar haar op om haar succes te wensen. Ze ving een vlaag rookgeur op en moest heel even aan Kes denken.

Een minuut later zwaaiden de poorten open in bijna volkomen, gesmeerde stilte. Ze hoorde alleen een zacht elektrisch gezoem. Misselijk van angst stapte ze weer in de auto.

79

Carly stapte uit in de stilte van de avond. Boven haar doemde de voorgevel van een reusachtig modern landhuis op. Het zag er donker en niet bepaald verwelkomend uit, en er brandde amper licht. Ze draaide zich om, keek naar de limousine en begon weer te twijfelen. Hij stond een paar meter verderop op de oprit van houtsnippers, vlak bij een Porsche Cayenne. Schijnwerpers wierpen strak afgebakende schaduwen van struiken en bomen op het onberispelijke gazon. Terwijl haar zenuwen het haast begaven, voelde ze dat er achter die donkere ramen ogen naar haar keken. Ze slikte, slikte nog eens en staarde naar de voordeur onder een imposant portiek met vierkante, moderne pilaren.

Jezus, kan ik dit wel aan?

De stilte bedrukte haar. Ze hoorde het zachte, verre, rusteloze geluid van de zee. Ze snoof de frisse, ziltige lucht en de geur van pas gemaaid gras op. Het normale ervan joeg haar angst aan. Dat deze mensen gewoon doorgingen met hun leven. Hun zoon was dood, maar zij maaiden nog steeds het gras. Iets daaraan joeg haar de stuipen op het lijf. Carly had het gras niet gemaaid toen Kes was overleden. Ze had de tuin laten verwilderen en het huis een vuilnisbelt laten worden. Alleen voor Tyler had ze zich uiteindelijk vermand.

Voordat ze de kans had om zich te bedenken, ging de voordeur open en stapte er een vrouw naar buiten, ietwat wankel, gekleed in een turkooizen trainingspak en gympen met lovertjes. Ze had kort blond haar en een aantrekkelijk maar hard gezicht, en ze hield een martiniglas schuin in de ene hand en een sigaret in de andere. Haar hele houding straalde vijandigheid uit.

Carly deed een paar aarzelende passen naar haar toe. 'Mevrouw Revere?' Ze probeerde te glimlachen zoals ze had geoefend, maar had niet het gevoel dat het lukte. 'Fernanda Revere?'

De vrouw staarde haar aan met ogen zo koud en hard als ijs. Carly kreeg de indruk dat ze dwars door haar ziel keek.

'Heb jij verdomme even lef om hier te komen.' Ze sprak een beetje met een dubbele tong, op bittere toon. 'Je bent niet welkom in mijn huis. Stap weer in je auto.'

De vrouw maakte haar bang, maar Carly bleef staan. Ze had zich voorbereid op een heel scala aan mogelijke reacties en dit was er een van, hoewel ze geen rekening had gehouden met de mogelijkheid dat Fernanda Revere dronken zou zijn.

'Ik heb een vliegtuig vanuit Engeland genomen om u te spreken,' zei ze. 'Ik wil alleen maar een paar minuten van uw tijd. Ik zal niet beweren dat ik begrijp wat u doormaakt, maar u en ik hebben wel iets gemeen.'

'O ja? We leven nog, dat is het enige wat ik zie dat wij gemeen hebben. Verder lijkt het me onwaarschijnlijk.'

Carly had geweten dat dit niet gemakkelijk zou zijn. Maar ze had de hoop gekoesterd dat ze misschien een gesprek op gang zou kunnen krijgen met deze vrouw en een paar punten van overeenkomst zou kunnen vinden. 'Mag ik even binnenkomen? Ik vertrek zodra u dat wilt, maar laten we alstublieft even praten.'

Fernanda Revere nam een haal van haar sigaret, blies grommend de rook door haar mond en neus naar buiten en gooide de peuk weg met een achteloze ruk van haar beringde hand. Hij belandde in een fontein van vonken op de oprit. Terwijl haar drankje over de rand van haar glas klotste, zette ze wankelend een stap naar achteren en beduidde Carly dat ze naar binnen kon gaan, en daarbij wierp ze haar een blik vol haat toe, slechts een beetje verdund door nieuwsgierigheid.

Carly aarzelde. Die vrouw zag er gevaarlijk onvoorspelbaar uit en ze had geen idee hoe haar echtgenoot zou reageren. Nu was ze blij dat rechercheur Lanigan buiten de poort in zijn auto zat, en ze keek onopvallend op haar horloge. Nog dertien minuten voordat ze de eerste sms moest sturen.

Ze ging een enorme entreehal binnen met een vloer van flagstones en een gebogen trap en volgde de vrouw, die een paar keer tegen de muur botste, door een gang met antieke meubels. Toen stapten ze een paleisachtige zitkamer met een entresol in. Er waren eiken dakbalken te zien en aan de muren hingen wandkleden en mooie olieverfschilderijen. Alle meubels waren antiek, op één na.

Met zijn benen opgetrokken op een moderne leren leunstoel die niet in het interieur paste zat een man van in de vijftig, met naar achteren gekamd grijs haar en borstelige zwarte wenkbrauwen naar een footballwedstrijd op televisie te kijken. Hij had een blikje bier in de ene hand en een dikke sigaar in de andere.

De vrouw liep naar hem toe, pakte de afstandsbediening van de tv van het antieke houten tafeltje naast hem, tuurde er even naar alsof ze nog nooit zo'n ding had gezien, dempte het geluid en gooide de afstandsbediening met een klap weer neer.

'Hé, wat flik je –' protesteerde de man.

'We hebben bezoek, Lou.' Fernanda wees naar Carly. 'Ze is helemaal uit Engeland gekomen. Wat aardig, hè?' zei ze ijzig.

Lou Revere glimlachte zwakjes naar Carly en wuifde wat met zijn hand. Hij wierp een blik op de stille spelers op het scherm, draaide hij zich om naar zijn vrouw en reikte naar de afstandsbediening. 'Dit is nogal een belangrijk moment in de wedstrijd.'

'Ja, tuurlijk,' zei Fernanda. 'Nou, dit is ook nogal een belangrijk moment.' Ze stak haar hand uit, pakte een pakje Marlboro Lights en schudde er een sigaret uit. Toen keek ze Carly vernietigend aan.

Carly stond er onbehaaglijk bij, haar blik schoot heen en weer tussen de twee mensen terwijl ze wanhopig probeerde zich haar script te herinneren.

'Weet je wie dat wijf is?' vroeg Fernanda aan haar man.

Lou Revere greep de afstandsbediening en zette het geluid weer aan. 'Nee. Hoor eens, ik moet het hier even stil hebben.' Toen voegde hij eraan toe: 'Geef die mevrouw wat te drinken.' Hij wierp een ongeïnteresseerde blik op Carly. 'Wil je wat drinken?'

Carly had ontzettend behoefte aan iets te drinken. En de zoete, dichte geur van de rook was verlokkelijk. Ze smachtte naar een sigaret.

'Dat stomme wijf krijgt niks te drinken van me,' zei Fernanda Revere. Ze zwalkte naar een antiek ogende drankenkast toe, waarvan de deurtjes al open stonden, en vulde onhandig morsend haar glas bij uit een zilveren cocktailshaker. Toen nam ze een paar slokken, zette het glas neer, wankelde terug naar haar man, pakte de afstandsbediening en zette de televisie helemaal uit.

'Hé!' riep hij.

Ze liet de afstandsbediening op de vloer vallen en stampte erop. Er klonk een geluid van brekend plastic.

Carly's angst verdiepte zich. Die vrouw was gek en volslagen onvoorspelbaar. Ze keek naar de man, toen weer naar de vrouw, en wierp snel een blik op haar horloge. Er waren drie minuten verstreken. Wat zou die vrouw nu gaan doen? Carly moest haar zien te kalmeren.

'Jezus christus!' Haar man zette zijn bier neer en sprong op uit zijn stoel. Hij draaide zich om naar zijn vrouw en vroeg: 'Weet je verdomme wel hoe belangrijk die wedstrijd is? Nou? Kan het je wel wat schelen?'

Hij beende naar de deur. Fernanda greep zijn arm vast, liet haar glas vallen, dat op de vloer aan stukken brak, en schreeuwde hem toe: 'Weet jij verdomme wel wie dat wijf is, of kan het je niets schelen?'

'Wat me nu kan schelen is dat de New York Yankees die wedstrijd moeten winnen. Weet je wel hoe erg het zou zijn als het zelfs maar gelijkspel werd?'

'En denk je dat de Yankees er ene moer om geven dat je kijkt? Kun je je heel even concentreren? Dit is dat stomme wijf dat onze zoon heeft vermoord. Hoor je me?'

Carly keek naar hem, en haar blik ging van de een naar de ander. Ze probeerde rustig te blijven, maar haar zenuwen waren het aan het begeven. De man bleef abrupt staan en draaide zich naar haar om. Hij keek heel even naar zijn vrouw en vroeg: 'Waar heb je het over, schatje?' Toen wendde hij zich weer naar Carly, en zijn hele uitstraling veranderde.

'Dit is dat wijf dat ze op de plek van het ongeluk hebben gearresteerd omdat ze met drank op achter het stuur zat. Zij heeft onze zoon vermoord, en nu staat ze verdomme hier voor ons.'

Fernanda Revere liep met voorzichtige passen naar de bar, alsof de vloer een hindernisbaan was. Er klonk ineens dreiging in Lou Reveres stem toen hij sprak. De ietwat boze man van zo-even was verdwenen.

'Waar denk jij verdomme dat je mee bezig bent, dat je hier zomaar komt opdagen? Ben je niet tevreden? Heb je ons nog niet genoeg aangedaan?'

'Zo is het helemaal niet, meneer Revere,' antwoordde Carly met overslaande stem. 'Ik wil alleen graag een kans om met u en mevrouw Revere te praten en uit te leggen wat er is gebeurd.'

'We weten al wat er is gebeurd,' zei hij.

'Jij was dronken, en nu is onze zoon dood,' voegde zijn vrouw er bitter aan toe. Toen wankelde ze naar hen terug, waarbij ze nog meer drank over de rand van haar volle glas morste.

Carly putte uit al haar reserves. 'Het spijt me verschrikkelijk voor u allebei. Ik vind het vreselijk dat u uw zoon kwijt bent. Maar er zijn dingen die u over dat ongeluk moet weten, die ik ook zou willen weten als het om mijn kind ging. Kunnen we alstublieft even gaan zitten, met ons drieën, en dit bespreken? Ik vertrek zodra u dat wilt, maar laat me alstublieft vertellen hoe het echt is gegaan.'

'We weten al hoe het is gegaan,' zei Fernanda Revere. Toen wendde ze zich tot haar man. 'Zet dat wijf buiten. Ze heeft Tony vermoord, en nu vergiftigt ze ons huis.'

'Schatje, laten we even naar haar luisteren,' zei hij, zonder zijn woedende blik van Carly af te wenden.

'Dat ik toch verdomme getrouwd ben met zo'n stomme zak!' schreeuwde ze. 'Als je haar niet wegstuurt, ga ik zelf. Ik blijf niet hier zolang zij hier is. Dus laat haar oprotten!'

'Schatje, laten we met haar praten.'

'ZORG VERDOMME DAT ZE OPSODEMIETERT!'

Na die woorden stormde Fernanda de kamer uit, en even later hoorden ze een deur dichtslaan.

Carly stond tegenover Lou Revere en voelde zich ontzettend opgelaten. 'Meneer Revere, misschien moet ik maar gaan... Ik kom wel... Ik kan morgen wel terugkomen als dat...'

Hij priemde met zijn vinger naar haar. 'Je bent hier gekomen om te praten, dus praat maar.'

Carly staarde hem zwijgend aan en probeerde te bedenken hoe ze hem kon kalmeren.

'Wat is er? Ben je stom geworden of zoiets?' zei hij.

'Nee, ik... Luister, ik... Ik zal niet beweren dat ik weet wat u doormaakt.'

'O nee?' zei hij met een bitterheid waar ze van schrok.

'Ik heb een jonge zoon,' antwoordde ze.

'Héb?' was zijn antwoord. 'Nou, heb jij dan even geluk, hè? Mijn vrouw en ik hádden een jonge zoon, voordat hij werd doodgereden door een dronken bestuurder.'

'Zo is het niet gegaan.'

Buiten hoorde Carly een lichte klap, als van een autoportier.

'O, is het niet zo gegaan?' Lou Revere keek alsof hij op het punt stond haar met blote handen te wurgen. Hij stak ze zelfs op, balde zijn vuisten en opende ze weer.

En ineens besefte Carly wat de twee rechercheurs in Brighton bedoelden toen ze probeerden duidelijk te maken wat dit voor mensen waren. Dat ze anders waren. Hun hele cultuur was anders. Ze aarzelde even of ze op de verzendknop van haar telefoon zou drukken, maar ze moest voet bij stuk houden. Ze moest proberen tot die man door te dringen.

Hij was haar enige kans, besefte ze.

80

Pat Lanigan, die bij zijn auto stond en zijn sigaartje rookte, hoorde een motor starten en zag toen dat de poorten opengingen. Kwam die gekke Engelse alweer naar buiten? Ze was pas vijf minuten binnen. Hij keek voor de zekerheid nog een keer op zijn horloge.

Het was al positief, dacht hij, dat ze überhaupt naar buiten kwam. Hoewel, als ze het daarbinnen maar vijf minuten had uitgehouden, dan was het beslist niet goed gegaan. Misschien was er wat verstand in dat roekeloze hoofd van haar geslagen.

Toen zag hij tot zijn verbazing in plaats van de limousine een Porsche Cayenne, met het silhouet van een vrouw achter het stuur, met roekeloze vaart door de poorten komen en langs scheuren alsof de duivel haar op de hielen zat.

Hij draaide zich om, merkte het kenteken op en keek de achterlichten na die om een bocht in de laan verdwenen. Dit voelde niet goed. Hij keek naar het schermpje van zijn telefoon. Nog geen sms, geen gemiste oproep. Dit beviel hem helemaal niet.

Hij bladerde door zijn contactenlijst, belde het bureau van de gemeentepolitie van Suffolk, legde uit wie hij was en vroeg of ze wilden uitkijken naar de Cayenne. Hij wilde weten waar ze naartoe ging.

Fernanda Revere stopte bij de T-splitsing bij het pompstation, haalde een pakje sigaretten uit haar tas, schudde er een Marlboro Light uit en zette die tussen haar lippen. Toen gaf ze een mep op de sigarettenaansteker, ging linksaf en accelereerde de snelweg op. Alles was een waas in haar dronken razernij. Ze haalde een langzaam rijdende taxi in, almaar sneller: honderdtien... honderddertig... honderdvijftig. Ze schoot langs een hele rij achterlichten, stak haar sigaret aan en wilde de aansteker terugstoppen, maar die viel op de vloer.

Ze trilde van woede. De weg strekte zich kronkelend voor haar uit. Sturend met één hand, terwijl de rook van haar sigaret in haar ogen terechtkwam, rommelde ze in haar tas en haalde haar met glitters bedekte Vertu-telefoon eruit. Ze tuurde door de rook op het schermpje, maar kon het niet goed zien.

Ze hield het toestel dichter voor haar ogen, bladerde naar het nummer van haar broer en belde het.

Ze haalde een vrachtwagen met aanhanger in, nog steeds sturend met één hand. Ze moest weg. Gewoon weg bij dat wijf dat haar huis vergiftigde. Na zes keer overgaan schakelde het nummer van haar broer over naar de voicemail.

'Waar hang je uit, Ricky?' schreeuwde ze. 'Wat is er verdomme aan de hand? Dat Engelse wijf stond op de stoep. Ze is nu bij mij thuis. Hoor je me? Dat wijf dat Tony heeft vermoord is in mijn huis. Waarom is ze niet dood? Ik heb je dat geld gegeven, dus waarom is ze niet dood? Wat is hier aan de hand? Je moet dit oplossen, Ricky. Bel me. Bel me, verdomme!'

Ze verbrak de verbinding en gooide de telefoon naast haar op de passagiersstoel. Ze wist niet waar ze naartoe ging. Gewoon weg bij haar huis, de voorbijflitsende duisternis in. Hoe verder hoe beter. Lou kon zorgen dat dat wijf opdonderde. Ze zou pas teruggaan als Lou haar belde, als hij zei dat dat wijf weg was, hun huis uit, hun leven uit.

Ze haalde nog een auto in. De nacht schoot langs haar heen. Koplampen van tegenliggers waren een korte, wazige flits, en dan weg.

Tony was ook weg. Dood. Hij was als baby ook al bijna overleden. Dat eerste jaar van zijn leven had hij bijna constant in het ziekenhuis aan de beademing gelegen, veel van die tijd in een perspex isolatiekoepel. Zij had dag en nacht bij hem gezeten, terwijl Lou aan het werk was, de kont van haar vader kuste of op de golfbaan was. Tony was erdoorheen gekomen, maar hij was altijd een ziekelijk kind gebleven, met chronische astma. Op zijn achtste had hij bijna een heel jaar in bed gelegen met een longvirus. Ze had hem gevoerd. Zijn voorhoofd gebet. Hem erdoorheen gesleept. Hem verzorgd totdat hij langzamerhand op krachten was gekomen. In zijn tienerjaren was hij net zoals alle andere kinderen geweest. Toen was hij vorig jaar ineens voor die stomme Engelse griet gevallen.

Ze had Lou gesmeekt om te zorgen dat hij niet wegging, maar had hij dat gedaan? Nee. Het enige wat hij had gedaan, was tegen haar drammen over dat je je kinderen hun eigen leven moest laten leiden. Misschien zouden sommige kinderen zich best redden in het buitenland, maar Tony was van haar afhankelijk geweest. Hij had haar nodig gehad. En dit bewees het.

Drie smeerlappen waren zijn dood geworden. Een klootzak in een busje. Een klootzak in een truck. En dat zatte wijf dat het gore lef had om bij hen aan de deur te verschijnen met die jankende stem van haar. *Ik wil alleen graag een kans om met u en mevrouw Revere te praten en uit te leggen wat er is gebeurd.*

Ja, nou, ik zal je vertellen wat er is gebeurd, mevrouw Jankwijf. Je was zat en hebt mijn zoon vermoord, dát is er gebeurd. Wat is daaraan niet te snappen?

De snelheidsmeter hing rond de honderdtachtig kilometer per uur. Of misschien was het honderdnegentig; ze kon het niet goed zien. Er begon een lichtje te knipperen op de passagiersstoel. Haar telefoon ging, besefte ze. Ze greep het toestel en hield het voor haar neus. De naam was wazig, maar ze kon hem net ontcijferen. Haar broer.

Ze nam op, haalde met een rotgang een volgende auto in, nog steeds sturend met één hand terwijl ze een scherpe bocht naar links in ging. De sigaret tussen haar lippen was tot op de filter opgebrand en de tranen stroomden uit haar ogen en over haar wangen.

'Ricky, ik dacht dat jij dit zou regelen?' zei ze. 'Hoe kun je dat stomme wijf naar ons huis laten komen?'

'Luister, alles komt goed!'

'Goed? Ze stond bij ons op de stoep, vind je dat goed? Vertel maar es wat daar goed aan is.'

'We hebben een plan!'

Ze stuurde de auto de bocht door, maar toen volgde er een bocht naar rechts die nog scherper was. Ze ging er te snel in, besefte ze. Ze stampte op de rem en plotseling begon de auto te slingeren, naar links, rechts, toen nog heftiger weer naar links.

'Shit!'

Ze liet de telefoon vallen. De sigarettenpeuk belandde tussen haar benen. Er kwamen lichten op haar af, met de seconde feller en verblindender. Ze hoorde een claxon. Gaf een ruk aan het stuur. De Cayenne begon aan een logge pirouette. Het stuur draaide ineens met zo veel kracht dat het uit haar handen werd gerukt en begon te draaien alsof het een eigen leven leidde.

De lichten werden feller. De claxon klonk oorverdovend. De lichten bevonden zich op ooghoogte en verblindden haar. Zij draaide nu ook, net als het stuur. Achteruit. Toen weer opzij. Ze zoog die verblindende lichten naar zich toe alsof ze een magneet was.

Dichterbij.

De claxon werd nog luider, deed pijn aan haar oren.

Lichten brandden op haar netvliezen.

Toen een enorme klap. Een galmende metalen knal alsof er twee reusachtige olievaten tegen elkaar aan waren gezwaaid.

In de stilte die volgde klonk Ricky's stem uit haar telefoon. 'Hé, lieverd? Fernanda? Zusje? Lieverd? Luister, is alles goed? Lieverd? Lieverd? Luister, het komt goed. Luister, zusje!'

Maar ze kon hem niet meer horen.

81

'Je hebt mijn vrouw echt overstuur gemaakt,' zei Lou Revere. 'Ze was al behoorlijk van slag, en ik ook. Ik weet niet wat je dacht te bereiken door hierheen te komen, maar je bent hier niet welkom. Je bent niet welkom in ons huis.' Hij priemde met zijn sigaar naar haar. 'Ik zal je uitlaten.'

'Geef me alstublieft een kans,' zei Carly, en door haar wanhoop klonk ze alsof ze op het randje van tranen stond.

'Je hebt je kans gehad, dame, toen je besloot of je dronken in je auto zou stappen of niet. Dat is meer kans dan mijn zoon heeft gehad.'

'Zo was het niet, meneer Revere. Geloof me alstublieft. Zo was het niet.'

Hij bleef staan en even dacht Carly dat hij zou inbinden. Maar toen zwaaide hij nog woedender met zijn sigaar. 'Tuurlijk was het niet zo, dame. Jullie politie heeft ons de uitslag van het toxicologisch onderzoek van onze zoon gegeven. Hij had niks gebruikt. Geen druppel alcohol, nog geen spoortje drugs.' Hij liet zijn hoofd zakken als een stier die op het punt stond aan te vallen. 'Hoe was jouw toxicologische onderzoek? Nou? Vertel maar eens wat er uit jouw onderzoek kwam. Zeg het maar. Ik luister. Je hebt mijn onverdeelde aandacht.'

Ze keken elkaar zwijgend aan. Carly probeerde wanhopig een manier te bedenken om tot hem door te dringen. Maar ze was bang voor hem. Het leek wel alsof er onder zijn huid iets giftigs en ongetemds zat. Vanbuiten speelde hij misschien de rol van rouwende vader, maar hij straalde iets echt verkillends uit. Ze had wel vaker lastige mensen ontmoet, had te maken gehad met diepe afkeer, maar ze had nog nooit iemand ontmoet zoals Lou Revere. Het voelde alsof ze in de aanwezigheid was van een grenzeloos, onmenselijk kwaad.

'Ik luister,' herhaalde hij. 'Ik hoor niks, maar ik luister.'

'Ik denk dat ik misschien morgen maar terug moet komen,' antwoordde ze. 'Is dat goed?'

Hij zette nog een trillende stap naar haar toe. 'Kom maar terug,' zei hij. 'Kom maar terug... Als je binnen honderd kilometer van mijn huis durft te komen, scheur ik je met blote handen aan stukken.' Hij stak zijn trillende handen op. 'Begrijp je me?'

Carly knikte, met een droge mond.

Hij wees. ‘Daar is de deur.’

Even later stapte ze naar buiten en werd de voordeur achter haar dichtgeslagen.

82

Het leek wel alsof Roy Grace nog maar net sliep toen hij werd gewekt door het gerinkel en getril van zijn telefoon.

Hij draaide zich om en reikte in het donker naar het knipperende schermpje. Volgens de klok ernaast was het 01:37 uur.

'Geeft niet. Ik ben wakker,' zei Cleo een beetje nukkig.

Hij deed het leeslampje aan, greep de telefoon en drukte op de groene toets. 'Ja?'

Het was Duncan Crocker. 'Ben je wakker, chef?'

Domme vraag, dacht Grace. Wist rechercheur Crocker hoeveel mensen er in staat waren in hun slaap de telefoon op te nemen? Hij schoof uit bed en struikelde over Humphrey, die met een geschrokken blaf reageerde. Hij liet de telefoon vallen en greep het frame van het bed, waardoor hij nog net wist te voorkomen dat hij op zijn gezicht ging. Hij raapte het toestel weer op. 'Wacht even, Duncan.'

Alleen gekleed in het T-shirt waarin hij had geslapen liep hij de kamer uit, vergezeld door de hond, die opgewonden tegen hem opsprong en met zijn scherpe nagels pijnlijk langs zijn been kraste.

'Af!' beet hij de hond toe terwijl hij de deur achter zich sloot.

Humphrey rende blaffend de trap af, kwam toen weer naar boven en dook op Grace' kruis af.

Met de telefoon tussen zijn oor en schouder geklemd om de hond te kunnen afweren, zei hij: 'Ik kom zo bij je, Duncan. Af! Humphrey, af, af!'

Hij ging naar beneden, gevolgd door een woest blaffende Humphrey, deed het licht aan, verplaatste een *Sussex Life* die opengeslagen lag op de onroerendgoedpagina's – Cleo was ineens op huizenjacht – en ging op de bank zitten. Humphrey sprong naast hem op het kussen. Grace aaide het beest om te zorgen dat hij zijn kop hield en zei: 'Sorry, daar ben ik. Wat is er?'

'Je zei dat je het wilde weten zodra we de vrachtwagen hadden gevonden, chef.'

'Heb je hem? Ben je nog aan het werk?'

'Ja.'

'Bedankt dat je nog zo lang bent gebleven. Vertel.'

'Ik ben net gebeld door de verkeerspolitie van Thames Valley. Hij staat op een parkeerplaats bij Newport Pagnell Services langs de M1.'

'Hoe hebben ze hem gevonden?' Grace deed zijn best om ondanks zijn vermoeidheid helder na te denken.

'Hij was gezien door een camera met kentekenregistratie toen hij dinsdagavond over de M1 bij Bucks reed, chef. Daarna is hij niet meer gezien, dus hebben we de plaatselijke politie gevraagd om op parkeerplaatsen te kijken.'

'Goed werk. Wat voor camera's hebben ze bij het pompstation?'

'Bij de ingangen voor personenauto's en vrachtwagens.'

'Oké, die hebben we nodig, om te kijken of Ferguson naar binnen is gegaan. Hoelang ben je nog van plan te blijven?'

'Zo lang als u me nodig hebt.'

'Vraag ze om een kopie van hun videobeelden vanaf het moment waarop de kentekencamera hem registreerde tot nu, en zorg dat we die zo snel mogelijk krijgen. Als het helpt, kunnen we wel iemand naar hen toe sturen.'

'Doe ik.'

Grace aaide de hond. Hij wist dat hij niet zo helder nadacht als hij eigenlijk zou moeten. 'Sorry, nog iets belangrijks: laat Fergusons vrachtwagen behandelen als plaats delict. Bel de politie van Thames Valley dat ze hem bergen. Ze moeten een flink stuk terrein eromheen afzetten. Als de chauffeur is aangevallen, is dat waarschijnlijk in de buurt van de wagen gebeurd. We moeten er zodra het licht wordt een team van de TR op zetten. Wat is het daar nu voor weer?'

'Droog, een beetje wind; het is al niet meer veranderd sinds dinsdagavond. En de vooruitzichten voor morgen zijn hetzelfde.'

Dat was een opluchting voor Grace. Regen kon eventuele forensische bewijzen heel snel wegspoelen. 'Ik regel dat team wel, Duncan. Als jij je om die camerabeelden kunt bekommeren, alsjeblieft. Ga dan naar huis, een beetje slapen. Goed werk.'

'Bedankt, chef.'

Grace liet Humphrey het terras op om te plassen. Toen liep hij de keuken in en zette water op. Boven hoorde hij de wc doorspoelen, en hij vroeg zich af of Cleo ook naar beneden zou komen. Maar hij hoorde de slaapkamerdeur dichtslaan; een beetje te hard.

Sandy sloeg ook altijd met de slaapkamerdeur als ze boos was over een laat telefoontje waardoor ze was gewekt. Cleo was een stuk toleranter, maar hij voelde dat haar zwangerschap haar begon te belasten. Ze werden er allebei door belast. Meestal was het een gedeelde vreugde, of gedeelde ongerustheid, maar af en toe leek het in toenemende mate een wig tussen hen te drijven, en de vorige avond was ze echt in een rothumeur geweest.

Hij pleegde een telefoontje, verontschuldigde zich toen hij manager plaats delict Tracy Stocker wekte en bracht haar op de hoogte. Hij vroeg of ze een team van de technische recherche naar Newport Pagnell wilde sturen – ongeveer tweeënhalf uur rijden vanaf Brighton – zodat ze bij zonsopgang konden beginnen. Hij besprak meteen, met het oog op de nieuwste ontwikkeling, de gezamenlijke actie die ze zou moeten opstarten met de opsporingsadviseur en het zoekteam.

Hij schepte oploskoffie in een beker, goot er kokend water op, roerde en nam hem mee naar de woonkamer. Hij had het een beetje koud, maar had geen zin om meer kleren aan te trekken.

Met dikke ogen ging hij met zijn laptop op de bank zitten, roerend in de koffie en starend naar de computer terwijl die opstartte. Humphrey vond een kauwbotje en begon er op de vloer een worsteling op leven en dood mee. Grace keek er glimlachend naar en benijdde het beest om zijn ongecompliceerde leven. Als hij de keus kreeg, kwam hij in zijn volgende leven misschien wel terug als hond. Zolang hij althans zelf zijn baasjes mocht kiezen.

Hij googelde *Newport Pagnell Services*. Even later keek hij naar een volledige lijst van wat daar was, maar daar had hij niets aan. Hij opende Google Earth en voerde opnieuw *Newport Pagnell Services* in.

Toen de kaart verscheen, zoomde hij in. Binnen enkele ogenblikken zag hij een close-up van de M1 en het gebied eromheen. Hij staarde ernaar, dronk van de hete koffie en dacht diep na.

Ferguson moest in een ander voertuig zijn doorgereden naar Sussex. De auto van de moordenaar? Hoe had hij de dader dan ontmoet?

Was het iemand die hij kende en met wie hij op de parkeerplaats had afgesproken? Mogelijk, dacht hij. Maar het leek hem waarschijnlijker dat de dader Ferguson was gevolgd en had gewacht op een geschikte kans. En als die aanname klopte, dan betekende dat dat die vent niet meer dan een paar auto's achter Fergusons vrachtwagen kon hebben gezeten.

Hij zette zijn koffie neer en begon door de kamer te ijsberen. Humphrey sprong weer tegen hem op en wilde spelen.

'Af!' beet hij de hond toe, en vervolgens belde hij Coördinatiecentrum 1, opgelucht dat rechercheur Crocker bijna meteen opnam. 'Sorry, nog een klusje voor je, Duncan. We hebben de kentekens nodig van de voertuigen die voor en achter Fergusons vrachtwagen reden op de snelweg vlak voor Newport Pagnell Services,' zei hij. 'Haal alles op van vijf voertuigen voor hem en twintig achter hem. Ik wil alle voertuigen hebben die tegelijkertijd het terrein van het pompstation op reden, en waar ze naderhand heen gingen. De kans is groot dat Ferguson in een van die voertuigen zat, uit vrije wil of anderszins. Ik denk dat het zeer waarschijnlijk een huurauto is, dus zoeken we voornamelijk naar kleine tot middelgrote personenwagens van een nieuw model.'

'Ik zal kijken wat ik kan doen, maar het kan even duren om alle andere voertuigen na te gaan. Is de ochtendbriefing vroeg genoeg?'

Nee, dat was niet vroeg genoeg, dacht Grace. Maar hij moest realistisch blijven, en Crocker klonk doodop. 'Ja, dat is prima. Doe wat je kunt, en ga dan slapen.'

Hij besloot zijn eigen advies op te volgen, liep de trap weer op, gevolgd door Humphrey, en ging terug naar bed, waarbij hij probeerde Cleo niet te storen. Om twaalf uur moest hij een persconferentie houden om bekend te maken dat de politie de dood van Stuart Ferguson nu als een moordzaak behandelde. Maar hoewel hij het er langdurig over had gehad met adjunct-hoofdcommissaris Rigg en het hele mediateam van de politie van Sussex, had hij nog niet besloten welke toon hij de persconferentie wilde geven. Hij wilde duidelijk maken dat de politie wist dat er een verband bestond tussen de twee moorden, en de richting waarin ze zochten, maar bovenal had hij behoefte aan getuigen. Maar als hij de maffiaconnectie en hun hypothese over een huurmoordenaar bekendmaakte, dan was hij bang dat hij daarmee meer kwaad aanrichtte dan goed, omdat mensen dan misschien niet durfden te praten.

Het enige meevallertje was dat Spinella net zoals de rest van de pers nog scheen te geloven dat Fergusons dood een bedrijfsongeval was. Dat stelde hem een klein beetje tevreden.

Eindelijk viel hij onrustig in slaap, om een uur later te worden gewekt doordat Cleo naar de wc ging.

83

Carly zat achter in de limousine toen ze door de poorten van het huis van de familie Revere reden. Een paar meter verderop stond rechercheur Lanigan bij zijn auto, en ze vroeg de chauffeur om te stoppen.

'En?' vroeg Lanigan met een vragende, meelevende blik.

'U had gelijk,' zei ze met een machteloos schouderophalen. Ze was nog steeds geschokt over de manier waarop Lou Revere tegen haar had gesproken.

'Ging het niet zoals gepland?'

'Nee.'

'Waarom scheurde mevrouw Revere zo weg? Was ze kwaad op u?'

Carly zocht in haar handtas, haalde een pakje sigaretten tevoorschijn, stak er een op en inhaleerde diep. 'Ze was dronken. Ze kon niet rationeel nadenken. Ik moet het nog eens proberen,' zei ze. 'Misschien kan ik morgenochtend terugkomen, als ze weer nuchter is.'

Hij nam een haal van zijn sigaar en blies peinzend de rook uit. 'Mevrouw, u hebt wel lef, moet ik zeggen.' Hij glimlachte. 'U ziet eruit alsof u wel een borrel kunt gebruiken.'

Carly knikte. Toen vroeg ze: 'Wat raadt u me aan? Wat denkt u dat ik zou moeten doen... U weet wel... Hoe moet ik met die mensen omgaan? Er moet toch een manier zijn. Die is er altijd.'

'Laten we u eerst maar eens naar uw hotel brengen. Dan drinken we iets en kunt u vertellen wat er binnen is gebeurd. Heeft het nog zin als ik probeer met meneer Revere te praten voordat we vertrekken?'

'Dat denk ik niet,' zei ze. 'Niet vanavond. Nee.'

'Oké. Weet de chauffeur waar hij heen moet?'

'Het Sheraton JFK Airport Hotel.'

'Ik rij achter u aan.'

Ze nam nog twee snelle trekjes van haar sigaret, trapte hem uit, stapte weer in de limousine en gaf de chauffeur instructies.

Carly bleef op het puntje van de achterbank zitten en speelde de gebeurtenissen van de afgelopen tien minuten in gedachten opnieuw af terwijl ze de laan achter zich lieten en linksaf van het stadje wegreden. Vanbinnen voelde ze zich verdoofd van de zenuwen en de vermoeidheid. De nachtmerrie leek alleen maar erger en erger te worden.

Ze sloot haar ogen en deed een kort, stilzwijgend gebedje. Ze vroeg aan de God tegen wie ze al jaren niet meer had gesproken om haar wat kracht en een heldere geest te geven. Toen zocht ze in haar tas naar haar zakdoek en droogde de tranen die over haar wangen liepen.

Aan weerskanten van de auto gleed de duisternis voorbij. Een paar minuten lang drong het niet tot haar door dat er vreemd genoeg geen koplampen van tegenliggers te zien waren. Ze keek op haar horloge: 21:25 uur in New York, 02:25 uur in Engeland. Te laat om rechercheur Branson te bellen en hem een update te geven. Dat zou ze de volgende ochtend doen. Hopelijk nadat ze later deze avond samen met rechercheur Lanigan een nieuw plan had gemaakt.

Ze geeuwde. Verderop, door de voorruit, zag ze flitsende rode lichten en de felle achterlichten van verkeer dat afremde en in een file terechtkwam. Even later minderde de limousine vaart, remde steeds scherper en stopte toen achter een rij stilstaande auto's.

De chauffeur beëindigde weer een van zijn doorlopende telefoongesprekken en draaide zijn hoofd naar haar om. 'Zo te zien is er verderop een ongeluk gebeurd.'

Ze knikte zwijgend. Toen werd er op het raam geklopt en zag ze rechercheur Lanigan daar staan. Ze drukte op het knopje en draaide het raampje omlaag.

'Wilt u met mij meekomen? Het klinkt alsof mevrouw Revere betrokken is bij een ongeval verderop. Ze hebben de weg afgesloten.'

'Een ongeval? Fernanda Revere?'

'Ja,' zei hij grimmig, en hij opende het portier voor haar.

Die woorden joegen haar een diepe angst aan. Ze stapte beverig uit. De avondlucht leek plotseling een stuk frisser dan tien minuten geleden. Ze trok haar regenjas dicht om zich heen toen ze de rechercheur langs een rij auto's volgde naar een politiewagen die schuin over de weg stond en waarvan de zwaailichten op het dak stralen rood licht alle kanten op smeten. Erachter was een rij pylonen dwars over de weg gezet.

Een ongeval. De vrouw zou haar de schuld geven. Iedereen zou haar de schuld geven.

Er naderde een kakofonie van sirenes. Nu zag ze een stukje voorbij de politiewagen het gemangelde wrak van een auto die gedeeltelijk in de voorkant van een witte vrachtwagen ingebed zat. Carly bleef staan. Dit was niet zomaar een botsinkje, dit was ernstig. Ontzettend. Afschuwelijk. Ze wendde haar hoofd af en keek naar Lanigan.

‘Is ze in orde?’ vroeg Carly. ‘Hebt u gehoord hoe het met haar gaat? Is ze gewond?’

De sirenes werden luider.

Hij beende zwijgend verder langs de pylonen. Carly haastte zich achter hem aan, met het gevoel alsof er duizend knopen tegelijk in haar maag werden aangetrokken. Ze probeerde niet naar het autowrak te kijken, maar tegelijkertijd was ze erdoor gebiologeerd, bleef ze maar kijken, staren.

Er stond een politieman voor hen, die hen de weg versperde. Een jonge, mollige man met een bril op en een pet die hem te groot was. Hij leek pas een jaar of achttien en moest zo te zien nog in zijn uniform groeien.

‘Achteruit alsjeblieft, mensen.’

Lanigan hield zijn insigne omhoog.

‘Aha. Oké. Oké, meneer.’ Toen wees hij vragend naar Carly.

‘Zij hoort bij mij,’ zei de rechercheur.

De jongeman wuifde hen door en draaide zich in verwarring om toen er met piepende remmen een ambulance en brandweerwagen tot stilstand kwamen.

Rechts van haar zag Carly een man in een overall wankel rondlopen, alsof hij gedesoriënteerd was. Hij was in shock, besefte ze. Vóór haar had Lanigan een zaklantaarn gepakt en zette die aan. In de lichtstraal zag ze een grimmig tafereel dat in een museum van moderne kunst had kunnen hangen.

De voorwielen van de vrachtwagen waren door de aanrijding een halve meter naar achteren geduwd en bevonden zich nu recht onder de cabine. De Porsche was zo ernstig ingedeukt dat de voor- en achterkant van de auto bijna haaks op elkaar stonden. Het verwoeste voertuig leek wel een ruwe artistieke impressie van een sneeuwploeg, alsof het eigenlijk deel uitmaakte van de voorkant van de truck.

Carly rook de geur van braaksel en hoorde iemand kokhalzen. Er hing ook een benzinelucht, en van olie, maar er zat nog een andere heel onaangename, koperachtige geur doorheen.

‘Jezus!’ riep Lanigan uit. ‘O shit!’

Hij stapte naar achteren en stak zijn arm uit om te voorkomen dat Carly hetzelfde zou zien als hij. Maar hij was te laat.

In het licht van de zaklantaarn zag Carly een paar benen, vanaf de knieën omlaag bedekt met de turkooizen broekspijpen van een trainingspak, maar de bovenkant was naakt. Een chaos van zwart, scharlakenrood, donkerrood en helrood verspreidde zich rondom het kruis. Vanuit het midden van dat alles rees een wit ding op van ongeveer veertig centimeter lang, en het leek wel wat op een reusachtige visgraat.

Een deel van de ruggengraat van de vrouw, besefte ze, terwijl ze zich onwillekeurig aan de arm van de rechercheur vastklampte en haar maag in opstand kwam. Fernanda Revere was in tweeën gehakt.

Carly wendde zich af, bevend van afgrijzen en shock. Ze liep struikelend een paar meter weg, viel op haar knieën en gaf over, verblind door tranen.

84

Een groot glas whisky in de bar van het hotel, gevolgd door twee glazen pinot noir, hielp Carly een beetje te kalmeren, maar ze was nog steeds in shock. Rechercheur Lanigan dronk een biertje. Hij leek onaangedaan, alsof hij dat soort ongelukken heel vaak zag en er immuun voor was. Maar hij leek zo'n zorgzame man. Ze vroeg zich af hoe iemand ooit aan zulke verschrikkelijke dingen kon wennen.

Hoe onbeschoft de vrouw ook tegen haar was geweest, Carly was ontzettend bedroefd om Fernanda Revere. Lanigan zei dat ze geen medelijden met haar hoefde te hebben, omdat dit een vrouw was met bloed aan haar handen, uit een brute familie die een luxe leven leidde dankzij allerlei gewelddaden. Maar Carly kon er niets aan doen. Wat haar achtergrond ook was geweest, Fernanda Revere bleef een mens. Een moeder die intens van haar zoon had gehouden. Niemand verdiende zo'n einde.

En Carly had dat veroorzaakt.

De rechercheur zei dat ze niet zo moest denken. Fernanda Revere had niet in die toestand in de auto moeten stappen. Ze had niet hoeven wegrijden; dat was haar eigen keus geweest. Ze had Carly gewoon kunnen of moeten wegsturen. Wegrijden – en dan nog wel dronken – was geen rationele daad geweest.

Maar toch nam Carly het zichzelf kwalijk. Ze kon er niet mee ophouden, steeds opnieuw, te denken dat zij dit had veroorzaakt. Dat als zij niet naar dat huis was gegaan, Fernanda Revere nog zou leven. Een deel van haar wilde meteen terugrijden naar de Hamptons en proberen haar verontschuldigingen aan te bieden aan Lou Revere. Pat Lanigan drukte dat heel snel de kop in.

Ze stonden een hele tijd buiten terwijl hij nog een sigaar rookte en zij zich door een half pakje sigaretten heen werkte. De vraag die ze geen van beiden konden beantwoorden was: *Wat gebeurt er nu?*

Ze voelde zich ontzettend verward. Hoe zou Fernanda Reveres echtgenoot reageren? De andere leden van haar familie? Toen Carly in het vliegtuig hierheen was gestapt, had ze geweten dat haar een zware taak wachtte. Maar nooit had ze ook maar in de verste verte verwacht dat het zulke gevolgen kon hebben. Ze stak met trillende hand nog een sigaret op.

'Ik denk, Carly, dat je nu echt heel serieus en snel moet gaan nadenken over die getuigenbescherming,' zei Pat Lanigan. 'Ik zal ervoor zorgen dat er iemand op je let zolang je hier bent, maar mensen zoals de Reveres hebben een goed geheugen en lange armen.'

'Denk je heus dat ik ooit echt veilig zou zijn in de getuigenbescherming?'

'Je kunt het nooit met honderd procent zekerheid zeggen, maar het zou wel je beste kans zijn.'

'Weet je wat dat betekent? Verhuizen naar een ander deel van het land, alleen jij en je kind, en nooit meer je familie of vrienden zien. Nooit meer. Hoe zou jij dat vinden?'

Hij haalde zijn schouders op. 'Het lijkt me niet fijn. Maar als ik dacht dat ik geen keus had, dan lijkt het me toch beter dan het alternatief.'

'Welk alternatief?'

Hij keek Carly indringend aan. 'Precies.'

85

De airconditioning was te koud en te luidruchtig, maar geen enkele instelling die Carly veranderde op het bedieningspaneel in haar hotelkamer leek enig verschil te maken. Ze kon ook geen extra deken vinden, dus was ze bijna volledig gekleed in bed gaan liggen, woelend terwijl er een tsunami van donkere gedachten door haar hoofd raasde.

Even na zes uur 's morgens stapte ze klaarwakker uit bed, liep naar het raam en opende de jaloezieën. Het licht stroomde naar binnen vanuit een helderblauwe hemel. Ze zag een vliegtuig hoogte maken en keek toen omlaag naar een uitgestrekte verzameling industriële gebouwen en een drukke weg, dertig verdiepingen lager.

Haar hoofd bonsde. Ze voelde zich misselijk en heel bang. God, wat wenste ze dat Kes hier nu was. Gewoon om dit met hem te kunnen bespreken. Hij had altijd boven alle ellende gestaan die het leven voor hem in petto had. Behalve dat smerige witte spul dat hem had geplet en verstikt.

Shit happens, had hij altijd gezegd. Hij had gelijk gehad. Zijn dood was shit. Haar ongeluk was shit. Fernanda Reveres dood was shit. Alles was shit.

Maar bovenal was het idee om weg te lopen van haar leven en zich te verstoppen, voor altijd, volkomen en totaal shit. Dat ging niet gebeuren. Er moest een betere oplossing zijn.

Dat moest gewoon.

Haar mobiele telefoon ging. Ze haastte zich ernaartoe en pakte hem van het nachtkastje, starend op het schermpje. Er stond alleen: INTERNATIONAAL.

'Hallo?' zei ze toen ze opnam.

'Hallo, Carly?' Het was Justin Ellis, en hij klonk vreemd.

'Ja. Is alles goed?' antwoordde Carly, zich ervan bewust dat haar stem gespannen klonk. Ze had een aspirientje en een kop thee nodig, en snel.

'Nou... Niet echt,' antwoordde Justin. 'Ik denk dat er wat verwarring is over Tyler.'

'Hoe bedoel je? Zijn afspraak bij de tandarts? Heb ik me vergist?' Ze keek naar de wekkerradio en rekende snel. Ze vergiste zich elke keer met dat tijdverschil. Engeland liep vijf uur voor. Het was daar bijna kwart over elf 's morgens. Tylers afspraak was toch om halftwaalf?

'Wat is er, Justin?'

'Nou, je had mij gevraagd om hem naar de tandarts te brengen. Ik sta nu bij zijn school om hem op te halen, maar ze zeggen dat je een taxi had geregeld om hem te brengen.'

Carly ging op de rand van het bed zitten. 'Een taxi? Ik heb helemaal geen...'

Er begon een verschrikkelijke, duistere angst in haar op te komen.

'Hij is een halfuur geleden opgehaald door een taxi,' zei Justin, die een klein beetje pissig klonk. 'Was je dat vergeten?'

'O, god,' zei Carly. 'Justin! O, god. Zeg dat het niet waar is.'

'Hoe bedoel je?'

'Dit kan niet waar zijn. Ze moeten een fout hebben gemaakt. Tyler moet ergens op school zijn. Hebben ze gekeken? Hebben ze overal gezocht?' Haar stem sloeg over van stijgende paniek. 'Laat ze alsjeblieft gaan kijken. Zeg dat ze gaan kijken. Zeg dat ze móéten kijken.'

'Carly, wat is er? Wat is er aan de hand?'

'Laat hem alsjeblieft daar zijn. Alsjeblieft, Justin, je moet hem vinden. Ga hem alsjeblieft binnen zoeken. Alsjeblieft! O, god.' Ze stond hyperventilerend op en ijsbeerde blindelings door de kamer. 'Alsjeblieft, Justin!'

'Ik snap het niet, Carly. Ik heb met mevrouw Rich gesproken. Zij is met hem meegelopen naar de poort en heeft gewacht tot hij veilig in de taxi zat.'

'Dat kan niet! Het kan niet, Justin. Zeg alsjeblieft dat hij niet weg is.' Ze huilde en schreeuwde van wanhoop. 'Zeg alsjeblieft dat hij daar nog is!'

Het bleef even stil, en toen vroeg Justin: 'Wat is er, Carly? Rustig nou! Zeg nou wat er is!'

'Justin, bel de politie. Ik heb geen taxi besteld.'

86

Tooth ergerde zich aan de file langs de boulevard. Hiermee had hij geen rekening gehouden in zijn plan. In zijn schema had hij maximaal tien minuten gerekend voor dit deel van de rit, maar het duurde nu al tweeëntwintig minuten. En ze kwamen nog steeds amper vooruit in het langzaam rijdende en stilstaande verkeer dat door wegwerkzaamheden verderop naar een enkele rijbaan moest ritsen.

Het geluid achter hem ergerde hem ook, maar het hield dat kind afgeleid terwijl hij reed, dus dat was goed. Hij keek naar hem in de spiegel. De jongen, met zijn rode schoolblazer en ronde brilletje, concentreerde zich op een of ander elektronisch spelletje.

Klik. Beeehhh... Glieiep... Uhuhuhurrr... Gliep... Grawwwwwp... Biff, heh, heh, heh... Warrrup, haha...

Ineens keek de jongen op. 'Waar gaan we heen? Ik dacht dat we naar de Drive gingen. Dat is de andere kant op.'

Tooth antwoordde met zijn Engelse accent. 'Ik heb doorgekregen dat we naar een ander adres moesten. Je tandarts werkt vandaag op hun andere praktijk, in de buurt van Regency Square.'

'Oké.'

Klik. Beeehhh... Glieiep... Uhuhuhurrr... Gliep... Grawwwwwp... Biff, heh, heh, heh... Warrrup, haha...

De taxiradio knetterde en een stem meldde: 'Vrachtje vanaf Withdean Crescent. Iemand in de buurt van Withdean Crescent?'

Achter zich hoorde Tooth: *Twang... Heh, heh, heh, grawwwwpppp...*

Ze kwamen nu dichterbij. Zo meteen moest hij linksaf.

Twang... Ieieieieiekkkk... Grieieiep... Heh, heh, heh...

'Wat is dat voor spelletje?' vroeg Tooth om de jongen op zijn gemak te stellen; ontspannen, normaal, in ieder geval nog een paar minuten.

'Het heet Angry Birds. Heel gaaf. Kent u dat?'

Tooth concentreerde zich nu en gaf geen antwoord. De Skoda-taxi ging linksaf van de boulevard naar Regency Square. In de bocht nieste Tooth luid, en toen nog een keer.

'Gezondheid,' zei Tyler beleefd.

Tooth gromde. Hij reed het plein met rijtjeshuizen in regencystijl op, allemaal witgeschilderd en in verschillende stadia van verval, sommige opgedeeld in appartementen en andere omgebouwd tot hotels. Bovenaan ging hij rechts over de weg rondom het grazige park in het midden van het plein en toen weer terug omlaag in de richting van de zee. Hij ging rechtsaf de ingang van de ondergrondse parkeergarage in en reed een stukje de helling af, waar hij nog een niesbui kreeg. Hij stopte, nieste nog eens en pakte een zakdoek uit zijn zak. Daar nieste hij nog een keer in.

'Gezondheid,' zei Tyler opnieuw.

De chauffeur draaide zich om. Tyler dacht dat de man hem wilde bedanken, maar in plaats daarvan zag hij iets zwarts in zijn hand. Het leek op de trekker van een pistool, maar zonder de rest van het wapen. Toen voelde hij een harde luchtstroom in zijn gezicht, begeleid door een scherp gesis. Ineens had hij het benauwd, en hij zoog zijn adem naar binnen terwijl de lucht uit de capsule nog steeds in zijn gezicht blies.

Tooth zag dat de ogen van de jongen dichtgingen. Hij draaide zich om en reed verder de helling af, deed zijn raampje open en haalde de zakdoek voor zijn gezicht weg. Hij reed door tot op de laagste verdieping van de garage, die verlaten was, op één voertuig na: zijn gehuurde Toyota met nieuwe kentekenplaten erop.

Hij parkeerde achteruit op de plek ernaast.

87

Om vijf voor halftwaalf zat Roy Grace achter zijn bureau, en hij voerde nog wat laatste aanpassingen door in de persverklaring die hij om twaalf uur zou geven.

Tot nu leek niets in dit onderzoek mee te zitten, en om de zaken nog ingewikkelder te maken begon het proces tegen de verkoper van snuffmovies, Carl Venner, over iets meer dan twee weken. Maar voorlopig had hij geen tijd om zich met andere zaken dan Operatie Viool bezig te houden.

Er was tijdens de briefing van die ochtend geen vooruitgang gemeld op de verschillende onderzoekslijnen. Het externe rechercheteam had niemand gevonden die de camera's had verkocht waarmee het sterven van Preece en Ferguson was gefilmd. Tot nu toe had niemand nog iets ongebruikelijks gezien rondom het huis van Evie Preece. Het team van de afdeling Zware Criminaliteit in het West Area had nog geen doorbraak behaald in hun onderzoek naar de moord op Warren Tulley in de Ford-gevangenis.

Er hadden de afgelopen week zo veel mensen tubetjes secondelijm gekocht in winkels overal in de stad dat het opvolgen daarvan onvoorstelbaar veel manuren zou kosten. Desondanks hadden de teamleden alle beschikbare camerabeelden van binnen en buiten de winkels opgevraagd. Als – en wanneer – ze een gezicht hadden bij hun verdachte, dan zouden ze die honderden uren videobeelden gaan bekijken.

Zijn telefoon ging. Het was zijn manager plaats delict, Tracy Stocker, die belde vanaf Newport Pagnell Services.

'Roy, we hebben tot nu toe één ding gevonden dat mogelijk van belang kan zijn. De peuk van een Lucky Strike-sigaret. Ik weet nog niet of het belangrijk is, maar het is een vrij ongebruikelijk merk in het Verenigd Koninkrijk.'

Als roker, ware het dan een gelegenheidsroker, wist Grace wel iets van sigarettenmerken. Lucky Strike was Amerikaans. Als de moorden op Preece en Ferguson het werk waren van een beroeps, zoals hij vermoedde, dan was het heel goed mogelijk dat er een huurmoordenaar was ingeschakeld die de Reveres kenden en vertrouwden. Het zou een Amerikaan kunnen zijn die hierheen was gestuurd. Hij voelde een klein beetje opwinding, alsof dat kleine detail het potentieel had om interessant te worden; hoewel hij wist dat de aanwezigheid ervan evengoed een volkomen onschuldige verklaring kon hebben.

'Heb je er vingerafdrukken af kunnen halen, Tracy?' vroeg hij.

Vingerafdrukken van sigarettenpeuken halen was lastig, en tot op zekere hoogte afhankelijk van hoe ze waren vastgehouden.

'Nee. We kunnen hem naar het lab sturen voor een chemische analyse, maar we hebben misschien meer geluk met DNA. Wil je dat ik hem versneld laat onderzoeken?'

Grace dacht even na. Met een versneld onderzoek konden ze binnen één of twee dagen resultaat hebben. Anders zou het minimaal een werkweek duren. Het proces was duur, in een tijd waarin ze eigenlijk kosten moesten besparen, maar geld was bij moordzaken minder van belang.

'Ja, doe maar,' zei hij. 'Goed werk, Tracy. Goed gedaan.'

'Ik zal je de foto's ervan sturen,' zei ze.

'Zijn er nog schoen- of bandafdrukken gevonden?'

'Tot nu toe nog niet. Helaas is de grond droog. Maar als er iets is, dan vinden we het wel.'

Hij glimlachte, want hij wist dat als iemand het kon, zij het was. Hij vroeg of ze hem op de hoogte wilde houden. Zodra hij ophing ging zijn telefoon opnieuw. Het was Duncan Crocker, en hij klonk alsof hij de hele nacht had doorgewerkt.

'Chef, we hebben twee mogelijke hits van auto's die tegelijk met Stuart Ferguson bij Newport Pagnell aankwamen. De ene is een Opel Astra en de andere een Toyota Yaris; allebei vaak als huurauto's gebruikt,' meldde de rechercheur. 'Die Astra hebben we al uitgesloten, want die werd bestuurd door een vertegenwoordiger van een zeefdrukbedrijf. Maar de Yaris is interessanter.'

'Ja?'

'U had gelijk. Het is een huurauto van Avis, van de vestiging op Gatwick. Ik had er een marker opgezet, en die heeft om acht uur vanochtend een camera met kentekenregistratie getriggerd langs de M11 bij Brentwood. De auto is tegengehouden door iemand van de verkeerspolitie ter plaatse. Er zat een vrouw van zevenentwintig uit Brentwood in, op weg naar haar werk.'

Grace fronste zijn voorhoofd. Snapte Crocker het wel?

'Het lijkt erop dat allebei die voertuigen de verkeerde waren, Duncan.'

'Wacht maar tot u dit hoort. Toen de jongedame uitstapte, zag ze dat haar kenteken niet klopte. Iemand had haar nummerplaten gestolen en vervangen door deze.'

'Terwijl ze bij Newport Pagnell Services stond?'

'Dat kon ze niet zeggen; ze kon zich niet meer herinneren wanneer ze voor het laatst op haar kentekenplaten had gelet. Om eerlijk te zijn kijken maar heel weinig mensen daarnaar.'

Grace dacht even na. 'Dus het kan zijn dat onze verdachte zijn platen met die van haar heeft geruild. Heb je een marker op haar kenteken gezet?'

'Ja, maar tot nu toe nog geen resultaat.'

'Goed werk. Laat het me weten zodra iemand die auto ziet.'

'Natuurlijk, chef.'

'Heb je al iemand naar Avis op Gatwick gestuurd?'

'Ja, Sara Papesch en Emma-Jane Boutwood.'

Grace fronste zijn voorhoofd. 'Wie is Sara Papesch?'

'Ze is net bij het team gekomen. Intelligente meid, een rechercheur uit Nieuw-Zeeland die hier gedetacheerd is.'

'Oké, prima.'

Grace kende het liefst iedereen in zijn team persoonlijk. Het baarde hem zorgen als een onderzoek zo grootschalig werd dat zijn teamleden zelf zonder zijn goedkeuring nieuwe teamleden begonnen aan te trekken. Dit was een van die zeldzame momenten in zijn carrière dat hij het gevoel kreeg dat hij het niet meer kon bijbenen. Hij moest rustig worden, kalm aan doen.

Hij keek naar de ronde houten klok aan de muur. Het was een rekwisiet geweest op het fictieve politiebureau in de televisieserie *The Bill*. Sandy had die voor hem gekocht voor zijn zesentwintigste verjaardag. Eronder hing een opgezette bruine forel van drieënhalve kilo die Sandy toen ze pas getrouwd waren ook voor hem had gekocht, bij een antiekkraam in Portobello Road. Hij liet het ding onder de klok hangen om een grapje te kunnen maken tegen zijn dienders; iets over geduld en grote vissen.

En de vis hing er ook als geheugensteuntje voor zichzelf. Dat hij altijd geduld moest hebben. Elk moordonderzoek was een puzzel. Eindeloos veel kleine stukjes die je moest vinden en aan elkaar moest passen. Je bazen en de plaatselijke media zaten altijd in je nek te hijgen, maar je moest op een of andere manier je kalmte zien te bewaren. Paniek leidde nergens toe, behalve dan dat je foute, ongefundeerde beslissingen ging nemen.

Zijn deur ging open en Glenn Branson kwam binnen, en hij oogde zoals hij tegenwoordig meestal deed: alsof hij het gewicht van de hele wereld op zijn schouders meetorste. Grace verwachtte dat hij de nieuwste saga te horen zou krijgen over Bransons echtscheiding, maar in plaats daarvan legde de rechercheur zijn enorme handen op de rugleuning van een van de twee stoelen voor zijn bureau en boog zich naar voren. 'We hebben een ontwikkeling, ouwe, en het is geen goeie. Ik heb net een telefoontje gehad van Carly Chase in New York.'

Nu had hij Grace' volledige aandacht. 'Haar missie gaat niet goed, zeker? Zoals we hadden voorspeld.'

'Dat kun je wel zeggen, chef. Tony Reveres moeder is gisteravond verongelukt.'

Grace staarde hem in stomverbaasd stilzwijgen aan. Hij voelde het bloed uit elke ader in zijn lichaam wegtrekken. 'Verongelukt?'

'Ja.'

Even was de inspecteur te geschokt om helder na te denken. Toen vroeg hij: 'Wat heb je voor informatie? Hoe? Ik bedoel, wat is er gebeurd?'

'Daar kom ik nog op; dat is de minste van onze zorgen. We hebben een veel groter probleem. De twaalfjarige zoon van Carly Chase wordt vermist.'

'Vermist? Hoe bedoel je?'

'Het lijkt erop dat hij is ontvoerd.'

Grace staarde in Bransons grote, ronde ogen. Hij voelde zich alsof er een shot ijskoud water in zijn maag was geïnjecteerd. 'Wanneer... Wanneer is dat gebeurd?'

'Een vriend van Carly, ene Justin Ellis, had haar zoon vanochtend om kwart over elf moeten oppikken bij de St Christopher's School om met hem naar de tandarts te gaan om zijn beugel te laten verstellen. Ellis kwam daar om tien over aan en ontdekte dat de jongen twintig minuten eerder al door een taxi was opgehaald. Maar Carly Chase houdt vol dat ze geen taxi had besteld.'

Grace staarde hem aan, verwerkte de informatie en probeerde het te rijmen met het nieuws over de kentekenplaten dat hij net van Duncan Crocker had gehoord. 'Ze leek gisteren behoorlijk over haar toeren. Weet je zeker dat ze niet gewoon is vergeten dat ze er een had besteld?'

'Ik had haar net nog aan de telefoon. Ze had geen taxi besteld, dat weet ze honderd procent zeker.'

Branson ging tegenover hem zitten, sloeg zijn armen over elkaar en vervolgde: 'Een van de leraressen op school kreeg een belletje dat de taxi buiten stond. Ze wist dat hij zou worden opgehaald, want zijn moeder had dat al gemeld. Ze vond er dus niets vreemds aan.'

'Heeft ze de chauffeur gezien?'

'Niet echt, nee. Hij droeg een honkbalpet. Maar ze lette ook niet echt op hem. Zij wilde zeker weten dat Tyler veilig in de auto zat, en ze is bij de schoolpoort blijven staan tot hij erin zat.'

'Laten ze hun leerlingen dan gewoon in taxi's stappen zonder dat bij iemand na te vragen?' vroeg Grace.

'Ze hebben strikte procedures,' antwoordde Branson. 'De oud
vooraf toestemming geven, en die had Carly Chase op lopende b

lijk werd Tyler regelmatig afgezet en opgehaald door taxi's, dus niemand had vandaag reden om er iets achter te zoeken.'

Grace bleef even zwijgend zitten en dacht koortsachtig na. Hij keek op zijn horloge. 'Die afspraak stond voor halftwaalf?'

'Ja.'

'Heeft iemand de tandarts gebeld om te vragen of hij is komen opdagen?'

'Daar is iemand nu mee bezig. Een paar minuten geleden was hij er nog niet.'

'Waar zit die tandarts?'

'In Wilbury Road.'

'St Christopher's is toch een particuliere school? Aan New Church Road?'

Branson knikte.

'Dat is vijf minuten rijden. Hooguit tien. En hij is even voor elf uur opgehaald?

'Klopt.'

'Heb je contact met de taxibedrijven?'

'Ja. Norman Potting, Nick Nicholl, Bella Moy en Stacey Horobin zitten nu allemaal te bellen.'

Grace sloeg van woede en frustratie op zijn bureau. 'Shit, shit, shit! Waarom wist ik niets van die tandartsafspraak?'

Branson keek hem hulpeloos aan. 'We hebben het huis met de jongen en haar moeder – zijn oma – de hele nacht in de gaten gehouden. En we hebben een vriendin van Carly Chase, die hem naar school heeft gebracht, laten schaduwen om na te gaan of hij daar veilig aankwam. We wilden vanmiddag als hij uit school kwam weer hetzelfde doen. Niemand had gezegd dat hij een afspraak had.'

Grace schudde zijn hoofd. 'Zij was kwetsbaar. Dat betekende dat iedereen in haar naaste omgeving ook kwetsbaar was. We hadden vandaag iemand op die school moeten hebben.'

'Achteraf praten is altijd makkelijk. De meeste mensen zouden 's morgens hun bed niet meer uit komen als ze wisten wat er ging gebeuren.'

Grace staarde hem somber aan. 'Als ik wist wat er ging gebeuren, zou dat mijn werk een verrekt stuk makkelijker maken.' Hij pakte een pen en maakte een paar aantekeningen, terwijl zijn hersensynapsen vonkten. 'Oké, hebben we een foto van die jongen?'

'Nee, maar wel een signalement. Hij is ongeveer één meter vijftig en lijkt n beetje op een jonge Harry Potter, met warrig bruin haar en een ovaal letje met een dun montuur. Hij draagt een schooluniform met een rode er, een wit overhemd, een rood met grijze stropdas en een grijze broek.'

'Ja?'

'Ten eerste moet de computer van die jongen – ik neem aan dat hij er een heeft – naar Digitale Expertise voor analyse. Laat uitzoeken met wie hij heeft gepraat of contact heeft gehad via Facebook, chatrooms, e-mail.'

Branson knikte. 'Die krijg ik wel van zijn oma.'

'Ten tweede moet je elke centimeter van het huis en de tuin laten afzoeken, en die van de naaste buren en al zijn vriendjes. Misschien kun je wat wijkagenten rekruteren om de omgeving van zijn huis af te zoeken.'

'Oké.'

'Ten derde moet je in contact blijven met de tandarts en de school. Ik wil niet voor gek staan als dat kind veilig en wel weer opduikt en zijn moeder gewoon iets was vergeten te vertellen.'

'Begrepen, maar dat gaat niet gebeuren.'

'Laten we het hopen.' Toen haalde Grace zijn schouders op. 'Of eigenlijk hoop ik ook van wel, als je snapt wat ik bedoel.'

Branson knikte en stond op om te vertrekken. Hij wist precies wat Roy bedoelde.

Toen de deur dichtging, greep Grace het *Handboek ontvoeringen* van de plank en legde het op zijn bureau, maar voordat hij het opensloeg krabbelde hij nog een paar acties die bij hem opkwamen in zijn notitieblok, waarna hij even in stilte ging zitten nadenken. Zijn telefoon ging. Het was zijn assistente, Eleanor Hodgson, die vroeg of het herziene concept van zijn persverklaring al klaar was zodat ze dat kon uitwerken.

In de paniek van de afgelopen paar minuten was hij die helemaal vergeten, besefte hij. Hij zei dat hij alles zou moeten herschrijven vanwege de nieuwste ontwikkeling, en dat de persconferentie een halfuur moest worden uitgesteld.

Hij maakte zich ernstige zorgen om die jongen. De kerel die Preece en Ferguson had vermoord, was een wrede sadist. Er viel niet te bepalen wat hij in gedachten had voor Tyler Chase, en al Grace' aandacht ging uit naar mogelijkheden om de jongen uit zijn klauwen te redden. Er was nu al een halfuur voorbij. In dertig minuten konden ze naar een heleboel verschillende plaatsen zijn gekomen. Maar een taxi viel op. Een man samen met een jonge jongen viel op; vooral als Tyler zijn schooluniform nog droeg.

Hij voelde een diepe, duistere angst vanbinnen. Dit was niet zijn schuld, maar toch had hij de eindverantwoordelijkheid om de bescherming te bieden die Carly en haar gezin nodig hadden, en hij was kwaad op zichzelf omdat hij dit had laten gebeuren.

In ieder geval had de timing van de persconferentie amper beter gekund.

Binnen een uur zou hij dankzij de combinatie van Child Rescue Alert, de pers en de media landelijke publiciteit hebben over de vermiste jongen.

Toen pakte hij de telefoon en pleegde het telefoontje waar hij niet naar uitkeek.

Adjunct-hoofdcommissaris Peter Rigg nam meteen op.

88

Carly ijsbeerde in een zwarte draaikolk van afgrijzen door haar hotelkamer, de tranen stroomden over haar wangen en ze wilde wanhopig graag terug naar Engeland. Haar gedachten gingen alle kanten op en ze voelde zich lichamelijk ziek.

Hoe had ze toch zo stom kunnen zijn om hem onbeschermd thuis achter te laten? Waarom, wáárom had ze niet alles zorgvuldiger overdacht voordat ze het stomme besluit had genomen om hierheen te komen?

Was ze iets vergeten? Een simpele verklaring voor die taxi? Had ze iets over het hoofd gezien in de chaos van de afgelopen weken? Ze bestelde regelmatig taxi's om hem ergens heen te brengen als zij niet weg kon van haar werk. Had ze misschien een dubbele afspraak voor Tyler gemaakt? Met wie dan? Had ze misschien deze taxi weken geleden al besteld en was ze dat vergeten? Misschien had de taxi de verkeerde jongen opgehaald? Dat zou het kunnen zijn, een vergissing van de school!

Heel even voelde ze opluchting.

Ze klampte zich vast aan een strohalm, wist ze.

Ze probeerde de beelden van Fernanda Revere in het wrak van de auto uit haar gedachten te bannen. Enkele daarvan waren afschuwelijk vervlochten met Tylers gezicht. Ze huiverde en overwoog een warme douche te nemen, maar dan hoorde ze de telefoon misschien niet. Ze moest naar huis. Een hulpvaardige medewerker van de receptie zocht vluchten naar Engeland voor haar uit. Ze moest vandaag terug, hoe dan ook. Ze keek op haar horloge, maar kon de tijd amper aflezen. Haar ogen voelden aan alsof ze niet goed werkten. Alles waar ze naar keek leek onscherp.

Ze moest helder nadenken. Maar het enige waaraan ze kon denken, was aan Tyler die in een taxi stapte.

Met een monster achter het stuur.

Ze liep naar het raam en keek weer naar buiten. Een paar minuten geleden was de lucht nog blauw geweest. Nu was hij grijs. Het landschap oogde verbleekt. Ze zag een man op een vuilniswagen. *Is jouw zoon ontvoerd?* Ze zag een vrouw uit een autootje stappen voor het begin van haar dag. Een dag als alle andere, voor haar. *Is jouw zoon ontvoerd?*

Ze liep de badkamer in om haar tanden te poetsen, maar haar handen trillen zo erg dat de tandpasta iedere keer in de wastafel belandde in plaats van op haar tandenborstel. Ze had het gevoel dat er een veer binnen in haar steeds strakker werd opgewonden. Ze vulde de waterkoker, maar toen kon ze de schakelaar op dat stomme ding nergens vinden. Al die tijd hield ze haar telefoon bij de hand en bad vurig, wanhopig dat Tyler zou bellen.

En plotseling ging het toestel. Op het schermpje stond GEEN NUMMER.

'Ja, ha-hallo,' wist ze uit te brengen.

'Carly? Met rechercheur Branson.'

'Ja?' zei ze, in een poging haar teleurstelling te verbergen. Maar misschien had hij nieuws? *Alsjeblieft, bel met nieuws.*

'Ik moet je een paar vragen stellen, Carly.'

De moed zonk haar in de schoenen, en ze ploegde voort: 'Ik zat te denken... Ik weet niet... Is het mogelijk dat er verwarring was op school en dat de taxi voor een andere jongen was? Hebben ze gekeken of hij niet ergens op school is? Hij houdt van natuurkunde, geschiedenis, dat soort dingen. Hij gaat vaak gewoon een lab in om in zijn eentje te werken. Hij is soms nogal op zichzelf. Hebben ze gekeken?'

'Ze doorzoeken de school nu. De taxi was beslist daar voor je zoon, Tyler.'

'Is hij bij de tandarts verschenen? Heb je wat voor nieuws dan ook?'

'Tot nu toe niet, maar we vinden hem wel, maak je geen zorgen. Maar ik heb je hulp nodig.'

'MAAK JE GEEN ZORGEN? ZEG JE NOU DAT IK ME GEEN ZORGEN MOET MAKEN?' schreeuwde ze.

'We doen echt alles wat we kunnen, Carly.'

'Ik neem de eerste vlucht naar huis. Misschien kan ik vandaag nog weg, dan ben ik vanavond terug.'

'Ik denk ook dat je zo snel mogelijk moet terugkomen. Laat me je vluchtgegevens weten als je ze hebt, dan halen we je op bij het vliegveld. We hebben het gehoord van mevrouw Revere.'

'Dit is gewoon een nachtmerrie,' zei ze. 'Help me alsjeblieft. Vind alsjeblieft mijn zoon. O, god, help me alsjeblieft.'

'Eén ding dat belangrijk zou kunnen zijn. Kun je me vertellen wie er op de hoogte waren van Tylers afspraak bij de tandarts?'

'Wie? Alleen... Alleen zijn school... En mijn vrienden, Sarah en Justin Ellis. Hij – Justin – zou hem erheen brengen. Ik... Ik kan niemand anders bedenken.'

'Onze afdeling Digitale Expertise voert onderzoek uit. Tyler zit op een aantal sociale netwerken, zoals je waarschijnlijk weet,' zei Branson.

'Ja... Een paar.'

'Heeft hij het getweet? Hij had wel op Facebook gezet dat hij naar de tandarts ging, maakte er een grapje over. Heeft hij iets gezegd over reacties die hij daarop had gekregen?'

'Nee,' zei ze. 'Hij is al twee weken, sinds dat ongeluk, in een heel rare bui. Ik... Ik...' Ze vocht tegen de tranen. 'Tyler is een... Hij is een heel bijzonder kind. Hij is ontzettend vindingrijk. Hij zou nooit bij een vreemde in de auto stappen. Je vraagt je misschien af hoe ik dat zo zeker weet, maar het is zo, dat kan ik je beloven. Hij is wereldwijs. Hebben jullie gekeken of hij niet naar huis is gegaan?'

'We houden je huis voortdurend in de gaten. Er is niemand. Maar hij is beslist van school vertrokken in een taxi.'

'Vind hem alsjeblieft,' zei ze. 'Vind hem alsjeblieft.'

'We vinden hem wel, dat beloof ik. Het hele land is naar hem op zoek.'

Er prikten tranen in haar ogen en alles was wazig. De vriendelijke stem van de rechercheur maakte haar aan het huilen.

'De Reveres...' Ze snikte. 'Ze mogen met mij doen wat ze willen. Het kan me niet schelen. Zeg ze dat maar. Zeg maar dat ze me mogen vermoorden. Zeg maar dat als ze mijn zoon teruggeven, ze mij mogen vermoorden.'

Hij beloofde haar terug te bellen zodra hij nieuws had. Terwijl ze de verbinding verbrak, liep ze terug naar het raam en keek uit over het sombere landschap. Jezus, de wereld was zo groot. Hoe moest je iemand vinden? Waar begon je met zoeken? Helemaal beneden op de grond zag ze een man lopen met een telefoon tegen zijn oor. En plotseling viel haar iets in.

Ze veegde haar tranen weg en staarde naar het schermpje van haar iPhone, bladerde door de apps, schoof ze heen en weer totdat ze de app vond die ze zocht. Toen gaf ze er een harde tik op.

Even later voelde ze een plotseling opvlammen van de hoop. Ze staarde aandachtiger, met het toestel vlak voor haar ogen.

'O ja! O, goed zo, Tyler! O, slimme jongen!'

89

Grace kwam om tien voor één 's middags uit de persconferentie, blij met het kordate optreden van adjunct-hoofdcommissaris Rigg en heel opgelucht. Persconferenties waren mijnenvelden. Eén verkeerd antwoord en je kon volkomen voor gek staan. Rigg was verstandig geweest, had het strak en gefocust gehouden, en kort.

Hij werd gevolgd door Kevin Spinella, die zoals altijd nog op één vraag antwoord wilde. Maar de inspecteur was niet in de stemming om met hem te praten. Toen hij de beveiligde deur aan het begin van de gang bereikte, draaide hij zich naar de verslaggever om.

'Ik heb niets toe te voegen. Als je meer informatie wilt, moet je met adjunct-hoofdcommissaris Rigg praten, die nu verantwoordelijk is voor de perscontacten over Operatie Viool.'

'Ik weet dat u nog steeds kwaad op me bent omdat ik heb geschreven over die beloning,' zei Spinella. 'Maar u schijnt soms te vergeten, inspecteur, dat u en ik allebei ons werk hebben, en dat dat niet hetzelfde werk is. U lost misdaden op, ik moet kranten verkopen. Dat moet u begrijpen.'

Grace staarde hem ongelovig aan. Het leven van een kind stond op het spel, hij zat midden in het urgente stadium van een van de ernstigste kritieke incidenten van zijn carrière, en die jonge verslaggever had besloten dat dit het moment was om hem de les te lezen over de krantenbusiness?

'Wat denk je dat ik daaraan niet snap, Kevin?' zei Grace, die zich weer omdraaide naar de deur en zijn pasje voor de lezer hield.

'U moet beseffen dat ik niet uw marionet ben. Ik wil u helpen, maar mijn eerste loyaliteit gaat altijd naar mijn redacteur.'

'Dan stel ik voor dat je nu je adem spaart, snel teruggaat naar je kantoor en een verhaal schrijft waarmee we misschien Tyler Chase' leven kunnen redden.'

'Dat hoeft niet. Ik heb dit,' zei Spinella. Hij viste zijn BlackBerry uit zijn zak en stak hem met een zelfingenomen grijns op.

Grace sloeg de deur achter zich dicht. Hij stond op het punt de nummer één te bellen voor een update toen zijn telefoon ging. Het was Glenn Branson. 'Ben je al uit de conferentie, chef?'

'Ja.'

'We gaan als een speer! We hebben een ontwikkeling met Tyler.'

'Waar zit je?'

'Coördinatiecentrum 1.'

'Ik kom eraan.'

Grace racete een paar treden af, rende door de gang en ging het volgepakte coördinatiecentrum in. In contrast met de gang, waar altijd een verfgeur hing, rook het in Coördinatiecentrum 1 rond lunchtijd altijd als in een kantine. Vandaag hing er een aroma van warme soep en noodles uit de magnetron, vermengd met een beetje currygeur.

Hier hing die ingetogen sfeer van energie waar Grace zo dol op was. Een gevoel van doelgerichtheid. Sommige leden van het team zaten op hun werkplek – aan de telefoon, lezend of typend – en andere stonden aanpassingen door te voeren in de stamboom of de fotodisplays op de whiteboards. Er klonk een voortdurend gedempt gerinkel van vaste telefoons, een luidere kakofonie van mobiele telefoons en het gerammel van toetsenborden.

Enkele leden van het team zaten te eten onder het werken. Norman Potting zat voorovergebogen over een uitdraai en kauwde op een enorme vleespastei, zonder zich iets aan te trekken van de kruimels die als sneeuw op zijn stropdas en uitpuilende buik belandden.

Glenn Branson zat in de achterste hoek van de kamer, dicht bij een waterkoeler. Grace haastte zich naar hem toe en negeerde Nick Nicholl en David Howes, die allebei probeerden zijn aandacht te trekken. Hij keek op zijn horloge en toen naar de klok aan de muur, alsof hij de tijd wilde controleren. Dat deed hij vaak, en hij kon het niet laten. Elke seconde van elke minuut was in de huidige situatie kritiek.

'Chef, heb je wel eens een iPhone gebruikt?'

'Nee, hoezo?' Grace fronste zijn voorhoofd.

'Er bestaat een app die Friend Mapper heet. Hij werkt met gps, net als een navigatiesysteem. Jij en iemand anders die je kent met een iPhone kunnen er allebei permanent op aangemeld staan. Als jij en ik bijvoorbeeld aangemeld zijn en die app hebben ingeschakeld, kan ik altijd zien waar je bent, overal ter wereld, en jij kunt tot op vijftig meter afstand mijn locatie zien.'

Grace had ineens het gevoel dat hij wist waar dit naartoe ging. 'Carly Chase en haar zoon?'

'Ja!'

'En? Vertel.'

'Dat was kennelijk de afspraak toen Carly Chase een iPhone voor haar zoon kocht, dat hij altijd Friend Mapper moest inschakelen als hij niet bij haar was.'

'En die staat nu aan?'

'Ze belde twintig minuten geleden. Het signaal beweegt niet, maar het kwam van Regency Square. We weten niet of de telefoon is uitgezet of de batterij leeg is, of hij kan, zoals ik vermoed, ook op een plek zijn waar de ontvangst slecht is.'

'Hoe oud is dat signaal?'

'Dat weet ze niet, want ze heeft net pas gekeken. Maar ze snapt niet waarom het daarvandaan komt. Regency Square ligt een paar kilometer ten oosten van de school en nergens bij zijn tandarts in de buurt. Ze zegt dat Tyler geen enkele reden heeft om daar te zijn. Ze heeft de kaart zo veel mogelijk vergroot. Het lijkt erop dat het signaal van heel dicht bij de ingang naar de ondergrondse parkeergarage kwam.'

Grace merkte dat hij Bransons opwinding deelde. 'Als hij in die garage is, dan kan dat het gebrek aan een signaal verklaren!'

Branson glimlachte. 'Nummer één heeft alle eenheden in Brighton daarheen gestuurd. Ze omsingelen de garage, houden alle uitgangen in de gaten, doorzoeken de boel daar en alle voertuigen die vertrekken.'

'Kom mee!' zei Grace.

90

Met de herinnering aan Glenn Bransons rijstijl nog onrustbarend vers in zijn geheugen besloot Grace zelf te rijden. Terwijl ze door het middagverkeer van Brighton zoefden, zei de rechercheur: 'Carly Chase neemt een vlucht van BA die vertrekt om tien over halfnegen Amerikaanse tijd; dat is om tien over halftwee onze tijd, over minder dan een uur. Ze landt rond halfnegen vanavond op Heathrow.'

'Oké.'

Grace' telefoon ging. 'Wil jij opnemen, Glenn?'

Branson nam op terwijl Grace een rij auto's inhaalde voor een rood verkeerslicht op de kruising van Dyke Road en Old Shoreham Road, scheurend over de verkeerde weghelft. Hij keek goed of iedereen hem had gezien, veranderde de toon van de sirene en accelereerde de kruising over.

Toen Branson had opgehangen, wendde hij zich tot Grace. 'Dat was E-J. Ze is bij Avis geweest. Die Toyota Yaris is vorige week maandagochtend verhuurd aan een man die volgens zijn rijbewijs James John Robertson heette. Het adres dat hij heeft opgegeven bestaat niet, en Digitale Expertise heeft achterhaald dat de Visa-kaart waarmee hij heeft betaald een goede kloon was. Avis heeft een signalement gegeven van de huurder, maar daar hebben we niet veel aan. Een kleine, magere man met een Engels accent, met een honkbalpet en een donkere bril op. Hij kreeg een upgrade aangeboden, maar die sloeg hij af.'

'Interessant gegeven, om een upgrade af te slaan,' zei Grace. 'Ik vraag me af waarom.'

Branson knikte. 'Weet je, het zou schitterend zijn als we met de zoon van Carly Chase naar het vliegveld kunnen om haar op te halen.'

'Zeg dat wel.'

'En met een beetje geluk gaat dat ook gebeuren.'

Roy Grace deelde de hoop van zijn vriend, maar niet zijn optimisme. Na voldoende jaren ervaring in dit werk sleet je optimisme geleidelijk. Zozeer zelfs dat als je niet oppaste, je op een dag merkte dat je een cynische rotzak was geworden, terwijl je jezelf altijd beloofd had dat je het nooit zover zou laten komen.

Als je normaal reed, kostte de rit van Sussex House naar Regency Square ongeveer twintig minuten. Grace deed het in acht. Hij ging de boulevard af, negeerde het bordje VERBODEN TOEGANG en stopte achter twee surveillancewagens en twee politiebusjes die aan weerszijden van de ingang naar de garage stonden. Ze waren allebei de Ford al bijna uit voordat hij helemaal stilstond.

Het hele historische, maar deels vervallen plein wemelde van de politiemensen in uniform, en de statige dienstdoend rechercheur van Brighton & Hove, Sue Carpenter, kwam naar hen toe. Ze was begin veertig en zeker één meter tachtig lang. Door de hoed die hoog op haar hoofd stond, met haar lange donkere haar opgestoken eronder, leek ze nog langer. Grace herinnerde zich haar van een paar jaar geleden, toen ze nog brigadier was, en hij was toen al onder de indruk geweest van haar competentie.

'Goedemiddag, meneer,' zei ze met nerveuze formaliteit, en toen glimlachte ze snel naar Glenn Branson.

'Hoe gaat het?' vroeg Grace.

'We hebben net een taxi gevonden die geparkeerd staat op de derde laag; de onderste. Het voertuig is afgesloten. Het is nogal ongebruikelijk om een taxi aan te treffen in een parkeergarage in de stad. We hebben contact opgenomen met Streamline, waar de wagen geregistreerd staat, om te kijken of zij informatie voor ons hebben.'

'Laten we maar even kijken,' zei Grace.

Als voorzorgsmaatregel, omdat hij nooit wist wanneer hij ze nodig had, haalde hij een paar blauwe handschoenen en plastic bewijszakjes uit zijn tas in de kofferbak van de auto. Toen keek hij snel om naar het grasveld in het midden van het plein. Aan de andere kant, waar de uitgang was, zag hij een Jaguar staan met de achterbak open, tegengehouden en omringd door agenten.

'Ik neem aan dat er bewakingscamera's bij de ingang en uitgang hangen?'

'Er hangen inderdaad camera's, meneer, en binnen ook een paar. Maar ze zijn stuk voor stuk gisteravond vernield.'

'Allemaal?'

'Ja, ze worden later vandaag vervangen, maar daar hebben wij niets aan.'

'Shit, shit, shit,' zei hij, en hij sloeg met zijn vuist in zijn hand. Hij schudde zijn hoofd. 'Die timing lijkt me een beetje te toevallig.'

'In deze parkeergarage zijn heel vaak problemen, meneer. In dit hele gebied, eigenlijk,' bracht ze hem in herinnering. Ze wees naar de overkant, naar de restanten van de West Pier, een van de belangrijkste kenmerken van Brighton, die enkele jaren eerder was afgebrand tijdens een van de grootste uitingen van vandalisme in de stad ooit.

Grace en Branson volgden rechercheur Carpenter langs een politieassistent die de ingang bewaakte en door een stinkend betonnen trappenhuis omlaag. Toen liepen ze over de benedenverdieping van de garage, die bijna verlaten was en waar het naar droog stof en motorolie rook. De oude, sleets ogende betonnen vloer, witte beugels en rode biezen strekten zich in de verte uit, met tussendoor de strepen van parkeervakken.

Aan de rechterkant, deels aan het oog onttrokken door een betonnen rand, zag hij een Skoda-taxi in een parkeervak staan, met de achterkant vlak tegen de muur. Er stonden twee jonge agenten bij.

Toen ze naderden zag Grace een paar stukken zwart plastic op de grond bij de auto liggen. Hij viste de handschoenen uit zijn zak en trok ze aan. Toen hurkte hij neer, raapte de stukken op en stopte ze in een bewijszakje, gewoon voor het geval dat.

Op dat ogenblik kwam de stem van de telefoniste over de portofoon van rechercheur Carpenter. Grace en Branson hoorden haar allebei duidelijk. Kennelijk was de centraliste van Streamline bezorgd, aangezien ze sinds kort na middernacht geen reactie meer van de chauffeur had gekregen.

'Hebben we een naam?' vroeg Carpenter.

'Mike Howard,' zei de stem, begeleid door ruis.

'Vraag of ze een mobiel nummer van hem heeft,' zei Grace.

Hij tuurde voor in de auto en toen achterin voordat hij om beurten de portieren probeerde, maar ze zaten allemaal op slot.

Sue Carpenter gaf het verzoek door. Even later gaf de centralist hun het nummer. Grace schreef het in zijn notitieblokje en belde het meteen.

Even later hoorde ze gedempt een ringtone achter in de taxi. Grace hing op, wendde zich tot een van de agenten en vroeg om zijn wapenstok. Met een ongerust gezicht haalde de jonge agent die tevoorschijn en gaf hem aan Grace.

'Achteruit!' zei Grace, die de wapenstok hard op het raam aan de bestuurderskant af liet zwaaien.

Er klonk een knal en er verscheen een barst in de ruit, maar hij bleef heel. Hij sloeg harder, en deze keer brak het glas. Hij sloeg nog een paar scherven weg met de wapenstok, stak zijn hand naar binnen, vond de hendel en trok eraan. Hij opende het portier, boog zich naar binnen en haalde de handrem van de auto.

'Help even,' zei hij tegen de agenten, en hij begon de auto naar voren te duwen.

Aanvankelijk zat er geen beweging in, maar toen kwam hij langzaam, geruisloos naar voren. Grace ging door tot de wagen een halve meter van de muur af stond en trok de handrem weer aan. Hij boog zich naar binnen, kijkend naar de onbekende bediening en zag de identiteitskaart van de chauffeur tegen de ruit, met een foto van een potige man van in de veertig, met wijkend bruin haar en een geschrokken blik. De naam *Mike Howard* stond eronder afgedrukt. Grace keek goed rond, op zoek naar een knop om de kofferbak van binnenuit te openen. Al snel had hij hem gevonden en sprong het kofferbakdeksel open.

Glenn Branson was als eerste achter aan de auto.

Toen hij erin staarde, betrok zijn gezicht.

'O shit,' zei hij.

91

Carly, die in de drukke wachtruimte bij gate 47 zat, keek op haar horloge. Toen staarde ze een tijdje naar de twee medewerksters van British Airways die achter de balie stonden te kletsen. Af en toe klonk er een gong, gevolgd door een korte mededeling. Laatste oproep voor boarding van een of andere vlucht. Ze keek nog een keer op haar horloge. Tweeëntwintig minuten over acht. De vlucht moest binnen twintig minuten vertrekken, en het instappen was nog niet eens begonnen. Wat was er aan de hand?

Ze greep haar handtas stevig beet en hield haar weekendtas bij haar voeten. Ze had geen bagage ingecheckt, want ze wilde geen enkele vertraging oplopen na het landen. Haar knieën bleven maar tegen elkaar aan slaan. Ze had dringend behoefte aan een kop thee en iets te eten, maar ze dacht niet dat ze nu zou kunnen slikken.

Ze belde haar moeder. Die was er bijna nog erger aan toe dan Carly, want ze nam het zichzelf kwalijk dat ze die afspraak bij de dokter had gehad en Tyler niet had opgehaald. Daarna bleef Carly trillend en met rode ogen om zich heen kijken naar de andere passagiers, en af en toe bekeek ze de e-mails die op haar iPhone bleven binnenkomen. Het meeste was werk. Vragen aan haar of informatie die zij bij cliënten had opgevraagd. E-mails van haar collega's. Grappen van een paar vrienden die het nog niet hadden gehoord van Tyler. Ze las ze geen van alle. Het enige waar zij belangstelling voor had, was of er misschien, toevallig, een berichtje was binnengekomen van haar zoon.

Vlak bij haar zaten twee stellen van middelbare leeftijd. Amerikanen in een vrolijke stemming, op weg naar Engeland voor een golfvakantie. Ze hadden het over golfbanen. Hotels. Restaurants. Het normale ervan irriteerde haar. Die mensen waren heel serieus in gesprek. Haar zoon was ontvoerd, en zij kletsten over lange golfbanen en snelle greens en een of andere waterhindernis waar ze tijdens hun bezoek vorig jaar allemaal zo'n moeite mee hadden gehad.

Carly stond op, liep naar de balie en vroeg of de vlucht op tijd zou vertrekken. Ze kreeg te horen dat het boarden over een paar minuten zou beginnen.

Dat luchtte haar een klein beetje op. Maar niet veel.

Ze controleerde Friend Mapper op haar toestel voor de honderdste keer sinds ze uit het hotel was vertrokken. Maar Tylers paarse stip bleef koppig op dezelfde plek, dicht bij de ingang van de parkeergarage op Regency Square.

Waarom daar? Wat doe je daar?

Het schermpje werd wazig door haar tranen. Haar gesprek met rechercheur Branson was meer dan een uur geleden. Ze overwoog hem nog een keer te bellen voordat ze aan boord ging.

Hij had al beloofd iets van zich te laten horen zodra hij nieuws had, en ze wist zeker dat hij dat zou doen; hij leek haar goed in communicatie. Maar stel dat hij had geprobeerd te bellen en haar niet had kunnen bereiken? De vlucht duurde een uur of zeven. Hoe moest ze in godsnaam zeven uur in dat vliegtuig zitten zonder nieuws?

Ze belde haar voicemaildienst, maar er waren geen nieuwe berichten. Niets van rechercheur Branson. Dus belde ze zijn mobiele nummer, en tot haar opluchting nam hij bijna meteen op.

'Met Carly,' zei ze. 'Ik zit op Kennedy Airport en ga zo aan boord. Ik wilde nog even horen of er nieuws was.'

'Oké. Gaat het?'

'Nog net.'

'We hebben je vluchttijden, en een van ons zal bij de gate staan als je landt.'

Zijn stem klonk raar, alsof hij iets voor haar verborg. En hij klonk gehaast.

'Dus... Geen... Geen nieuws?'

'Nog niet, maar we hopen later iets voor je te hebben. Zo ongeveer iedere politieagent in de hele gemeente is op zoek naar Tyler. We vinden hem wel.'

'Er schoot me iets te binnen... Als er... je weet wel.... nieuws is terwijl ik in de lucht zit, kunnen jullie dan iets aan me doorgeven via de piloot?'

'Ja, dat kan. We kunnen je een ACARS-sms sturen via de cockpit, en op de meeste lange vluchten is er een satelliettelefoon aan boord. Zodra er nieuws is, laat ik dat meteen aan je doorgeven. Oké?'

Ze bedankte hem en hing op. Terwijl ze dat deed, hoorde ze de melding dat het instappen ging beginnen. Ze hees haar tas over haar schouder en liep naar het einde van de snel langer wordende rij. In haar binnenste zat een stevige knoop die met de seconde strakker werd.

Zeven uur.

Zeven uur wachten.

Carly overhandigde haar paspoort en instapkaart voor controle en liep toen door in een zwijgend waas, eenzamer en banger dan ze ooit in haar leven was geweest.

Ineens, toen ze te midden van de drukte in het gangpad van het vliegtuig stond, gaf haar telefoon een signaal van een inkomend bericht. Haar hart sloeg over van plotselinge hoop en ze keek gretig omlaag. Maar tot haar teleurstelling was het van de telefoonmaatschappij, O_2, een waarschuwing dat ze haar overzeese datalimiet van 50mb bijna had bereikt.

Ze wiste het bericht en zocht haar stoel op. Of althans het deel ervan dat niet al in beslag werd genomen door het vochtige, uitpuilende middel van een zwetende, kale man die eruitzag alsof hij flink meer woog dan tweehonderd kilo.

Alsof haar dag al niet rot genoeg was, was de helse vlucht nu nog erger geworden. Ze zat samengeperst, met haar ellebogen ongemakkelijk tegen haar borst gedrukt, terwijl haar hele lichaam trilde van angst.

Angst dat ze haar zoon misschien nooit meer levend terug zou zien.

92

Tyler zat in het pikkedonker en had hoofdpijn. Hij kon niets zien, kon zijn armen en benen niet bewegen. Hij was bang en in de war en wist dat dit geen spelletje was, dat er iets ergs gebeurde.

Ze reden, dat voelde hij wel. Beweging. Er hingen sterke geuren van vloerbedekking en plastic, de geuren van een nieuwe auto. Hij had onlangs in de hagelnieuwe Hyundai van de moeder van zijn vriendje gezeten, en die had net zo geroken. Hij dacht ook rubber te ruiken en hoorde gezoem. Hij lag in de kofferbak van een auto, vermoedde hij. De taxi? Ze remden en accelereerden. Het enige wat hij kon bewegen waren zijn knieën; die kon hij een beetje buigen en strekken. Hij probeerde ze schrap te zetten tegen iets stevigs, om houvast te krijgen, maar even later werd hij naar achteren gesmeten en voelde hij dat hij omrolde en iets hards raakte.

Hij wilde tegen de bestuurder schreeuwen, vragen wie hij was, waar ze naartoe gingen, maar hij kon zijn mond niet bewegen en zijn stem klonk helemaal gedempt.

Toen de twee politieagenten bij hen thuis waren geweest en zijn vrienden naar huis waren gegaan, was zijn moeder naar zijn slaapkamer gekomen en had hem verteld dat er nare dingen gebeurden. Nare mensen. Ze moesten oppassen. Ze moesten uitkijken naar vreemden in de buurt van hun huis. Hij moest de politie bellen als hij iemand zag.

Zat hij nu in de auto bij een van die nare mensen?

Hij had in ieder geval zijn iPhone in zijn jaszak, en die stond aan. Friend Mapper zou hem volgen, en zijn moeder zou dat weten. Ze zou precies kunnen zien waar hij was en dat aan de politie vertellen. Hij hoefde niet echt bang te zijn. Ze vonden hem wel.

Hij hoopte alleen dat ze hem snel vonden, want hij had vanmiddag een computerles die hij echt niet wilde missen. En omdat hij het hier in het donker niet leuk vond, en omdat hij zich niet kon bewegen, en omdat zijn armen pijn deden.

Maar het zou allemaal wel goed komen.

93

Grace rende naar de achterkant van de auto, net toen Glenn Branson zich de kofferbak in boog.

De man die erin lag, zag er doodsbang uit en er hing een zure urinelucht. Zijn pafferige gezicht was bleek en klam. Er zat klustape om zijn armen, benen en mond; dezelfde soort als waarmee Evie Preece was vastgebonden, merkte Grace op terwijl hij zijn insigne pakte en omhooghield om de man gerust te stellen.

'Politie,' zei hij. 'Maakt u zich geen zorgen, u bent veilig. We halen u eruit.'

Hij wendde zich tot Branson en tot rechercheur Sue Carpenter, die bij hen was komen staan.

'Laten we eerst die tape van zijn mond halen. Sue, bel een ambulance, opsporing en een zoekteam, en laat iemand water brengen, of thee als het kan. En ik wil dat deze verdieping van de garage wordt afgesloten, en de trappenhuizen ook, voor het geval de dader te voet is vertrokken.'

'Ja, meneer.'

Toen boog hij zich naar voren en begon zo voorzichtig mogelijk aan de randen van de tape te peuteren. Het zou gemakkelijker zijn gegaan zonder zijn handschoenen, maar hij hield ze aan en wist uiteindelijk een stukje los te krijgen. Hij hield in gedachten dat hoewel het bijzonder pijnlijk zou zijn voor de man, hij de tape zo veel mogelijk intact moest laten voor forensische analyse.

Terwijl hij de tape lospeuterde, schreeuwde de man het uit van pijn.

'Sorry,' mompelde Grace.

De tape liep helemaal om het hoofd van de man heen, en hij wilde hem niet nog meer pijn doen.

'Mike Howard?' vroeg hij.

'Ja! Jezus, dat deed pijn,' zei de man, maar toen glimlachte hij.

Grace vouwde de tape dubbel. 'Het spijt me. We gaan u eruit tillen. Bent u gewond? Hebt u pijn?'

Hij schudde zijn hoofd. 'Haal me er maar uit.'

Mike Howard was een grote, zware man. Met veel moeite wisten Grace en Glenn Branson hem naar de rand van de kofferbak te manoeuvreren. Ze bevrijdden zijn armen en benen en probeerden zo goed en zo kwaad als het ging de rest van de tape van zijn hoofd te krijgen. Toen zetten ze hem overeind en liepen een beetje met hem heen en weer, hem ondersteunend totdat de bloedsomloop in zijn benen weer op gang was gekomen en hij wat steviger stond. Maar hij hijgde en hyperventileerde bijna, dus lieten ze hem plaatsnemen op de achterbumper van de Skoda.

'Kunt u vertellen wat er is gebeurd?' vroeg Grace vriendelijk.

'Sorry,' zei hij. 'Ik heb gepist. Kon er niks aan doen. Ik kon het niet meer ophouden.'

'Dat geeft niet, geen probleem. Kunt u me vertellen wat er is gebeurd?'

'Hoe laat is het?'

'Halftwee,' zei Glenn Branson.

'Wat voor dag?'

'Vrijdag.'

De man fronste zijn voorhoofd. 'Vrijdag? Vrijdagochtend?'

'Het is al middag, lunchtijd.'

'Jemig.'

'Hoelang zat u hier al?' vroeg Grace.

Mike Howard haalde een paar keer diep adem. 'Ik had nachtdienst. Ik was net op weg naar huis – om een uur of één 's nachts – toen een man me staande hield langs de boulevard.'

'Waar precies?'

'Vlak bij het standbeeld voor de vrede. Hij stapte in en zei dat hij naar het vliegveld van Shoreham moest omdat hij daar nachtdienst had. Ik weet nog dat ik de ringweg op ben gegaan, maar dat is het laatste.'

Grace kende die weg. Er was daar geen straatverlichting.

'Het laatste wat u zich herinnert?'

'Ik kwam bij omdat ik heen en weer werd geschud. Ik rook diesel en dampen. Ik nam aan dat ik in de kofferbak van mijn eigen wagen lag. Ik was doodsbang. Ik wist niet wat er ging gebeuren.'

'Weet u nog hoe die vent eruitzag?' vroeg Grace.

'Hij had een honkbalpet diep over zijn ogen. Ik probeerde zijn gezicht te zien; dat doe je in mijn vak altijd als je 's avonds laat iemand op straat oppikt. Maar ik kon het niet zien.'

Grace was opgelucht dat de taxichauffeur een beetje scheen op te monteren.

'Wat voor accent had hij?'

'Hij zei niet veel. Klonk wat mij betreft Engels. Hebt u een beetje water?'

'Dat komt eraan. Hebt u iets te eten nodig?'

'Suiker. Ik heb suikerziekte.'

'Er is een ambulance onderweg, die zal wel wat hebben. Houdt u het nog een paar minuten vol?'

Mike Howard knikte.

Grace ging verder met vragen stellen. 'We denken dat de man die u dit heeft aangedaan een kind heeft ontvoerd, en we moeten hem dringend vinden. Ik weet dat u een verschrikkelijke ervaring hebt gehad, maar alles wat u ons kunt vertellen, alles wat u nog weet, zou kunnen helpen.'

Mike Howard boog zich langzaam naar voren en stond op. 'Aaaggghhh,' zei hij. 'Ik heb ontzettende kramp.' Hij stampte met zijn voet, en toen nog eens. 'Even nadenken. Hij was klein van stuk. Een kleine, magere kerel, als een wezel. Wilt u me iets beloven?'

'Wat dan?' vroeg Grace.

'Als u hem vindt, mag ik dan zorgen dat hij me betaalt voor zijn rit en hem dan één heel harde mep geven, ergens waar het pijn doet?'

Voor het eerst in wat voelde als een heel lange tijd glimlachte Grace. 'Dan moet u mij vóór zijn,' zei hij.

'Dat lukt wel, maat, geen zorgen.'

Glenn Branson vroeg aan de chauffeur: 'Is er iemand die we voor u kunnen bellen, om te zeggen dat u veilig bent?'

Grace keek peinzend op zijn horloge. Bijna tweeënhalf uur sinds Tyler Chase was opgepikt. Waarom was hij hierheen gebracht? Hij nam aan dat de ontvoerder hier een auto geparkeerd had staan, met een beetje geluk de gehuurde Toyota Yaris. Mogelijk leek hem dit een goede locatie om de jongen aan te vallen en uit te schakelen, en had hij vervolgens van auto geruild. Voor hem was het ideaal geweest dat de bewakingscamera's het niet deden. Rechercheur Carpenter dacht misschien dat ze door vandalen uit Brighton waren gesaboteerd, maar Grace niet. Hij had het gevoel dat hij het handschrift van de moordenaar begon te leren kennen.

Hij rekende in zijn hoofd iets uit. Er waren langs de boulevard wegwerkzaamheden gaande die het verkeer ernstig hinderden. De rit vanaf de school zou vijftien of twintig minuten hebben geduurd, als ze rechtstreeks hierheen waren gekomen. Die smeerlap scheen zijn slachtoffers graag te filmen als ze stierven. Grace nam aan dat hij dat niet op deze plek had gedaan. Het beeld dat hij van de man opbouwde, gaf hem het idee dat dit niet zijn stijl van locatie was. Hij zou de jongen ergens heen brengen waar hij zijn dood kon filmen. En Grace had het gevoel dat het een theatrale locatie zou zijn. Maar waar?

Het kon overal in deze hele stad zijn, of erbuiten.

Hij wierp nog een blik op zijn horloge. Als de dader de jongen hier rond tien voor halftwaalf binnen had gebracht, was hij waarschijnlijk niet blijven rondhangen. Hij zou binnen een paar minuten weer vertrokken zijn. Zeker binnen een halfuur.

Twee ambulanceverpleegkundigen, begeleid door een agent in uniform, renden naar hen toe. Grace en Glenn Branson stapten een stukje opzij om ruimte voor hen te maken, en toen zei hij tegen de rechercheur: 'Wij gaan weg.'

'Waarheen?'

'Dat vertel ik je in de auto.'

94

Tooth, die zich strikt aan de snelheidslimiet van vijftig kilometer per uur hield, reed in de Toyota westwaarts over de hoofdweg langs de haven van Shoreham. Hij keek naar het vlakke water van het bassin, links beneden hem, waar Ewan Preece zijn laatste duik had gemaakt, en het ontging hem bijna dat er een tijdelijk verkeerslicht bij de wegwerkzaamheden voor hem op rood sprong.

Hij remde hard. Achter in de kofferbak hoorde hij een bons, en verder achter hem het gekrijs van blokkerende wielen. Een angstig moment lang dacht hij dat zijn achterligger boven op hem zou knallen.

Toen wekte het plotselinge gejank van een sirene een nieuwe zorg. Even later kwam er een politiewagen met blauwe zwaailichten langs scheuren vanuit de andere richting. Hij hield de wagen zorgvuldig in de gaten in de spiegel, maar die reed door, ofwel omdat hij Tooth niet had opgemerkt, ofwel omdat hij niet in hem geïnteresseerd was. Opgelucht keek hij weer voor zich en reed door, langs een aantal industriegebouwen aan de linkerkant, tot hij zijn herkenningspunt zag: het lage blauwe kantoorblok van de havenautoriteiten van Shoreham.

Hij ging rechtsaf een smalle straat ertegenover in, langs een showroom met moderne keukenapparatuur op de hoek. Hij reed een stukje de straat in, die snel havelozer werd en verderop onder een spoorwegbrug door liep. Maar toen ging hij de weg af, een rommelig terrein op dat half uit bedrijven en half uit goedkope huurflats bestond. Hij herinnerde het zich allemaal goed, en het leek niet te zijn veranderd.

Hij passeerde een enorme, groezelige drukkerij aan zijn linkerhand en een heleboel auto's, sommige ervan op straat geparkeerd terwijl andere lukraak voor en rondom verschillende gebouwen waren neergezet. Het was het soort buurt waar niemand je opmerkte of anders geen belangstelling voor je had.

Tooth ging weer rechtsaf, naar de plek die hij zes jaar geleden had ontdekt. Hij reed langs een sjofel flatgebouw van tien verdiepingen, langs auto's en busjes die buiten geparkeerd stonden, en kwam uit op een grote, halflege parkeerplaats achter het gebouw, met aan twee kanten een verbrokkelde muur en aan de derde kant een houten schutting en de achterzijde van het flatgebouw.

Hij zette de auto achteruit op een parkeerplek, strak tegen de muur aan, en ging toen rustig zitten. Pas toen hij het broodje kip had opgegeten dat hij eerder bij een pompstation had gekocht en een flesje cranberrysap had gedronken, stapte hij uit en deed de auto op slot. Met zijn pet laag over zijn ogen en zijn zonnebril op keek hij naar de vuile ramen van de flat op zoek naar nieuwsgierige gezichten, maar het enige wat hij zag was wasgoed dat hing te wapperen op een paar balkons. Hij bleef bij de auto staan, deed alsof hij een achterband controleerde en luisterde of zijn passagier zich stil hield.

Hij hoorde een bons.

Kwaad opende hij de kofferbak en zag de bange ogen van de jongen achter dat brilletje. Het maakte niet uit hoe stevig hij hem vastbond, er was in de kofferbak niets om hem aan vast te maken. Hij overwoog of het misschien het verstandigste zou zijn om zijn rug te breken en hem te verlammen; maar dan zou hij het kind eerst uit de auto moeten tillen, en dat risico wilde hij niet nemen.

In plaats daarvan zei hij: ‘Hou je koest, anders ga je eraan. Is dat begrepen?’

De jongen knikte en keek nog banger.

Tooth sloeg het kofferdeksel dicht.

95

Tyler was doodsbang voor de man met de zwarte honkbalpet en donkere bril, maar hij was ook kwaad. Zijn vastgebonden polsen deden pijn en hij had kramp in zijn rechtervoet. Hij luisterde ingespannen terwijl de man met knerpende voetstappen wegliep.

De auto had geschommeld toen de man uitstapte, maar daarna was hij onbeweeglijk gebleven, wat betekende dat de man nog niet weer was ingestapt. Hij moest ergens heen zijn gegaan.

Tyler probeerde te achterhalen hoe laat het was en waar hij kon zijn. Hij had net daglicht gezien toen het kofferdeksel openging. En de muur van een gebouw, een beroerd uitziende muur, en een paar ramen, maar dat kon overal in de stad zijn, overal waar hij ooit was geweest. Maar de frisse lucht die even binnen was gekomen rook bekend. Een beetje ziltig, vermengd met hout, verbrande gassen en andere industriële geuren. Ze waren dicht bij een haven, dacht hij. Bijna zeker die van Shoreham. Hij was daar verschillende keren wezen kajakken met school.

Het daglicht was niet fel geweest, maar Tyler had niet de indruk dat het avond was, alleen maar bewolkt, alsof het ging regenen.

Ze zouden hem snel vinden. Zijn moeder zou weten waar hij was dankzij Friend Mapper. Ze zou hem misschien zelfs opbellen. Niet dat hij zou kunnen opnemen.

Opstandig smeet hij zichzelf tegen de zijkant van de auto, en hij trapte zo hard hij kon. Toen nog eens. En nog eens.

Hij trapte totdat hij zichzelf had uitgeput. Het leek er niet op dat iemand hem had gehoord.

Maar ze zouden hem toch vast snel vinden?

96

Grace, gevolgd door Branson, sprintte drie trappen op in het politiebureau van John Street in Brighton en haastte zich door de gang naar de afdeling Camerabeelden, die vierentwintig uur per dag werd bemand.

Het was een grote ruimte met blauwe vloerbedekking, donkerblauwe stoelen en drie aparte werkstations, elk bestaand uit een rij bewakingsschermen – met daarop een caleidoscoop van bewegende beelden uit verschillende delen van de stad Brighton & Hove en andere locaties in Sussex – toetsenborden, computerterminals en telefoons. Elke politiecamera in de gemeente kon van hieraf worden gevolgd.

Er waren momenteel twee werkstations bemand door controllers, allebei met headsets op over hun tafel gebogen. Een van hen leek druk bezig met een politieoperatie, maar de andere draaide zich om toen ze binnenkwamen en knikte begroetend. Hij was een man van eind dertig met een fris gezicht en keurig bruin haar, en hij droeg een lichtgewicht zwart jack. Volgens zijn badge heette hij Jon Pumfrey. Even later kwam hoofdinspecteur Graham Barrington, de nummer één, ook binnen.

Barrington, halverwege de veertig, was een lange, slanke man met kort blond haar en de atletische uitstraling van iemand die regelmatig marathons liep. Hij droeg een wit uniformoverhemd met korte mouwen en epauletten, een zwarte broek en schoenen, en hij had een portofoon in zijn hand en een mobiele telefoon aan zijn riem.

'Jon,' zei de hoofdinspecteur, 'wat zijn de dichtstbijzijnde camera's bij de parkeergarage van Regency Square?'

'Er hangt er een van de politie aan de overkant, chef,' zei Pumfrey, 'maar het is hopeloos; dat ding heeft constant een of andere storing.'

Hij tikte op het toetsenbord en even later zagen ze golven van ruis over een van de schermen recht voor hem lopen.

'Hoelang is dat al zo?' vroeg Roy Grace argwanend.

'Minstens een jaar. Ik vraag steeds of ze er wat aan kunnen doen.' Hij haalde zijn schouders op. 'Er zijn ook camera's ten oosten en westen van deze; welke richting wilt u?'

'We hebben net even een snelle verkenning gedaan,' zei Grace. 'Als je de uitgang van de parkeergarage op Regency Square uitkomt, moet je linksaf op de boulevard, op Kings Road; behalve als je omrijdt naar Western Road, maar dat is lastig.'

Een deel van die weg was alleen bestemd voor bussen en taxi's. Grace dacht niet dat de ontvoerder het risico zou nemen om daar te worden aangehouden.

'Ik heb een paar parameters bepaald,' zei hij. 'Wat we moeten zien, zijn videobeelden van alle voertuigen rondom de garage, die oostwaarts of westwaarts gaan op Kings Road tussen kwart over elf en kwart voor twaalf vanochtend. We zoeken in het bijzonder een donkere Toyota Yaris met een man achter het stuur, alleen of in het gezelschap van een jongen van twaalf.'

Graham Barrington zei: 'Oké, jongens, ik laat het aan jullie over. Als jullie iets nodig hebben, geef je maar een gil.'

Grace bedankte hem, en de twee rechercheurs gingen achter Pumfrey staan en keken aandachtig toe.

'De Yaris is een populaire auto, meneer,' zei Pumfrey. 'Daar rijden er duizenden van rond. We zullen er wel een paar zien.'

'We zetten een marker op de eerste vijf die we zien, om mee te beginnen,' zei Grace. 'Als ze linksaf gaan, gaan ze naar het oosten, maar dat hoeft maar een klein stukje te zijn, want daarna kunnen ze omkeren en naar het westen rijden. Laten we eerst de oostkant bekijken.'

Bijna terwijl hij dat zei, zagen ze een donkere Yaris oostwaarts rijden, langs de onderkant van West Street. De camera hing aan de zuidkant van de weg.

'Zet die eens stil!' zei Branson. 'Kun je inzoomen?'

Jon Pumfrey tikte op een toets en de camera zoomde rukkerig maar snel in op het portier en de zijruit aan de bestuurderskant. Het beeld was korrelig, maar ze zagen duidelijk dat er twee oude dames in zaten.

'Ga maar verder,' zei Grace.

Ze keken naar de snel vooruit spoelende beelden van auto's die met horten en stoten langs schoten.

Toen riep Grace: 'Stop! Ga eens terug.'

Ze keken toe terwijl de opname terugspoelde.

'Oké! Die daar.' Ze zagen een donkergrijze Yaris met zo te zien één inzittende achter het stuur. De tijd die erbij stond was 11:38 uur.

'En nu inzoomen, alsjeblieft.'

Het beeld was wederom korrelig, maar deze keer leek het een man te zijn, hoewel het grootste deel van zijn gezicht werd verborgen door een honkbalpet en een donkere bril.

'Zo fel schijnt de zon niet. Waarom heeft hij een zonnebril op?' vroeg Pumfrey.

Grace wendde zich tot Branson. 'Dat was het signalement dat de lerares van Tylers school gaf: de taxichauffeur had een honkbalpet op. En de man die de auto bij Avis huurde ook!' Ineens pompte de adrenaline door zijn aderen. Hij wendde zich weer tot Pumfrey en vroeg: 'Is dat het beste beeld dat je kunt krijgen?'

'Ik kan het laten verbeteren, maar dat zou een tijdje duren.'

'Oké, spoel maar door. Kunnen we het kenteken te zien krijgen?'

Pumfrey liet de auto frame voor frame doorrijden.

'Gerard Victor Nul Acht Willem Dirk Xantippe,' las Branson voor terwijl Grace het opschreef.

'Mooi. Kun je van hieraf een kentekencontrole doen?' vroeg hij aan Pumfrey.

'Ja, meneer.'

Ze bleven kijken. Toen, tot Grace' opwinding, verscheen de auto weer, deze keer rijdend naar het westen.

'Hij is over de rotonde bij de Palace Pier gegaan en omgekeerd!' zei hij. 'Waar hangt de volgende camera?'

'Na die kapotte tegenover de garage op Regency Square is de volgende anderhalve kilometer naar het westen, op Brunswick Lawns.'

'Laten we die bekijken,' zei Grace.

Vijf minuten later, wat aangaf dat het voertuig zich keurig aan de snelheidslimiet hield, en rekening houdend met een paar rode verkeerslichten en de wegwerkzaamheden, verscheen de auto weer, nog steeds op weg naar het westen.

'Waar is de volgende?' vroeg Grace.

'Dat is de laatste stadscamera in die richting, meneer,' zei Pumfrey.

'Oké. En nu eens kijken of die auto sinds kwart over elf vanochtend ergens een camera met kentekenherkenning heeft geactiveerd. Wat is de eerste ten westen van deze positie?'

Pumfrey schoof naar een andere computer en voerde de gegevens in. Grace zag Pumfreys gedeeltelijk opgegeten lunch op de houten tafel naast hem staan. Een lege plastic broodtrommel, de krul van een sinaasappelschil en een ongeopend bakje yoghurt. Gezond, dacht hij, afhankelijk natuurlijk van wat er op zijn brood had gezeten.

'Hier hebben we hem: 11:54 uur. Dit is de camera onder aan Boundary Road in Hove, op de kruising met het einde van de Kingsway.'

Ineens verscheen er een foto van de voorkant van een donkergrijze Yaris op het scherm, waarvan de kentekenplaat duidelijk leesbaar was, maar de inzittende moeilijk te zien was door een bijna ondoorzichtige voorruit. Als je heel goed keek, kon je er iemand met een honkbalpet en een zonnebril in vermoeden, maar niet met zekerheid.

'Kunnen we geen beter beeld krijgen van het gezicht?' vroeg Branson.

'Dat hangt ervan af hoe het licht op de voorruit valt,' antwoordde Pumfrey. 'Deze camera's zijn bedoeld om kentekenplaten te lezen, vrees ik, geen gezichten. Ik kan wel proberen het beeld te laten verbeteren als u wilt?'

'Ja, van allebei de beelden, alsjeblieft,' zei Grace. 'Is dat de enige camera die is geactiveerd?'

'De enige vandaag.'

Grace rekende snel. Als de bestuurder zich aan de snelheidslimiet hield, en met een ontvoerd kind aan boord zou hij niet het risico willen nemen dat hij werd aangehouden... Als je uit de parkeergarage Kings Road opreed, mocht je alleen linksaf... Dat betekende dat hij oostwaarts was gereden tot aan het einde van Kings Road en vervolgens de rotonde bij de Palace Pier helemaal had genomen om terug te rijden. Rekening houdend met de afstand en wachttijden bij verkeerslichten was deze auto hier op het juiste moment sinds hij op Kings Road was gezien. Zijn opwinding nam toe.

De auto reed langs de haven van Shoreham, dicht bij Southwick. Grace was ervan overtuigd dat de sadist dit gebied kende. Veel schurken begingen hun misdaden op plekken die ze kenden, waar ze zich op hun gemak voelden. Hij maakte een aantekening voor een nieuwe onderzoekslijn, om Duncan Crocker te laten zoeken naar alle vroegere geweldsmisdrijven in deze buurt. Maar eerst, nog altijd kijkend naar het bevroren beeld van de voorkant van de Yaris en het vage silhouet van de bestuurder, liet hij het kenteken van de auto natrekken.

Hij kreeg bijna onmiddellijk de informatie dat de eigenaar een man was, Barry Simons, die in Worthing in West Sussex woonde, een kilometer of twintig ten westen van Brighton. Grace' opwinding ebde weg bij dat nieuws. Dat kwam overeen met de inzittende en locatie van de auto, die in de richting van dat adres reed. Het enige wat hem hoop gaf, was het feit dat de Yaris ergens in Shoreham of Southwick leek te zijn gestopt. Hij stond op het punt de nummer één te bellen om te vragen de helikopter daarheen te sturen en dat gebied af te zetten, toen zijn telefoon ging.

Het was Duncan Crocker. 'Roy, we hebben een auto gevonden, een Toyota Yaris, met een stel omgeruilde platen die waren gestolen bij het pompstation van Newport Pagnell; de platen van die vrouw van zevenentwintig die staande was gehouden op de M11 bij Brentwood. Hij heeft net een camera geactiveerd op de A23, vanuit Brighton op weg naar het noorden.'

97

Tyler probeerde nog eens te trappen. Hij hoorde het holle, metalige *boem-boemboem* om hem heen echoën.

Stel dat die man niet terugkwam?

Hij had eens een verhaal gelezen – hij wist niet meer in welk boek – waarin iemand in een kofferbak was opgesloten en bijna was gestikt. Hoelang kon je in een kofferbak blijven leven? Hoelang zat hij hier al? Was er geen scherpe rand waar hij langs kon schuren? Hij probeerde om te rollen, de ruimte om hem heen zo goed mogelijk te verkennen, maar de kofferbak was klein en leek volledig met vloerbedekking bekleed.

Hij had een lichtgevend horloge, maar hij kon de wijzerplaat niet zien. Hij was alle besef van tijd kwijt. Hij wist niet hoelang die man al weg was, of het nog dag was of dat de nacht misschien al was ingevallen. Als de man niet terugkwam, hoelang zou het dan duren voordat iemand zich begon af te vragen wat die onbekende auto hier deed?

Toen voelde hij een plotselinge paniek over Friend Mapper. Had zijn moeder zich wel aangemeld? Ze wilde dat hij het altijd aanzette, maar zelf vergat ze het vaak. En ze snapte niks van moderne snufjes.

Misschien moest hij blijven trappen, voor het geval er iemand langskwam die hem kon horen. Maar hij was bang. Als die man terugkwam, werd hij misschien echt boos. Hij had net het besluit genomen om nog heel even te wachten toen hij voetstappen hoorde naderen; snelle, scherpe knerpgeluiden. Toen voelde hij dat de auto een beetje scheef ging hangen.

Iemand was ingestapt.

98

Op de afdeling Camerabeelden staarde Grace naar de foto van een donkergrijze Toyota Yaris op een bekend stuk van de A23 even ten noorden van Brighton. Maar tot zijn teleurstelling was de voorruit nog ondoorzichtiger dan van de auto bij de haven van Shoreham op de vorige foto. Hij zag helemaal niets binnen, geen schaduwen of silhouetten, geen aanwijzingen over hoeveel mensen erin zaten.

Branson informeerde meteen de nummer één en luisterde aandachtig naar zijn portofoon.

Grace vroeg Jon Pumfrey om een landelijke *high-act* marker op de auto te zetten. Hij was niet van plan risico's te nemen. Toen ging hij even zitten en balde zijn vuisten. Misschien was dit het eindelijk.

'Welke camera's hebben jullie langs de A23?' vroeg hij aan de controller.

'De enige vaste zijn de kentekencamera's op de snelweg. De volgende, als hij naar het noorden blijft rijden, is Gatwick.'

Grace voelde opwinding, maar tegelijkertijd ook frustratie. Hij zou nu graag de weg op zijn gegaan om erbij te zijn als ze die auto staande hielden. Pumfrey riep op een van de schermen een wegenkaart op en liet hem de positie van de twee kentekencamera's zien. De verdachte had meer dan genoeg mogelijkheden om de snelweg af te gaan. Maar met een beetje geluk zou de helikopter hem zo meteen in zicht krijgen.

Hij draaide zich weer om naar de rij schermen en keek naar de auto die was gefotografeerd in oostelijke richting langs de zee, volgens de kentekenregistratie het eigendom van Barry Simons. Gewoon als voorzorgsmaatregel belde hij de coördinatieruimte. Nick Nicholl nam op. Grace vroeg hem Barry Simons op te zoeken en vast te stellen of hij vanochtend over de boulevard bij Brighton was gereden.

Vanaf de huidige positie van de verdachte op de A23 zou het hem ongeveer vijfentwintig minuten kosten, schatte Grace, om de volgende camera bij Gatwick te activeren. Hij zou de ontwikkelingen volgen via de portofoon.

Dit was een echt snelle operatie. De helikopter, die ook was uitgerust met kentekenherkenning, zou over anderhalve minuut boven de M23 vliegen. Eén onopvallende politiewagen reed al op de snelweg, ongeveer drie kilometer achter het doelwit, en nog twee andere waren op slechts enkele minuten afstand. Het was beleid om bij ontvoeringszaken waar mogelijk de achtervolging in te zetten met onopvallende auto's. Zo zou de ontvoerder niet in paniek raken als hij een surveillancewagen langs zag komen, met het risico dat het slachtoffer in gevaar kwam door een achtervolging op hoge snelheid. Als ze onopvallende wagens voor en achter de verdachte konden krijgen, met een minimum van drie wagens of liever nog vier, dan konden ze hem insluiten voordat hij in de gaten had wat er gebeurde.

'Ik moet terug naar Sussex House,' zei Glenn.

'Ik ook.'

'Ik kan alle beelden die u wilt hebben wel doorzetten naar het coördinatiecentrum,' bood Pumfrey aan.

Grace bedankte hem en de twee rechercheurs vertrokken. Terwijl ze via de achteruitgang naar de parkeerplaats gingen, ging Grace' telefoon. Het was rechercheur Sue Carpenter bij de parkeergarage van Regency Square.

'Meneer,' zei ze, 'ik weet niet of dit belangrijk is, maar ik had begrepen dat deze parkeergarage was gevonden aan de hand van een applicatie op de iPhone van de vermiste jongen.'

'Ja,' antwoordde Grace, die de hoop voelde opvlammen. 'Een applicatie die Friend Mapper heet. We hopen dat hij het toestel ingeschakeld houdt en dat het ons naar hem toe kan leiden als we hem niet zelf kunnen vinden.'

'Ik vrees dat een van de leden van het zoekteam een vernielde iPhone heeft gevonden. Hij lag in een vuilnisbak in de garage, dicht bij de taxi.'

99

Terwijl hij in zijn auto stapte, droeg Grace Sue Carpenter op om de telefoon meteen te laten nakijken op vinger- en voetafdrukken en hem dan naar Digitale Expertise te brengen. Hij zei dat het toestel binnen een halfuur moest zijn gecontroleerd op afdrukken en daar moest zijn overhandigd. In dit stadium vond hij het belangrijker om de inhoud van de telefoon te laten analyseren dan er forensisch bewijs van te laten veiligstellen.

Terwijl hij wegreed en linksaf de steile helling afging, zei hij tegen Branson, die meeluisterde met de instructies van Ops-1 op zijn portofoon: 'Ik probeer nog steeds te begrijpen wat het motief hier is. Heeft de dader die jongen meegenomen als vervanging, omdat zijn moeder niet beschikbaar was?'

'Omdat ze onverwacht naar New York ging en haar zoon het op één na beste was, bedoel je?'

'Ja,' antwoordde Grace. 'Of was het al die tijd al zijn bedoeling om dat kind te ontvoeren?'

'Wat denk jij?'

'Ik denk dat hij alles van tevoren plant. Het is niks voor hem om toevallige kansen aan te grijpen. Mijn idee is dat Carly Chase, door naar de vs te gaan, het waarschijnlijk gemakkelijker voor hem heeft gemaakt om haar zoon te ontvoeren.'

Branson knikte en keek op zijn horloge. 'Nog dik zes uur tot ze landt.'

'Misschien kunnen we haar ophalen met goed nieuws.'

'Ik heb beloofd dat ze het in het vliegtuig al zou horen als we iets hadden.'

'Met een beetje geluk is dat nu ieder moment.'

Grace glimlachte treurig naar Branson en keek op de klok op het dashboard. Het was halfdrie. Hij zou eigenlijk iets moeten eten, maar hij had geen trek en wilde geen kostbare tijd verspillen door ergens te stoppen. Hij graaide in de zak van zijn colbert en haalde er een Mars uit in een heel verfrommelde verpakking, die er al een paar dagen in zat.

'Ik heb niet geluncht. Heb jij honger?' vroeg hij aan Branson. 'Wil je een stukje?'

'Tjonge, jij weet wel hoe je iemand moet verwennen!' zei Branson, die de verpakking open peuterde. 'Een eersteklas lunch met Roy Grace, kosten noch moeite gespaard. Een oude, halve Mars. Zit die al sinds je schooltijd in je zak?'

'Rot op!'

Branson scheurde de reep in tweeën en stak het iets grotere stuk naar Grace uit, die het in zijn mond stopte. 'Heb je die film wel eens gezien over –'

Grace' telefoon ging. Aangezien hij niet op hoge snelheid reed, stak hij het toestel in de handsfreehouder en nam op. Allebei hoorden ze de stem van hoofdinspecteur Trevor Barnes, de pas aangestelde tweede man in het onderzoek. Hij was een ervaren en nauwgezette hoogste onderzoeksrechercheur en had net als Roy Grace vele grote misdaadonderzoeken geleid.

'Roy,' zei hij, 'we hebben net de Toyota Yaris staande gehouden op de M23, zesenhalve kilometer ten zuiden van knooppunt Crawley.'

Grace, met zijn mond vol taaie chocolade en toffee, sloeg uitgelaten op het stuur.

'Geweldig!' antwoordde Branson.

'Ben jij dat, Glenn?' vroeg Barnes.

'Ja, we zitten in de auto. Hoe staat het ervoor?'

'Nou,' zei Barnes, die niet al te enthousiast klonk, hoewel hij eigenlijk altijd op afgemeten, vlakke toon sprak, 'ik weet niet of we wel de juiste persoon hebben.'

'Wat voor signalement kun je ons geven, Trevor?' vroeg Grace, die zich onbehaaglijk begon te voelen. Hij stopte voor een verkeerslicht.

'Nou, ik neem aan dat jullie huurmoordenaar geen vierentachtig is.'

'Hoe bedoel je?' De moed zonk Grace in de schoenen.

'Toyota Yaris, kenteken Ypsilon Dirk Vijf Acht Victor Jan Karel? Klopt dat?'

Grace pakte zijn notitieblokje en bladerde erdoor. 'Ja. Dat zijn de platen die waren gestolen van een auto bij Newport Pagnell, en we vermoeden dat onze verdachte ze gebruikt.'

'De bestuurder van deze Yaris is vierentachtig en heeft zijn vrouw van drieëntachtig bij zich. Het is hun auto, maar niet hun kenteken.'

'Niet hun kenteken?' herhaalde Grace.

Het licht werd groen en hij reed door.

'De kentekenplaten op de auto zijn niet van hen, Roy. Die bestuurder is misschien oud, maar hij heeft ze nog allemaal op een rijtje, heb ik gehoord. Hij kende zijn kenteken uit zijn hoofd. Het lijkt erop dat iemand zijn platen heeft gejat en ze heeft vervangen door andere.'

'Waar komt hij vandaan?' vroeg Grace, maar hij had het gevoel dat hij het antwoord al kende.

'Ze waren in Brighton. Ze houden kennelijk van de zeelucht. Lopen graag met de hond over het strand. Ze wandelen er regelmatig en eten dan een patatje ergens langs de boulevard.'

'Ja, en laat me raden waar ze geparkeerd stonden. De garage van Regency Square?'

'Heel goed, Roy. Wel eens overwogen aan een quiz mee te doen?'

'Vroeger, toen mijn hersens nog werkten. Geef dat kenteken even door dat van hun auto is gestolen.'

Branson schreef het op.

Grace reed een tijdje in stilte door, en hij bewonderde de moordenaar met tegenzin. *Wie je ook bent, je bent wel een slimme rotzak. Sterker nog, je hebt duidelijk gevoel voor humor. En gewoon even voor de duidelijkheid: op dit moment heb ik een gigantische storing in mijn gevoel voor humor.*

Zijn telefoon ging weer. Deze keer was het Nick Nicholl in Coördinatiecentrum 1, en hij klonk perplex. 'Chef, ik bel over die controle die ik voor je moest doen op de voertuigeigenaar, die Barry Simons.'

'Bedankt. Wat heb je, Nick?'

'Ik had iemand naar zijn huis gestuurd, en die heeft een buurman gevraagd waar hij werkte. Zijn collega heeft me zijn mobiele telefoonnummer gegeven en ik heb hem net gesproken.'

'Goed werk.'

De rechercheur klonk aarzelend. 'Je vroeg me na te gaan of hij vanochtend eerst oostwaarts op Kings Road was gereden, toen westwaarts langs de kruising van Kingsway en Boundary Road. Kenteken GV08 WDX?'

'Ja.'

'Nou, hij is een beetje verbaasd, chef. Hij en zijn vrouw liggen op het strand in Limassol op Cyprus. Ze zijn daar al bijna twee weken.'

'Heeft een kennis van ze misschien tijdens hun vakantie de auto geleend?'

'Nee,' zei Nick Nicholl. 'Die hebben ze laten staan op Lang Parkeren bij Gatwick Airport.'

Grace reed naar de kant van de weg en remde scherp.

'Nick, zet een high-act marker op dat kenteken. Bel de divisie Inlichtingen; ik wil alle registraties van kentekencamera's hebben vanaf de dag dat Barry Simons' auto op Gatwick aankwam tot nu.'

'Nog even voor de zekerheid, chef: kenteken GV08 WDX.'

'Correct.'

Grace zette de zwaailichten en sirene aan en wendde zich tot Glenn Branson.

'We gaan naar Shoreham.'
'Zal ik rijden?' vroeg Branson.
Grace schudde zijn hoofd. 'Bedankt voor het aanbod, maar ik denk dat Tyler Chase meer aan me heeft als ik nog leef.'

100

Tooth zat in de Yaris op de parkeerplaats achter het flatgebouw. Er stonden nog steeds dezelfde auto's als toen hij een uur geleden was vertrokken om op verkenning te gaan. Het was pas halverwege de middag, en misschien zou de parkeerplaats nog vol komen te staan als de bewoners thuiskwamen van hun werk. Maar hij was zes jaar geleden ook niet vol komen te staan. De ramen van het flatgebouw zagen eruit alsof ze ook al zo lang niet meer waren gewassen. Misschien woonden er alleen oude mensen. Misschien waren ze allemaal dood.

Hij staarde naar het binnengekomen sms'je dat had geleid tot zijn vervroegde terugkeer naar de auto. Er stonden twee woorden: *bel me.*

Hij verwijderde de simkaart en verbrandde hem zoals altijd met zijn aansteker tot hij gesmolten was. Hij zou hem straks wel weggooien. Toen pakte hij een van de ongebruikte toestellen uit zijn tas en belde het nummer.

Ricky Giordino nam meteen op. 'Ja?'

'Ik moest bellen.'

'Waarom duurde het verdomme zo lang, Tooth?'

Tooth antwoordde niet.

'Ben je er nog? Hallo, Tooth?'

'Ja.'

'Luister. We hebben weer een tragedie in onze familie gehad en dat mens van Chase, zij heeft het veroorzaakt. Mijn zus is dood. Ik ben nu je cliënt, begrijp je? Je doet dit nu voor mij. Ik wil dat dat wijf zo ontzettend pijn lijdt. Ik wil pijn die ze nooit meer vergeet, snap je?'

'Ik doe mijn best,' antwoordde Tooth.

'Luister, ik heb je geen miljoen dollar betaald om je best te doen, begrepen? Je moet meer doen dan je best. Iets anders, ja? Iets creatiefs. Bezorg me een grote verrassing. Blaas me van mijn sokken. Laat zien dat je kloten hebt!'

'Kloten,' herhaalde Tooth.

'Ja, dat hoor je goed. Kloten. Je breng me toch die filmpjes, hè? Zodra je klaar bent?'

'Morgen,' zei Tooth.

Hij beëindigde het gesprek, verbrandde de simkaart weer en stak een sigaret op. Hij mocht die man niet.

Hij deed niet aan onbeschoftheid.

101

Roy Grace zette de sirene en zwaailichten af toen ze langs Hove Lagoon reden, twee ondiepe, kunstmatige recreatiemeren bij een kinderspeeltuin. Op de promenade daarachter stond een lange rij strandhuisjes met uitzicht op zee.

De Lagoon eindigde bij Aldrington Basin, het oostelijkste puntje van de haven van Shoreham, en van daaraf tot aan het stadje Shoreham, een paar kilometer verderop, lag langs deze weg grotendeels industrie- en havengebied. Hij minderde vaart toen ze de kruising met Boundary Road naderden en wees omhoog door de voorruit.

'Daar is de camera die Barry Simons vanochtend triggerde.'

Toen klonk Nick Nicholls stem over de portofoon. 'Chef, ik heb die informatie die je wilde hebben over de Toyota Yaris met kenteken GV08 WDX. Het is nogal vreemd, dus ben ik nog eens twee weken teruggegaan en heb ik nu alle registraties ervan over de afgelopen maand. De eerste twee weken triggerde hij camera's op doordeweekse dagen, en dat komt overeen met normaal woon-werkverkeer van Worthing naar het centrum van Brighton en terug. Maar op zondagochtend, nog net geen twee weken geleden, reed hij van Worthing naar Gatwick.'

'Dat klopt met wat Simons zei,' mengde Branson zich erin, 'dat ze naar Gatwick zijn gereden en hun auto op Lang Parkeren hebben gezet voordat ze naar Cyprus vlogen.'

'Ja,' zei Nicholl. 'Maar ik snap iets niet. De volgende keer dat hij werd gezien was vanochtend, toen hij de camera langs de boulevard onder aan West Street activeerde en naar het oosten reed. Nergens is te zien hoe de auto van Gatwick naar de Kingsway is gekomen. Zelfs als hij rechtstreeks van het vliegveld naar Brighton was gereden, dan zou de auto door de marker die erop zit moeten zijn opgepikt door de camera op de A23 bij Gatwick, door de volgende op de toegangsweg naar Brighton en door camera's in Brighton, zou ik denken.'

'Behalve als hij zijn rit begon vanuit de parkeergarage op Regency Square,' zei Grace peinzend. 'Dan kon hij de garage uit zijn gereden op Kings Road en moest hij linksaf langs de boulevard, wat zou verklaren waarom hij twee keer langs de camera onder aan West Street is gekomen, eerst naar het oosten en een paar minuten later naar het westen. Gevolgd door de camera op Brunswick Lawns, anderhalve kilometer verder naar het westen, en toen deze.'

'Nu kan ik het niet meer bijbenen,' zei Nicholl. 'Dat verklaart nog niet hoe de auto van Gatwick naar die parkeergarage is gekomen.'

'Nee, Nick,' zei Grace. 'Onze verdachte heeft al bewezen dat hij nogal handig is met kentekenplaten. Wij denken dat hij deze Toyota bij Avis op Gatwick heeft gehuurd. Ik durf er geld op in te zetten dat als meneer en mevrouw Simons van hun vakantie op Cyprus terugkomen, hun kentekenplaten weg zijn. Goed werk. Is hij na Boundary Road nog gezien?'

'Nee.'

Dat wees erop, dacht Grace, dat de auto ergens geparkeerd stond, of dat de verdachte er weer andere kentekenplaten op had gezet.

Hij beëindigde het gesprek en belde meteen met Graham Barrington om hem bij te praten.

'Mijn vermoeden is dat hij in de omgeving van Shoreham is,' zei Grace. 'Maar daar kunnen we niet op afgaan. Ik denk dat we elke donkere Toyota Yaris binnen drie uur rijden vanaf Brighton staande moeten houden en moeten doorzoeken.'

'Dat gebeurt al.'

'En we moeten al onze middelen inzetten op de haven van Shoreham en de onmiddellijke omgeving daarvan.'

'Het probleem, Roy, is dat dat een enorm groot gebied is.'

'Weet ik. We moeten ook elk schip doorzoeken dat vertrekt, en elk vliegtuig dat van vliegveld Shoreham opstijgt. We moeten de getijden nagaan. De haven heeft een ondiepe ingang, dus er zijn veel schepen die enige tijd voor en na laagtij niet kunnen binnenkomen of vertrekken, voor zover ik me herinner van de marine.'

'Zorg ik voor. Waar ben je nu?'

'Onder aan Boundary Road met rechercheur Branson; de plek waar onze verdachte voor het laatst is gezien. Ik denk dat we een eerste zoekradius moeten bepalen van achthonderd meter ten westen van deze camera.'

'Haven en binnenland?'

'Ja. We moeten langs woningen, bijgebouwen, garages, schuren, industrieterreinen, schepen, boten. We zitten buiten het bereik van het cameranetwerk van Brighton & Hove, dus moeten we ons richten op bedrijfsterreinen waar bewakingscamera's hangen. Een auto verdwijnt niet zomaar in het niets. Iemand heeft hem gezien. Er is ergens een camera die hem heeft opgepikt.'

'Nog even voor de duidelijkheid, Roy: het voertuig is voor het laatst gezien onder aan Boundary Road, op de kruising met Kingsway, en ging toen richting het westen?'

'Correct, Graham.'

'Laat het maar aan mij over.'

Grace wist dat de nummer één, die gelukkig tot een van zijn meest gerespecteerde collega's bij de politie behoorde, elke steen zou omdraaien. Hij moest Barrington zijn werk maar laten doen en terugkeren naar Sussex House, eerst naar Coördinatiecentrum 1 om zijn team te steunen, en zich dan voorbereiden op de avondbriefing. Aangezien de korpschef en de adjunct-hoofdcommissaris, Tom Martinson en Peter Rigg, allebei zouden komen, moest hij goed voorbereid zijn. Maar hij wilde de achtervolging eigenlijk liever niet opgeven.

De moordenaar was ergens in Shoreham, daar was hij van overtuigd. Als iemand hem had gevraagd waarom, zou hij alleen maar zijn schouders hebben opgehaald en het slappe antwoord 'intuïtie' hebben gegeven. Maar Glenn Branson begreep hem. En daarom zou zijn vriend op een dag helemaal naar de top van hun vakgebied komen, zolang hij zijn stukgelopen huwelijk maar te boven kwam.

Grace belde naar het coördinatiecentrum, en Nick Nicholl nam op.

'Nick, ik wil dat iedereen in Coördinatiecentrum 1 alles laat vallen en hier even zijn hersens over breekt, oké? Als jij een kind had ontvoerd, waar in Shoreham zou je hem dan goed kunnen verstoppen? Ergens waar niemand komt. Misschien zelfs een plek die niemand kent. Deze hele stad zit vol met geheime gangen uit de smokkeltijd. Brainstorm even snel met het team, wil je?'

'Ja, chef, doe ik.'

'We hebben te maken met een intelligente, sluwe kerel. Hij zal een slimme plek kiezen.'

'Ik regel het meteen.'

Grace bedankte hem en reed verder. Bij de eerste mogelijkheid ging hij rechtsaf. Hij reed langzaam door een netwerk van straten, een mengeling van rijtjeshuizen en bedrijfsgebouwen. Op zoek naar een speld in een hooiberg, wist hij. En hij dacht terug, als een soort mantra, aan wat zijn vader, die ook politieman was geweest, eens tegen hem had gezegd. *Niemand heeft ooit een grotere vergissing begaan dan de man die niets deed omdat hij maar een klein beetje kon doen.*

102

Tyler voelde de auto schommelen. Toen hoorde hij een luide klap, alsof er een portier dichtsloeg. Gevolgd door knerpende voetstappen.

Hij wachtte tot hij ze niet meer hoorde en gooide zich toen weer tegen de zijkant, trappend zo hard hij kon, stampend met zijn voeten, rammend met zijn rechterschouder en zijn hoofd, zwetend en beukend tot hij zichzelf had uitgeput.

Toen bleef hij stil liggen en dacht na.

Waarom hadden ze hem nog niet gevonden?

Kom op, mam, Mapper! Denk aan Mapper!

Waar was zijn telefoon? Die moest hier ergens zijn. Als hij op een of andere manier dat spul van zijn mond af kon krijgen, dan kon hij schreeuwen. Hij rolde zich op zijn buik en bewoog zijn gezicht heen en weer, maar het enige wat hij voelde was zachte vloerbedekking. Er moest hier ergens een scherpe rand zijn. Hij wurmde zich naar voren en tilde zijn hoofd op. Zachte, nieuwe vloerbedekking, alsof je langs een borstel streek.

Wat zouden zijn helden doen? Wat zou Harry Potter doen? Of Alex Rider? Of Amy en Dan Cahill in *The 39 Clues*? Die ontsnapten allemaal uit moeilijke situaties. Zij zouden het wel weten. Wat ontging hem?

Ineens hoorde hij een motorgeluid. Een auto! Hij begon woest te trappen, zo hard hij kon. *Hier! Hierbinnen! Hier zit ik!*

Hij hoorde portieren dichtslaan. Weer voetstappen.

Die vervaagden.

103

Carly hoorde de hele vlucht niets van de politie in Sussex. Elke keer als er een stewardess door het gangpad haar kant op kwam, hoopte ze dat er een boodschap voor haar zou zijn. Het was nu kwart voor negen 's avonds in Engeland. Tyler werd al bijna tien uur vermist.

Omdat ze zich met de minuut zieker had gevoeld, had ze niets gegeten en alleen een beetje water gedronken, meer niet. Deze hele, helse vlucht zat ze al op het kleine stukje van haar stoel gepropt dat de dikke man naast haar, die naar zweet stonk en aan de lopende band wodka met cola dronk, niet in beslag nam.

In gedachten bleef ze almaar haar besluit om naar New York te gaan opnieuw afspelen. Als ze niet was gegaan, had ze Tyler zelf van school opgehaald en zou hij veilig zijn geweest. Dan zou hij nu op zijn kamer zitten, achter zijn computer, alleen of met een vriendje, of iets doen met zijn fossielenverzameling, of oefenen op zijn cornet.

Fernanda Revere, die dit alles een halt had kunnen toeroepen, was dood.

Carly was bang voor Lou Revere. Hij had iets primitiefs en kwaadaardigs over zich. Van vrouw tot vrouw had ze misschien een kans kunnen maken bij Fernanda Revere, als die nuchter was. Maar niet bij haar man. Geen schijn van kans. En nu al helemaal niet meer.

Het vliegtuig kwam tot stilstand. Er klonk een *bing-bong*, gevolgd door het geluid van stoelriemen die werden losgemaakt en bagagevakken die werden opengeklapt. Mensen stonden op en zij deed hetzelfde, opgelucht dat ze bij die stinkende vetzak weg kon. Ze pakte haar tas en jas uit het bagagevak en belde snel haar moeder om te zeggen dat ze was geland en in de hoop dat zij nieuws had. Dat had ze niet.

Een paar minuten later knikte ze naar de twee bemanningsleden die bij de uitgang stonden en volgde de passagiers voor haar door de deur van het vliegtuig de slurf in. Meteen zag ze de lange gestalte van Glenn Branson die op haar stond te wachten, in het gezelschap van een jonge agent in uniform die ze niet herkende en rechercheur Bella Moy.

'Hebben jullie nieuws?' vroeg Carly meteen.

Branson nam haar tas over en dirigeerde haar opzij, weg van de drukte van uitstappende passagiers. Ze keek naar hem, vervolgens naar rechercheur Moy, en toen naar de vreemde agent in uniform, vurig hopend iets positiefs in hun ogen te zien, maar dat was er niet.

'Ik vrees van niet, Carly,' zei Bella Moy. 'Jij hebt zeker ook niets gehoord?'

'Ik heb al zijn vrienden gebeld – hun ouders – voordat ik aan boord ging. Niemand heeft hem gezien.'

'En ze weten zeker dat hij nergens bij hen in huis of in de tuin of garage is?'

'Ze hebben allemaal heel goed gekeken,' antwoordde ze troosteloos.

'Hoe was de vlucht?' vroeg Glenn Branson.

'Afgrijselijk.'

'Eén positief iets, Carly,' vervolgde Branson, 'is dat we er vrij zeker van zijn dat Tyler nog in Brighton & Hove en omstreken is. We denken dat hij in Shoreham, Southwick of Portslade is. Heb je daar misschien vrienden of familie waar hij naartoe zou kunnen gaan als hij wegvluchtte?'

'Wegvluchtte van zijn ontvoerder, bedoel je?'

'Ja.'

'Ik heb een paar vrienden in Shoreham Beach,' antwoordde ze, 'maar ik denk niet dat Tyler weet waar ze wonen.'

'We brengen je zo snel mogelijk naar huis,' zei Bella, 'en we zullen je voortdurend op de hoogte houden.' Toen gebaarde ze naar de agent in uniform. 'Dit is agent Jackson van de Londense politie; Heathrow valt onder hun rechtsgebied. Hij is zo vriendelijk geweest om aan te bieden je heel snel door de douane te loodsen.'

Carly bedankte hem.

Een kwartier later zat ze achter in een politiewagen op weg door de vliegveldtunnel. Glenn Branson reed en Bella Moy zat naast hem. Moy draaide zich naar haar om. 'We moeten je een paar vragen stellen over Tyler, Carly. Vind je het goed om onderweg te praten, of wacht je liever tot je thuis bent?'

'Nu, alsjeblieft,' zei Carly. 'Ik wil alles doen wat zou kunnen helpen.'

'Je hebt ons al de namen en adressen van zijn vrienden gegeven. We kijken met wie hij contact heeft gehad, buiten zijn naaste kring, op zijn computer en iPhone. De afdeling Digitale Expertise trekt dat na.'

'Zijn iPhone?' zei Carly. 'Hebben jullie zijn telefoon?'

Het gezicht van rechercheur Moy verstarde. Ze keek naar Branson, en vervolgens onbehaaglijk weer naar Carly. 'Het spijt me... Had niemand je dat verteld?'

'Wat?' Carly begon te rillen en te zweten tegelijk. Ze boog zich naar voren. 'Wat?' herhaalde ze. 'Wat bedoel je?'

'Zijn iPhone is gevonden in die ondergrondse parkeergarage, die waar jij ons op wees via dat Friend Mapper.'

'Gevonden? Hoe bedoel je gevónden?'

Bella Moy aarzelde, niet zeker hoeveel ze moest vertellen. Maar Carly had recht op de waarheid. 'Er lagen brokstukken op de grond, en het toestel zelf is gevonden in een vuilnisbak in de garage.'

'Nee,' zei Carly met overslaande stem. 'Nee. Alsjeblieft, nee.'

'Hij kan hem hebben laten vallen, Carly,' zei Glenn Branson in een poging een positieve draai aan de situatie te geven, in een poging haar enige reden tot optimisme te geven, of eigenlijk hun allemaal. 'Hij heeft hem misschien wel laten vallen tijdens het wegrennen. Dat is onze beste hoop op het ogenblik, dat hij zich ergens schuilhoudt.'

In volkomen wanhoop, trillend van angst, zei Carly: 'Zeg alsjeblieft dat het niet zijn telefoon was. Tyler is slim. Ik dacht dat hij Friend Mapper aan zou laten staan. Ik dacht dat we hem zo zouden vinden. Ik dacht echt dat dat onze beste hoop was.'

Ze begon ontroostbaar te huilen.

104

Om halftien 's avonds was het donker, er was wind opgestoken en het regende. Tooth keerde terug naar Shoreham in een Toyota Camry die hij met weer een andere legitimatie had gehuurd bij Sixt aan Boundary Road in Brighton, een stukje verderop. Hij reed om de zijkant van het flatgebouw heen en draaide de pikdonkere parkeerplaats erachter op. De plek naast de Toyota Yaris was vrij. Hij parkeerde achteruit in, zette de motor af en schakelde de koplampen uit.

Hij had een rothumeur. Hoe goed je je ook voorbereidde, er ging altijd wel iets mis. Er was altijd wel iets waar je niet op had gerekend. Bij deze klus waren het de getijden. Hij had er gewoon niet aan gedacht. In de rugzak die hij had gekocht, op de passagiersstoel naast hem, zat een overzicht van getijden dat hij een halfuur geleden in een internetcafé had geprint. Hij zou die zo meteen aandachtig bestuderen en in zijn hoofd prenten. Intussen wilde hij hier weg met die jongen. Het wemelde in de omgeving van de politie en het leek erop dat er een enorme, systematische zoektocht aan de gang was. Een halve kilometer verderop was een wegversperring opgezet, maar ze schenen alleen belangstelling te hebben voor Toyota Yarissen.

Die auto's kregen te veel aandacht. Te veel risico dat ze hem zouden vinden. De speurders hadden nog een tijdje te gaan voordat ze deze plek bereikten, dacht hij: anderhalf, misschien twee uur. Hij zou ervoor zorgen dat ze niets vonden.

Hij stapte uit de auto, gooide de kofferbak open en liep toen snel naar de achterkant van de Yaris toe.

Tyler, strak opgerold, vechtend tegen een dringende behoefte om te plassen die almaar erger werd en met een uitgedroogde mond en keel die smachtten naar water, had het geluid gehoord van een auto die vlak langs was gereden en toen was gestopt. Hij stond op het punt weer te gaan trappen, toen hij ineens een scherp, metalig *klonk* hoorde en de kofferbak openging. Hij voelde een vlaag frisse, vochtige lucht, maar zag nu geen daglicht, alleen maar duisternis met een gloed van oranje straatlantaarns.

Toen zag hij de verblindende lichtstraal van een zaklantaarn en daarachter de schimmige omtrekken van iemand met een honkbalpet en een donkere bril. Hij was echt bang. Als hij nu maar kon praten, zou die man hem dan een beetje water en wat te eten geven?

Plotseling werd hij opgetild. Hij zwaaide door de lucht, voelde regendruppeltjes in zijn gezicht en werd toen nogal pijnlijk in een andere auto gekwakt die ongeveer net zo rook als de vorige, maar toch een beetje anders. Nog nieuwer, misschien?

Er volgde een bons en hij lag weer in het pikkedonker opgesloten. Hij luisterde of hij voetstappen hoorde, maar de auto werd gestart. Aan het geschommel leidde hij af dat ze reden.

De auto accelereerde abrupt, waardoor hij naar achteren rolde en pijnlijk zijn hoofd stootte tegen iets scherps. Hij slaakte een gedempte kreet van pijn. Toen de auto ineens remde, schoof hij weer een stuk naar voren.

Maar wat het ook was waar hij tegenaan was beland, het had beslist scherp aangevoeld. Hij wurmde zich naar achteren toen de auto weer snelheid maakte en tastte rond met zijn gezicht, door met zijn neus tegen de achterkant van de kofferbak te wrijven. Daar vond hij iets wat uitstak. Hij wist niet wat het was; misschien de achterkant van de behuizing van een achterlicht. Hij probeerde zijn mond ertegenaan te drukken en te wrijven, maar de auto ging te veel heen en weer en hij had moeite er recht voor te blijven.

Een tijdje later voelde hij dat de auto scherp afremde en een bocht maakte, en bleef draaien. Hij rolde hulpeloos op zijn zij. Ze reden over een fikse hobbel en hij stootte zijn hoofd tegen het kofferbakdeksel. Toen de auto tot stilstand kwam, werd Tyler weer naar voren gesmeten.

Tooth keek behoedzaam om zich heen toen hij de weg boven de haven af reed, over de stoeprand en het gras op hobbelde, zo ver dat de auto bijna onzichtbaar was vanaf de weg. De koplampen van ander verkeer flitsten boven hem langs en hij zag de gloed van de huizen aan de overkant van de weg, de meeste met de gordijnen of jaloezieën dicht.

Hij stopte naast een klein, vervallen ogend gebouw zo groot als een bushokje, recht tegenover het reusachtige pand van de elektriciteitscentrale van Shoreham die aan de overkant van het zwarte water van de haven te zien was. Het gebouwtje was gemaakt van bakstenen met een pannendak en er zat een verroeste metalen deur in met een groot, verroest hangslot eraan. Het was het hangslot dat hij er zelf de vorige keer aan had gehangen, zes jaar geleden. Er was kennelijk sindsdien niemand meer binnen geweest, en dat was mooi. Niet dat iemand reden had om hier naar binnen te gaan. Het gebouw was afgekeurd, zeer gevaarlijk, giftig en kon ieder moment instorten. Op een groot geel met zwart bord op de muur stonden een elektriciteitssymbool en de woorden GEEN TOEGANG – LEVENSGEVAAR.

In de verte hoorde hij een helikopter. Die vloog al het grootste deel van de middag en avond rond. Met handschoenen aan haalde hij een lantaarn met hoofdband uit zijn rugzak, bond die om zijn honkbalpet en pakte de boutenschaar die hij bij een gereedschapswinkel had gekocht. Hij deed zijn lamp aan, knipte het hangslot op de deur van het gebouwtje kapot en deed het licht weer uit. Na nog een snelle blik op de ramen van de huizen tilde hij de jongen uit de auto en droeg hem het gebouw in, samen met zijn rugzak. Hij trok de deur met een holle galm achter zich dicht.

Toen deed hij zijn lamp weer aan. Recht voor hem was een kort, smal betonnen trapje omlaag tussen twee bakstenen muren. Even verschenen er een paar rode oogjes in de duisternis onder aan de trap, die meteen wegschoten.

Tooth zette de jongen op zijn voeten en hield hem tegen zodat hij niet zou omvallen.

'Moet je pissen, knul?'

De jongen knikte. Tooth hielp hem en ritste daarna zijn gulp weer dicht. Vervolgens droeg hij de jongen het trapje af, door een paar spinnenwebben heen. Onderaan bevond zich een metalen rooster met een balustrade eromheen en een heleboel buizen, sommige boven zijn hoofd, sommige langs de muren, de meeste van kaal, blootliggend metaal, ernstig verroest en bedekt met wat eruitzag als vlokkend asbest. Het was hier zo stil als het graf.

Aan de andere kant van de balustrade was een schacht met een stalen ladder die zestig meter omlaagging. Tooth keek de jongen aan, negeerde de smekende blik in zijn ogen, tilde hem schuin over de balustrade en scheen met zijn lamp omlaag, zodat de jongen kon zien hoe diep het was. Zijn ogen puilden uit van angst.

Tooth haalde een stuk blauw touw met een grote treksterkte uit zijn rugzak en bond het zorgvuldig om de enkels van het kind. Toen liet hij de jongen, die zich nu verzette, kronkelde van angst en een jammerend, jankend geluid door de klustape over zijn mond maakte, een stukje de schacht in zakken en bond het touw vast aan de balustrade.

'Ik ben straks weer terug, knul,' zei Tooth. 'Beweeg maar niet te veel. Anders laat het touw misschien wel los.'

105

Tylers bril zakte omhoog langs zijn neus. Hij was bang dat zijn bril zo meteen in de diepte zou vallen. Maar erger nog, hij voelde het touw wegglippen, vooral om zijn linkerenkel. Hij zwaaide heen en weer en begon zich duizelig en volslagen gedesoriënteerd te voelen.

Er kroop iets kleins over zijn neus. Een koude tochtvlaag blies in zijn gezicht. De lucht was klam, bedompt en droeg vaag de smerige stank mee van iets rottends.

Het touw glipte nog wat verder weg.

Kwam die man nog terug?

Waar was zijn telefoon? Lag hij in de auto? Hoe zou iemand hem hier kunnen vinden, zonder Mapper?

Hij begon in paniek te raken, maar toen voelde hij het touw verder wegglippen. Zijn bril zakte ook verder. Hij verstijfde, hield zijn benen en voeten stil en duwde ze tegen het touw om het zo stevig mogelijk vast te houden. Het beestje liep nu over zijn lippen en kriebelde op zijn neus. Hij voelde het bloed naar zijn hoofd stijgen. Ineens raakte iets zijn rechterschouder aan.

Hij gilde, al bleef het geluid binnen in hem opgesloten.

Toen besefte hij dat hij gewoon tegen de zijkant van de schacht was gezwaaid.

De muren hadden er ruw uitgezien, herinnerde hij zich, in het korte moment dat hij ze had gezien in het licht van de lantaarn. De randen van de ladder zouden ook wel ruw zijn, of misschien wel scherp. Zo voorzichtig mogelijk probeerde hij zichzelf om te draaien, te zwaaien, botste weer tegen de schachtmuur aan en toen nog eens pijnlijk tegen de ladder.

Ja!

Als hij de tape om zijn armen heen en weer kon wrijven langs de ruwe rand, dan kon hij er misschien doorheen zagen.

Zijn bril zakte verder op zijn voorhoofd. Het insect kroop nu over zijn ooglid.

Het touw glipte verder omlaag langs zijn enkels.

106

Deze plek had hem vorige week goed gediend, redeneerde Tooth. Het was er donker, niemand keek erop uit en er hingen geen camera's. Behalve de elektriciteitscentrale waren er alleen houtpakhuizen op de kade aan de overkant, die 's nachts gesloten en donker waren. En het water was diep.

Iemand had het hangslot op het draadhek vervangen. Hij knipte het door met zijn boutenschaar en duwde de poorten open. De zuidenwind, die met de minuut leek aan te wakkeren en recht over het klotsende water van het havenbassin voor hem kwam, duwde meteen een van de hekken weer dicht. Hij trok het weer open en sleepte er een oud olievat voor dat in de buurt lag.

Toen sprong hij in de Yaris die hij had opgehaald en reed ermee de kade op, langs de container vol met afval die hier vorige week ook al stond en de oude heftruck die ze, heel vriendelijk, voor hem hadden laten staan. Niet dat hij die nu nodig zou hebben.

Hij stapte uit en keek zorgvuldig om zich heen. Hij hoorde het geklots van water, het verre *klak-klak-klak* van de tuigage van een zeiljacht in de wind. In de verte hoorde hij ook weer het geronk van een helikopter. Met zijn hoofdlamp voerde hij nog een laatste inspectie uit van het interieur van de auto, trok de asbak eruit, nam hem mee naar de waterrand en gooide de peuken en gesmolten simkaarten in het donkere, roerige water. Toen hij zeker wist dat hij verder niets in de auto had laten liggen, bereidde hij zichzelf voor door een paar keer diep adem te halen.

Hij reed de auto een stukje achteruit, opende alle ramen en deuren en zette het kofferbakdeksel open. Daarna ging hij weer achter het stuur zitten en, met het portier open, zette de auto in de versnelling en gaf flink gas naar het einde van de kade. Op het allerlaatste moment dook hij eruit en rolde om toen hij de harde grond raakte. Achter zich hoorde hij een luide plons.

Tooth krabbelde overeind en zag de auto drijven, tot de dorpels in het water, deinend op de golven. Hij stond op het punt zijn lamp in te schakelen om het beter te kunnen zien, toen hij tot zijn schrik een motor hoorde. Het klonk alsof het dichterbij kwam. Een boot die door de haven voer.

Hij verstijfde.

Overal rondom de auto rezen met een gestaag *bloepbloepbloep* luchtbellen op. De auto zonk. Het motorgedeelte was bijna onder water. Het geluid van de boot werd luider.

Zinken. Zinken, verdomme. Zinken!

Hij zag licht naderen van rechts, nog vaag, maar almaar feller.

Zinken!

Water kabbelde en borrelde nu over de voorruit.

Zinken!

Het motorgeluid werd luider. Een sterke, dubbele dieselmotor. Het licht werd snel feller.

Zinken!

Nu ging het dak onder. De auto zonk. De achterruit verdween. En nu de kofferbak.

Hij was weg.

Twee tellen later kwam er een sloep van de havenautoriteiten in zicht, met twee politieagenten aan dek, de navigatielampen aan en stralende zoeklichten.

Tooth dook ineen achter de container. De boot voer langs. Even hoorde hij boven het gerommel van de motoren en het gespetter van de boeggolf het geknetter van een portofoon. Maar het geluid van het vaartuig vervaagde al en de lichten werden alweer zwakker.

Hij ademde weer uit.

107

Tyler hoorde een luide, metalige knal. Toen een geluid als van voetstappen. Even kreeg hij hoop.

De voetstappen kwamen dichterbij. Hij rook de geur van sigarettenrook en hoorde toen een bekende stem.

'Geniet je van het uitzicht, knul?'

Tooth schakelde zijn hoofdlamp in, maakte het touw los van de balustrade en liet de jongen verder zakken, waarbij hij behoedzaam het touw liet vieren door zijn handschoenen. Hij voelde dat de jongen een paar keer tegen de zijkanten botste, en toen werd het touw slap.

Mooi. De jongen was terechtgekomen op het eerste van drie platforms met een tussenafstand van vijftien meter.

Met zijn rugzak op zijn rug en het licht aan ging Tooth de ladder af, waarbij hij slechts één hand gebruikte om zich vast te houden en met de andere het slaphangende touw opnam. Toen hij op het platform was aangekomen, herhaalde hij die procedure, en daarna nog eens, totdat de jongen op zijn buik op de bodem van de schacht belandde. Tooth klom het laatste stuk naar beneden en ging naar hem toe, haalde een kleine lamp uit zijn rugzak, schakelde hem in en zette hem neer.

Verderop was een tunnel die onder de haven door liep. Tooth had die ontdekt tijdens een zoektocht in de archieven toen hij zijn vorige bezoek voorbereidde. Voordat de tunnel was gesloten vanwege de gevaarlijke toestand ervan, hadden hier de leidingen van de oude elektriciteitscentrale doorheen gelopen. De tunnel was vervangen en buiten bedrijf gesteld na de bouw van de nieuwe centrale en de aanleg van een nieuwe tunnel.

Het was alsof je langs de binnenkant van een verroest, eindeloos lang stalen vat keek dat zich uitstrekte in de duisternis. De tunnel was aan beide kanten voorzien van dikke metalen buizen omhuld met asbest, waarin nog de oude kabels lagen. De ondergrond bestond uit een verrot ogend houten looppad met plassen water erlangs. Enorme, vurige roestvlekken zaten op de binnenkanten van de platen die met klinknagels waren bevestigd, en overal waren spitse, vuilwitte stalactieten en stalagmieten te zien, die deden denken aan gedeeltelijk gesmolten kaarsen.

Maar Tooth staarde naar iets heel anders. De menselijke schedel die hem een stukje verderop in de tunnel begroette met zijn brede grijns. Tooth keek er met enige tevredenheid naar. De twaalf ratten die hij bij dierenwinkels rondom Sussex had gekocht en vervolgens vijf dagen niet te eten had gegeven, hadden goed werk verricht.

Het uniform van de Estlandse handelsvloot en zijn gebreide puntmuts waren verdwenen, samen met al zijn vlees en bijna al zijn pezen en zijn haar. De ratten waren zelfs aan zijn zeemanslaarzen begonnen. De meeste van zijn botten waren door elkaar heen gevallen op de vloer, behalve één stel armbotten en een intacte skelethand, die aan een metalen buis erboven hing, op zijn plek gehouden door een ketting met hangslot. Tooth had niet het risico willen nemen dat de ratten zijn boeien kapot knaagden en de man alsnog kon ontsnappen.

Hij draaide zich om en hielp de jongen te gaan zitten, met zijn rug tegen de muur, zodat hij uitkeek door de tunnel en op de botten en schedel. De jongen knipperde met zijn ogen en zag er om een of andere reden anders uit. Toen besefte Tooth wat het was. Zijn bril was weg. Hij scheen in de rondte met zijn lamp, zag de bril liggen en zette hem bij de jongen op zijn neus.

De jongen staarde hem aan. Toen zag hij de menselijke resten en deinsde achteruit, en in zijn ogen was afgrijzen en een dieper wordende angst te zien terwijl Tooth het licht erop bleef schijnen.

Tooth hurkte en trok de klustape van zijn mond. 'Alles goed, knul?'

'Niet echt. Nee, eigenlijk. Ik wil naar huis. Ik wil naar mijn moeder. Ik heb dorst. Wie bent u? Wat wilt u?'

'Je bent wel veeleisend,' zei Tooth.

Tyler keek naar de botten.

'Ik vind hem er niet zo gezond uitzien. Wat denk jij ervan, knul?'

'Mannelijk, tussen de vijftig en zestig jaar oud. Oost-Europees.'

Tooth fronste zijn voorhoofd. 'Hoe weet je dat?'

'Mijn hobby's zijn archeologie en antropologie. Mag ik nu alstublieft een beetje water? En ik heb honger.'

'Zo, dus je bent een slimmerik, hè?'

'Ik heb alleen dorst,' zei Tyler. 'Waarom hebt u me hierheen gebracht? Wie bent u?'

'Die kerel,' zei Tooth, wijzend naar het skelet, 'die zit hier al zes jaar. Niemand weet dat deze plek bestaat. Er is hier al zes jaar niemand meer geweest. Hoe zou jij het vinden om hier zes jaar te blijven?'

'Dat zou ik niet leuk vinden,' antwoordde Tyler.

'Dat geloof ik best. Ik bedoel, wie wel, hè?'

Tyler knikte instemmend. Die vent leek een beetje gek, dacht hij. Gek, maar misschien viel hij mee. Niet heel veel gekker dan sommige leraren bij hem op school.

'Wat had die man gedaan?'

'Hij had van iemand gejat,' zei Tooth. 'Oké?'

Tyler haalde zijn schouders op. 'Oké,' zei hij, en zijn stem kwam naar buiten als een droog, bang gekraak.

'Ik bekommer me wel om je, knul. Je moet even volhouden. Jij en ik hebben een groot probleem. Heeft te maken met de getijden, ja?'

Tyler staarde hem aan. Toen keek hij trillend naar de menselijke overblijfselen. Zou hij er over zes jaar ook zou uitzien?

'Getijden?' vroeg hij.

De man haalde een opgevouwen vel papier uit zijn rugzak en vouwde het open. 'Begrijp je dit soort dingen, knul?'

Hij hield het papier voor Tylers gezicht en scheen er met zijn lamp op. De jongen keek ernaar en wierp toen een blik op het horloge van de man. 'Grote schepen kunnen twee uur voor en twee uur na laagtij deze haven niet in,' zei Tooth.

Hij staarde naar de vakjes, elk ervan met een tijdstip erin onder de letters LW of HW. Daarnaast stond: *Voorspelde hoogten in meters boven tabeldatum.*

'Dit is best ingewikkeld. Het lijkt erop dat laagtij hier om 23:31 uur begon, maar ik weet niet zeker of ik dat goed heb. Dat betekent dat de schepen weer in en uit gaan varen na 01:31 uur.'

'U moet naar de datum van vandaag kijken,' zei Tyler. 'Vandaag is het om 02:06 uur. Gaan we op een boot weg?'

Tooth gaf geen antwoord.

108

De telefoons in Coördinatiecentrum 1 stonden roodgloeiend sinds het Child Rescue Alert was uitgegaan. De ontvoering van Tyler Chase stond in de meeste kranten op de voorpagina en was het hoofdonderwerp van de journaals op radio en televisie. Het was bijna halféén 's nachts. In de bijna veertien uur sinds zijn ontvoering had zo ongeveer iedereen in het land die niet onder een steen zat inmiddels zijn naam gehoord, en een groot aantal mensen had ook zijn foto gezien.

Het was hier nu even druk als midden op de dag, en constant gingen er vaste en mobiele telefoons. Roy Grace had zijn jasje uitgedaan en zat met opgestroopte mouwen en zijn stropdas los een lijst door te lezen die hem was gemaild door rechercheur Lanigan. Het was een beschrijving van de werkwijzen van alle bekende en momenteel actieve huurmoordenaars. Omdat ze hun zoektocht niet wilden beperken tot de VS, was er ook contact opgenomen met politiebureaus overal in Europa, en ook daarvan begon informatie binnen te komen.

Maar tot nu toe niets wat wees op hun dader.

Of zijn auto.

Met het oog op de frequentie waarmee de verdachte zijn kentekenplaten scheen te verwisselen, had Grace verzoeken uitgestuurd naar alle politiebureaus in het Verenigd Koninkrijk om alle donker gekleurde Yarissen staande te houden en te doorzoeken, of ze nu grijs waren of niet. Hij wilde koste wat het kost vermijden dat de verdachte door het net glipte, misschien wel door zoiets als een vergissing van iemand die kleurenblind was.

Het was mogelijk dat de jongen al in het buitenland zat, ondanks de bekendmaking die was uitgegaan naar alle luchthavens, zeehavens en de Kanaaltunnel. Particuliere vliegtuigen en schepen hadden gemakkelijk door de mazen van het net kunnen glippen. Maar Grace was er vrij zeker van dat de Toyota Yaris van Barry Simons de auto was waarin Tyler Chase vanuit de parkeergarage op Regency Square was vervoerd. En als dat zo was, dan dacht hij niet dat de ontvoerder het gebied rondom Shoreham had verlaten.

Er was navraag gedaan bij de havenmeester, de havenautoriteiten en de kustwacht. Alle vaartuigen die vandaag uit de haven van Shoreham waren vertrokken, waren bekend. Er was na acht uur vanavond geen vrachtschip meer door de sluis gegaan. Er waren nog een paar vissersboten vertrokken, maar dat was alles.

Plotseling stond Stacey Horobin naast hem. 'Meneer, ik heb ene Lynn Sebbage van BLB Chartered Surveyors aan de lijn. Ze vraagt naar Norman Potting. Ze zegt dat ze zijn mobiele nummer al heeft geprobeerd, maar dat hij niet opneemt. Ze heeft de hele nacht doorgewerkt om de informatie waar hij om had gevraagd op te zoeken, zegt ze, en ze denkt dat ze het gevonden heeft.'

Grace fronste zijn voorhoofd. 'Chartered Surveyors?'

'Ja, het heet BLB.'

'Je bedoelt *chartered surveyors* als in vastgoedexperts?'

Horobin knikte. 'Ja, dat vakgebied.'

'Wat willen zij op dit uur?'

'Dat weet ik niet.'

'Waar is Potting?'

'Rechercheur Moy denkt dat hij misschien even iets is gaan eten, chef.'

'Oké, geef mij haar maar even. Sebbage, zei je?'

'Lynn Sebbage.'

Hij pakte de telefoon, en even later werd ze doorverbonden. 'Inspecteur Grace,' zei hij. 'Kan ik u helpen?'

'Ja,' zei ze. Ze klonk nog zo fris alsof het midden op een normale werkdag was. 'Ik ben partner bij BLB. We zijn een firma van *chartered surveyors* in Brighton. Eind van de middag is rechercheur Potting bij ons langs geweest over die kleine jongen die is ontvoerd, en hij zei dat hij plekken zocht rondom de haven van Shoreham waar je iemand zou kunnen verstoppen. De hoofdingenieur heeft hem verteld dat ons bedrijf in de laatste eeuw veel werk in de haven heeft gedaan, vooral bij de bouw van de oorspronkelijke kolengestookte elektriciteitscentrale. Hij zei dat hij dacht dat er toen een tunnel was geboord die al tientallen jaren niet meer wordt gebruikt.'

'Wat voor tunnel?' vroeg Grace.

'Nou, ik heb de hele avond door onze archieven gespit – die gaan meer dan een eeuw terug – en ik denk dat ik heb gevonden wat hij bedoelde. Het is een tunnel die ongeveer zeventig jaar geleden is gebouwd voor de oude centrale, Shoreham B, om de elektriciteitskabels onder de haven door te voeren. Hij is buiten bedrijf gesteld toen twintig jaar geleden de nieuwe centrale werd gebouwd.'

'Hoe zou iemand anders dan een havenarbeider daarvan moeten afweten?'

'Iedereen die de geschiedenis van de omgeving bestudeert, zou hem gemakkelijk kunnen vinden. Hij is waarschijnlijk zelfs met Google te vinden als je goed zoekt.'

Toen vertelde ze waar de ingang ervan was.

Een paar minuten later, net toen hij haar bedankte en ophing, kwam Glenn Branson naar binnen lopen met twee dampende mokken. 'Ik heb koffie voor je meegebracht.'

'Bedankt. Heb je zin om mee te rijden? We kunnen allebei wel even een ander uitzicht gebruiken.'

'Waarheen?'

'Ergens in Brighton waar jij en ik nog nooit zijn geweest.'

'Bedankt voor het aanbod, baas, maar ik heb niet zo'n trek om om één uur 's nachts de toerist uit te hangen.'

'Maak je geen zorgen. We gaan niet spelevaren. We gaan onder water.'

'Geweldig. Dit wordt almaar beter. Duiken?'

'Nee. Tunnelen.'

'Tunnelen? Nu? Op dit uur? Dat meen je niet.'

Grace stond op. 'Pak je jas en een zaklantaarn.'

'Ik heb claustrofobie.'

'Ik ook. Ik hou je handje wel vast.'

109

‘Hoe groot zou de kans zijn?’ vroeg Glenn Branson terwijl Grace langzaam over de weg reed, turend naar links, op zoek naar het gebouwtje dat Lynn Sebbage had beschreven. Een felle wind beukte tegen de auto en er vielen dikke regendruppels op de voorruit.

‘Eén op een miljoen? Eén op een miljard? Eén op een triljoen dat hij in die tunnel zit?’

‘Je moet denken als de dader,’ zei Grace.

‘Nou, wees maar blij van niet, anders zou ik je ophangen aan een vleeshaak en je filmen.’

Grace glimlachte. ‘Dat denk ik niet. Jij zou proberen ons te slim af te zijn. Hoe vaak heeft hij zijn kentekenplaten verwisseld? Die camera’s die hij heeft achtergelaten, alsof hij twee keer een dikke vinger naar ons opsteekt. Dit is een heel slimme kerel.’

‘Je klinkt alsof je hem bewondert.’

‘Ik bewonder hem ook, om zijn professionalisme. Al het andere aan hem verafschuw ik, maar ik bewonder zijn sluwheid. Als hij ergens zit met dat kind, zal het geen tuinschuurtje vol champignons zijn. Het zal ergens zijn waarvan hij weet dat wij er niet aan hebben gedacht. Dus ik denk niet dat de kans één op een miljoen is. Ik denk dat de kans veel groter is, en dat we die plek moeten uitsluiten.’

‘Je had er ook een paar dienders heen kunnen sturen,’ zei Branson knorrig. ‘Of Norman Potting.’

‘Zodat hij alle pret heeft?’ vroeg Grace, die langs de stoeprand stopte. ‘Zo te zien is dit het.’

Even later zag Grace in het licht van zijn zaklantaarn het kapotte hangslot op de grond liggen. Hij knielde erbij neer en bekeek het aandachtig. ‘Het is doorgeknipt.’ Vervolgens trok hij de deur open en ging als eerste het betonnen trapje af. Onderaan stapten ze op een metalen roosterplatform met een balustrade. Om hen heen spreidde zich een netwerk van oude metalen buizen uit.

Branson snoof. ‘Iemand heeft het hier als toilet gebruikt,’ merkte hij op.

Grace tuurde over de balustrade en scheen met zijn lantaarn omlaag in de verticale schacht.

'Shit,' zei hij binnensmonds. Het leek een heel, heel eind naar beneden. Toen riep hij zo hard hij kon: 'POLITIE! Is daar iemand?'

Zijn stem galmde. Hij herhaalde zijn vraag.

Alleen de echo keerde naar hen terug en stierf langzaam weg.

De twee politiemannen keken elkaar aan.

'Er is hier iemand geweest,' zei Glenn Branson.

'Misschien is hij hier nog steeds,' antwoordde Grace, die weer door de schacht omlaag tuurde en toen naar de ladder keek. 'En ik heb hartstikke hoogtevrees.'

'Ik ook,' zei Branson.

'Hoogtevrees én claustrofobie? Is er nog iets waar je níét bang voor bent?' vroeg Grace met een grijns.

'Niet veel.'

'Licht eens bij. Ik zie een tussenplatform ongeveer vijftien meter hieronder. Ik wacht daar op je.'

'En hoe zit het met de veiligheid en gezondheid?' vroeg Branson.

Grace tikte op zijn borst. 'Daar kijk je naar. Als je valt, vang ik je op.'

Hij klom over de balustrade, besloot niet omlaag te kijken, greep beide kanten van de ladder vast, tastte met zijn voet naar de eerste sport en begon langzaam en behoedzaam af te dalen.

Het kostte hen een paar minuten om helemaal beneden te komen.

'Dat was echt niet grappig,' zei Glenn Branson toen hij ook beneden was, en hij scheen met zijn zaklantaarn in het rond. De lichtstraal onthulde de tunnel. 'Allemachtig!' Hij staarde naar het skelet.

Beide mannen liepen er een stukje naartoe.

'Het lijkt erop dat je een nieuwe cold case aan je werklast kunt toevoegen, chef,' zei Branson.

Maar Grace keek al niet meer naar de schedel en botten. Hij keek naar een prop papier op de grond. Hij trok een paar handschoenen aan, bukte, raapte hem op en vouwde hem uit. Toen fronste hij zijn voorhoofd.

'Wat is dat?' vroeg Branson.

Grace hield het papier omhoog. 'Een getijdenschema.'

'Shit! Hoe lang denk je dat dat hier al ligt?'

'Niet lang,' antwoordde Grace. 'Hij is courant. Van deze week; zeven dagen van getijden voor Shoreham, te beginnen met gisteren.'

'Wat moet iemand met een getijdenschema?'

'De ingang naar de haven is bij laagtij maar twee meter diep. Twee uur voor en na laagtij is er onvoldoende diepgang voor grote schepen.'

'Denk je dat dit met Tyler te maken heeft?'

Grace zag bijna het kleine voorwerp over het hoofd dat onder een stuk van een verroeste leiding lag. Hij bukte weer, raapte het tussen zijn gehandschoende vinger en duim voorzichtig op en hield het omhoog.

'Nu weet ik het zeker,' zei hij. 'De peuk van een Lucky Strike-sigaret.' Hij drukte het verbrande uiteinde tegen zijn wang. 'Weet je wat? Hij is nog warm.'

Glenn Branson trok nu ook handschoenen aan en bekeek het getijdenschema een tijdje. Toen keek hij op zijn horloge.

'De haveningang gaat open, als ze dat zo noemen, om zes over twee vannacht. Dat is over zesenvijftig minuten al. Shit! We moeten zorgen dat er geen schepen vertrekken.'

Deze keer, al zijn hoogtevrees vergeten, klom de rechercheur razendsnel de ladder op, met Grace op zijn hielen.

110

Tyler jammerde en beefde van angst, maar tegelijkertijd durfde hij zich niet al te hevig te verzetten. Klotsend, inktzwart water spetterde omhoog als een wild, kwaadaardig beest, slechts centimeters onder zijn voeten. De regen striemde op hem neer. Hij hing aan zijn armen, die pijnlijk waren uitgerekt alsof hij aan het kruis hing.

Hij had gedacht dat hij in het water werd gesmeten, maar toen was hij vlak erboven met een ruk tot stilstand gekomen. Hij bleef proberen te schreeuwen, maar er zat weer tape over zijn mond en zijn geschreeuw weerkaatste alleen maar de hele tijd door zijn eigen hoofd.

Hij huilde, snikte, smeekte om zijn moeder.

Er hing een zware stank van zeewier. De blinddoek die de man hem had omgedaan toen ze uit de tunnel omhoog waren geklommen, was op het laatste moment voordat Tyler naar beneden werd gegooid weer afgedaan.

Boven het geluid van het water uit hoorde hij het *flop-flop-flop* van een naderende helikopter. Een verblindende lichtstraal schoot even over hem heen, en toen werd het weer donker.

Kom hierheen! Kom hierheen! Ik ben hier! Kom hierheen!

Help me alsjeblieft. Help me alsjeblieft. Mam, help me alsjeblieft.

III

Pas toen ze boven aan de ladder waren, kregen Grace en Branson weer bereik op hun portofoon en telefoons. Grace belde onmiddellijk met Trevor Barnes, de tweede man van het onderzoek, die in Sussex House achter zijn bureau zat.

De twee rechercheurs sprintten de stenen treden op en de frisse wind en regen in, overdadig zwetend en blij met de verkoelende lucht. Boven hen hoorden ze het geklapper van de helikopter die laag boven de haven vloog en met de verblindend felle cirkel van het zoeklicht een groot deel van het klotsende water verlichtte.

Een paar tellen later meldde Barnes dat hij navraag had gedaan bij de havenmeester en dat de baggeraar *Arco Dee* het enige vaartuig was dat de haven uit zou gaan via de grote sluis. Het schip had de aanlegplaats al verlaten en voer door het kanaal naar de sluis.

'Ik ben op dat schip geweest,' brulde Grace naar Branson om het lawaai van de helikopter en het razen van de wind te overstemmen. 'Als hij daar zit, zijn er talloze manieren waarop hij dat kind kan ombrengen.' Toen nam hij contact op met de onderbevelhebber. 'Trevor, zorg dat iemand er aan boord gaat en het schip doorzoekt terwijl het in de sluis ligt.'

Enige tijd lang bleef Grace stilstaan en volgde de lichtstraal terwijl die over de enorme elektriciteitscentrale van Shoreham speelde. Het gebouw had een hoekige constructie, waarvan het eerste stuk, met een plat dak, ongeveer twintig meter hoog was, en het hoofdgedeelte zo'n dertig meter hoog. Aan de westkant stond de solitaire schoorsteen, die zestig meter in de lucht oprees. Ineens, toen de lichtstraal eroverheen ging, dacht hij iets te zien bewegen op het platte dak.

Meteen nam hij contact op met de centrale. 'Verbind me door met de Hotel 900.'

Even later sprak hij over een krakende verbinding met de spotter in de helikopter. 'Ga terug. Schijn je licht nog een keer op het dak van de centrale!' schreeuwde hij.

Beide rechercheurs wachtten terwijl de helikopter in een wijde bocht terugvloog. Het licht raakte eerst de schoorsteen en de ladder die erlangs omhoogliep. Vervolgens het platte dak van het eerste deel van het gebouw. Ze zagen een gestalte over het dak rennen en ineenduiken achter een ventilatiekast.

'Blijf cirkelen,' beval hij. 'Er zit iemand op het dak!' Hij wendde zich tot Branson. 'Ik weet de snelste weg daarheen!'

Ze renden naar de auto en sprongen erin. Grace zette de zwaailichten en sirene aan en ze raceten de weg op. 'Bel de nummer twee,' zei hij. 'Laat hem alle beschikbare eenheden naar de elektriciteitscentrale sturen.'

Een halve kilometer verderop trapte hij hard op de rem en ging linksaf, voor het gebouw van de havenautoriteiten langs, en scheurde over de afrit tot ze bij een barrière van hoge stalen punten aankwamen. Het bordje dat op de punten was bevestigd meldde:

HAVENAUTORITEITEN SHOREHAM
VERBODEN TOEGANG VOOR ONBEVOEGDEN
OPENBARE ROUTE VIA SLUIZEN

Ze lieten de auto staan en renden over het looppad, met aan beide kanten een hoge balustrade. Grace scheen met zijn zaklantaarn voor hen uit. Rechts zag hij nu, fel verlicht door een rij schijnwerpers op een toren, de twee sluizen van de haven: een kleine voor vissersboten en jachten, en een veel grotere voor tankers, baggeraars en containerschepen.

Een lange kade scheidde de twee sluizen, en in het midden daarvan stond een vrij groot gebouw met daarin de controlekamer. Op de muur onder de ramen hing een verkeerslicht met drie rode lichten.

In het voorbijgaan merkte hij het waarschuwingsbord op de poort naar de kade op, waarop onbevoegden de toegang werd verboden. Er zat geen slot op de poort, zag hij, en toen richtte hij zijn aandacht op de enorme opbouw van de elektriciteitscentrale links, gedeeltelijk verlicht door de schijnwerper van de helikopter. Hij rende door, gevolgd door een hijgende Branson, springend over metalen latten. Er hingen nog meer rode waarschuwingslichten aan het begin van het gebogen looppad over de deuren van de hoofdsluis. Een bordje waarschuwde dat toegang verboden was als de rode lichten knipperden en het geluidssignaal klonk.

Toen hij de naad in het midden bereikte, tussen de twee helften van de oude, massief houten sluisdeuren, draaide hij zich om en keek weer naar de centrale. Wat deed die gast in vredesnaam daarboven, als het de verdachte was? Het zou natuurlijk een schitterend uitkijkpunt zijn, maar waarvoor? Had hij die jongen bij zich?

Ze renden door, om de bocht naar de andere helft van de sluisdeuren en de kade op, en sprintten verder naar de elektriciteitscentrale. Verderop zag Grace een stapel pallets tegen de hoge punten van het hek rondom de centrale staan.

'Wacht hier,' zei hij tegen Branson, en hij klom op de pallets.

Toen hij over de punten van het hek was geklommen, sprong hij een meter of drie omlaag aan de andere kant. Hij landde met een pijnlijke klap, liet zich naar voren vallen en probeerde om te rollen om zijn val te breken, maar raakte met zijn borst de grond en bleef even happend naar adem liggen.

Boven hem ronkte de helikopter, en de lichtbundel ging over hem heen en verlichtte de stalen ladder tegen de zijkant van de centrale.

Hij rende ernaartoe en begon te klimmen zo snel hij kon. De wind trok aan hem terwijl hij hoger en hoger klom. Dit is gekkenwerk, dacht hij. Maar hij klom verder, greep de sporten stevig vast en omklemde ze uit alle macht. De regen striemde over hem heen, terwijl de wind steeds harder aan hem trok, alsof die hem wilde lostrekken. Ineens hoorde hij een verschrikkelijk, jankend geluid, als van een vrouw in nood, en dook er een enorme zwarte gestalte vanuit de duisternis naar hem omlaag.

Instinctief draaide hij zijn hoofd weg. Hij zag de lichtjes van de haven en de stad erachter, kilometers beneden hem. De wind trok nog harder aan hem. Het zwarte schepsel zweefde, sloeg met zijn vleugels en slaakte nog een kreet. De slechtvalken, herinnerde hij zich ineens, die een nestkast hadden tegen de muur van de centrale; een of andere stomme afspraak die met een milieugroepering was gemaakt toen de centrale werd gebouwd.

De vogel dook weer op hem af.

Geweldig! Ik overleef twintig jaar bij de politie, en nu word ik vermoord door zo'n stomme beschermde vogel.

Hij klemde zich vast aan de ladder, ineens duizelend van de hoogte.

Niet loslaten. Vasthouden. Vasthouden. Denk aan regel één op ladders. Altijd drie ledematen erop houden, dan kun je nooit vallen.

Met zijn vierde ledemaat, zijn rechterarm, maaide hij om zich heen, en het kon hem even niet schelen hoeveel schade hij de beschermde roofvogel toebracht. Toen klom hij verder, en de wind werd nog sterker.

De vogel scheen de hint te hebben begrepen en verdween weer in de nacht.

Eindelijk was hij boven. Hij sleurde zichzelf het asfaltdak op en kroop op zijn knieën naar voren tot hij veilig uit de buurt van de rand was. Even bleef hij ineengedoken zitten om op adem te komen. Zijn hart voelde alsof het op het punt stond te ontploffen, terwijl hij in het donker om zich heen keek. Even later hoorde hij het geluid van de helikopter en hulde de schijnwerper het hele dak, en de muur van het volgende deel van het gebouw, in daglicht.

Toen zag hij de camera.

Het toestel stond recht voor hem, op een klein metalen statief, met de telelens omlaag gericht.

Hij tuurde er even langs, op zoek naar de gestalte die hij eerder had gezien, maar er was geen spoor van de man. Terwijl de helikopter wegvloog rende hij naar de camera, een ingewikkeld uitziend ding, en keek door de zoeker.

O shit. O nee. O nee.

In de spookachtig groene gloed van de nachtkijker, heel dichtbij, zag hij Tyler Chase. De jongen hing voor het midden van de sluisdeuren, een stukje onder de bovenrand, met zijn voeten een paar centimeter boven het wateroppervlak. Zijn armen waren gestrekt, zijn handen vastgebonden aan de linker- en rechtersluisdeur. Een knipperend lichtje gaf aan dat de camera draaide en beelden opnam of verzond.

En nu besefte hij tot zijn afgrijzen waar dat getijdenschema voor was geweest.

Hij probeerde Glenn te bereiken op zijn portofoon, maar het kanaal was bezet. Gefrustreerd probeerde hij het opnieuw. Bij de derde poging, met de helikopter recht boven hem, hoorde hij de stem van zijn collega.

'Glenn!' brulde hij. 'Zorg ervoor dat de sluis niet opengaat! Hou ze tegen, in godsnaam! Die jongen gaat eraan! Hij wordt doormidden gescheurd!'

Het lawaai van de helikopter, de wind en de striemende regen was oorverdovend.

'Wat zeg je?' zei Branson. 'Ik versta je niet, chef.'

'ZORG ERVOOR DAT DIE SLUISDEUREN NIET OPENGAAN!' schreeuwde Grace.

Toen kreeg hij een klap tegen zijn achterhoofd en belandde hij op de grond.

In de verte hoorde hij geruis, toen een stem uit zijn portofoon die zei: 'Zei je nou dat die sluisdeuren niet open moesten?'

Grace probeerde op te staan, maar viel op zijn zij. Hij bleef liggen met het gevoel alsof hij moest overgeven. Verderop zag hij een gestalte over de rand van het dak klauteren en verdwijnen. In de lichtbundel van de helikopter die weer boven hem zweefde, staarde hij naar de camera. Woedend rolde hij ernaartoe, tegen het statief aan, en gooide hem om. Hij probeerde nog eens te gaan staan, maar zijn knieën knikten. Wanhopig sleepte hij zich op handen en knieën overeind en zocht naar zijn portofoon, maar die was weg.

Hij probeerde nog een keer op te staan, maar deze keer blies de wind hem omver. *Nee, nee, nee.* Nu wist hij overeind te komen, merkte amper de verschrikkelijke pijn in zijn hoofd op en wankelde over het dak. Hij greep de bovenste sport van de ladder en maakte toen de fout omlaag te kijken.

De hele wereld draaide driehonderdzestig graden rond.

Hij moest het doen. Het moest. Het moest. Met zijn handen stevig om de twee zijkanten van de ladder zwaaide hij zijn benen over de rand van het dak. De wind probeerde hem achterover te duwen.

Niet naar beneden kijken.

Heel even dacht hij aan Cleo. Aan hun ongeboren kind. Aan het leven dat voor hen lag. En aan de mogelijkheid dat hij in de komende paar seconden misschien wel te pletter zou vallen. Was dit het waard?

Maar toen dacht hij terug aan hoe die jongen eruit had gezien, aan zijn armen opgehangen aan de sluisdeuren. Alles wat dat kind het leven zou kunnen redden, was de moeite waard.

Half klimmend, half glijdend ging hij zo snel mogelijk de ladder af. Steeds voor zich kijkend, nooit omlaag. Hij had zijn handschoenen nog aan, besefte hij, en die beschermden hem een paar seconden, totdat de ladder erdoorheen sneed en zijn handen brandde terwijl hij omlaaggleed.

Toen raakten zijn voeten de grond en viel hij achterover op zijn rug. Hij krabbelde overeind. Rechts zag hij het licht van de baggeraar *Arco Dee*, die gestaag langs het uiteinde van de elektriciteitscentrale voer. Hij zag de rode lampen die op de sluis verderop begonnen te knipperen.

Nee. Nee. Nee.

Grace rende naar het stalen hek en zag tot zijn frustratie dat hij hier vastzat. Binnenkomen was geen probleem geweest, dankzij de pallets, maar er weer uit komen was niet zo gemakkelijk. Hier had hij niets om tegenop te klimmen.

'Glenn!' schreeuwde hij, hoewel hij geen idee had waar zijn vriend momenteel was. 'Glenn!'

'Ik ben hier, chef!' schreeuwde hij terug van – tot Grace' immense opluchting – de andere kant van het hek.

'Help me hier uit!'

Even later hing Glenn over de bovenkant van het hek. Grace greep zijn sterke hand en werd omhooggehesen. Hij klauterde over het hek en op het zeildoek op de bovenste pallet. Terwijl hij op de grond sprong, kwam de voorkant van de baggeraar op gelijke hoogte met hem.

'Is er iemand bij de sluisdeur?' riep Grace.

Branson schudde zijn hoofd.

'Hij mag niet opengaan!'

Grace zette het op een lopen, met Branson naast hem. Onder het rennen hoorde Grace een kakofonie van politiesirenes naderen. Ze raceten over de kade en kwamen aan bij de ingang van de sluis. Rode lichten knipperden en er klonk een luide claxon. Terwijl Grace op het pad over de sluis stapte, voelde hij de constructie trillen. Hij bleef rennen terwijl de sluisdeur onder hem almaar heviger begon te beven. Toen kwam hij bij de kier tussen de deuren aan.

Ineens was de trilling weg. De deuren waren tot stilstand gekomen. Hij keek omlaag en zag de jongen daar beneden. De helikopter hing recht boven hem, en Tyler werd duidelijk verlicht als een soort groteske figuur aan een kruis, met woest kolkend water onder hem. Hij kon ieder moment in tweeën worden gescheurd.

'Hou die rotdeuren tegen!' schreeuwde Grace naar Branson, terwijl hij over de bovenkant van de deur klom. Hij zag één uiteinde van het touw, dat om een houten pen net onder de bovenrand was gebonden, en begon er als een dolle aan te trekken.

Beneden hem begon het water te schuimen. De deuren beefden en de opening ertussen werd centimeter voor centimeter groter.

Branson rende verder naar de andere kant, terwijl de deur steeds harder begon te beven. Hij dook over de metalen platen, duwde de poort open en rende naar de controlekamer. Toen voelde hij ineens dat er iets om zijn benen werd gewikkeld en sloeg hij met zijn gezicht tegen de grond.

Roy Grace trok nog eens aan het touw, dat met de seconde strakker ging staan. Boven het geronk van de helikopter, de wind en de regen en de claxon uit hoorde hij een gedempt gejammer. Ineens, een tel voordat de deuren nog verder opengingen, liet het touw los.

De jongen viel met een plons in het water en verdween op het moment dat de deuren opengingen en de ene kant verder openzwaaide en links uit het zicht verdween.

Grace dook in het donkere, kolkende, ijskoude water. Overal om hem heen stegen luchtbellen op. Het was tien keer zo koud als hij had verwacht. Hij kwam happend naar adem weer boven. Voor hem, torenhoog als een wolkenkrabber, zag hij de boeg van de baggeraar, nog maar een paar honderd meter verderop. Hij probeerde te zwemmen, maar de onderstroom trok hem weer omlaag. Toen hij weer bovenkwam had hij zijn mond vol met smerig, olieachtig water. Hij spuugde het uit en zwom, ondanks het gewicht van zijn kleding, uit alle macht naar de overkant van de sluis, waar hij een touw recht omlaag zag hangen van de deur naar het water.

Hij greep het en trok eraan zo hard hij kon, en na een paar tellen kwam er een dood gewicht omhoog. Hij wiegde het hoofd van de jongen in zijn armen en probeerde met zijn natte, glibberige handen de tape van zijn mond te trekken.

Ze gingen allebei kopje-onder, kwamen weer boven, en Grace hoestte en sputterde.

'Je bent veilig! Je bent veilig!' probeerde hij Tyler gerust te stellen.

Ze gingen weer onder.

En kwamen weer boven. De baggeraar scheen te zijn gestopt. Ze werden in een poel van licht van de helikopter gebaad. De jongen verzette zich in wilde paniek. Grace hield hem vast, trappend met zijn voeten om houvast te krijgen op het zeewier en tegelijkertijd de jongen boven te houden. Hij rilde. Hij greep een handvol zeewier, en het hield. Het hoofd van de jongen ging onder water. Hij trok hem weer omhoog en hield zich zo stevig mogelijk vast aan het zeewier, met een hand die bijna gevoelloos was van de kou.

Glenn Branson rolde om en zag een kleine man naar de deur van de controlekamer rennen. Hij krabbelde overeind, dook achter hem aan en greep hem vast net toen hij de deur open trok.

De man draaide zich om, stompte hem in zijn gezicht en rende weg over de steiger.

De verkeerde kant op, besefte Branson. Hij was versuft, maar niet zo erg dat hij niet helder kon nadenken. Hij strompelde achter hem aan, versperde de man de weg toen die weer probeerde langs hem heen te zigzaggen en dwong hem dicht naar de rand van de kade. De man probeerde met een schijnbeweging om hem heen te komen, maar Branson greep hem. De man wilde hem nog eens op zijn gezicht slaan. Branson, die in zijn tijd als uitsmijter bij een nachtclub een cursus zelfverdediging had gevolgd, ontdook de klap en zwaaide zijn been uit in een klassieke kickboxtrap, waardoor hij het been van de man gevoelloos maakte. Terwijl hij viel, stompte Branson de man nog in zijn linkernier. Hij had niet beseft dat ze zo dicht bij de rand van de kade waren. De man viel achterover, over de rand, en verdween onder het kolkende water.

De lichtbundel van de helikopter streek even over hem heen. De man was verdwenen.

Toen hoorde hij een stem schreeuwen: 'Hé! Hallo daar! Glenn! Waar ben je, verdomme? Haal ons hieruit! Schiet op! Het is ijskoud!'

112

Het was de eerste echt warme dag van het jaar en de thermometer in Brighton gaf vierentwintig graden aan. Het was druk op de stadsstranden en in de bars en cafés. Roy Grace en Cleo keerden naar huis terug na een korte wandeling met Humphrey, rekening houdend met de waarschuwing van de gynaecoloog dat Cleo zich niet te veel mocht inspannen.

Toen gingen ze op het dakterras van hun huis zitten, Grace met een glas rosé, Cleo met een vlierbessensapje en Humphrey met een kauwbot.

'En wat gebeurt er nu met Carly Chase? Je verdachte is waarschijnlijk verdronken in de haven van Shoreham en Tony Reveres moeder is dood, toch?'

'Ze duiken en dreggen in de haven. Maar het is daar behoorlijk troebel. Je ziet niets met onderwaterlampen, dus alles moet met sonar en op de tast gebeuren. En er zijn ook vrij sterke stromingen. Een lijk kan heel snel naar de zee afdrijven.'

'Ik dacht dat ze na een paar dagen vanzelf weer bovenkwamen?'

'Het duurt ongeveer een week voordat de gassen zich in het lichaam opbouwen. Maar als ze bovenkomen, zeg gedurende de nacht, en het tij en de wind staan de verkeerde kant op, dan drijven ze naar zee. Uiteindelijk zinken ze weer en worden ze kaalgevreten door vissen, krabben en kreeften.'

'En Tony Reveres vader?'

'Ik heb rechercheur Lanigan in New York gesproken. De kerel die ons problemen kan opleveren is de broer van zijn vrouw; de oom van de overleden jongen, Ricky Giordino. Nu zijn vader Sal de rest van zijn leven in de bak zit, lijkt het erop dat we die vent in de gaten moeten gaan houden. Lanigan denkt dat hij waarschijnlijk degene is die de moordenaar had ingehuurd. We blijven nog een tijdje doorgaan met de bescherming van Carly Chase en haar familie, maar persoonlijk denk ik dat de dreiging niet meer zo ernstig is.'

Cleo legde Roys hand op haar dikke buik en zei: 'Bobbeltje is druk vandaag.'

Hij voelde hun kind bewegen.

'Omdat je net chocolade-ijs hebt gegeten, zeker? Je zegt dat hij altijd druk wordt als je chocolade eet en dat hij waarschijnlijk een chocaholic zal worden.'

'Híj?' vroeg ze.

Grace grijnsde. 'Jij bent degene die steeds met die oudewijvenpraatjes komt dat het een jongen wordt als je baby hoog zit of je buik ver vooruitsteekt.'

Ze haalde haar schouders op. 'We kunnen er zo achterkomen.'

'Wil je dat?' vroeg hij.

'Nee. Jij? De vorige keer dat we het erover hadden zei je van niet.'

'Ik zal net zo veel van dat kind houden, of het nou een jongetje of een meisje is. Gewoon omdat het óns kind is.'

'Weet je dat zeker, Roy? Wil je niet liever een jongetje, zodat hij later een man van actie kan worden, zoals mijn held Roy Grace? De man met claustrofobie die in diepe tunnels afdaalt? De man met hoogtevrees die tegen elektriciteitscentrales op klimt? De waardeloze zwemmer die een haven in duikt en een jongen zijn leven redt?'

Grace haalde zijn schouders op. 'Ik ben politieman. In mijn werk kun je geen keuzes maken op basis van je eigen angsten. Als je dat doet, weet je dat je het verkeerde vak hebt gekozen.'

'Je bent er dol op, hè?'

'Ik was er niet zo blij mee om die ladder af te gaan naar die tunnel. En ik was doodsbenauwd toen ik op het dak van de centrale klom. Maar het komt in ieder geval goed met Tyler. En het gezicht van zijn moeder toen we met haar naar het ziekenhuis van Sussex gingen, waar hij werd nagekeken; dat was me wat. Daar doe ik het voor. Ik kan me geen enkele andere baan voorstellen waarin je echt zo veel verschil kunt maken.'

'Ik wel,' zei Cleo, en ze kuste hem op zijn voorhoofd. 'Het maakt niet uit wat voor werk je doet, jij zou altijd verschil maken. Zo ben je. Daarom hou ik van je.'

Hij keek haar schuins aan. 'O ja?'

'Ja.' Ze haalde haar schouders op en nam een slokje. 'Weet je, soms denk ik wel eens na over jou en Sandy.'

'In welk opzicht?'

'Je zei toch dat jullie een paar jaar lang hadden geprobeerd een kind te krijgen, maar dat het niet was gelukt?'

Hij knikte.

'Als het wel was gelukt, wat zou er dan zijn gebeurd? Zouden jij en ik... Je weet wel... Dan nu bij elkaar zijn?'

'Ik heb geen idee. Maar ik kan je één ding vertellen: ik ben blij dat we bij elkaar zijn. Je bent het beste wat me ooit is overkomen. Je bent mijn rots in de branding.'

'En jij bent de mijne.'

Ze kneep in zijn hand. ‘Mag ik je wat vragen? Noemde Sandy je ook wel eens haar rots in de branding?’

Roy Grace omhelsde haar. Na een paar minuten zei hij: ‘Weet je wat ze zeggen, over dat het verleden een ander land is?’

Cleo knikte.

‘Nou, laten we daar dan maar niet naartoe gaan.’

Hij kuste haar.

‘Goed idee,’ beaamde ze.

113

'Het is halfnegen 's morgens, woensdag 12 mei,' las Roy Grace voor uit zijn aantekeningen voor het team in Coördinatiecentrum 1. 'Dit is een update over Operatie Viool, om jullie op de hoogte te brengen van het laatste nieuws betreffende de onbekende verdachte, die wordt vermist en vermoedelijk is verdronken. Dit is het begin van de vijfde dag van de zoektocht in de haven van Shoreham door het bergingsteam. Eén ontwikkeling gisteren was de berging van een Toyota Yaris uit negen meter water in Aldrington Basin, dicht bij de plek waar Ewan Preece in de witte bestelwagen werd gevonden. Het voertuig is voorzien van de laatst bekende kentekenplaten van de verdachte en wordt momenteel aan een intensief forensisch onderzoek onderworpen.'

Duncan Crocker stak zijn hand op. 'Chef, we hebben niets meer van de Ford-gevangenis gehoord over de dood van Warren Tulley. Is er bij dat onderzoek nog iets aan het licht gekomen dat een aanwijzing kan geven over onze verdachte?'

Grace wendde zich tot Potting. 'Norman, heb je iets voor ons?'

'Ik heb vanmiddag met Lisa Setterington bij de gevangenis gesproken, en met het team van de afdeling Zware Criminaliteit van het West Area, die onderzoek doen. Ze bereiden een aanklacht voor tegen hun oorspronkelijke verdachte, Tulleys medegedetineerde Lee Rogan.'

Grace bedankte hem en ging verder. 'We blijven voorlopig bescherming bieden aan Carly Chase en haar familie. Ik wacht op inlichtingen uit de VS om te bepalen hoelang we daarmee door moeten gaan en in welke vorm.'

Die inlichtingen kwamen sneller dan Grace had verwacht. Terwijl hij de briefing verliet, piepte zijn telefoon ten teken dat hij een oproep had gemist en er een voicemail was. Hij was van rechercheur Lanigan.

Zodra hij in zijn kantoor zat, belde Grace hem terug, wetend dat het midden in de nacht was in New York.

Lanigan, die zoals altijd klonk alsof hij sprak met een mondvol knikkers, nam meteen op, alsof hij klaarwakker was.

'Er is hier iets vreemds gebeurd, Roy,' zei hij. 'Misschien is het van belang voor jou.'

'Wat is er gebeurd?'

'Nou, ik zal er geen traan om laten, weet je. Fernanda Reveres broer, Ricky Giordino, de zoon van Sal Giordino, weet je nog?'

'De maffiabaas die een paar keer levenslang uitzit?'

'Die, ja. Nou, ik geloof dat ik je verteld had over ons vermoeden dat Ricky de opdrachtgever was van die kerel die al jullie problemen heeft veroorzaakt...'

'Ja, dat klopt.'

'Nou, ik vond dat je moest weten dat Ricky Giordino een paar uur geleden dood is gevonden in zijn appartement. Behoorlijk nare toestand. Riekt naar een afrekening. Je weet wel, een wraakactie van de wise guys. Hij was aan zijn bed gebonden en zijn pik was eraf gesneden; het lijkt erop dat hij daardoor is doodgebloed. Het ding zat in zijn mond gepropt en werd op zijn plek gehouden met klustape. En het lijkt erop dat de dader ook zijn ballen heeft afgesneden en die heeft meegenomen.'

'Voor of nadat hij dood was?' vroeg Grace.

Lanigan lachte. 'Nou, zo'n kerel zou ik het beste toewensen, als je snapt wat ik bedoel.'

'Zeker weten!'

'Dus laten we hopen dat het vóór zijn dood was. O, en nog iets, waardoor ik dacht dat je belangstelling zou hebben. De dader heeft een videocamera op de plaats delict achtergelaten.'

114

Yossarian lag op zijn gebruikelijke plek in de schaduw te dommelen, uit de middagzon, net binnen de altijd openstaande schuifdeuren naar het terras. Eenmaal per dag kwam de vrouw die hem eten gaf en schoon water in zijn bak deed. Dan at hij zijn eten op, dronk een beetje water en dommelde weer verder.

Hij miste zijn compagnon. Miste het hardlopen door de heuvels en de dagen op de boot, waarbij hij eindeloze hoeveelheden verse vis te eten kreeg.

Maar vandaag voelde anders.

Er hing iets in de lucht. Hij was opgewonden. Elke keer als hij wakker was, liep hij in zijn huis rond, ging even het warme zonlicht buiten in en dan weer terug naar de schaduw.

Hij dommelde net weer in toen hij de voordeur hoorde.

Het was een ander geluid dan de vrouw maakte. Dit was een geluid dat hij herkende. Hij begon te kwispelen. Toen sprong hij op en rende opgewonden blaffend naar de deur.

Zijn compagnon was thuis.

Zijn compagnon aaide hem en maakte wat aardige geluiden.

'Hé, jochie, fijn om je te zien. Hoe gaat het?'

Zijn compagnon zette zijn tas neer, maakte hem open en haalde er een plastic zakje uit. Hij liep naar de lege etensbak op de vloer, in de schaduw bij de schuifdeuren.

'Ik heb wat lekkers voor je!' zei hij. 'Een speciale delicatesse, helemaal uit New York. Wat dacht je daarvan?'

Yossarian keek zijn compagnon verwachtingsvol aan. Toen keek hij naar zijn bak. Er vielen met een zacht *plof, plof* twee kleine ovale dingen in. Hij schrokte ze naar binnen en keek zijn compagnon weer aan, vragend om meer.

Tooth schudde zijn hoofd. Hij deed niet aan kwantiteit.

Hij deed aan kwaliteit.

115

Het kantoortje van jachtclub Rheindelta was een withouten gebouwtje aan de oever van de enorme Bodensee. Ze hadden een week vakantie, en het leek haar leuk om samen een zeilcursus te volgen op een jol. Hij was heel enthousiast geweest toen ze het idee had geopperd.

De fit ogende jonge Duitse manager achter de balie was vriendelijk en hulpvaardig. 'Hebt u een beetje ervaring met zeilen?'

Ze knikte. 'Ja, mijn... mijn ex-man was er dol op. We zeilden wel eens in Engeland, aan de zuidkust in de buurt van Brighton. En we zijn een keer op zeilvakantie geweest met een flottielje van kleine jachten in Griekenland.'

'Mooi.' Hij glimlachte en begon een formulier op een clipboard in te vullen. 'Nou, eerst de jongeman. Hoe oud is hij?'

'Hij wordt tien.'

'En wanneer is dat?'

'Maart volgend jaar.'

De Duitse manager glimlachte naar de jongen. 'En heb je misschien ook de zeilgenen van je vader?'

'O, hij heeft een heleboel genen van zijn vader, of niet?' zei ze, kijkend naar haar zoon.

Die haalde zijn schouders op. 'Misschien. Ik weet het niet. Ik heb hem nooit ontmoet.'

De glimlach op het gezicht van de manager maakte even plaats voor een frons, maar toen zei hij: 'Oké. Mag ik dan de volledige naam van de jongeman, alstublieft?'

Ze schreef *Bruno Lohmann* op en gaf het formulier terug.

'Sorry, maar ik heb zijn volledige naam nodig. Heeft Bruno misschien nog een tweede naam?'

Sandy glimlachte verontschuldigend. 'Ja, sorry.'

Ze draaide het formulier weer om en in het vakje in het midden schreef ze: *Roy*.

Dankwoord

Ik doe in elk boek weer mijn best om alle feiten kloppend te maken. De meeste plekken die worden genoemd, bestaan echt, maar af en toe moest ik een fictieve straatnaam of huisnummer gebruiken. Het schitterende huis in de Hamptons bestaat ook echt, en er is inderdaad een bowlingbaan in de kelder! Maar ik moet wel zeggen dat het niet het eigendom is van een criminele familie, maar van de ontzettend aardige Jack en June Rivkin, die me vriendelijk toestemming hebben gegeven om het model te laten staan voor het huis van de Reveres in mijn verhaal.

Ik ben enorm veel dank verschuldigd aan heel veel mensen die zo aardig en geduldig waren om mijn eindeloze vragen te beantwoorden en me zo veel van hun tijd te schenken. Bovenal sta ik diep in het krijt bij de politie van Sussex. Mijn eerste dankjewel gaat naar de korpschef, Martin Richards, QPM, en niet alleen om zijn toestemming, maar om de zeer actieve belangstelling die hij aan de dag heeft gelegd voor mijn Roy Grace-boeken en de talloze hulpvaardige opmerkingen en suggesties die hij heeft gedaan.

Roy Grace is geïnspireerd op een bestaand persoon, ex-commissaris David Gaylor van de recherche van Sussex, mijn goede vriend en onvermoeibare bron van wijsheid, die me ook helpt te zorgen dat Roy Grace denkt zoals een scherpe rechercheur denkt en om mijn boeken op vele manieren vorm te geven.

Hoofdinspecteur Graham Bartlett, commandant van de politie van Brighton & Hove, heeft ook enorm geholpen bij dit boek, en hij nam zelfs mijn telefoontjes aan en reageerde met geweldige creatieve suggesties terwijl hij in training was voor de marathon van Brighton! Hoofdinspecteur Steve Curry en inspecteur Jason Tingley zijn ook allebei op heel veel manieren hulpvaardig geweest. Dat geldt eveneens voor inspecteur Andy Griffiths; rechercheur Nick Sloan; rechercheur Trevor Bowles; stafofficier Tony Case; inspecteur Gary Medland van de politie van Gatwick; inspecteur William Warner; adjudant Phil Taylor; Ray Packham en Dave Reed van Digitale Expertise; inspecteur James Biggs; adjudant Mel Doyle; adjudant Paul Wood; agent Tony Omotoso; agent Ian Upperton en agent Dan Pattenden van de verkeerspolitie; adjudant Lorna Dennison-Wilkins en het team van de bergingseenheid – vooral Critch, voor zijn fantastische broodjes bacon! – Chris Heaver; Martin Bloomfield; Sue

Heard, pers- en PR-officier; en Neil (Nobby) Hall, voormalig assistent-commissaris van politie op de Turks- en Caicoseilanden.

Uitzonderlijke dank aan Colin O'Neill van de dienst verkeersongevallen voor zijn grote hulp bij de details van het tragische ongeval in het verhaal.

Heel speciale dank gaat ook uit naar de politie van New York, naar rechercheur Patrick Lanigan van de speciale recherche-eenheid van de officier van justitie en naar gepensioneerd rechercheur Dennis Bootle, voor hun uitzonderlijke hulp en grootmoedigheid.

Een reusachtig en heel speciaal dankjewel aan Ashley Carter omdat hij het rolmodel was voor Tyler Chase, en omdat hij me zo enthousiast hielp bij zo veel aspecten van zijn personage, en aan zijn moeder, Helene, omdat ze me bij hen thuis liet rondhangen.

Zoals altijd ben ik grote dank verschuldigd aan Sean Didcott bij het mortuarium van Brighton & Hove. En ook aan dokter Nigel Kirkham, consultant-patholoog in Newcastle; manager plaats delict Tracy Stocker en officier plaats delict James Gartrell; vingerafdrukanalist Sam Kennor; forensisch archeoloog Lucy Sibun en forensisch patholoog dokter Benjamin Swift; Michele Websdale van de Britse douane; Sharon Williams, directeur van de Ford-gevangenis; en onderdirecteuren Lisa Setterington en Jackie Jefcut. Tevens dank aan mijn geweldige researchers Tracey Connolly en Tara Lester, en aan Nicky Mitchell, en Sian en Richard Laurie omdat ze me kennis hebben laten maken met de wereld van de zwangerschap.

Dank ook aan Juliet Smith, hoofdrechter van Brighton & Hove; Michael Beard, redacteur van de *Argus*; kapitein Wayne Schofield; Judith Richards en de staf op de St Christopher's School; Dave Phillips en Vicky Seal van de ambulancedienst South East Coast; consultantverloskundige Des Holden; Les Jones; Rob Kempson; Sheila Catt bij het reclasseringsbureau van het district Brighton; Mar Dixon; Danielle Newson; Hans Jürgen Stockerl; Sam Brennan; Mark Tuckwell; en David Crouch van Press Office Toyota (GB) plc.

De haven van Shoreham, een van mijn favoriete plekken in de stad, speelt een grote rol in dit boek, en ik ben ontzettend dankbaar aan directeur Rodney Lunn, hoofdingenieur Tony Parker en assistent-hoofdingenieur Keith Wadey. Als iemand die net als Roy Grace hoogtevrees en claustrofobie heeft, ben ik ook dank verschuldigd aan David Seel, James Seel en Barry Wade van Rescue and Emergency Medical Services omdat ze me helemaal omlaag hebben gekregen naar de steile zestig meter diepte van de tunnel onder de haven, en aan Keith Carter en Colin Dobson van Scottish Power omdat ze me zo'n geweldige rondleiding en zoveel informatie hebben gegeven over de elektriciteitscentrale van Shoreham.

Dank zoals altijd aan Chris Webb van MacService, die een engelengeduld heeft en er altijd voor zorgt dat mijn Mac weet wie de baas is...

Heel speciale dank aan Anna-Lisa Lindeblad, die wederom mijn onvermoeibare en geweldige 'officieuze' redacteur is geweest in de hele reeks van Roy Grace; aan Martin en Jane Diplock, scherpzinnige nieuwe leden van dit team; en aan Sue Ansell, die me met haar scherpe oog voor detail vele blunders heeft bespaard.

Op werkgebied moet ik mijn droomteam bij de uitgeverij bedanken: de geweldige Carole Blake die me vertegenwoordigt; mijn ontzagwekkende publiciteitsagenten Tony Mulliken, Sophie Ransom en Claire Richman van Midas PR; en er is gewoon niet genoeg ruimte voor een fatsoenlijk dankjewel aan iedereen bij Macmillan, maar ik moet mijn superster van een uitgeverijdirecteur noemen, Wayne Brookes, en redacteur Susan Opie. En eindeloos veel dank aan mijn geweldige personal assistant, Linda Buckley.

Helen is zoals altijd een onvermoeibare steun en toeverlaat geweest, en mijn hondenvrienden zorgen er nog steeds voor dat ik niet gek word. De altijd opgewekte Coco, de mooie Phoebe en de relaxte Oscar laten me nooit te veel uren maken voordat ze me eraan herinneren dat het weer eens tijd wordt voor een blokje om...

Ten laatste, dank aan jullie, mijn lezers, voor de geweldig enthousiaste steun die jullie me geven. Blijf maar komen met die e-mails, tweets en blogs!

Peter James
Sussex, Engeland
scary_pavilion.co.uk
www.peterjames.com
Vind en volg mij op
http://twitter.com/peterjamesuk